JOSÉ LUIS VILLACAÑAS BERLANGA

HISTORIA DEL PODER POLÍTICO EN ESPAÑA

Sin notas pero con brío. Hay que saber Historia para poder seguirlo.

RBA

Avda. Diagonal, 189 - 08018 Barcelona.
rbalibros.com

Primera edición: mayo de 2014.
Primera edición en esta colección: abril de 2015.
Tercera edición: octubre de 2017. .

REF.: ONFI785
ISBN: 978-84-9056-524-7
DEPÓSITO LEGAL: B. 5.960-2015

Impreso en España - *Printed in Spain*

CONTENIDO

Prólogo 13

PRIMERA PARTE
EL ORDEN DE LOS ESPACIOS HISPANOS
(450-1350)

1. VISIGODOS: TABÚ Y DESTINO 25
La sombra de Recaredo 25
Las realizaciones de los godos: conspiración continua 28
El último siglo de los godos 31
Covadonga 35
Rebeliones fiscales 40

2. LA CONSOLIDACIÓN ISLÁMICA 43
Un emigrante 43
La centralidad de Pamplona 48
Símbolos en Asturias 49
El rey del desierto 52
Una ciudad en medio del camino 55
El rey de las ciudades 57
Miedo reverencial 60
La carrera del león 63

3. EL TAJO 67
Una sociedad primaria 67
Tierra de caudillos 68
El poder dominante: Navarra 71
Por fin, un rey rico 73
Una revolución cultural 76

4. DEL EBRO AL GUADIANA 82
El caos es el señor 82
Caballería cristiana en Aragón 84
Ceremonias regias en León 87
Algo más que un conde en Cataluña 93
Vínculos imperiales 100
La batalla de Úbeda: ganar Despeñaperros 104

5. EL GUADALQUIVIR 108
Irrumpe el carisma del rey 108
Hacer las cuentas en Sevilla 112
¿Primeras Cortes castellanas? 114
Reyes malditos 118
Destronado 126

6. TURIA, JÚCAR 129
¡Ay del reino cuyo rey es un niño! 129
Ordenar un reino de ciudades 132
Constituir un reino 135
El carisma del rey Jaime 138
La voz del difunto 141

7. EL RÍO SEGURA Y EL RÍO SALADO 144
Conflictos constituyentes en Aragón 144
Mirar desde Castilla 149
De nuevo el río Segura 152
El eterno retorno del caos 155
Disciplinar a los hidalgos 158
El río Salado 163

SEGUNDA PARTE
GUERRAS CIVILES Y PRÍNCIPES NUEVOS
(1350-1808)

1. TRASTÁMARAS EN CASTILLA 171
Repliegue 171

Gobernación en Aragón 175
Juristas y reyes 177
La guerra civil 183

2. TRASTÁMARAS EN ARAGÓN 189
Erosión del constitucionalismo clásico 189
Príncipes nuevos, realidades viejas 194
Testigos preclaros 198
El terrible año de 1391 200
El hombre de Caspe 202

3. EL POGROMO DE 1449 210
Ansia de gloria, afán de riqueza 210
El valido perfecto 215
Conversos 220
Cuerpo místico 224
La Biga y la Busca 226

4. ÉLITES EN TIEMPOS DE LOS REYES CATÓLICOS 229
Mesianismo regio 229
La traición 231
Expulsar y colonizar 236
Puñales 239
Desolación 242

5. CARLOS, EL BORGOÑÓN 244
Persiguiendo a Cisneros 244
Comunidades y germanías 248
Reconciliación 251
La gran dualidad 254
Otra élite: la religión de Carlos 260

6. LA DECADENCIA DE LA ESPAÑA IMPERIAL 266
Los hombres de Felipe II 266
¿«Gran estrategia»? 272
Pulsión de repetición 277
El gobierno de Lerma 282

Un testigo 287
Un visionario y una expulsión 290

7. LA GRAN HORA DE LOS GUZMÁN 294
Golpe de Estado y cambio de régimen 294
El nuevo hombre 299
Olivares y las reformas 303
Política internacional 309
Imposible Leviatán 314

8. FELIPE V: GUERRAS, TRAUMAS, CONTINUIDADES 324
Se prepara la guerra de Sucesión 324
Tierra y mar: la lógica de la guerra 330
Traumas: Nueva Planta en Valencia y en Aragón 334
Reformas en Madrid 341
La derrota 345
Nueva Planta en Cataluña 350

9. LA SEGUNDA MITAD DEL SIGLO XVIII: DEL MOTÍN A LA REVOLUCIÓN 354
Caja única 354
Ciudades y nobles 358
Breve aceleración 362
El motín de Esquilache y la práctica de la verdad 367
La reforma pausada 376
La crisis de Carlos IV 382

TERCERA PARTE
CONSTITUCIONES (1808-1978)

1. CÁDIZ 387
Mito y realidad 387
El contexto de las Cortes de Cádiz 388
¿Quién es el soberano? 394
La Junta Central 399
Cortes constituyentes gubernativas 409

2. JUNTAS Y CARLISMO 416
La forja de un anhelo 416
Génesis del carlismo 425
Revolución pasiva 430
La cuestión provincial y local 437

3. LA «GLORIOSA» 442
Dictadura 442
Republicanos 445
Moderados 449
Apocalipsis 452
La República sobrevenida 456

4. LA OBRA CONSTITUCIONAL DE CÁNOVAS 467
Cánovas se escribe a sí mismo 467
Dictadura de Cánovas 470
Proyecto constitucional 473
Constitución positiva 481
Dictadura monárquica 485
Intelectuales y desafección popular 490

5. LA CONSTITUCIÓN DE LA REPÚBLICA 501
Error de cálculo 501
La respuesta democrática 506
Gobierno provisional soberano 512
Constitución 517
La República a la defensiva 523
La República a la deriva 529
Valoración final 534

6. FRANQUISMO 538
Dictadura soberana 538
Lo previsto y lo imprevisto en el franquismo 541
Rizoma y poder franquista: la Falange 545
Segunda etapa: hacia la nueva época 549
Tercera etapa del franquismo 558
Valoraciones finales 565

7. SEGUNDA RESTAURACIÓN 570
Un proceso suficientemente planificado 570
El proceso real 577
Gobierno provisional del rey 586
La debilidad básica de la Constitución de 1978 592
Bipartidismo imperfecto 598

Índice onomástico 607

PRÓLOGO

Tiene el lector en sus manos una historia de la clase dirigente en España. Como no hay dirigentes sin dirigidos, este libro ofrece la historia de las relaciones entre los que mandan y los que obedecen en tierras hispanas. Por eso es también una historia del poder político en España.

La historia del poder no es ni gloriosa ni inútil. Es parte del conocimiento de la realidad y, en tanto tal, no obedece al principio de placer, que dice solo lo que uno quiere oír, ni al narcisismo, que refleja solo cómo uno quiere ser visto. La historia del poder, en realidad, no está al servicio de nada. No tiene otra causa que el conocimiento. Desde luego, todo el mundo está inserto en relaciones de poder, pero la manera en que el conocimiento de su historia sirva a la vida social ya no le interesa a este libro. Aquí cada uno ejerce su libertad. En este sentido, solo recordaré que la ignorancia nunca fue útil a nadie para nada.

Puesto que el poder nunca se da en equilibrio, sino que se ejerce o se padece en mayor o menor medida, conocer su historia constituye un elemento imprescindible para manejar nuestra actitud respecto al mando y la obediencia. Así, solo un ciudadano que conozca esa historia podrá disponer de actitudes políticas fundadas. La historia del poder, por ello, es un elemento insustituible de responsabilidad política. Lo imperdonable en ella es fomentar las ilusiones y las mitologías. Por eso, toda historia del poder al servicio de una idea sentimental de «nación» es completamente estéril. En realidad, es más bien imposible y solo goza de esa realidad alucinatoria propia de la ilusión. No goza de nada concreto, de nada singular, de nada real. Retórica vacía, la llamada «historia nacional» es un producto imaginario.

Como parte de la realidad, el poder nunca reside en el pasado. Por eso, una historia del poder es siempre, en algún sentido, historia del presente. Lo que el pasado del poder deja al presente es algo tan imponente que resulta difícil apreciarlo. Conforma los ojos con los que el poder desea ser mirado. Lo que une a los portadores de una historia del poder es ante todo un deseo de ser vistos de manera positiva por los gobernados. Hay que resistir ante este deseo del poder. Por eso aquí no aparecerán los actores políticos españoles como ellos desearían o como han reclamado en una larga historia. Lo harán sin que nuestro ojo esté determinado por su presión, por su voluntad, por su deseo, por su manipulación. No nos creeremos su propia propaganda engañosa. Todas esas operaciones del poder buscan ante todo la identificación del impotente con el poderoso. Esta historia promueve la no identificación. Aquí se va a hablar de acciones de hombres concretos que habitaron las tierras hispánicas, pero el autor lo hará como si fuera un esquimal. No aparecerá aquí —salvo confusión— la palabra «nosotros». Tras esa palabra siempre se esconden los que no forman parte de esa realidad común que invocan, los que se quieren ocultar tras ella. Este libro quiere ver tras ese «nosotros» las luchas entre varios «ellos».

El conocimiento histórico alberga una paradoja. La única manera de resistirse a ver el poder como él quiere ser percibido consiste en reconocer a aquellos testigos contemporáneos que estaban en su contra. El único modo de hacer una historia del poder pasa por reconstruir las luchas históricas en las que el poder se implicó. Esto nos lleva a una premisa que atraviesa este libro: hay historia del poder porque este nunca es único, sino plural. No hay otra forma de conocer el poder sino la que describe la manera en que los poderes plurales luchan en la historia. Y no hay otro modo de describir esas luchas más que dando voz a todas las partes. Y eso hace precisamente este libro: narrar las luchas de diversos «ellos» entre sí. En lugar de contar la historia del poder constituido, vencedor, cuenta la historia de los poderes que buscan una forma de constituirse, las luchas previas al instante de la victoria. No se mira cómo quiere ser mirado el que ha ganado la batalla, sino cómo se ven los actores en medio de la lucha antes de decidirse el vencedor. No como si el resultado estuviera prefijado de antemano en un destino, sino atendiendo justo a esos momentos en que todo pudo ser diferente, cuando la lucha no estaba decidida todavía. Pero hubo lucha, y hubo victoria, y hubo forma de decidirla y de gestionarla, y ahí el poder forjó sus antecedentes, sus hábitos, su estilo, su manera de gobernar, su forma de conocer la realidad y de tratar al vencido; en suma, su forma de administrar la historia y, lo más misterioso, el tiempo.

Ahí, en la pluralidad de los poderes, surge la lucha. En medio de ella, las idealizaciones y las imaginaciones mitológicas constituyen un arma más, una que también define a los actores, que los conforma según sea su complejidad, sutileza, eficacia o arcaísmo cultural. En todo caso, en esas luchas se muestran las prácticas, las mentalidades, las estrategias, los hábitos, las formas de vencer y de mandar, las debilidades, las inseguridades, las ansiedades, las formas de manejarlas y superarlas, las maneras de hacer equipos, de cooperar y de negociar, toda la amplia gama de actitudes que intentan controlar la realidad del poder, inasible, inestable, insegura por naturaleza. Ahí se forjan el estilo de poder, su capacidad integradora o desintegradora, su estabilidad o su fragilidad, su fortaleza o su debilidad. Ahí, en las luchas, los imaginarios se estrellan frente a las acciones, y los testigos siguen hablando a pesar de sus derrotas.

Este libro ofrece una historia del estilo de poder, de las prácticas concretas, de las batallas políticas centrales y determinantes de las plurales clases dirigentes hispánicas y la condición ambivalente y frágil de toda victoria. Si algo caracteriza la historia política hispana es esa pluralidad siempre a la búsqueda de nuevos equilibrios. Hay una obstinación por la pluralidad política en la tierra hispánica que debe apreciarse. Por eso, esta no es una historia solo de los centros de poder. Una historia de las prácticas y los estilos de poder no puede hacerse sin el contrapunto de las prácticas de las poblaciones concretas obedientes, la manera en que los grupos sociales miran a los que toman las decisiones, la forma en que se protegen, se defienden, resisten, se someten, se esconden o huyen de ellos, pactan o se unen, estallan o se hunden en los letargos de las depresiones históricas. Por eso, esta es una historia de lucha y guerra, de derrotas y victorias, de amistad y hostilidad, de pactos y rupturas. En este sentido es un libro que narra pasiones, aspiraciones, decepciones, intereses, tabúes. El conjunto de estos elementos subjetivos constituyen ese estilo político complejo que se busca describir y del que este libro ofrece abundantes ejemplos.

Si se quiere señalar una tesis que orienta este libro, que lo ordena, que define la mirada desde la que se escribe y que, por lo tanto, supone el lugar desde donde leerse, la diré con prontitud. Está inspirada en una obra que escribió Helmuth Plessner, científico, antropólogo y filósofo alemán que deseaba explicarse la tragedia del nazismo. Tituló su libro sobre Alemania *La nación tardía*. Pues bien, frente a todo lo que dice el prejuicio, España es una nación tardía. Pero frente a Alemania, es la que más se resiste a aprender de su propia condición de nación tardía, la que menos dispuesta se halla para extraer consecuencias de su carácter tardío, presa de un imaginario que niega este hecho. Frente a Alemania, país que ha superado la tragedia más tremenda que haya vivido pueblo alguno sobre la faz de la tierra, España no acaba de superar su tragedia porque no termina de comprender que es la propia de una nación tardía, que llega muy tarde a la fase constituyente y que, por este motivo, debe abordar este proceso con una sabiduría política extrema y adecuada. Si se quiere un síntoma de nación tardía, helo aquí: la desconfianza respecto del propio pueblo, una que presenta la clase política española a lo largo de toda su historia, lastrando su sentido de la democracia. Este libro ofrece pruebas continuas de ello.

El lector tiene derecho a disponer de una información sumaria sobre el contenido de este libro, puesto que no se embarca en una empresa liviana. Espero ofrecérsela en unos párrafos. Como sabe la filosofía desde hace tiempo, el ser humano es una realidad inestable y difícil de apresar. Aunque todo ser humano tiene la posibilidad de verse a sí mismo, no siempre tiene la capacidad de ser objetivo consigo mismo. Cuando se trata de grupos, todavía se hace más difícil dar con ese elemento que vincula y conforma a los actores. Desde el filósofo Immanuel Kant se sabe que lo más influyente en la formación del ser humano es el espacio. Por eso no debe sorprender que la primera parte del libro explique la formación del orden de los espacios hispanos a partir de la vieja organización romana. No fue fácil estabilizar ese orden espacial ni se comprende su lógica si no se conoce desde el principio. Por eso esta obra arranca de la lucha de las ciudades y grandes villas hispanorromanas frente a los nómadas visigodos y lo que significó la irrupción del islam en este mundo inestable.

Sin duda, el islam es un principio civilizatorio urbano. Pero llevó a cabo una transformación del imaginario de la ciudad como isla en medio de desiertos, punto distante unido por los caminos de las caravanas. El islam arruinó en parte la estructura de las grandes villas romanas, y allí donde gozó de un tiempo evolutivo largo generó una estructura de alquerías, lejana de las *villae* y los *pagui* romanos, que tejió una relación armoniosa entre el campo y el distrito urbano. Sin embargo, al norte de la frontera andalusí desde Mérida hasta Toledo, desde Zaragoza hasta Huesca y Lleida, el islam intensificó el sentido del desierto sin ciudades. Así, dejó a los cristianos norteños los espacios regresivos de las cuevas, los altos, los roquedales, los castillos, los *castra*, los burgos, pero no las ciudades. De hecho, únicamente dos ciudades, Pamplona y Barcelona, estaban en poder cristiano hacia el siglo IX. La impronta de este espacio regresivo es inmensa. Las cuevas y sus derivados constituyen el lugar más arcaico, el espacio mítico por excelencia. No es por azar que una metafórica constante para describir cierto estilo del poder hispano utilice términos como la «camarilla», la «covachuela», el «búnker», y que se hable de «enrocarse», «encastillarse», «encerrarse», «apiñarse», o que el orden castrense sea tan dominante.

Este libro desea explicar la debilidad estructural del poder musulmán en al-Ándalus y propone el sistema de taifas como la revelación del verdadero orden urbano desde la conquista pactada del año 711. También explica desde cuándo el incipiente orden cristiano aspiró a la toma de tierras, pues no fue desde el principio. Implicó una mayor relación con los francos y la introducción del catolicismo romano, con su institución de cruzada. No se entenderá la historia de España sin reparar en aquel trauma por el cual el pueblo mozárabe perdió su religiosidad específica a favor de la franca, en paralelo a como la cultura andalusí desapareció ante la irrupción bereber. Por eso se concede tanta importancia a ese momento de indecisión entre los años 1085 y 1135, entre la toma de Toledo por Alfonso VI y la coronación imperial de Alfonso VII, respectivamente; un tiempo en el que lo viejo mozárabe muere ante lo nuevo borgoñón, y Roma se impone sobre lo que consideraba la superstición toledana.

Desde el comienzo, el esquema más influyente para la formación del orden espacial de los poderes hispanos cristianos fueron los ríos. Por eso muchos capítulos de esta primera parte llevan los nombres de los cursos fluviales y de las luchas por ellos. En efecto, cada río, con su tierra, marcó una frontera y definió un tipo de batalla, generó una forma de población, de sociedad, de orden, de relaciones campo-ciudad, de economía y de estructura urbana. Ahí reside el origen de la heterogeneidad hispana, los estratos de su formación. Los ríos peninsulares fueron los ejes de las batallas, las líneas que organizaron la expansión cristiana. La batalla decisiva, la más larga, desde el año 800 hasta el 1035, se dio sobre todo por ese cruce de las fuentes del Duero y del Ebro desde donde alcanzar la ruta hacia Francia a través del Bidasoa. El espacio franco domina desde fuera la construccion del espacio hispano y prioriza los ejes de comunicación. Esa batalla por las fuentes del Duero y del Ebro hizo a Castilla y a Aragón. El río Llobregat, por su parte, fue desde principios del siglo IX la frontera de la Marca Hispánica y definió el destino de la Cataluña vieja, su vínculo con las realidades francas y provenzales. El occidente hispano al norte del Duero se entregó a una vida histórica ordenada por el Camino de Santiago. Fue la ósmosis con Europa que transpiró por allí, debido a la fuerte defensa de la línea de ciudades musulmanas al norte del Ebro, señal inequívoca de que los enemigos eran los francos.

De forma muy curiosa, la línea del Tajo se tomó antes que la del Ebro, un reflejo de que entre el Duero y Toledo, el ámbito de los dos ríos castellanos, no había realidades importantes. Pero Toledo, y la línea del Tajo, estuvo amenazada siglo y medio, y su defensa determinó el espacio urbano castellano de retaguardia tanto como el espacio defensivo antes del Guadiana, la tierra de los castillos y las órdenes de caballería, de los rebaños y de la ganadería, tierra de nuevo sin ciudades. El orden definitivo no se logró hasta alcanzar la línea de ciudades del Guadalquivir, tras ganar Despeñaperros, el paso entre la Meseta y el sur, y llegar al río Segura, después de ganar el Turia, desde Teruel hasta Valencia, y el Júcar, desde Cuenca hasta Alcira. Aquí, la formación colonial de Castilla y de Aragón dejó toda su impronta diferente y constituyó las dos realidades sin cuyas relaciones de poder no se puede entender lo tardío y frágil de la formación nacional hispana. En todo caso, solo cuando se llegó en el año 1340 al mismo cauce en el que se había iniciado todo, al río Salado, cerca del Guadalete, se supo que el orden musulmán estaba vencido. Entonces, las realidades políticas fruto de la expansión se comprendieron como unidades. Pero al verse como unidades, dejaron de percibirse como expansivas. Entonces estallaron los conflictos internos y externos.

Narrar estos conflictos es lo que hace la segunda parte de este libro, titulada «Guerras civiles y príncipes nuevos» porque la fragilidad del orden político logrado se vio en la constancia de la guerra civil. Esta llevó a frecuentes cambios de dinastía que impidieron una formación endógena del orden hispano, una evolución no traumática, y bloquearon la emergencia del orden de la soberanía moderna, hasta entonces firme. La guerra civil produce fragilidad y dependencia porque, para decidirse, hace entrar a nuevos agentes en la lucha. Así, la guerra civil castellana entre Pedro I y los bastardos Trastámara implicó a la Corona de Aragón, con Pedro IV, y cuando no bastó este peso, se implicó a Inglaterra y a Francia. Fue así como las élites políticas de la Corona de Aragón, dirigidas por la casa de Barcelona, se mezclaron en el destino de las élites de Castilla, de tal modo que conformaron un cosmos sistémico unido por el conflicto y el enfrentamiento de pueblos. Al final, la constelación internacional dominó sobre la evolución endógena y decidió en las ocasiones importantes de guerra civil. Lo hizo en 1412, con el Compromiso de Caspe; en 1506 y en 1517, con la guerra de los partidarios de Felipe I contra Fernando II, y luego con Carlos V, con las comunidades y las germanías; en 1640, con Cataluña y Portugal; y en 1700, con Felipe V y la guerra de Sucesión. En todas las ocasiones, la guerra civil con implicaciones internacionales decidió el destino del orden político hispano. Y lo haría de nuevo en 1808. Esta dependencia de las relaciones internacionales, con su dimensión imperial, impidió que la monarquía hispánica asumiera ese proceso interior por el que otros pueblos europeos se elevaron a la forma de Estado, la única potencia verdadera capaz de transformar las viejas naciones plurales en la nación moderna. Ese proceso de singularización no tuvo lugar en España de forma rotunda. El dispositivo imperial permitió así una intensa supervivencia de la ancestral pluralidad nacional.

Sin embargo, en 1808 ocurrió algo que no había sucedido en 1705, y por eso aquí comienza la tercera parte de este libro. Contra Napoleón emergieron las realidades existenciales hispánicas largamente conformadas. En esa lucha apareció una nación existencial. Sin embargo, no surgió un verdadero poder constituyente. Cádiz no lo fue. Toda la historia contemporánea del poder en España, y de su clase dirigente, consiste en una lucha intensa y consciente por decidir un poder constituyente y alcanzar una Constitución. A este ensayo continuo, frágil, propio de nación tardía, indeciso, dudoso, temeroso de la *ratio* democrática, a este proceso lo he llamado «revolución pasiva», frente a la «revolucion activa» propia de los poderes constituyentes burgueses. De hecho, esta categoría atraviesa la tercera parte de esta obra, en la que se narra cómo se intenta forjar una y otra vez una Constitución para solidificar el tiempo histórico a favor de un «nosotros» no suficientemente inclusivo. Por eso, la revolución pasiva concede a las poblaciones esas constituciones como si fueran las últimas, diseñadas para detener el tiempo, para «constituir» en el sentido de coagular la realidad histórica de un pueblo en cuya evolución histórica no se confía. De ahí la índole necesaria de su repetido y continuo fracaso. De este modo, la lucha por elevarse a poder constituyente continuó la guerra civil que había caracterizado la anterior etapa y dejó sin eficacia política el amago de nación existencial que había emergido contra Napoleón.

Por ese motivo, la historia del poder en tierras españolas después de 1808 no puede dar un sencillo ejemplo de una Constitución que haya sido capaz de reformarse y adaptarse al devenir del tiempo. Es la prueba de que España no ha dispuesto de un poder constituyente sustantivo, sino circunstancial, atravesado por el final de una guerra civil, de una revolucion, de una tragedia popular. Mi idea es que esto tiene que ver con una indisposición radical de la clase dirigente a reconciliarse con la dimensión histórica de la vida social. Esta es la base de un estilo de poder «encastillado», «atrincherado», «bunkerizado», «enrocado», propio de una «camarilla» o «covachuela» cada vez más débil, numantina, hasta que el río de la historia inunda en su torrente las débiles defensas y genera la lucha indecisa acerca del poder constituyente. Creo que este proceder, este estilo, es casi una ley histórica de parte de la clase política española.

Por eso concedo en este libro tanta importancia a la «cuestión judía» y, también por eso, el dispositivo inquisitorial que se elevó para su solución me parece sustantivo, por lo que hay que perseguir su influencia más allá de su vigencia oficial hasta 1834, como parte del dispositivo hispano de poder. Pues los conversos, los «cristianos nuevos», fueron la piedra de toque para enfrentarse a los fenómenos generales de la novedad histórica. Al exterminar, marginar y discriminar a los conversos, al mantener a todo judío por razones de sangre como un paria en la tierra que habitaba desde milenios, el poder hispano manifestó su incapacidad de mirar de frente a la historia y su apertura, vio en toda novedad un peligro y definió ese estilo desconfiado cuya ciega visión de perennidad garantizaba la defensa más despiadada del estatuto y de la apropiación exclusiva de lo público. Ahí se forjó la mentalidad que hizo del futuro un peligro y de la expresión libre de lo social, una amenaza. Al definir este estilo, la clase dirigente dejó ver su estructura mental, forjada en una comprensión apocalíptica de su propia existencia, con su sensación de estar inmersa en una batalla final con un enemigo radical. Esta forma mental fue siempre fruto de una inseguridad y de una falta de fe en su inteligencia, que no hacía sino crecer en proporción a su disposición a la exclusión.

Durante demasiado tiempo, conocer esta verdad del poder implicaba aguar la fiesta artificial que se había organizado sobre suelo español, que nos ha costado tan cara. La decisión política de acabar con un estilo de poder será tanto más fuerte y fundada cuanto más se conozca la índole de las tragedias que ese estilo ha producido en la historia. Despertar esta responsabilidad es la esperanza de este libro. Como tal, aspira a la formación de una ciudadanía que todavía debe dar un paso más allá de la indignación y del cansancio, hacia la sobria existencia política de un juicio maduro y de la búsqueda de una representación política adecuada, capaz de abrirse a la novedad de la vida histórica, y no dedicada a paralizarla y bloquearla. Una representación de servidores públicos, no de señores públicos, como con demasiada frecuencia se describe en estas páginas.

PRIMERA PARTE

EL ORDEN DE LOS ESPACIOS HISPANOS (450-1350)

I

VISIGODOS: TABÚ Y DESTINO

LA SOMBRA DE RECAREDO

Cuando el 17 de julio de 1945 Franco ofreció un simulacro de Constitución para su régimen, le puso un título arcaico: Fuero de los Españoles. Este nombre revela que el Caudillo pensaba forjar de nuevo el pueblo de los españoles y regresar al momento en que España había quedado unida bajo una fe. Franco evocaba a los visigodos, que habían entregado su primer código al pueblo hispano, el Fuero Juzgo. Ahora él, nuevo *dux Hispaniae*, entregaba el definitivo. Alfa y omega de nuestra historia, a su texto debía darle el nombre castizo de «fuero» y no el liberal y francés de «constitución».

Las dos notas de la nación hispana desde los visigodos eran la unidad territorial y la catolicidad. Eso es lo que deseaba imitar Franco. Pero el uso de las historias de los visigodos más de mil cuatrocientos años después no era una ocurrencia suya. Él no inventó casi nada, sino que, con su victoria militar, impuso diversos elementos de la cultura católica tradicional, presentes en las políticas de la Restauración, desde 1878. La fe en la fuerza del imaginario visigodo había sido una consigna de algunos conservadores durante el último tercio del siglo XIX. Franco lo tomó de ellos.

Elevar la monarquía de los godos a modelo de la nación española no fue una invención de los carlistas. Ya lo habían hecho los Borbones en el siglo XVIII, cuando celebraban la íntima unidad de la realeza y la Iglesia goda como prototipo de una Iglesia nacional. Pero no siempre se alabó a los godos. Otros vieron en aquella monarquía el secreto del triste destino de la historia española, pues no se podía olvidar que, pese a sus pactos con los hispanos, los godos no habían sido capaces de hacer frente a la invasión de los musulmanes en el año 711. En este sentido, los hombres que vivieron la decadencia española desde 1648, reflexionaron sobre la analogía entre los godos que habían perdido el favor divino y entregado sus tierras y su poder a los musulmanes, y los reyes de la casa de Austria, también germanos, que ahora perdían su hegemonía ante los protestantes.

Así, el diplomático Diego de Saavedra Fajardo, en vísperas del Tratado de Westfalia, escribió su *Corona gótica*, un libro que no podía ignorar los amenazadores pronósticos que anticipaban la pérdida de la hegemonía de España. Allí, en medio de las negociaciones de la paz, en tono entristecido, Saavedra recordaba las maldiciones ancestrales. «Ay de ti, España, dos veces te perdiste y te perderás la tercera por casamientos ilícitos», decía recordando a san Isidoro de Sevilla. Para Saavedra Fajardo resultaba evidente que aquellas maldiciones se volvían a escuchar en tiempos de Felipe IV. Y todavía más. De la misma manera que don Rodrigo, el último rey godo, había cometido pecados imborrables vinculados a su lascivia, así este mismo vicio, en tiempos de su rey, Felipe IV, estaba siendo castigado con la decadencia de la monarquía. En un tono depresivo, Saavedra recordaba las profecías de Jeremías aplicables a los españoles, que anticipaban que Dios les quitaría su poder «y que cuatro vientos de las cuatro partes del mundo los combatirían». Por mucho que Saavedra previera que se aplacaría la ira de Dios, era evidente que hacia 1648 se estaba ejecutando el castigo divino. Lo decisivo era que la duración de las monarquías parecía «premio de la virtud, y que por el vicio, la imprudencia, el engaño y la injusticia, muda Dios los reinos de unas gentes a otras». Esta sentencia se podía aplicar tanto a los Austrias como a los godos. Para el entristecido Saavedra, aquella era una certeza insuperable.

A los ojos de Saavedra, todavía había algo más misterioso y telúrico que escapaba al poder de los seres humanos. Este sentimiento de asistir a un destino fatídico, extendió la leyenda más interesante acerca de la caída de los godos. Al inicio del siglo XVII era muy conocida y la narró el jesuita Juan de Mariana (1536-1624), en su *Historia de España*. Pero en realidad la tomó del arzobispo de Toledo, el navarro Rodrigo Jiménez de Rada (1170-1247), que escribió una historia sobre las *Cosas de España* hacia 1243. La leyenda es como sigue. Al parecer, existía en la ciudad del Tajo un palacio encantado que se mantenía cerrado con fuertes cadenas y candados. Nadie podía entrar en él, pues cuando la puerta fuera abierta, España sería destruida. No hay más noticias acerca de por qué esto era así. Saavedra da el texto latino de esta leyenda, porque quiere demostrar que él no se inventa nada. Simplemente nos narra un tabú. No se debe abrir la puerta del palacio. Esa es la ley. Hay un *arcanum*, un secreto que no se puede romper. El destino de España depende de mantener cerrado ese secreto. Si se abre la puerta, todo se hunde. Rodrigo, en esta leyenda, se muestra no como el rey adúltero y descontrolado en su lascivia, como Felipe IV. Su dificultad para ordenar sus pasiones se concentra en esta incapacidad de mantener el tabú del palacio cerrado. Él lo abrió. Saavedra identifica el motivo: pensaba encontrar grandes tesoros. Otra leyenda sobre los godos nos ofrece la tesela complementaria del puzle. Se creía que el rey Alarico, en el asalto a Roma del 410, se había hecho con el arca de la Alianza, llevada a Roma por el emperador Tito cuando destruyó el Templo de Jerusalén. Se decía que Tariq convenció a su califa de la importancia de España porque envió a Siria una pata de oro de la mesa del arca. Todavía Carlos Saura rodó en 2001 una película sobre el asunto: *Buñuel y la mesa del rey Salomón*.

Quizás eso es lo que buscaba don Rodrigo al abrir las puertas del palacio de Toledo. El caso es que el rey no encontró nada de esto. Solo halló una caja y dentro un lienzo. El rey lo extendió y vio dibujados unos hombres extraños. Debajo se decía: «Por estos se perderá España». Mientras Rodrigo miraba perplejo este maravilloso anuncio, Tariq atravesaba el estrecho de Gibraltar. Unos días después, el rey godo reconocía, en los africanos que lo derrotaban, a los hombres dibujados en el lienzo toledano.

Deseo hacer referencia a un último uso histórico de la leyenda, anterior todavía a Saavedra Fajardo, pues viene del siglo XVI. Un clérigo que había estudiado en París, al llegar a arzobispo de Toledo, tras ser preceptor del infante Felipe II, y cambiarse el nombre de Guijarro por el de Silíceo, conocía estas historias. Sin embargo,

Juan Martínez Guijarro, o Silíceo (*c.* 1486-1557), estaba dispuesto a hacerle frente de forma valiente. Eran tiempos de optimismo y confianza y él tenía ideas muy claras acerca de lo que se debía hacer para que la gente extraña no se hiciera con España. Por eso deseaba ver el rostro verdadero de los que podían perderla. Este hombre elaboraría los estatutos de limpieza de sangre de 1547 por los que los judíos y su descendencia no podían alcanzar cargos públicos. Pues bien, en la cima del poder de España, todavía reinando Carlos V, Silíceo ordenó romper el tabú y contrató una partida para explorar la cueva que estaba bajo el suelo de la iglesia de San Ginés. El hecho, que tuvo lugar en 1546, fue muy comentado y hay diversas versiones que Jacques Lezra ha citado en su libro *Materialismo salvaje*. En todas ellas, los espeleólogos descubren muchas estatuas y, sobre todo, una grande de bronce encima de una mesa que, al ser mirada, se cae y se rompe. Los hombres, despavoridos, huyen y al salir de la cueva enferman y mueren. Quebrar el tabú destruye la estatua de bronce, símbolo del poder, y mata a quienes han violado la prohibición. No aparecieron pintados rostros semíticos en sitio alguno pero Silíceo, un año después, con sus estatutos, identificó a los judíos conversos como aquellos que debían perder España. Por eso no podían ocupar cargo alguno.

LAS REALIZACIONES DE LOS GODOS: CONSPIRACIÓN CONTINUA

Pero al margen del mito y de los tabúes, los godos son en verdad un accidente en la historia hispana. La Hispania que ocuparon los godos en el siglo V era una provincia de la prefectura de las Galias. Además, los godos no fueron alojados en Hispania por los emperadores. Habían sido instalados como tropas de paso en la Galia del sur, mediante pactos de hospitalidad. La ciudad de Toulouse era su capital. Entraron en Hispania para realizar la misión militar de recuperar la parte occidental de la Península en poder de los suevos, alanos y vándalos. Estos habían venido como tropas imperiales para dominar a los grandes señores occidentales separatistas. Tras derrotar a los ejércitos de los terratenientes, las tribus germánicas se quedaron con sus tierras. Los godos, que venían a expulsarlas, hicieron lo mismo. Echaron a los vándalos a África, derrotaron a los alanos, redujeron a los suevos a la Galicia montañosa, y se quedaron con las ricas tierras palentinas, los Campos Godos. Luego se extendieron por Extremadura y la Lusitania. Un hispano, Paulo Orosio (*c.* 383-*c.* 420), hablaba de ellos como unos tiranos extranjeros.

Los godos no tenían derecho alguno a poseer las tierras hispanas. Cuando en el año 461 los soldados romanos desaparecieron de la Tarraconense, Eurico (*c.* 420-484) interpretó los pactos de hospitalidad romana del 418 como si incluyeran Hispania y ocupó todas las tierras que pudo. No fue un acto legítimo, pero en el 475 el impotente emperador bizantino lo reconoció como rey. Los caudillos godos, tras Eurico, dejaban a su lugarteniente en Hispania (el *hispaniarum praefectus*) y se concentraban en los asuntos de la Galia, su interés central, donde querían ganar Arles y Lyon. Si las cosas iban mal con los francos, se refugiaban en Barcelona o Zaragoza. Cuando Alarico II murió en lucha contra los francos, cerca de Poitiers, en el año 507, los visigodos solo tenían la franja que va desde Carcasona hasta Montpellier. La derrota hizo más importante el dominio hispano. Pero este era muy frágil. La Bética estaba controlada por las aristocracias hispanorromanas. El Mediterráneo oriental todavía tenía presencia bizantina, muy fuerte en Cartagena. Los suevos seguían en Galicia. Los astures y los vascos se entregaban a su destino de pastores y cuatreros. El dominio visigodo se reducía a poco más de los Campos Godos y a la zona de Cataluña. Poco a poco comenzaron a expandirse desde las tierras del trigo de los campos castellanos, hacia Galicia, Lusitania, Tarragona y el Guadalquivir. Los godos sabían que esta expansión era una usurpación y el emperador romanobizantino no la reconoció. Las tropas de Justiniano, en el 543, desembarcaron en la Península desde Cartagena y llegaron hasta Hispalis, en la Bética. En el año 552, Sevilla estaba a punto de caer en manos bizantinas. Solo entonces Toledo comenzó a ser la sede del poder godo. Hacia el 568, la impresión dominante era que Hispania se iba a fragmentar en un mosaico de dominios independientes.

Los bizantinos y los hispanorromanos eran católicos, y los godos, arrianos. Al norte, los francos eran también católicos. La cristianización de vascones y astures debía ser muy limitada. Las posibles alianzas eran varias. Los hispanorromanos católicos podían aliarse con los francos y presionar a los godos. Eso es lo que hizo el converso Hermenegildo contra su propio padre, el arriano Leovigildo. Pero también podían aliarse con los bizantinos, el poder legítimo, y oponerse a unos usurpadores arrianos. Eso era lo que deseaba la gente como san Leandro. Los godos, de un modo u otro, estaban rodeados. Hacia el 571, con Leovigildo, seguían enfrentados a las mismas dificultades estructurales para dominar Hispania. Entonces sucedió algo decisivo. El obispo Leandro, hermano de san Isidoro de Sevilla, de una familia procedente de Cartagena, conectó con Gregorio, luego obispo de Roma, mientras era delegado en la misma Constantinopla. Esto fue hacia el 579. Estos hombres no querían impugnar la autoridad de Bizancio, pero sabían que si querían escapar a los azares de la lejana ayuda imperial, debían crear un orden autónomo en Occidente. Para eso, Gregorio pensó que debía impulsar una política de conversiones al catolicismo de los pueblos germánicos desde Roma. Se trataba de lograr lo que ya se había hecho con los francos desde el 511. Así se intentó con los sajones, con los anglos, y se renovó la presencia papal entre los irlandeses y los daneses. Si se lograba convertir al catolicismo a los godos de Hispania, la lógica política occidental podría organizarse sin los bizantinos.

Eso planteó Leandro a la vuelta de su viaje a Roma y Bizancio. Así, en lugar de pactar con los francos, las élites hispanorromanas y sus obispos ofrecieron un pacto a los godos. Se les ayudaría a expulsar a los bizantinos, a los suevos, a los francos, pero a cambio de convertirse al catolicismo. Presionados por las circunstancias, los godos optaron por federarse con los hispanorromanos, quemar los libros arrianos, convertirse a la religión trinitaria, unificar sus fuerzas y, con ellas, expulsar a bizantinos, vencer a suevos y mantener a raya a francos. Una nueva monarquía católica al estilo de Francia, con líderes amigos de Gregorio I, como san Isidoro, capaz de dominar el Mediterráneo occidental, fue la solución.

Así se llegó al Concilio de Toledo en el 589. Por él se fundaba una federación de dos pueblos: el godo y el hispanorromano. Unos disponían de la administración fiscal y militar, los otros de la administración judicial y religiosa, exenta de impuestos y desvinculada del fisco regio. El rey solo podía proceder de los godos, y los hispanorromanos quedaban excluidos de la realeza. Al disponer de una única religión, las familias godas y las aristocráticas hispanas se podían casar. Hispania, como dijo san Isidoro, había ofrecido su lecho nupcial a los romanos y ahora lo ofrecía a los godos. El pacto se vio como una verdadera expansión territorial del poder godo, pero su fruto fue la *hispanitas*, que hacía olvidar a la fecunda *romanitas*. Ahora la vitalidad de España daba frutos maduros. Los pactos eran claros: los reyes serían elegidos en concilios de la federación, por los condes y duques godos y por los obispos hispanos. En esos concilios se ungirían los reyes, se pactarían las normas regias y se promulgarían las leyes con las que pensaba constituir el nuevo pueblo. Así, «del gloriosísimo Suintila» se pudo decir que: «Fue el primero que obtuvo el poder monárquico sobre toda la España entre los océanos, hecho que no se dio en ningún príncipe anterior». Entonces se dijo que Dios miraba con benevolencia a los hispanos. Entonces se alabó a la «Hispania sagrada y siempre feliz, madre de pueblos». Suintila murió en el 631. Los musulmanes entraron en Hispania en el 711. El reino hispánico unitario de los godos sobrevivió apenas ochenta años.

EL ÚLTIMO SIGLO DE LOS GODOS

¡Y qué años! Ahora se puede ver la realidad de ese mito de la unidad católica hispánica. Ni un solo instante de orden, de paz, de sucesión reglada, de profundizar de forma equilibrada en aquella federación de pueblos. Ni siquiera el «gran Suintila, el nuevo Julio César», murió en paz. Fue depuesto por el IV Concilio de Toledo en el 631, que encumbraba a quien había logrado el cargo con la violencia. El destino de ese cuarto concilio, arreglar y maquillar sucesos violentos, iba a ser endémico. El medio verdadero de sucesión será la elevación militar, lo que sucedió con Wamba; la rebelión o el asesinato, como ocurrió con Chindasvinto; o la conspiración, como la de Ervigio en el 695 para nombrar a Égica sucesor.

La causa de este desastre fue una razón social y política. El reinado sintomático fue el de Chindasvinto, quien se vio dueño de un fisco muy debilitado por las usurpaciones y privatizaciones de los anteriores reyes, que repartían las tierras de la Corona entre su familia. Él cortó por lo sano. Eliminó a más de doscientas familias de magnates y confiscó sus tierras. También eliminó a más de quinientas familias de «mediocres», pequeña nobleza goda. Un cronista de la época llegó a decir que Chindasvinto «destruyó a los godos». De este modo, se hizo con todas las propiedades que pudo. Los obispos aceptaron sus puntos de vista y, en el VIII Concilio de Toledo, en el 653, eligieron como sucesor a su hijo Recesvinto y se aceptó el principio hereditario, que unos pocos años antes otro concilio había rechazado. Este aumento drástico de propiedad concedió al monarca cierto poder. Lo muestran las coronas votivas del Tesoro de Guarrazar. Con ellas, Suintila y Recesvinto aumentaron las donaciones a las iglesias al modo de los emperadores bizantinos. Como Justiniano, Recesvinto se vio como un legislador y, como el emperador, comenzó a nombrar al arzobispo de Toledo y a los demás obispos. La liturgia de Toledo se hizo al modo bizantino. Con el dominio de los obispos, se deseaba asegurar el juramento del heredero en el concilio. Al tiempo, se prohibió el derecho romano y la justicia fue ejercida por los duques, con lo que se militarizó. El sistema de gobierno urbano desapareció. Se intentó organizar la monarquía a golpe de código, con lo que se agitaron los pactos fundacionales del reino. Los hispanorromanos perdieron poder político, judicial y eclesiástico. El rey se elevó a la altura de la divinidad. Aquellos tiempos de Recesvinto se conocieron como de «confusión babilónica». No se reunió ningún concilio. Quedaban cuarenta años para que se cumpliera la fecha del 711.

A pesar de los esfuerzos de Recesvinto, no se iba a consentir un rey hereditario. El siguiente rey, Wamba, un militar puro, fue elegido por los soldados, y cuando pacificó diversas rebeliones, fue destronado porque quiso militarizar de nuevo a la sociedad, incorporar a los señores a la milicia e integrar a los siervos de las grandes propiedades en el ejército. Ervigio, por el contrario, un rey débil dirigido por san Julián, servía a los intereses de las aristocracias señoriales y tuvo que reconocerles una especie de *habeas corpus* que regulaba las garantías judiciales e impedía las expropiaciones al estilo de Chindasvinto. Los francos, los vascos y los bizantinos volvieron a cargar contra Hispania y solo su propia debilidad impidió el desastre. No obstante, por débil que fuera, Ervigio, como cualquier otro rey, aspiraba a asegurar el reino como herencia de su familia. Podría lograrlo porque godos aristócratas romanizados no querían un rey poderoso que desarticulara el sistema de la propiedad. Sin embargo, los godos militares no querían un rey hereditario que los dejara sin tierras fiscales que administrar. Como a partir de Ervigio y Égica los reyes aspiraron a ser reyes sacerdotales al modo bizantino, con amplia intervención en los asuntos religiosos, toda la administración episcopal se politizó de forma radical. La consecuencia fue que estas cuatro fuerzas, terratenientes hispanos y obispos, godos romanizados y godos militarizados, no lograron el consenso mínimo.

El primer paso se dio con la alianza de hispanos, obispos y godos romanizados ya afincados en sus señoríos. Esta alianza funcionó en el 680 contra el militar Wamba. Fue destronado y se elevó a Ervigio, un rey débil y oportunista que logró nombrar a su familiar Égica en el 687, quien a su vez pudo imponer como rey a su hijo Witiza en el 700, el monarca que según la leyenda fundía las espadas para forjar arados. Esta secuencia de dos generaciones, operando durante treinta años, estuvo cerca de lograr la hegemonía de un grupo, el llamado de los «witizianos». Con ellos ganaba la nobleza goda romanizada, dirigida y protegida por un rey hereditario que disminuía el ejército y el papel de la nobleza goda militar y su presencia en la corte, y que tenía necesidad de los obispos para legitimarse. Sin embargo, los obispos, tras san Julián, vieron cómo el monarca ahora se sacralizaba a sí mismo y controlaba el arzobispado de Toledo como «sedis nostre». Égica ya fue el verdadero obispo supremo y controló el acceso a los obispados de sus familiares. Así que el sistema evolucionaba hacia el cierre oligárquico del clan, con un esquema césaro-papista de realeza hereditaria y de sometimiento de la Iglesia como una administración más. Esta evolución manejada por los witizianos les hizo perder la base militar, la de muchas voluntades episcopales, y llevó el sistema a la crisis.

Y esto sucedió con don Rodrigo, un nuevo militar puro que asesinó a Witiza y fue elevado al trono por lo que quedaba del ejército godo, con el apoyo de los obispos que no querían un rey césaro-papista como Égica, según el modelo arriano. Sin embargo, esta alianza fue fatídica. Los obispos querían independencia y no ser desalojados de sus iglesias por un rey-sacerdote, pero no podían apoyar la administración militar de Rodrigo. Los witizianos, instalados en sus señoríos, no querían prestar sus siervos para el ejército ni fortalecer a un rey asesino de su líder. Los grandes señores godos del sudeste, como Teodomiro, en la zona de Orihuela, o don Julián en el Estrecho, ya eran casi independientes. Así que don Rodrigo no gozaba de apoyos suficientes. Cuando uno de esos señores, don Julián, incitó a los bereberes a intensificar sus incursiones por el sur peninsular y plantar cara al reducido ejército de los godos, pensaba en propiciar la ruina de don Rodrigo, no en una invasión permanente.

Las noticias de la incursión llegaron al rey mientras mantenía a raya a los vascones. A marchas forzadas, Rodrigo se dirigió al sur rehaciendo el ejército a su paso con levas obligatorias de siervos. Cuando llegaron a Cádiz, los witizianos y sus siervos desertaron y don Rodrigo sucumbió aislado. Los witizianos se convirtieron al islam y mantuvieron sus tierras. Teodomiro fue reconocido como rey por las nuevas autoridades. Las ciudades con sus duques los imitaron y no plantaron batalla a los musulmanes. Los obispos mantuvieron sus sedes. Todos esperaron que los bereberes se marcharan tras recoger el botín. La previsión no era insensata. En el 740 ya no quedaba casi ninguno en la Península. Pero los caballeros sirios mahometanos que los dirigían eran otro tipo de poder y, de forma inesperada para godos y obispos, hicieron de estas tierras su nueva casa, al-Ándalus. Fue tan fácil aquella derrota que no se vio obra humana, sino divina. De ahí que se entendiera como el cumplimiento de una profecía. Los cronistas musulmanes, como Mūsa al-Rāzī (889-955), interpretaron que Alá les daba esas tierras. De hecho, de fuentes musulmanas procede la leyenda sobre don Rodrigo. Estaba escrito que Hispania sería para ellos. Pero tampoco al-Ándalus comenzó con una conquista oficial decretada por la autoridad legítima de Damasco.

El mito godo de la pérdida de España tiene así más realidad que el de la unidad católica de España. El III Concilio de Toledo fue una experiencia única e irrepetible. Lo sustantivo fue la violencia. El pacto, lo excepcional. La tradición ha invertido las cosas al imaginar que con el pacto del III Concilio ya se había conquistado lo natural, la unidad regia y católica de España. En tanto algo natural, debía haberse mantenido a lo largo de la historia sin problemas. Si no fue así, si con frecuencia se malogró, esto debió de ser por enemigos poderosos que conspiraron a la contra, cuyos rostros traidores ya estaban dibujados y sellados en las arcas del poder donde se guardan los secretos de Estado. Todavía Marcelino Menéndez Pelayo dijo:

> Averiguado está que la invasión de los árabes fue inicuamente patrocinada por los judíos que habitaban en España. Ellos les abrieron las puertas de las principales ciudades. Porque eran numerosos y ricos.

Las puertas las abrieron los duques y los obispos. Para la posteridad fue una traición de los judíos.

Incapaces de generar de nuevo el clima de pacto del III Concilio, los pensadores de la época posterior a san Isidoro percibieron la fragilidad del sistema político y social de los godos. Y lo hicieron con las herramientas de la cultura cristiana. San Julián, de quien Jiménez de Rada dijo que había «nacido del árbol judío como la flor de la rosa entre las espinas», miró su propia época desde la evidencia de que el Apocalipsis se acercaba y la sexta y última edad del mundo estaba a la vista. El Apocalipsis, con el fin de los tiempos, fue la mentalidad que dominó a los hispanos al final de la monarquía goda. El Apocalipsis los preparó para la lucha a muerte. Los rostros de los que perdían España pasaron a ser dibujados con los rasgos del Anticristo. Como se verá, esta imagen, herencia de los últimos días de los godos, ha dominado la historia hispana tanto o más que los propios godos.

COVADONGA

Ante el avance de los musulmanes, los godos resistentes se dispersaron y muchos debieron huir hacia el norte. Pequeños grupos de godos fieles a Rodrigo llegaron en su huida a través de Toledo hasta la cornisa cantábrica y pirenaica. Algunos regresaron a Amaya y Astorga, lugares fuertes. Puede que Pelayo dirigiera uno de esos grupos y que viajara hacia el norte porque su zona de influencia familiar fuese Astorga. Tariq, el general musulmán, llegaba a estas zonas en el 713 para ultimar su conquista. Al parecer, hacia esa fecha, y ante Tariq, Pelayo se había integrado en las estructuras de poder musulmán y se le debió reconocer el gobierno de las tierras que se ordenaban desde Astorga. En este mismo sentido, se debió pactar un estatuto de gobierno en Orihuela, en Mérida, en Sevilla, en Córdoba, en Zaragoza, donde su conde Casius mantuvo la ciudad bajo su control, se convirtió al islam y dio origen al linaje de los Banu Qasi. No hay constancia de que los otros godos replegados en el norte se convirtieran al islam. Los Banu Qasi, por el contrario, se cruzaron con matrimonios árabes ya en la segunda generación.

Hacia el 714, el caudillo Musa se embarcó para entregar la nueva tierra de al-Ándalus a su califa. Un historiador árabe fiable, Ibn al-Qutiyya, descendiente de godos witizianos, en el siglo XII, recuerda que con él marcharon «cuatrocientos hijos de reyes» godos, dispuestos a jurar fidelidad al califa Suleymán. Se trataba de legalizar lo que había sido una campaña no oficial de conquista y de garantizar los patrimonios de los aliados godos. En efecto, Hispania no había sido tomada bajo declaración de *yihad* o guerra santa. Todavía en la fase expansiva del islam, el califa aceptó los pactos, no sin resistencia. Pero su sucesor, Umar, cambió la política. Insensible a las realidades occidentales, deseaba abandonar Hispania y concentrarse en el asedio de Bizancio. En todo caso, Umar acusó a Musa de no respetar la reserva de la quinta parte de las tierras fiscales debidas al poder califal, no vio bien la conquista pactada y endureció las condiciones acordadas en la capitulación. Esto afectaba sobre todo a los estatutos de los propietarios godos, todavía cristianos pero protegidos, y de los propios conquistadores bereberes. Este cambio generó malestar por doquier. Según todas las fuentes, hasta alrededor del 718 la imposición fiscal había sido moderada, los obispos urbanos ofrecían el censo de los *dhimmíes* o cristianos protegidos y servían de intermediarios con las autoridades islámicas. Con Umar, y todavía más con el nuevo califa Yazid II al-Malik [720-724], las cosas fueron a peor y se impuso la doctrina de que las tierras de al-Ándalus eran infieles, por lo que todos sus propietarios debían pagar como tales.

Cuando el califa exigió que los andalusíes fueran tratados como conversos o infieles protegidos, elevó el impuesto al 30 por ciento. Lo más probable es que en algún momento del reinado de Umar se quisieran hacer efectivos los nuevos tributos. Se sabe que Pelayo, antes de su rebelión, viajó a Córdoba, donde quizá se enteró de que los impuestos se habían incrementado. Si esto fue o no suficiente para provocar la rebelión, no se sabe. En todo caso, hacia el 718 es probable que tuviera lugar una rebelión. En ese caso, es fácil que Pelayo huyese desde Córdoba hasta Astorga y que, presionado, fuera retrocediendo desde su ciudad hasta el refugio en las paredes de los Picos de Europa. Perseguidos por un destacamento de los jinetes islámicos, quizá muchos se reunieran en las cuevas más inaccesibles y sagradas. Una de ellas pudo ser Covadonga.

De atender a las fuentes musulmanas y asturianas más antiguas, la escena no deja lugar a dudas. Fue un momento de ruptura de estatutos, pero todavía se le ofreció a Pelayo una oportunidad de pacto. Los actores de esta escena se conocen bien. Ante Pelayo se sitúa un general, Alqama, socio de Tariq, el vencedor de Guadalete. Con ellos va ni más ni menos que un obispo católico, don Oppas, hijo de Witiza, uno más del nutrido grupo de los que habían abierto las puertas de las ciudades al islam. No es un sometido, sino un aliado cristiano de los musulmanes. Este don Oppas se dirige a Pelayo, a quien con seguridad conoce, y le exige que cumpla los compromisos pactados. Una crónica lo llama *confrater* de Pelayo. El obispo, por su parte, promete que se atendrá a su parte del trato, la entrega a Pelayo de sus tierras. Este es el sentido de la exhortación del obispo que nos describen las crónicas. Pertrechado con un puñado de *fideles*, quizás acorralado y sin salida, Pelayo hace caso omiso de la exhortación del obispo. Escondidos entre los bosques que rodean Covadonga, los astures observan la escena.

Se ve que Oppas quiere salvar un pacto que Pelayo pone en peligro. Esta es la prehistoria del encuentro. Un noble godo que ha pactado su estatuto lo rompe. Si se tiene en cuenta que las tierras en aquellos parajes son inhóspitas y los astures rebeldes, su situación es desesperada. En el cálculo que debió de hacer Pelayo, elige ganarse la confianza de los hombres de la tierra e indisponerse frente a un poder imprevisible. Esta apuesta por los hombres de la tierra es la decisiva. En todo caso, el gesto de resistencia de Pelayo le debió de valer la confianza de la gente astur y le aseguró algún tipo de jefatura sobre ellos. Alguna crónica posterior dice que lo nombraron rey en una reunión o *concilium*. Fue una primera unión entre grupos tribales astures, jefes godos y emigrantes del sur. Las fuentes hablarán de «cristianos y astures». Esta alianza con los astures enemigos era un escándalo para los obispos cristianos como Oppas, para los godos islamizados y para los jefes islámicos.

Ahora se puede entrar en la escena bélica. En la deliberación de Oppas con Pelayo, se debe de producir un ataque por sorpresa y Alqama muere. Tras unas escaramuzas, los caballeros musulmanes, ya sin jefe, se impacientan. Dada la verticalidad del blanco, las flechas de los musulmanes no llegan a su meta, sino que caen de nuevo sobre ellos. Los caballeros islámicos no se sienten seguros. Grupos de astures merodean ocultos en los bosques y de forma oportunista atacan a la tropa islámica. Inquietos, sus jefes se dirigen al obispo y le exigen abandonar el campo. ¿Qué importancia tienen estos ladrones? «Treinta asnos salvajes, ¿qué daño pueden hacernos?», escribieron las fuentes musulmanas. Eran «unas gentes que iban desnudas como bestias».

Y en realidad eran insignificantes. Los cristianos cultos de Toledo, por su parte, no tenían noticias de ellos. Para los cristianos anteriores al año 750, tampoco hay poderes hispanos cristianos. Solo hay francos, bizantinos y musulmanes. Astures y vascones no cuentan. Todas ellas eran realidades lejanas para un mozárabe. Jamás se le habría pasado por la cabeza a un toledano que las fuerzas arcaicas que habían resistido todo lo que significaba Hispania desde los romanos, ahora la representaran. Hispania eran ellos, los habitantes cristianos de al-Ándalus.

Sin embargo, los pocos godos de las montañas norteñas, desde la Galicia occidental hasta las tierras vascas, portaban una idea de poder. Con mayor o menor fortuna, esos nobles godos, como Pedro, duque de Cantabria, o el propio Pelayo, transmitieron una forma de liderazgo a las tribus norteñas. Lo hicieron mediante pactos familiares que vincularon las castas destacadas indígenas a los nobles godos con aspiraciones gubernativas. Fue un nuevo sistema de integración familiar. En el caso del norte de la muy romanizada Tarraconense, sus nobles godos se refugiaron más allá de los Pirineos y entraron en contacto con los poderes francos de la Galia del sur.

Para la óptica musulmana, lo importante era controlar los pasos hacia el norte franco por la costa catalana y los valles vascos. Su aspiración era dominar la parte sur de la Galia. La mayoría de los nobles godos supervivientes estaban con ellos y mantenían la influencia social en tierras y ciudades. La cornisa cantábrica quedaba lejos del paso por el Bidasoa y era despreciable porque solo llevaba a un mar oscuro y agitado. No iba a ninguna parte. El interés musulmán era adentrarse en las ricas tierras de la Aquitania y de la Galia romana. Y eso es lo que hicieron. Hacia el 722 llegaron a Burdeos. Buscaban el mítico tesoro de la iglesia de San Martín de Tours. Solo en el 732 fueron detenidos en Poitiers, por una alianza de aquitanos y francos, en una batalla en la que las fuentes hispanas hablan de un enfrentamiento entre «europenses» y semitas.

Las crónicas musulmanas confirman que sus autoridades se habían hecho con Álava y Pamplona hacia el 738, y reconocen que «no quedaba una alquería sin conquistar, excepto la Peña». Todavía nos dicen que allí seguía «Pelayo, con trescientos hombres», un poder del que se confiesa que «no pueden hacer gran cosa». A las autoridades musulmanas se les presentaba el mismo problema que ya había tenido Octavio César Augusto siete siglos antes, o Rodrigo, siete años atrás; pero ahora aquellos dirigentes tribales podían reunirse en *concilium*, una forma más abierta de organización. En todo caso, esos hombres no eran *hispani*. Para los andalusíes y para los astures, este gentilicio se reservaba para los mozárabes. Sin embargo, en ese *concilium* se acogía a esos *hispani*, vinieran de donde vinieran. Esta novedad fue suficiente y resultó formidable. Alentó la emigración, aumentó el número de refugiados y atrajo a gente al pequeño núcleo de las cuevas norteñas.

REBELIONES FISCALES

Antes del año 740 el poder islámico sobre la Península era pleno. Y sin embargo, el nuevo califa Hisham (724-743) daba muestras de debilidad. La rebelión bereber del norte de África fue la consecuencia. Todas las tribus bereberes se alzaron. Estos sucesos iban a tener su influencia en la tierra hispana, pues el malestar fiscal de los bereberes que habían pasado a Hispania era intenso. La debilidad fue aprovechada por los grupos cristianos. Es sabido que el núcleo astur se expandió hacia levante con pactos familiares con el duque Pedro de Cantabria. Los dos linajes condales se unificaron. El hijo de Pedro, Alfonso I, casará con la hija de Pelayo, Ermesinda, respetando la filiación femenina. De estos acuerdos familiares surgió una estructura aristocrática con capacidad de mando sobre aquellas tierras. De los acuerdos con los astures debió de seguirse una mayor cristianización y se sabe que Fávila, sucesor de Pelayo, construyó un templo a la Santa Cruz en Cangas de Onís. Así se identificó el símbolo que permitía reconocer al grupo humano que surgió de aquellos pactos de linajes, pues una cruz era fácil de implantar en los puentes, en los caminos, para dar a conocer que una tierra ajena al islam se iniciaba en ese umbral.

La expansión no fue solo hacia el oriente cántabro. También se dio hacia occidente. Una nieta de Pelayo, Adosinda, casó con Silo, un caudillo de los pésicos, pueblos que habitaban entre el Navia y el Nalón y que llegaban a la frontera entre Asturias y Galicia. Los linajes godos y sus herederos se mostraron así como unos mediadores operativos. Dos núcleos de poder comenzaron a forjarse, uno en Cangas de Onís y otro hacia occidente, en Pravia. Los rudos dirigentes sabían lo suficiente para acumular gente hispana hacia levante. Se trataba de poblar los alrededores de los pasos hacia Francia, desde Pamplona hasta Guipúzcoa. Estos pasos eran frecuentados por los musulmanes que aspiraban a controlarlos. A lo más oriental que llegaron los cristianos fue a Álava, donde otro nieto de Pelayo, Fruela, casó con Munia. De este matrimonio nacería Alfonso II. El caso es que en parte de Álava, Cantabria, Asturias y el oriente gallego se estaba forjando un sistema de intercambio familiar que trababa un tejido de élites descendientes de godos y de aristocracias tribales. Era una base estrecha, pero apegada a la tierra, firme y con raíces.

Este proceso expansivo significaba acuerdos y desacuerdos. Ni los gallegos ni los vascones entraron con fuerza en este sistema de relaciones familiares. Los primeros eran vistos como hostiles a los astures. Los segundos tenían un sistema familiar demasiado cerrado como para permitir aquellos matrimonios mixtos con linajes godos. Eso aisló todavía más a los vascones. Por eso, la política de poblaciones consistió en llevar gente hacia esa tierra oriental. Alfonso I (693-757) trasladó a muchos *hispani* de la franja del norte del Duero hacia los valles de Liébana, Trasmiera, Sopuerta, la Bardulia y Álava. Todavía el *Poema de Fernán González* habla de que «eran en poca tierra muchos omnes juntados». Todos buscaban de forma ansiosa la conexión con las tierras que servían de paso natural con la actual Francia. Nadie quería quedarse en una península aislada. El poder astur, así, se acreditaba sobre todo en una política de poblaciones a las que protegía bajo el símbolo de la cruz, frente a los núcleos tribales vascones y los musulmanes.

Todo esto fue posible por la debilidad del poder musulmán. El problema principal que había surgido era el malestar bereber. Dado el escaso beneficio de la incursión, muchos bereberes cruzaron de nuevo el Estrecho y marcharon a sus lugares de origen. Otros se organizaron y demandaron mejoras. Aprovechando la campaña califal contra Sicilia, se conjuraron y rebelaron hacia el 741. Cuando un destacamento sirio los venció en el río Guazalete, cerca de Toledo, fueron exterminados sin piedad. Las crucifixiones humillantes se extendieron por doquier. Las tierras asignadas a los bereberes, la zona de Galicia y la situada entre las cordilleras norteñas y el Duero, quedaron mermadas de población. La emigración hacia el norte intensificó los desplazamientos hacia los valles cántabros. Así se forjó eso que se ha llamado «el desierto del Duero», unas tierras casi despobladas donde se mostraría la productividad histórica de los vacíos.

La consecuencia fue que el norte del Duero comenzó a ser repoblado por comunidades de eremitas organizados en monasterios, con un gobierno autoelegido y con fuerte capacidad de integración familiar, que mantuvieron las formas canónicas visigodas. Estas gentes no estaban sometidas a fiscalidad. Liberadas de las formas de señorío hispanogodo, carecían de ordenación política y se sumieron en la ruralización. Dispersarse fue la manera de evitar el control musulmán y de habitar las tierras desde Astorga hasta Burgos, que se entregaron a su propio dinamismo histórico. La población no desapareció del norte del Duero pero se ruralizó.

Dado que no había grandes incursiones musulmanas por esa zona, careció de grandes núcleos defensivos. Poco a poco fue surgiendo Zamora como lugar fortificado, la «capital de los gallegos», ganada hacia el 754 por Alfonso I, y centro de atracción de los emigrantes cristianos del Occidente, lugar que en el imaginario popular se identificó con Numancia, el emblema de la resistencia contra los romanos. Solo después de esta toma las fuentes hablarán de «repoblar», en el sentido de encuadrar poblaciones en un orden fiscal y político dependiente de los caudillos asturianos. Por eso, en las fuentes, *populatio* va unido siempre a *restauratio eclesiae* y a *extensio regis*: a la restauración de la Iglesia y a la extensión del reino. En todo caso, la ruptura del poder político norteño con la monarquía de los godos fue completa. Pocas palabras godas pasaron al castellano. Ninguno de entre los cabecillas de las tierras norteñas se hizo llamar heredero de los godos hasta Alfonso III, siglo y medio después. Al contrario, se los hizo culpables de la conquista de Hispania. Todos se avergonzaron de usar el nombre de godos. Por el momento, el caudillo de los astures y los cristianos, Alfonso I, se hizo sepultar en la cueva de Covadonga. Por este tiempo sucedieron dos cosas importantes. Una al norte y otra al sur. En ambos lugares emergían nuevos poderes.

2

LA CONSOLIDACIÓN ISLÁMICA

UN EMIGRANTE

Fue entonces cuando los sucesos que llevaron a la caída del califato omeya de Damasco trajeron a al-Ándalus a un personaje central: Abderramán I el Emigrante (731-788). Su huida tuvo lugar en el 755. Se puede decir que si hubo conquista de Hispania, en el sentido de campaña militar capaz de tomar palmo a palmo la tierra, esa fue la que llevó a cabo el Emigrante. Las luchas de Abderramán para hacerse con el control de las tierras andalusíes, al frente de sus ejércitos mercenarios, no conocieron tregua. Su sistema no era muy innovador. Alzó un ejército profesional pagado con los impuestos que debía de extraer de todo al-Ándalus. Su hueste estaba formada por reclutas de todas partes, desarraigados y vinculados solo al nuevo emir, un ejército capaz de extraer de la recaudación fiscal su propio sustento. Esas campañas impidieron que se prestara atención al norte del Duero.

El peligro para este nuevo personaje provenía del reino de los francos y por eso las nuevas élites andalusíes estudiaron el terreno con esta perspectiva. Así se organizó una red tupida de ciudades de frontera cuya línea pasaba por Pamplona, Huesca, Monzón, Fraga, Lleida y Zaragoza. Luego, desde allí, se llegaba a Barcelona, y por los pasos de levante, hacia Francia. Estas ciudades defendían la línea del Ebro y se entregaron a descendientes de familias ducales godas. Dada la pobreza fiscal de las tierras despobladas de occidente, la frontera retrocedía por ahí hasta Medinaceli, y desde allí hasta Toledo y Mérida. La misión de esta línea era servir de límite de exclusión contra los *harbíes* o cristianos no sometidos, que recibieron el nombre de «gallegos», cuyas ciudades eran Zamora y Oviedo, una forma de insultarlos. La finalidad era mantener libres los pasos desde Pamplona hasta Gascuña. Los francos no solo eran un poder a respetar, sino una posibilidad de botín y de comercio.

El caso es que los núcleos cristianos astures vieron surgir al norte y al sur dos poderes fuertes que apenas reparaban en ellos. Solo Pamplona vinculaba las ciudades de la frontera del Ebro con las ricas tierras de Aquitania. Este hecho determinó la historia durante tres siglos. Los musulmanes y los francos eran por aquel entonces los verdaderos protagonistas de la historia. Los *hispani* y cristianos en tierra liberada solo disponían de poderes frágiles y dependientes. Sin embargo, algo había cambiado con la nueva dominación musulmana liderada por el Emigrante. Mucho más interesado por someter las ciudades de al-Ándalus a su poder que por dominar el norte cristiano rebelde, Abderramán esquivó las montañas norteñas para someter las ciudades a su nueva gobernación y quebrar la resistencia de los antiguos gobernantes. Su régimen quedó estabilizado hacia el año 780. Se maldijo a los abasíes de Damasco desde todas las mezquitas andalusíes y, al declararse independiente, Córdoba ya no podía contar con la fuerza expansiva del islam en su retaguardia. Esta declaración de independencia obligó a al-Ándalus a definir su geoestrategia propia. Consciente de que no tenía poder suficiente para amenazar a los francos, comprendió que necesitaba de forma urgente estabilizar la línea de ciudades al sur de los Pirineos para limitar cualquier posible invasión.

En esta lucha, los francos impusieron su lógica. Urgidos por los problemas con los lombardos y sajones, el occidente hispano era para los francos un problema secundario, aunque debían tomar medidas para que no se convirtiera en un foco de conflicto. Así que instalaron a la poca nobleza goda resistente en la zona pirenaica oriental para estabilizar la frontera, avisar de ataques musulmanes y asentar emigraciones de *hispani*. Preferían tener la frontera al sur de los Pirineos que al norte. En la parte occidental, el núcleo de poder de los cántabros, astures, godos e *hispani* se convirtió en el poder auxiliar, algo así como otra vanguardia franca ultrapirenaica.

Por ello, los focos de tensión entre poderes cristianos y musulmanes estuvieron muy localizados. No eran Cangas o Pravia donde los astures tenían sus campamentos. No estaban en el occidente gallego, que no servía de paso a ningún sitio. Se encontraban en los pasos que podían comunicar al-Ándalus con las tierras de los francos, por el Bidasoa o por la costa catalana. Y para controlar los pasos lo mejor eran las ciudades. Pero las ciudades no se forman de la noche a la mañana cuando los pobladores se organizan como tribus extendidas por valles, como en la tierra de los vascones. Hacia el poniente de Pamplona, en el alto Ebro, en la tierra de Álava, se abría un territorio llano y sin ciudades que permitía alcanzar los pasos de Bayona con cierta facilidad, esquivando el obstáculo de Pamplona. Este hecho determinó que los musulmanes fundaran el castillo de Nájera para controlar todo ese territorio, más cerca de la frontera de los cántabros y en el límite de las tierras propiamente vascas.

Esta situación geográfica forjó la lógica de las cosas. Los francos temían otra invasión de Aquitania como la del 732. Bien organizados en su línea de ciudades al sur de los Pirineos, los musulmanes podían esperar la ocasión propicia para lanzarse hacia el norte. Dos poderes que se temen y se observan suelen comportarse de la misma manera. Carlos I el Grande, también llamado Carlomagno, que llegó al poder en el año 768, también estaba dispuesto a aprovechar las oportunidades que le brindara la debilidad del poder musulmán. Este tenía un talón de Aquiles: la frágil unidad que Abderramán I había conseguido a sangre y fuego de todas sus ciudades, a las que había tenido que conquistar una a una, con duras condiciones fiscales. Cuando en el 778 se rebeló el valí musulmán de Barcelona, Carlos atravesó los Pirineos y rindió Pamplona. Este hecho puso en alerta al valí Husayn de Zaragoza, que resistió. Carlos sitió la ciudad, pero su ejército era de choque, diseñado para la guerra con los sajones, y no pudo sostener una larga campaña de asedio, que daba a sus lejanos enemigos de Centroeuropa una nueva oportunidad de alzarse. Así que levantó el sitio de Zaragoza. Incapaz de mantener Pamplona, la arrasó y se volvió a Aquitania por Valcarlos o por Roncesvalles. A su regreso, los vascones atacaron la retaguardia del ejército franco, con toda su impedimenta. Demasiado pesado para defenderse en una tierra abrupta y hostil, todo el cuerpo del ejército franco quedó destruido. Los enemigos desaparecieron en los bosques con abundantes despojos. El primer acto de la epopeya europea tenía lugar en los valles de los Pirineos, y Roldán, el jefe franco de la Marca de Bretaña, caía víctima de las rocas y las flechas vasconas y no de las huestes musulmanas. Todas las fuentes hablan de un inmenso botín y de una afrenta sin venganza, pues el enemigo era invisible.

Los francos no podrían vencer en un territorio cuyos pobladores no hacían frente a sus grandes ejércitos recubiertos de hierro. Esas tierras debían ser sometidas de otra manera. Desde ese momento cambió la percepción franca sobre los núcleos del poder astur y cántabro. Su trabajo ahora consistía en neutralizar a los vascones para generar un muro de contención al oeste de Pamplona que no dejara las manos libres a los musulmanes para penetrar en el norte de los Pirineos, y que organizara y pacificara a los vascones tal y como se había hecho en cierto modo con los cántabros y astures.

Y esta fue la tarea que Alfonso II (*c.* 760-842) emprendió con la ayuda franca. Tras Roncesvalles, Alfonso se declaró «hombre» de Carlomagno, esto es, vasallo del rey franco. En los años 795, 797 y 798, que se sepa, Alfonso tuvo que enviar al rey de Aquitania, hijo de Carlomagno, parte del botín de sus incursiones por las tierras de al-Ándalus. Los francos habían fracasado en dominar Zaragoza y Pamplona, y eso otorgó a Alfonso II un lugar político definido. No habría una Marca Hispánica occidental, sino algo parecido a un rey astur. La experiencia de Roncesvalles y el reconocimiento de Alfonso II determinaron que Carlomagno concentrara sus esfuerzos en los territorios del Pirineo oriental, menos integrados en el emirato cordobés, sin pobladores díscolos como los vascones y con más presencia goda. Y así, en el año 785, Carlomagno aceptó la rendición de Girona. Poco después de la muerte de Abderramán I, hacia el 797, el nuevo valí de Barcelona viajó hasta Aquisgrán para solicitar de nuevo ayuda al soberano franco contra el emirato de Córdoba, ya bajo Al-Hakam I, a cambio de ofrecer la ciudad como aliada de Carlomagno. Consciente de las indecisiones de estos poderes de frontera, Carlomagno tomó la ciudad y dejó ver su ideal geoestratégico: establecer la frontera en el Ebro y controlar toda la Hispania Citerior. Sin embargo, la incursión sobre Tortosa fracasó y se tuvo que dejar la frontera en el río Llobregat.

Los nobles godos orientales que no se habían integrado en el poder musulmán, reunidos en la Septimania, fieles a los francos, ejercieron su poder como delegados de los reyes carolingios en la Marca. El territorio que se extendía al norte de Barcelona quedó dividido en condados, respetando las demarcaciones ya previas, ordenando las poblaciones tribales bajo el control de una autoridad central o *comite* dependiente del rey franco. Es necesario observar la coincidencia del condado, e incluso las subdivisiones en *pagi*, con demarcaciones tribales. Sin embargo, más decisiva fue esta división misma en unidades administrativas claras bajo la doble dirección de condes y obispos, al modo franco.[1] Mientras que en el alto Ebro y en las tierras de la Bardulia y Álava no había unidades de tierra identificables, la Marca Hispánica configuró núcleos políticos que dominaban una tierra definida, organizada, estabilizada, con poblaciones diferenciadas. Importante fue la dependencia eclesiástica de la vieja capital goda de Narbona. Y más importante todavía, que la Marca Hispánica no tuviera una autoridad unitaria, un marqués, un gobernador general con poder sobre todos los condados. De este modo, sin autoridad política ni eclesial unitaria, la Marca Hispánica fue una solución de urgencia, funcional para el Imperio carolingio y flexible para la estructura de poblaciones tribales pirenaicas y para ciudades como Girona y Barcelona. De este modo, aunque los musulmanes presionaran a Girona hacia el 828, la tierra ya no fue recuperada por el poder islámico. Es muy significativo que los diplomas de los reyes francos hacia el 844 hablen de «gothos sive hispanos» para referirse a los habitantes de Barcelona. Posiblemente de Gotholandia proceda la denominación de Cataluña. Nada parecido habría podido hacerse en las tierras de los vascos.

1. Tenemos los condados de Conflent, Cerdaña, Rosellón, Vallespir, Peralada, Ampurdán, Besalú, Osona, Sobrarbe, Ribagorza y Barcelona.

LA CENTRALIDAD DE PAMPLONA

Para comprender la situación de la frontera pirenaica nos queda reconocer que los musulmanes mantuvieron su dominio en un sitio tan al norte como Boltaña, en el Sobrarbe. Estos territorios de los Pirineos centrales no se estabilizaron como los condados orientales. Por lo demás, la tierra de Ainsa y los valles limítrofes eran controlados desde Huesca, una gran ciudad musulmana. Para entender esta evolución del Pirineo central es sumamente importante comprender lo que sucedió en Pamplona después de ser arrasada por Carlomagno. Pamplona había sido uno de los condados que se había opuesto a la elección de Rodrigo como rey, y su gobernante godo se entregó por pacto al nuevo poder para ser reconocido como conde *(qumis)*, señor o incluso príncipe de los vascones (*amir* de los *bashkunish*, según dicen las fuentes árabes). Configuró así un protectorado tributario, aunque a veces tuvo que imponerse de forma violenta sobre los pobladores de la zona. Tras la destrucción de Carlomagno, la inestabilidad de la ciudad fue constante. Durante diez años hubo un control franco, que no perduró más allá del 816. Luego, se volvió al estatuto pactado desde la invasión musulmana, y eso es lo que logró Íñigo Arista (o Eneko Aritza).

Entonces se proyectó sobre ella la influencia de la nobleza goda islamizada bien instalada en la ribera del Ebro, desde Tarazona hasta Calahorra, el clan de los Banu Qasi, uno de cuyos miembros medió en los pactos de Pamplona con el dominio islámico y usó de esa influencia para imponerse en la línea de ciudades de frontera hasta Zaragoza. Así que desde el 850 hasta el 900, Pamplona fue un poder semicristianizado sometido al islam, con influencia sobre la ribera del Ebro y con la aspiración de vincularse a los linajes principales de las tribus vasconas. Que era un territorio que se mantenía en parte cristiano se sabe por la estancia de Eulogio de Córdoba en los valles de Salazar y del Roncal hacia el 848. Un sistema de rehenes, que se instalaban en Córdoba, permitía no solo garantizar el pago de tributos, sino también mezclar las sangres pamplonesas y andalusíes, sobre todo mediante entrega de hijas nobles a los herederos de los emires cordobeses. Así evolucionaba

Navarra cuando llegaba al final de su reinado la figura de Alfonso II. En un momento en que la posibilidad expansiva del islam hacia Aquitania no era muy alta, Pamplona se convirtió en una ciudad de frontera en la que se podía comerciar bien entre el norte cristiano y el sur islámico. Esto le dio su importancia y su centralidad.

SÍMBOLOS EN ASTURIAS

Como se dijo antes, los francos privilegiaron el poder de Alfonso II de Asturias porque no habían logrado establecer una marca en los Pirineos occidentales. Fue entonces cuando Alfonso pasó la sede de su dominio a Oviedo, e intentó hacer de ella una ciudad, con la voluntad de separarse de Toledo, la capital goda entregada al islam. Todo su programa simbólico está canalizado por la reactivación de la dualidad entre la ciudad de Dios y la de los hombres. A pesar de esta diferencia, estas dos ciudades tenían que ser mantenidas en contacto a través de la Cruz. El hecho de que un caudillo se enterrara en una iglesia de su fundación era algo nuevo y representaba una conexión mayor con el mundo cristiano. Pero Alfonso II hizo algo todavía más importante. Asumió lo que, al parecer, ya comenzaba a caracterizar el núcleo dirigente de Pravia, la identificación de Santiago como pastor y *caput* del rebaño de Hispania. De este modo, Alfonso se vinculó de forma intensa al *Himno* que Beato de Liébana habría escrito sobre el Apóstol. Esta decisión estuvo acompañada de otra, en principio independiente, pero convergente en sus poderosos efectos.

Alfonso vio que era preciso corregir el desequilibrio entre los linajes de Álava y los de Pravia y Galicia. Para ello, se embarcó en una doble política. Primero, desvió a cuanta gente hispana pudo hacia Galicia, renovando las viejas sedes episcopales, como la de Iria, donde colocó a Quendulfo, a quien ordenó colaborar con el conde Aloito, al modo franco de la unión de un conde y un obispo como delegados del rey; un problema que no había sabido resolver el reino de los godos. Pero además de esto organizó a las élites gallegas en un bando propio que tuvo su centro de operaciones en Lugo, donde instaló otro obispo. En la parte oriental alavesa Alfonso hizo algo parecido instalando condes. Pero allí no había obispados y por eso no pudo organizar la doble administración militar y religiosa. Famoso fue el conde de Álava, que aparecerá en los diplomas ya en el 852 y que en el 883 tendrá un nombre mítico: Vela Jiménez. Como se ve, Alfonso intentó ordenar su poder de forma parecida a la Marca Hispánica oriental. Carente de un poder religioso adecuado, solo pudo restablecer algunos obispados antiguos en la zona de Galicia. Álava no tuvo obispados.

Con ello, Alfonso II configuró una hueste confederada: por una parte, su séquito, formado por astures, cántabros y alaveses; y por otra, el bando de los gallegos, con sus líderes episcopales y condales. El símbolo unitario, por primera vez documentado, era la gran Cruz de los Ángeles, diseñada por el rey, en la que se leía: «Con este signo vencerás a los enemigos». Esta fuerza militar coincidió con un momento en que Abderramán y sus sucesores endurecían las condiciones de vida de los cristianos protegidos, y los obispos mozárabes de las ciudades aparecían como esbirros fiscales al servicio del islam. Los *hispani* emigrantes al norte aumentaron y, establecidos en los monasterios de la Liébana y en los valles santanderinos, se vieron como los verdaderos cristianos, los fieles al espíritu de resistencia que el Apocalipsis había inculcado en la mentalidad hispanogoda. En su glosa del comentario de Jerónimo al *Apocalipsis*, Beato lanza sus maldiciones contra los obispos de las ciudades andalusíes y defiende a los anacoretas que viven en los valles norteños, bajo una disciplina que invoca a san Isidoro. Frente a los obispos mozárabes, que han pactado con los poderes del Anticristo, los monjes esperan de verdad la venida de los ejércitos de los mártires cristianos que señalan el acortamiento de los días del final. En su forma de vida comunal, austera, mínima, familiar, dispersa por los campos, con abades rotativos, Beato identifica el verdadero cristianismo, el que confía en el Mesías que dirige los ejércitos de sus elegidos. Beato no escribió un libro militarista, ni un llamamiento a la batalla, sino más bien un manifiesto de resistencia. Cristo y los elegidos mártires pelearán por los que viven apartados de las ciudades. Los hombres perdidos en los monasterios no se mancharán las manos de sangre. Confían en el Señor. Pero denuncian la traición de los falsos cristianos que habitan en el confort de las ciudades del Anticristo y, sobre todas ellas, en Toledo, la rival del pequeño núcleo ovetense.

Todo se concretó en el descubrimiento del sepulcro de Santiago en el 814 bajo el episcopado de Teodomiro, un obispo godo. Este hecho aceleró la vinculación regia al nuevo patrón, que se convertía en un cuerpo hispanizado por la tierra que cubría su tumba. El rey y su séquito fueron los primeros en peregrinar al lugar en el que se había encontrado el sepulcro. Este hecho fortaleció los nuevos lazos entre la Iglesia astur y la franca, y orientó los flujos migratorios hispanos hacia el poniente gallego. La cabeza de Hispania marcaba el camino de los *hispani* que no deseaban seguir bajo el dominio musulmán. Ahora solo tenían que echarse a andar siguiendo la Vía Láctea para llegar a territorio amigo, lejos de los obispos cómplices de la desolación. Ese fue el sentido inicial de la peregrinación. De una manera u otra sirvió para mantener despejados y frecuentados a la vez los caminos desde Europa hasta la tierra hispana y desde todos los rincones de la tierra de al-Ándalus hasta Finisterre. Así fue como en el siglo VIII surgieron los dos mitos más poderosos de la Edad Media. Roncesvalles y Santiago aseguraban ese cordón umbilical que mantenía unidos a los europeos e *hispani* de todos los lugares. En todo caso, el resultado fue una imitación cristiana del islam. Al parecer, Ramiro intentó imponer a los cristianos *hispani* la obligación de peregrinar a Santiago, como el islam imponía el deber de peregrinar a La Meca.

En este contexto, las representaciones apocalípticas, en las que Beato había vuelto a educar a los cristianos norteños, permitieron la transferencia de la lucha de Cristo y el Anticristo hacia la lucha contra los musulmanes. Y de esta manera, hacia el 844, ya con Ramiro I (*c.* 790-850), sucesor de Alfonso, se pudo creer lo suficiente para ver al jefe de los ejércitos celestiales de los elegidos, según rezaba el libro del *Apocalipsis*, ahora ya bajo la presencia de Santiago, dirigir a las huestes cristianas en la batalla de Clavijo, justo en el momento en que los cristianos se negaban a pagar el tributo de las cien doncellas, la prueba radical de independencia. De ser un asunto de toma de botín, la guerra pasó a ser un episodio de ese escenario apocalíptico en el que luchaban las potencias divinas de Cristo (con Santiago) y el Anticristo, poderes igualados que usaban como instrumentos de combate el cuerpo de los seres humanos. La ciudad de la Tierra y la ciudad del Cielo se unieron así a través de la batalla en la que todos participaban. La cruz era el símbolo de la victoria, cuyo portador era Santiago, el capitán de los ejércitos de los elegidos en tanto que hermano de Cristo.

EL REY DEL DESIERTO

A mediados del siglo IX, la sociedad de la Marca Hispánica se formaliza y los núcleos astures y gallegos se conforman con bandos propios, expansivos, mientras Pamplona inicia su camino de centro comercial, con amplia influencia en la zona de los vascones, tierra disputada, insegura, dado su escaso potencial organizativo, pero estratégica para las vías comerciales con Europa. En realidad, se avista el tiempo de Alfonso III de Asturias, que nació hacia el año 848 y murió en el 910. Ahora se constatará cómo la desintegración del Imperio carolingio influyó de forma decisiva en esta evolución, pues obligó a los poderes cristianos hispanos a fortalecerse en soledad y a correr riesgos por cuenta propia. Pero mientras el Imperio carolingio daba muestras de debilidad hacia finales del siglo IX, y llegaba a su final en el 987, los poderes musulmanes de al-Ándalus alcanzaron su apogeo justo entonces. Este desequilibrio presionó sobre los poderes cristianos y los forzó a introducir innovaciones capaces de darles estabilidad.

Para su fortuna, cuando desapareció el apoyo de los poderes francos, los núcleos cristianos peninsulares ya eran sólidos, y aprovecharon esa solidez para fortalecerse por sí mismos. Cuando desapareció el prestigio del emperador franco, los reyes astures tuvieron que inventar formas propias de legitimidad. Afortunadamente para ellos, el poder de Córdoba no se mostró en su plenitud hasta los inicios del siglo X, cuando Alfonso III ya había consolidado su poder. Este doble proceso fue determinante. Luego, la pérdida del referente franco y la intensa presión del poder califal de Córdoba pusieron a prueba la resistencia de los núcleos pirenaicos y cantábricos. Contra todo pronóstico, no se disolvieron.

Al contrario, se fortalecieron. En ese tiempo, por primera vez un caudillo asturiano se llamó rey a sí mismo. Eso fue lo que hizo Alfonso III. No le fue fácil porque el jefe del destacamento de Lugo le disputó la posición de mando, algo que nos da una idea de la dificultad de estabilizar el pacto entre los asturianos y los núcleos de poder gallego. Para imponerse a ellos, fue decisivo que Alfonso fortaleciera sus vínculos con Rodrigo, el primer conde de Castilla, y con Vela Jiménez, conde de Álava. La potencia guerrera de la parte oriental cristiana comenzaba a acreditarse, sin duda por la lucha más intensa contra el enemigo que ocupaba la tierra de Nájera, que se incorporó en el 923 al poder cristiano. Pero una vez que Alfonso se acreditó como un caudillo militar, se esmeró en parecerse a un rey.

Ante todo, organizó una mínima Administración de palacio al modo franco, algo parecido a la vieja *aula regia* de los godos. Podemos hacernos una idea de la sala de reuniones porque para eso se edificó Santa María del Naranco, el edificio prerrománico a las afueras de Oviedo. Existía un mayordomo y un *notarius*, figuras propias de los francos. Los *duces* de los godos fueron sustituidos por los *comites* o condes, que gobernaban los distritos desde su pequeño núcleo urbano, que todavía era la fortaleza central de las viejas demarcaciones de los godos. El resto del *aula regia* lo formaban los *proceres*, consejeros que no disponían de un gobierno de distrito. Después, Alfonso III se dotó de una simbología en la línea de Alfonso II. Basta ver la cruz de la Victoria, que se puede admirar en la catedral de Oviedo, un signo inequívoco de esplendor y de prestigio. Dentro de este programa simbólico de legitimación, Alfonso encargó la escritura de crónicas que ofrecieran un sentido a su poder. Tan pronto se dejó de mirar al Imperio franco, se comenzó a entroncar la realeza astur con el imaginario de la monarquía goda. Así se intensificaron los elementos apocalípticos que interpretaban la invasión de los musulmanes como la irrupción del Anticristo. Los godos ahora volvían a tener a Dios de su parte.

Estas visiones concedían a los poderes cristianos el papel de protectores de los elegidos cristianos contra las huestes del Anticristo. Los monjes, que seguían la impronta de Beato de Liébana, ofrecieron el esquema de la legitimidad de la acción regia, ya no para inspirar la resistencia en los monasterios perdidos en los campos, lejos de las ciudades, sino para proclamar la ofensiva de una repoblación cristiana. Así, la *Crónica albeldense*, que utilizó elementos narrativos francos y mozárabes, hacia el 880, describe las cosas de este modo: «con ellos [los árabes], los cristianos hacen la guerra día y noche hasta que la predestinación divina disponga vencerlos». Como se ve, son combatientes cristianos. No hay un gentilicio para ellos. No son *hispani*, astures, godos ni francos. Son cristianos. La ordenación tribal ha desaparecido, pero no se impone otra. La diferencia con el tono apocalíptico anterior es que ya no se culpabiliza de las desgracias de los cristianos a los godos. Con Alfonso III se acaricia la idea de que los nuevos reyes, descendientes de los godos, combaten por recuperar el favor de Dios que aquellos habían perdido por secretos designios. Al margen de su vinculación al Imperio franco, el nuevo rey se veía en el seno de una historia universal, parte de una narración que daba sentido a sus actuaciones, y explicaba la anterior catástrofe moral de los godos por estar dentro de los sucesos y mutaciones para los que el *Apocalipsis* venía preparando a los cristianos desde hacía siglos.

La tercera actuación que llevó a cabo Alfonso III fue mover poblaciones y ocupar territorios. Consciente de que había poca resistencia islámica por la costa atlántica, Alfonso ocupó Oporto y llegó a Coimbra, donde puso la frontera en el río Montego, al sur del Duero, ya controlado desde Zamora y Toro. Así que Galicia se expandió hacia el sur de forma rápida porque desde la costa tenía poco que temer, salvo a los normandos. Tuy, la capital goda de Galicia, en el bajo Miño, se repobló y se fortaleció con el conde Hermenegildo Gutiérrez en el 860, un hombre del *aula regia*. Desde el Bierzo se llevó gente hasta Astorga, como ya se ha dicho. La repoblación de León se había hecho con éxito en el 853, pero ahora, con Alfonso III, se reconstruyó el castillo romano, abandonado, y se fortaleció el obispado. Controlando el norte del Duero hasta el Arlanza, en Burgos, todo se sembraba de castillos roqueños por la tierra del Oja.

Este proceso se conoce como *prendere, capere, populare;* tomar, organizar una cabeza del territorio con una jerarquía política o *comites* y repoblar la tierra con unidades agrícolas y lugares de protección. El rey ya tiene una *potestas publica*, inicia un proceso por mandato o decreto del rey, domina la tierra, cuyo derecho de ocupación entrega a cambio de servicios determinados, como acudir armados a su llamada o pagar un censo. Fue un sistema bastante igualitario de repoblación y se hizo con campesinos libres. Así se fundaron monasterios y poblaciones de aldea con unidades gentilicias, con grupos familiares ampliados, pero ya no con estructuras familiares, pues muchos procedían de lejanos sitios o eran emigrantes *hispani* mozárabes. Desde el rey descendía una cierta administración de condes y delegados regios. Con ello, la tierra se organizó en *potentiores* e *infirmiores*, en poderosos y auxiliares, colonos semilibres o libres, organizados por su pertenencia a un clan o por una ficción jurídica que implicaba tomarlos como familiares, mediante la profiliación. La organización de monasterios visigodos, con un abad rotativo por semana, comenzó a abandonarse, y los poderosos se encargaron de fundaciones eclesiásticas alternativas. Así comenzó a generarse una aristocracia con funciones laicas y religiosas. Pronto se fundaron monasterios de nuevo cuño en Cárdena, Silos, Albelda, Nájera, Oña, que llevaron anales y crónicas. El proceso estaba avanzado cuando hacia el 925 se fundó Celanova. A su muerte, a principios del siglo X, Alfonso III había aumentado bastante el control de tierra por el occidente gallego sin apenas resistencia de los musulmanes.

UNA CIUDAD EN MEDIO DEL CAMINO

Los territorios gallegos eran un callejón sin salida, mientras que los pasos pirenaicos llevaban a la rica Aquitania. Por eso, en estas tierras centrales de Pamplona, y desde allí hasta Bayona por el Bidasoa, estaban los verdaderos lugares de disputa y de poder. Y por eso, si en esta zona uno quiere diferenciar los territorios musulmanes y cristianos a finales del siglo IX mediante una línea clara, no la hallará. Nájera era un lugar de fundación musulmana, pero Albelda, en su retaguardia, ya era cristiana. El conde de Álava se aposentaba en Cellórigo, en un intento de rodear Nájera —acabaría tomándola—, pero por doquier hay una frontera porosa, caótica, donde todo es posible, el comercio y la guerra.

Toda esa tierra era de paso. A pesar de sus castillos, nadie podía evitar que un ejército de caballeros musulmanes la cruzara, la saqueara, protegiera sus caravanas para llevar sus sedas y sus lujos hacia la receptiva Aquitania, que pronto integraría formas culturales refinadas musulmanas. Para mantener ese tráfico, el poder que se alzaba en Pamplona era fundamental y por eso, desde muy pronto, ahí se verán hombres capaces de negociar con todas las partes y de mantenerse aliados de los musulmanes. A principios del siglo X, Pamplona era la capital de los vascones, pero estaba muy bien conectada con los viejos godos islamizados de la ribera del Ebro, los Banu Qasi y con el poder de Córdoba. Lo había estado a lo largo de casi todo el siglo IX. Su cristianismo era dudoso y no se conoce obispo de Pamplona hasta el siglo XI. La sede episcopal se desplazó a Leyre, un monasterio en medio de montañas. Los de fe cristiana más sincera e intensa se desplazaron hacia los valles al este de Leyre, hacia San Victorián y San Juan de la Peña, conectando por los valles del alto Aragón y Sobrarbe con gascones y otros grupos tribales no vascos.

La ciudad de Pamplona tuvo que pactar con estas realidades y eligió rey a Íñigo Arista, un fruto específico de la tierra, semivasco, semigascón, semiaragonés. El reino de Pamplona se fundó aprovechando las luchas de Carlos el Calvo con los otros reyes francos. Se sabe que para la elección del caudillo de Pamplona no era necesario ser cristiano. Las alianzas con los caudillos cristianos de Asturias eran castigadas por los Banu Qasi, como sucedió hacia el 860, cuando el joven Fortún Garcés fue apresado y mandado como rehén a Córdoba. Los núcleos condales más orientales, desde Sobrarbe hasta Pallars, servían de refuerzo de Pamplona en los momentos en que Córdoba se disponía a la batalla. Hacia el 905 se hizo con el poder Sancho I Garcés, con el apoyo de Alfonso III, desplazando a los muladíes emparentados con vascones del estilo de Fortún Garcés. Esto permitió a Sancho algo antes imposible: mantener una buena relación con los poderes de Oviedo. La operación conjunta de los núcleos cristianos era hacerse con las tierras de los Banu Qasi de Tarazona, Tudela y Calahorra, que así se vieron obligados a entregar su relativa independencia a Abderramán III. Esta operación dejaba claro que el objetivo de todos los núcleos cristianos era alcanzar el norte del río Ebro, las ricas tierras de su ribera.

EL REY DE LAS CIUDADES

Si se persigue un poco la evolución del poder musulmán a lo largo del siglo IX se descubre que las agitaciones de las ciudades a lo largo de la centuria fueron continuas. Para controlarlas, la Córdoba omeya fundará nuevas ciudades. Así surgió Murcia en el 825 para neutralizar la nobleza descendiente de Teodomiro; Jaén, como guarnición que controlara las caravanas; Talavera, Madrid y Alcalá para neutralizar Toledo; Calatayud y Daroca para contrarrestar a los clanes de Zaragoza. La red de ciudades estará completa cuando se funde Medinaceli para conectar Toledo y Zaragoza. A principios del siglo X, cuando surge el gobierno de Abderramán III (891-961), se comprende la fisonomía de al-Ándalus en toda su plenitud, atravesada por la diferencia interna entre muladíes o conversos al islam, y los mozárabes, cristianos más o menos ortodoxos, más o menos protegidos, que habían superado las tensiones de mitad del siglo IX y se habían resistido a la emigración. Ambos grupos eran fuente de descontento e inquietud, y resistieron la política de homogeneidad impedida por los poderes cordobeses, afiliados ahora al malikismo, que impulsaba la destrucción de las iglesias levantadas tras la época de los godos.

Dotado ya de hegemonía, Abderramán III reaccionó contra el poder cristiano del norte de forma muy sintomática. Consciente de que la alianza de los poderes cristianos orientales y occidentales bajo la dirección de Pamplona podía ser una punta de lanza en el control de la cabecera del Ebro y de los pasos a Francia, concentró todas sus fuerzas para impedir que Asturias y Pamplona se unieran. Era preciso separar Oviedo de Pamplona. Eso debían lograr las aceifas, las incursiones en profundidad que mostraban todo el poder musulmán, como la del 939, conocida como la «de la omnipotencia». Estas guerras veraniegas de Córdoba iban destinadas a detener las avanzadas del poder de León, protagonizadas por el condado de Castilla, hacia San Esteban de Gormaz, y las de Pamplona hacia Tudela. No eran las únicas líneas de expansión. Desde Zamora se bajó hasta Salamanca, y también se pasó el Duero hacia Peñafiel y se pobló Sepúlveda. Este punto era el más peligroso, y para Córdoba era necesario impedir que se produjera un control completo del Duero, que dejaría aisladas las ciudades prepirenaicas. Así, en el año 924, Pamplona fue incendiada y destruida, pero San Esteban resistió en manos del conde de Castilla. A su paso, el califa de Córdoba sembraba la destrucción y el caos, con la intención de generar un desierto al sur de Pamplona. Con la suficiente escolta propia, los desiertos podían ser atravesados por las caravanas. Así que fue este imaginario, propio de un hábitat originario del Oriente Medio, lo que determinó la estrategia de Córdoba, gobernada por descendientes de los sirios.

Para entender la decisión de asolar la tierra del Duero y la cabecera del Ebro, conviene conocer cómo evolucionó la forma de su poder. Al declararse independiente del califa de Damasco, y al mantener la memoria de la difícil adaptación de los bereberes, Abderramán había roto con las bases de población islámica de África y de Oriente. Con ello, se separó de la evolución general del mundo islámico y se convirtió en un poder musulmán aislado. La consecuencia fue que el califa de Córdoba no podía convertirse en un poder repoblador ni invasor. Sin poblaciones islámicas amigas en retaguardia, tuvo que configurar un ejército mercenario, pagado con los impuestos de las ciudades sometidas y reclutado de todos los sitios y, muy a menudo, con esclavos desarraigados. Bajo estas condiciones, Abderramán III tenía un poder militar para someter ciudades y extraerles impuestos con los que pagar a la hueste, pero en modo alguno tenía un poder de ocupación de tierra. Así que donde se alzaba un poder hostil, podía dejar sentir su eficacia destructiva, pero no constructiva. Si alguien no pagaba y no se sometía, lo mejor era destruirlo y dejar un desierto a su paso. Sin duda, este mecanismo estaba diseñado para dominar las ciudades andalusíes. Tan pronto una ciudad quisiera comerciar, tendría que vérselas con un ejército califal. Era preferible pagar y comerciar que guerrear. Pero los núcleos de poder cristiano no tenían ciudades.

Así que Abderramán, por donde pasaba, sembraba el caos y arrasaba la tierra, llevándose todo el botín que podía. Esta práctica destructiva era cara y no siempre obtenía el beneficio capaz de financiarla. Pero debía impedir que se estabilizaran poblaciones urbanas. Así se quemaban cosechas, se robaba el ganado, se tomaban mujeres y niños, se desplazaban poblaciones hacia el sur, porque no había manera de renovar la población con la gente del norte de África. En suma, Abderramán se enroló en una guerra poblacional de dudosos beneficios, pero en realidad tenía pocas alternativas. Ni podía dejar crecer núcleos de poder que amenazaban con romper las vías de comercio con el norte aquitano, ni podía obtener mujeres y hombres más que en esas cacerías de cristianos norteños. Era una especie de guerra preventiva, exclusivamente negativa, porque no tenía población suficiente para recolocar gente en los terrenos ganados.

La forma en que respondieron los núcleos cristianos en las tierras de la confluencia castellana del Ebro y del Duero fue también forzada, pero no menos novedosa y eficaz. Su táctica fue la dispersión y la construcción de castillos. La gente de las aldeas ganaderas se replegaba, ante el paso de la hueste musulmana, con todas sus cosas hacia el alto rocoso fortificado. El campo quedaba asolado al paso de los jinetes musulmanes, pero, como un muelle, la gente volvía a extenderse después. Tomar un solo castillo de aquellos era una empresa ardua que podía durar semanas, y la campaña debía destruir y arrasar tanto territorio como fuera posible. Así que el califa tenía que elegir: destruir por extenso pero sin profundidad, o destruir en profundidad pero poco espacio. No podía emplear una hueste cara y numerosa para ir tomando castillo a castillo, en cada uno de los núcleos de aldea, en cada valle, en cada vaguada. La dispersión fue la táctica contra una hueste concentrada e imponente. Y fue invencible. Las tierras que forman el cuadrado que abarca desde Vitoria hasta Tudela, de Gormaz a Burgos, con centro en Logroño, se poblaron de castillos y, si las cosas se ponían muy mal, siempre quedaba en el centro de la tierra el refugio perfecto en las sierras de Cameros, Urbión, Demanda y Cebollera, un laberinto que la hueste musulmana no podía atravesar sin exponerse a todo tipo de trampas. Las tropas cordobesas tenían que rodear esas sierras, bien para atacar Pamplona, bien para encarar los llanos de Álava y atacar la zona norte del Duero, para llegar a León y a Oviedo. Pero para ello tenían que atravesar un mar de castillos, desde donde podían ser atacadas en su retaguardia. Lo que no podía hacer Abderramán era dejar poblaciones fieles a su paso. Para eso no tenía gente ni podía traerla de la comunidad musulmana africana o asiática. Fundar una ciudad en esa zona de endémico peligro no era una empresa viable.

Esto determinó dos formas de existencia. Mientras que los musulmanes optaron por la forma urbana, el norte peninsular se entregó a una forma económica ganadera y a una agricultura dispersa, mínima, en la tierra que se podía defender, bien porque estuviera escondida en perdidos valles, bien bajo la forma de un monasterio, o bajo las inmediatas murallas de un burgo. Para su fortuna, los territorios cristianos tenían su retrotierra occidental, hacia Galicia y hacia Zamora, hasta donde las incursiones musulmanas llegaban menos y donde la población siempre podía seguir creciendo y ocupando terreno hacia el sur. Esta fue la razón básica de la superioridad del poder cristiano, la mejor adaptación a la tierra, la que brotaba de ocuparla y tenerla, de vivir sobre ella, y no de una estrategia abstracta de recorrerla, forjada en el imaginario de los caudillos cordobeses, inspirado en la diferencia entre ciudad y desierto.

MIEDO REVERENCIAL

Sin embargo, los cristianos comprendieron bien pronto que tenían más probabilidades de sobrevivir si organizaban un continuo espacial. Solo que no estaban de acuerdo en cómo organizarlo. Cada uno aspiraba a expandirse tanto como pudiera y las alianzas eran frágiles. La zona leonesa se organizó en condados prácticamente independientes, que se alinearían a veces con la hueste de su rey y otras con la del califa cordobés. La zona gallega se ordenó en obispados, pero vio crecer también una nobleza que impidió que los reyes de León de la primera mitad del siglo x gozaran de autoridad. La zona crucial del centro burgalés y riojano conoció pronto el prestigio de los condes castellanos. Sin embargo, ahí, una vez más, la forma urbana se mostró la más poderosa. Por eso la hegemonía estuvo siempre del lado de la única ciudad de la zona, Pamplona, que intentó imponerse sobre las tierras castellanas. Así, uno de sus caudillos, García Sánchez (925-970), con el beneplácito de Abderramán III, intentó ampliar su influencia al oeste de las sierras de Cameros, en Montes de Oca. Es sabido que la aspiración real de Navarra era controlar el poder de Oviedo y de León, interfiriendo en las continuas guerras civiles entre los condes, frecuentes desde el año 930 en adelante. La índole de esta interferencia de Pamplona era compleja y se basaba en alianzas oportunistas. Tan pronto se asociaba con el conde castellano Fernán González contra el rey leonés, como lo mantenía preso para hacerse con la tierra de Cameros. Así que el juego del poder pamplonés era el más desinhibido, pues al mismo tiempo mantenía contactos con Abderramán III, sobrino de la reina navarra, Toda.

Ningún núcleo cristiano contaba con un poder tan fuerte, importante, rico y productivo como Pamplona. Ningún centro urbano era tan estratégico, tan central para las rutas comerciales, tan amplio. El peso de Pamplona sobre las realidades tribales de toda índole, tanto del Bearn como de los vascones, sobre los linajes nobles de Pallars, Ribagorza o Sobrarbe, no tenía comparación. Es verdad que la ciudad necesitaba alianzas, pero siempre podía llevar la voz cantante. La reina Toda lo supo y mantuvo su influencia sobre la zona y su buena relación con Córdoba. Nada parecido podía pasarle al oeste hispano. León era el principal núcleo, pero no tenía nada que ver con Pamplona. El único comercio que pasaba por allí era el interno a la realidad cristiana capaz de unir los obispados gallegos, desde allí hasta Zamora, Astorga, o a los establecimientos de Tuy, Lugo y Oporto. Era demasiada tierra para mantenerla unida y pronto se organizó en cuatro núcleos dotados de su propia lógica: León, Asturias, Galicia con Zamora, y Castilla. Los poderes condales se dividieron en una fronda. León podía compartir lógica con Galicia, pero apenas podía mantener bajo su poder la tierra de Álava y Castilla. Así que cuando los reyes de León lograban pacificar el occidente, el oriente plantaba cara, y entonces Pamplona siempre intentaba expandirse por las tierras de Álava y Cameros.

La división produjo un sentido de inferioridad entre los poderes cristianos respecto del magno poder cordobés. La prueba de lo primero se dio cuando Ordoño IV viajó a Córdoba para pedir ayuda a Alhakén II (915-976), el sucesor de Abderramán III. Lo recibió en el imponente palacio de Medina Zahara y le hizo jurar fidelidad en una ceremonia en la que se presentó como un poder sagrado, capaz de inspirar el pavor de lo inaudito. Las fuentes musulmanas nos relatan la zozobra del «bárbaro Ordoño», su inseguridad ante la magnificencia del islam, lo que se demostró cuando, ya acabada la ceremonia, tropezó con el trono vacío y se inclinó hacia él con una reverencia nerviosa, como si el trono fuera escenario de una majestad intocable. Humillado, el rey depuesto murió en Córdoba, donde otro infante pamplonés, Sancho, era sometido a una cura dirigida por los médicos musulmanes para adelgazar lo suficiente para poder montar a caballo, condición indispensable de la realeza.

La superioridad no era solo reverencial y cultural. Era también política, como cuando se ayudó a los nobles gallegos a nombrar a su propio rey hacia el 984, o cuando se determinaron las relaciones entre los condes leoneses y su rey. A la postre, Córdoba representaba un poder imbatible desde el punto de vista organizativo y militar. La red de información y de espionaje que había tejido incluso sobre lejanos territorios cristianos no tenía parangón. La humillación que representaron para los poderes cristianos las guerras veraniegas de Córdoba, año tras año, como una pesadilla, no se puede medir bien, pero el estrés y la ansiedad a que fueron sometidos los núcleos cristianos hizo de ellos realidades fuertes y poderosas y generaron una sociedad muy bien preparada para la guerra. Produjo capacidad de resistencia y dejó ante todos la evidencia de que vivían en un mundo en el que cada uno debía buscar la mejor opción con libertad de criterio.

Los pactos y las alianzas fueron de todo tipo y las líneas no las marcaba la religión en modo alguno. Sin embargo, habían sobrevivido gracias a la táctica de la dispersión y la proliferación de centros de resistencia y esto había generado una práctica muy difícil de desarraigar que presentaba profundos obstáculos a la acción concertada. Frente a los ataques musulmanes, la sociedad cristiana se dispersó y las realidades condales se subdividieron. Sin ciudades importantes, el control de la tierra no se organizó de forma clara. Ni siquiera en Cataluña resistieron las unidades condales, entregándose a unas luchas y rivalidades de las que solo Barcelona brilló como centro de poder político efectivo, todavía vinculado a los espacios europeos, en los que hacia finales del siglo X llegaba a su fin la historia carolingia.

LA CARRERA DEL LEÓN

Fue entonces cuando Córdoba, sin percibir peligro alguno al norte, pensó en tomar el litoral de África y dominar los territorios bereberes. Mientras el poder cordobés se mantuviera intacto, ese elemento bereber habría sido una fuente de estabilidad y, de hecho, lo fue durante un tiempo. Sin embargo, tan pronto la sociedad cristiana se enteró de que la Armada cordobesa había pasado el Estrecho, se lanzó a la ofensiva, con la idea de recuperar el enclave de Gormaz. Este hecho indicó que la dispersión de las tierras leonesas y castellanas era solo provisional y que por debajo bullía una inmensa vitalidad. Cuando tomó el poder Almanzor (*c.* 938-1002), comprendió que debía arruinar esa energía y se propuso que el poder cristiano regresara a la línea norte del Duero. Al frente de una hueste donde ya abundaban los bereberes, en el 979 tomó Sepúlveda. Con una extrema intensidad, Almanzor realizaría después una cincuentena de incursiones, en las que tomó desde León hasta Barcelona, y llegó a Santiago de Compostela en el 997.

Lo que más nos sorprende de ese relato es la reverencia ante lo sagrado. Todo se destruye, la ciudad, las iglesias, los palacios, todo excepto el sepulcro del obispo de Jerusalén, del amigo del profeta de Nazaret, a cuyo alrededor Almanzor dispone una guardia.

> En Santiago, Almanzor no encontró a nadie más que a un monje sentado junto a la tumba, al que preguntó por qué estaba allí. «Para honrar a Santiago», respondió el monje. El vencedor dio orden de que lo dejaran tranquilo.

Resulta impactante el sentido dramático de la escena. El monje es el testigo para que la historia circule entre los cristianos, para que todos, tras la destrucción, puedan conocer la generosidad del gran Almanzor. Y circuló. Almanzor era visto por todas partes, se le dotó de las propiedades de los demonios, aparecía con diversos aspectos, y todavía dos siglos más tarde, el obispo Lucas de Tuy, en su *Crónica de España*, se hacía eco de sus leyendas, en las que siempre aparece con el aspecto del favorito de Satanás.

La finalidad de esas incursiones hacia el norte muestra el punto débil de la sociedad de al-Ándalus. Nosotros estamos inclinados a mirar el mundo desde Europa y entonces al-Ándalus aparece como un rincón de frontera que debe pasar a otras manos. Córdoba tenía otra percepción. Para ella, el centro era Oriente y la frontera del mundo bárbaro se encontraba en las ciudades prepirenaicas y en el lejano Duero. Y como todas las fronteras, era una reserva de seres humanos que podían ser cazados en la guerra. Almanzor no quiere hombres. A todos les da muerte. Las mujeres y los niños son su botín. Las crónicas musulmanas son puntillosas en este sentido. Una y otra vez nos dicen los miles de cautivos que vienen a Córdoba. En la aceifa de Simancas más de quince mil, en la de Barcelona sesenta mil, en la de Zamora cuarenta mil. Su intención es biopolítica: que la sociedad cristiana no produzca seres humanos. El desarraigo que generó esa práctica de guerra puede imaginarse. El espanto hacía huir a las poblaciones. Nadie estaba en el mismo sitio tras el paso de Almanzor.

Las tierras de Castilla al norte de Sepúlveda y todas las tierras leonesas al norte del Duero quedaron desoladas. Y sin embargo, en esta estrategia Almanzor no fue consecuente. Al final de su vida, cansado de una actividad frenética y perenne, comenzó a dejar guarniciones musulmanas en los castillos y en los pequeños núcleos encastillados. En lugar de crear un desierto, forjó un centro administrativo musulmán en la línea del Duero. Pero sin bases cercanas, sin ciudades, sin poblaciones propias, sin el clima benigno del sur, esas unidades administrativas no podían durar mucho. Los cronistas nos dicen que al final de su vida Almanzor lamentó su error. En Medinaceli, a las puertas de la muerte, habría confesado que se había equivocado al unir aquellas tierras al «país de los musulmanes». Tenía que haber puesto entre al-Ándalus y los cristianos norteños diez días de marcha a través de desiertos, de tal modo que quien quisiera cruzarlos llegara hecho jirones. Al mantener los núcleos administrativos, había dejado puestas las bases para que los cristianos los ocuparan tan pronto él faltase. Una aguda conciencia subyace a este lamento, la que reconoce la tremenda vitalidad de una sociedad que pronto se iba a recomponer de la irrupción de un ciclón. Los propios poetas musulmanes no podían dejar de pensar en Almanzor con los caracteres de lo pasajero. De este personaje grandioso y fugaz dijeron: «He visto cómo tú has hecho caer una estrella y fui testigo de que hablaron de tu carrera de león».

Al paso de Almanzor, las tierras de Galicia, León, Castilla y Cataluña estaban más divididas que nunca. Los condes se titulaban «imperantes» y nadie respetaba la figura de unos reyes que se habían sometido muchas veces al caudillo cordobés. Con una firme voluntad de distinguirse, el conde de Castilla comienza a llamarse *dux*. Su política es tan autónoma que se aliará con el hijo de Almanzor para arrasar Barcelona en el 1004. Y en efecto, si al-Malik hubiera vivido más tiempo, habría sometido a los poderes cristianos a una presión disolvente. Como dijeron los cronistas, Almanzor se sentía orgulloso de transferir a su hijo «un más que suficiente cúmulo de impuestos para robustecer tu posición con el dominio del ejército y del fisco». Y así fue durante un tiempo, pues llevó la destrucción más allá del padre, hasta Sobrarbe, Roda y Clunia. Pero una enfermedad coronaria acabó con él y quedó claro que nada de verdad unía a la hueste musulmana. El califa Hisham no logró imponerse. La nobleza andalusí lo depuso y la guerra civil estalló por doquier. Los condes cristianos, con sentido de la oportunidad, pactaron cada uno con los viejos generales de Almanzor para derrotar a los odiados bereberes. Así lo hizo Ramon Borrell y Armengol de Urgell, o Sancho García, el castellano. En el 1010, una confederación de cristianos estaba cerca de Córdoba, intentando derrotar a los bereberes. El conde de Urgell perdió la vida en esa acción. Cada conde buscó los despojos que pudo del dominio musulmán. La sociedad cristiana se expandió como un resorte y ocupó todos los centros administrativos de Almanzor.

A la postre, al-Ándalus se había mostrado como una sociedad frágil, incapaz de mantener un sentido poderoso de la guerra. Al entregar su defensa a los jinetes bereberes puso su arma en gentes odiadas por los andalusíes. Esta fue su mayor debilidad. Los poderes cristianos se aprovecharon de ella. El pueblo andalusí se vio inmerso en conflictos internos que solo podían decidirse con una fuerza militar externa. Así entraron en la Península las primeras oleadas de almorávides hacia el 1015. Venían a fortalecer a sus familiares en apuros por los disturbios cordobeses. Pero sin grandes compromisos con la tierra, desestabilizaron las aristocracias urbanas de al-Ándalus en una política ansiosa de botín y de rapiña. Alejados del sutil refinamiento del califato, incapaces de comprender el islam *sui generis* que se había forjado en la tierra de al-Ándalus, dotados de una cultura mucho más ruda y primitiva, incapaces de comprender la elegante poesía y la compleja ciencia, los bereberes asolaron de nuevo la Península y lograron el sueño secular de tomar Tolosa hacia el 1027. Su victoria, sin embargo, hacía más daño a sus propios correligionarios que a los raídos núcleos de poder cristianos. Como una maldición, la primera oleada de almorávides mostró que al-Ándalus no podía aspirar a disponer de una fuerza militar propia. Debía elegir entre ser protegido por los cristianos del norte o por los bereberes del sur. Ambas soluciones lo condenaba como sociedad y como pueblo.

3

EL TAJO

UNA SOCIEDAD PRIMARIA

El estado de dispersión en que Almanzor había dejado a los núcleos cristianos era provisional. Un proceso de integración era necesario y dependería de las fuerzas y las capacidades de cada actor. Hasta la fecha, las relaciones entre la tierra condal y los *castra* y burgos, los núcleos defensivos y poblacionales, eran discontinuas y desarticuladas. Por lo general, el conde dominaba sobre un conjunto de *castra*, y eso significaba que formaba su hueste con su gente. «Imperante», forma en que algún conde se titulaba, quiere decir que conduce la hueste. Por lo general, esto significa que organiza sus *azes*, unidades militares, cada una con su insignia, un emblema que con frecuencia dibuja una caldera y algún signo adicional en su centro, lo que indica que alrededor de esa marmita se reúnen los que comen juntos en la campaña. Esta es la comunión real que conocen estos hombres. Los condes hacen de la guerra una actividad lucrativa. Así, las huestes condales están en todos los bandos posibles, alquilándose como mercenarios según la ocasión. Con el rey, frente al rey, enrolados en las tropas musulmanas, siempre renuentes a usar contingentes bereberes, aparecen por doquier y operan sin sentido de fidelidad sacramentada.

Esta forma de organizarse de los condes produjo en los reyes leoneses una debilidad extrema. En realidad, los condes gallegos o leoneses son actores políticos que, cuando no alquilan sus tropas al soberano de Córdoba, luchan por los intereses propios frente al rey o frente a otros pares. Esta flexibilidad subyace al tiempo de Almanzor. Nadie se engañaba: la fidelidad jurada no existía, no había causa común que defender ni vínculo sagrado que respetar. Todos los pactos se rompían cuando no se garantizaban las pagas o el botín, cuando la caldera se quedaba vacía o cuando meramente se calculaba que iba a ser así. En suma, la hueste condal era bastante parecida a una hueste mercenaria. Incluso con su propio rey debía pactarse el botín y las prestaciones económicas, y ningún juramento de honor ataba la hueste a su capitán. Por mucho que, a la muerte de Almanzor, los monarcas leoneses comenzaran a renovar el viejo sentido del crimen de lesa majestad, previsto por el Fuero Juzgo de los godos para los traidores, nadie hacía mucho caso de estas innovaciones.

Al contrario, la evolución histórica iba en otra línea. Hacia el 1009, el conde castellano Sancho García entró en la mismísima Córdoba y logró algo formidable: un pacto o tratado con los poderes andalusíes por el que recibía la cesión de todas las fortalezas desde el alto Duero hasta Sepúlveda, pasando por Peñafiel, todas aquellas plazas conquistadas por Almanzor. Eran más de doscientos burgos que extendían el poder castellano hasta Berlanga del Duero. Por su parte, Ramon Borrell, conde de Barcelona en el 1010, entraba de nuevo en Córdoba para impedir que los bereberes se hicieran con ella, pero ahora como aliado del reyezuelo taifa de Tortosa. De este modo, Barcelona proyectó su influencia sobre el sur islámico. Hacia el 1050, el proceso de disolución del califato estaba ultimado, pero el paisaje político no era estable.

TIERRA DE CAUDILLOS

La tierra al oeste de Pamplona, la naciente Castilla, también se fue configurando bajo la forma condal. Sin embargo, ahí el control directo de la tierra no se hizo con *castra*, sino con burgos. Mientras que en las tierras del norte del Duero, hacia el occidente, los castros se dispersan y se multiplican en unidades fiscales de tierra cada vez menores, hacia el solar castellano las necesidades de una guerra continua imponen una evolución condal unificada, capaz de articular la defensa de las líneas de burgos, sus repliegues, sus movimientos, sus ayudas. La sociedad leonesa y gallega se hace señorial hacia occidente, pero se militariza de forma intensa hacia las fuentes del Ebro. Impedir que la Tierra de Lara, Burgos, Álava y la Rioja se ordenaran de forma sólida y estable le costó mucho dinero al poder andalusí. Ese era el principal objetivo de las incursiones musulmanas de los veranos. Los cronistas musulmanes dicen que el olor de la tierra quemada, del humo y de la ceniza les era más grato que el ámbar y el almizcle. Sin embargo, las raíces de aquella tierra de castillos siguieron vivas. Sus habitantes se encerraban en los escarpados burgos que no podían ser conquistados más que con dedicación y esfuerzo de semanas. Con una retaguardia montañosa tan fuerte, los pobladores resistieron. Podían replegarse y hostigar a la retaguardia del ejército musulmán de regreso, al paso por barrancos y hondonadas. Las plazas fuertes de todas las tierras de San Esteban de Gormaz, de Sepúlveda, de Medinaceli y del sur del Duero, la Extremadura medieval, tan pronto la unidad del ejército de Almanzor se resquebrajó, pasaron a ser ocupadas intactas por los cristianos. Pero entonces tuvo lugar algo nuevo, de lo que el *Poema de Fernán González* da testimonio.

Conscientes por la guerra de la necesidad de dotar a todas esas tierras de un mando propio, que escapara de las veleidades de los condes leoneses y gallegos, los líderes de las familias castellanas organizaron un poder fuerte, que unas veces se inclinaba hacia León, y otras, hacia Pamplona. Pero eran ellos mismos, y ahí reside la visibilidad mítica del más célebre de sus condes, Fernán González. Mientras que en el occidente leonés los condes proliferan con los vizcondes y los señores de castros, en el oriente castellano los condados iniciales tienden a unificarse en uno, Castilla, cuyo jefe hacia finales de siglo x se llamará *dux*. La gente de la tierra, la que habla en el *Poema de Fernán González*, le llama *cabdiello*.

A pesar de todas las alternancias, los condes castellanos vieron que era preferible vincularse a Pamplona, primero porque era más rica y segundo porque tenía mejores relaciones con Córdoba. Desde luego, así pasó en tiempos de Fernán González. Pero con la muerte del hijo de Almanzor, al-Malik, dejó de existir una inteligencia capaz de pensar en la totalidad de la tierra de al-Ándalus. Entonces, los poderes se entregaron a la dispersión y configuraron el sistema más plural, complejo y extraño de relaciones políticas. Cuando la oleada almorávide pasó, las aristocracias urbanas andalusíes se hicieron fuertes en el gobierno de las ciudades y se proclamaron señores de ellas. Se trata del conocido sistema de los reinos de taifas. Esta palabra, *taifa*, designa la formación de un grupo o bando, por lo general vinculado por la sangre, dominante en un núcleo urbano capaz de controlar el territorio de alrededor. Todos los distritos urbanos de cierta entidad, desde Zaragoza hasta Almería, se declararon taifas en manos de familias notables, muchas de ellas conscientes de la procedencia de linajes godos islamizados, otras con linajes eslavos o bereberes de los jefes de la guarnición califal, que habían mantenido la fidelidad de la tropa.

Entonces se generaron las relaciones de poder más informes, luchando cada uno por aumentar su influencia tanto como pudieran. Incapaces de estabilizar el dominio general sobre lo que iba más allá de su distrito, permitieron a los condes norteños una capacidad de movimientos decisiva. Estos condes tenían tropas dispuestas y capaces de ser usadas para decidir en los frecuentes conflictos provocados por las relaciones entre las taifas. El inicio del sistema de taifas no fue aprovechado por ningún poder central cristiano. Coincidió con la dispersión de los poderes condales y aumentó la incapacidad de los reyes de León para imponer un sistema de gobierno eficaz. En estas condiciones, el conde más fuerte, el *dux* de Castilla, era el que mejores oportunidades tenía de moverse en una fronda compleja. Pero no hay que olvidar otra realidad: el conde de Barcelona, emancipado de sus dependencias francas, también tenía un amplio margen de maniobra.

No hay idea alguna de Reconquista en esta época. En ningún sitio aparece la idea de cruzada ni de guerra santa. Ahí se comercia y se lucha, y la guerra es una forma de actividad económica. Cada centro de poder gana tierras, ciudades, impuestos, botín y riqueza, y nadie sueña en componer un poder unitario. La unidad es la tierra en disputa, el terreno de juego en el que todos los actores se mueven sin inhibiciones. Hay unidad porque las actuaciones son comprendidas por todos y no se excluye a nadie, cristiano o musulmán, si es útil en un caso dado, pero nadie anticipa el paso siguiente. Tras cada actuación, todos los escenarios siguen abiertos. Aunque cada uno quiere aumentar su poder tanto como sea posible, nadie quiere que surja un poder unitario como el de Almanzor, capaz de cobrar impuestos a todas las ciudades.

Si puede darse un sentido a lo que significó el inicio del siglo XI, cabe decir que nadie quería volver al siglo X, con ese orgulloso poder califal cordobés. Cuando los jinetes almorávides de Yusuf ibn Tasufin asomaron por el Estrecho en el 1086, casi todos los que poblaban las tierras de la vieja Hispania o de al-Ándalus los vieron como enemigos. Espléndidos en sus ligeras monturas, no tenían rival cuando todavía no se disponía de la caballería pesada. Afortunadamente para todos, como había sucedido ya en el 1029, pronto se replegaban con el botín, su única idea real. Incapaces de gobernar de forma estable, a su paso debilitaron la sociedad andalusí. Para la sociedad cristiana eran una catástrofe pasajera más. Todos tenían una larga práctica de sufrimiento y resistencia y sabían esperar. Los primeros que deseaban que la furia almorávide pasara pronto eran los señores de las taifas.

EL PODER DOMINANTE: NAVARRA

En este sistema tan abierto se identifica un poder dominante, alguien con quien es mejor pagar que combatir. Y ese poder no podía proceder de otro sitio que de Pamplona. Cuando dejó de sentir la presión de Córdoba, Pamplona, dirigida por Sancho III (*c.* 992-1035), recompuso con libertad su influencia sobre los poderes norteños. El rey de Pamplona se vinculó por matrimonio con la familia del *dux* Sancho García, que ya patrimonializaba el mando sobre la tierra unificada de Castilla. A este ducado pronto se le añadió el condado de Cea, y se estuvo en condiciones de influir con fuerza en la política de León. Su rey, en un intento de imitar y rehabilitar las categorías políticas godas, exigió la *fidelitas* y, actualizando el *Liber Iudiciorum* de los godos, amenazó con castigar los delitos contra la majestad. Con ello, los reyes leoneses mostraron por ese tiempo la voluntad de distinguirse de los caudillos condales y de someterlos a su dirección política. Pero tuvieron extremas dificultades para lograrlo. Por esas fechas, por ejemplo en el 1018, los reyes de León se conciben así: «reinando nuestro señor Jesucristo y dirigiendo la hueste [Alfonso], rey en León, y el conde García Sánchez en Castilla». Quien reina es Cristo. El rey y el conde imperan, dirigen la hueste, mandan el ejército. Y lo hacen en León y en Castilla. Mandan en, no son reyes de. Tienen un poder sobre la tierra, pero no hay idea de reino. Imperar es una idea de mando concreto. No hay unidad política ni vínculo fuerte de poder y tierra, de rey y reino, de dirección y pueblo. Poder efectivo y solvente, identificado de forma clara en sus límites, identificado con su pueblo, en realidad solo lo tiene Sancho III, que desplaza el Camino de Santiago para que pase por sus tierras y evite adentrarse en los llanos de Álava. Desde Pamplona, Sancho integró los territorios pirenaicos de Sobrarbe, de Ribagorza y del alto Aragón, que heredarán sus hijos, pero sin título de reyes. Máximo apogeo de su poder fue el canto del cisne de la influencia de Pamplona, que no podía sobrevivir mucho a la debilidad del poder de Córdoba, su interlocutor. En Sancho III todavía se recogen los beneficios de la vieja centralidad.

También fue el canto del cisne de la época condal. Todos los condes estuvieron sometidos a Sancho. Potencia económica, Pamplona no tenía una hueste tan entrenada, fuerte y unificada como la castellana. Por eso la aspiración consciente de Sancho fue contrarrestar la unidad militar de Castilla. Así, este impidió la unión de Castilla con León, amenazante para él, y logró el gobierno de Castilla por matrimonio. Consciente de que era un poder dinámico, hizo todo lo que pudo por limitarlo e integrarlo. Definió la frontera de Castilla a su favor, incluyendo San Millán de la Cogolla en su reino y dispuso que, a su muerte, se dividiera el condado de Castilla, de mutuo acuerdo con León, que tampoco quería una Castilla fuerte. Ambos reinos estaban interesados en colocar una franja de condados plurales en medio de ellos, como una especie de colchón que no hiciera peligrar su poder. Una Castilla unida era un motivo de inquietud para León y Navarra.

Así que Sancho redujo la extensión de Castilla en manos de su hijo Fernando de forma ilegal, pues sus derechos no los podía alterar el rey de Pamplona. El caso es que una parte de las tierras castellanas pasó a Navarra. Solo la zona más occidental pasó a Fernando, que así se vio sometido con fuerza a la presión de León. El pacto era demasiado obvio y humilló a los castellanos. La fragmentación, que buscaba reducir Castilla a un condado más entre otros, no tuvo éxito. Y no lo tuvo por tres razones: por la debilidad propia de León, siempre envuelto en sus endémicos conflictos condales; por la fuerza interna que había adquirido la tierra castellana sostenida por la memoria mítica de su resistencia y el liderazgo de sus condes; y por la fragilidad del rey García de Navarra, el sucesor de Sancho III.

Así que el segundo hijo de Sancho, Fernando, liderando los linajes castellanos, venció a León y logró ser reconocido como rey por los derechos derivados de su esposa, hermana del rey vencido. Esto ocurrió en el año 1037. Entonces gozó de la ayuda de Navarra, pensando su rey García que así le dejaría la posesión de las tierras orientales usurpadas por su padre. No fue así. Con todo el poder leonés y castellano en sus manos, venció a su hermano García en el 1054, en Atapuerca. De este modo recompuso la unidad de Castilla y dejó a Pamplona sin las tierras de Álava. Sobre ellas se estableció una ruta alternativa a Pamplona para acortar el Camino de Santiago.

POR FIN, UN REY RICO

Y así se puede decir que la ventura de Fernando I significó un antes y un después para la historia política de España. Su reinado es uno de los más exitosos porque estuvo en condiciones de mantener una hueste unitaria. Eso fue una noticia que las ciudades taifas no podían pasar por alto. Ya no podían contratar a condes según su discreción. Ahora, la hueste castellana podía encargarse de mantener despejadas las vías de comercio entre las ciudades musulmanas a cambio de un impuesto adecuado. Fernando se distanció de la forma en que Almanzor había ejercido el poder. Paz a cambio de impuestos, comercio con garantías a cambio de dinero, esa fue su fórmula. Puesto que las taifas no tenían capacidad de mantener un poder unitario, pagaban a un árbitro externo al sistema de ciudades. Fue el tiempo de las *parias*, los impuestos o tributos, que no tienen nada que ver con la fidelidad, sino con la extorsión, y que no están ordenados por juramentos, sino por la capacidad coactiva de la hueste que viene a cobrarla.

Fernando, rey de León y de Castilla, al sustituir el arbitraje califal, privó a Pamplona de su interlocutor secular y, al taponar su zona de expansión, dejó a Navarra reducida a un reino pirenaico. Por su parte, fue el primer ejemplo de rey castellano rico. Ello se notó en sus joyas, en sus vestidos, en su disposición simbólica y en su capacidad de representación. En el *tumbo* de la catedral de Santiago se encuentra adornado con túnicas, provisto de cetro y de leyes, o de cetro y espada, a veces sobre un trono que tiene a sus pies una ciudad, sin duda León, pues Castilla no las tenía. Cuando se observan los rudos grabados de los reyes astures, se aprecian las diferencias. Ahora, Fernando y su esposa, Sancha, se representan adornados con ricas túnicas al estilo romano y tocados al modo musulmán. Por la caída de los vestidos se aprecia la seda y el refinamiento. La estancia queda adornada con ricos cortinajes de seda. Toda la atmósfera nos ofrece una idea de su aspiración a la riqueza ornamental. La producción del famoso *Beato de Fernando I y doña Sancha* es uno de los más bellos que se conservan de este magnífico libro. Por lo demás, la construcción del panteón de San Marcos ya es una obra de cierta consistencia, aunque sigamos sin tener una idea precisa de su forma originaria.

La nueva riqueza tuvo su influencia en las relaciones internacionales, que se forjaron entonces de forma más nítida que las impulsadas hasta la fecha por Navarra. Se trata de un primer paso en este camino de internacionalización de Castilla, que será decisivo. Tanto Fernando como su esposa, Sancha, estuvieron en condiciones de entrar en contacto con el nuevo poder que se estaba formando en los campos franceses, en Cluny, el faro religioso y nobiliario que irradiaba su luz sobre toda Europa. No fueron los primeros contactos, pues su padre, Sancho, ya había introducido el rito romano en Pamplona, con obispos catalanes, abandonando la liturgia mozárabe. Como tal, Fernando siguió anclado al rito mozárabe visigodo, se mantuvo en el derecho canónico visigodo que rehabilitó en un sínodo en Coyanza, e intentó recomponer el sistema episcopal godo, renovando la sede de Palencia. Pero la presión de Cluny no iba a dejar que Castilla mantuviera ese cristianismo propio.

Lo que él creía ser se mostró en el epitafio de San Marcos de León: era el rey de toda Hispania, el hijo de Sancho, quien solo había sido rey de los Pirineos y de Tolosa. No se dice que fuera rey de Castilla y de León. Tampoco reconoce que Pamplona tuviese una unidad. Su padre había sido rey de los Pirineos del norte y del sur, desde los valles del Bearn hasta la ciudad de Tolosa. Él era rey de toda Hispania. Y sin embargo, sus ciudades más importantes eran León, Burgos y Palencia, nada comparable a Pamplona o Tolosa. Su sistema de poder ordenaba los condados gallegos y leoneses y el condado de Castilla, reunificado de nuevo. ¿Era eso «tota Hispania»? ¿Es que los Pirineos no eran Hispania? ¿Qué quería decir este rey al titularse así? Algo que se conoce por su testamento. Sus territorios eran una mezcla de herencia propia —Castilla— y de herencia de su esposa, la hermana del último rey en León. Pero no se consideraba rey de algo unitario, sino de una tierra, Hispania, incluida la de los moros que habitaban en ella, tierra que se podía repartir entre sus hijos. Lo que él ha unido es su obra personal y no tiene un objeto político sustantivo. Ser rey de toda Hispania quiere decir que es el señor político de la tierra hispana, que cobra impuestos y parias en ella. Su único título para esto lo dice en su tumba: «Éste [Fernando] peleando hizo sus tributarios a todos los Moros de Hispania». Es rey de Hispania porque ha hecho tributarios a los moros.

Por eso, a la muerte del rey, los hijos reciben las tierras repartidas. El mayor, Sancho, el primogénito, de forma ineludible, recibe el núcleo mismo de su patrimonio, Castilla, ahora con título de rey. El segundo, Alfonso, recibe León, también con título de rey; y el tercero recibe Galicia, que desde antiguo tenía una base condal y episcopal propia. Pero cada uno de ellos redondea sus derechos con parias de las taifas musulmanas correspondientes: el rey de Galicia es también señor de las parias de Badajoz; el rey de León es señor de las parias de Toledo, y el rey de Castilla es señor de las parias de Zaragoza. ¿Es eso toda Hispania? Es lo que en el imaginario del rey constituye la totalidad de la tierra.

Es el año 1075 y la época que ha pasado al imaginario popular como los tiempos del Cid, el gran cobrador de tributos de la época. Por su parte, los hijos de Fernando I no saben muy bien los límites de la entidad que gobiernan y se entregan cada uno por su cuenta a aumentar su poder tanto como sea posible, como acción personal suya. No hay una idea de unificar la tierra de Hispania. No se excluye que este sea un resultado, pero lo será como consecuencia de la fuerza, la astucia, la inteligencia, la diplomacia o la fortuna del poder. Institucionalizar la unidad es algo que nadie quiere en el fondo, pero es posible que tampoco se sepa ni cómo hacerlo ni cómo impedirlo. No hay un concepto de lo que sería esa unidad, pero no por eso se busca menos. Su beneficio sí se conoce: cobrar impuestos de todas las ciudades para mantener la hueste y poder seguir cobrando impuestos.

Fisco y ejército es la fórmula de Almanzor, pero con la oferta de paz en lugar de la seguridad de la guerra. No es un giro azaroso. Las taifas pueden comerciar y los castellanos cobrar, pero no a la inversa. La mentalidad que se expresa en el *Poema de Fernán González* no es otra: «aquella es mi seña y ellos mi mesnada», dice su conde. Su hueste, su pendón, su botín, su caldera. Su comida. Hay unidad, desde luego, la que tienen los que de forma ancestral se enfrentan unidos a la muerte en la batalla, los que reciben la paga del mismo capitán, se reúnen alrededor de la misma caldera para comer. Castilla, así, es la única tierra dotada de algo parecido a un espíritu común, el espíritu de la guerra que mantuvo a la gente unida a sus caudillos, una guerra que, como deja claro el *Cantar de Mio Cid*, es una forma económica, una forma de vida.

UNA REVOLUCIÓN CULTURAL

En este mar fluido de relaciones políticas, una constelación se dibuja en el horizonte. Es la de Alfonso VI (1047-1109), el protagonista de una historia casi bíblica. A la muerte de Fernando I, en el 1065, su primogénito, Sancho, se deja llevar por la pasión del poder y emprende una campaña para recuperar el dominio del padre. Su hermano menor, Alfonso, que ha cooperado con Sancho para eliminar a García y repartirse las tierras gallegas, es rasurado y condenado a la vida de monje en Sahagún, al modo de los godos. Sin embargo, escapa y se convierte en un paria intrigante en la ciudad que tenía que pagarle tributo, Toledo. Para los fieles hidalgos de Castilla como Rodrigo Díaz de Vivar, es un sospechoso. Todos recelan de su oportunismo de resentido. Mientras su hermano se hace con todo y sitia la lejana Zamora, nuestro héroe se refugia en un Toledo musulmán, un tanto alarmado y angustiado. Conviene hacerse una idea de la realidad de esa ciudad central, nudo de las relaciones comerciales entre el norte y el sur, el este y el oeste, la urbe diseñada sobre una idea peninsular, la capital visigótica. Ella, que desde los pasos de Despeñaperros pone en relación la Bética con la línea de ciudades prepirenaicas por la ruta hacia Zaragoza, vive tiempos de incertidumbre. El azar quiso que Alfonso conociera esas inquietudes de la taifa de Toledo desde dentro y que pudiera forjar las suficientes relaciones para darle a la ciudad garantías de estabilidad y de futuro.

Esa inquietud estaba relacionada con la inseguridad y la desconfianza de lo que sucedía en Badajoz —demasiado lejana de su centro protector, la Galicia sin rey— y de la solución que buscaban las élites de esta ciudad para separarse de los pagos de tributos a los cristianos, en un momento en que estos combatían entre sí. Como siempre, se trataba de llamar a los almorávides. Al final, Toledo comprendió que podría seguir como estaba más fácilmente bajo los poderes cristianos que bajo el control de los almorávides que se cernían sobre el Estrecho, dispuestos a dominar de nuevo al-Ándalus con un poder férreo y unitario. Así se llegó a un acuerdo en el 1085. Toledo pasaba a estar protegido por Alfonso, a quien al fin y al cabo pagaba tributos, y el dirigente de la ciudad, el nieto de su amigo Al-Mamún de Toledo, fue desplazado al gobierno de Valencia, parte de la taifa toledana en aquel tiempo. Toda la frontera de taifas centrales se recompuso. Toledo no fue conquistado. De la misma manera que habían pasado a control musulmán por negociación, ahora pasaban por pacto a control de Alfonso, y sin parias. Toledo se convirtió en la reunión de cuatro comunidades, con su propia ley: la mozárabe, la musulmana, la judía y la nueva de los castellanos.

Sin un cambio real, de ser dueño de parias, Alfonso pasó a ser el señor de la ciudad. Como señor cristiano se asomó al Tajo mucho antes de que nadie se asomara al Ebro medio. Toledo se sometió a los reyes del norte antes que Jaca o Huesca. Se puede suponer que no significó una toma de tierras. Muchas ciudades y castillos entre el Duero y el Tajo seguían bajo sus antiguos señores. Nadie tenía poder para alterar las poblaciones o intervenir en una colonización. El Toledo cristiano fue un oasis.

El talento diplomático de Alfonso merece un reconocimiento. Su inteligencia le hizo ver que los cristianos hispanos eran menos odiosos para muchos andalusíes que los almorávides. Sin embargo, no se puede evitar identificar una indecisión en su vida. Siguiendo la estela de su padre, deseó vincularse a los prestigiosos modelos aristocráticos europeos, y las negociaciones matrimoniales dejaron claro su interés por fortalecer esos vínculos. Sus aspiraciones iban desde emparentar con el rey Guillermo el Normando, con cuya hija deseó casarse, hasta desposarse con Inés de Aquitania. A la muerte de Inés, Alfonso se dirigió a Borgoña para encontrar esposa, iniciando con ello una relación internacional fecunda y duradera. Así, el rey casó en el 1079 con la princesa Constanza, bisnieta del rey Hugo Capeto. Desde ese momento, la suerte de Hispania no puede entenderse sin esta relación internacional, que tendrá repercusiones revolucionarias. La hija de este matrimonio, Urraca, volvió a casar con un noble borgoñón, Raimundo. Como se verá, la nobleza de Flandes y de Borgoña no iban a dejar escapar un vínculo internacional tan decisivo, que obtenía importantes beneficios del comercio entre el mundo musulmán y el mundo europeo. Pero al mismo tiempo, frente a las aspiraciones de Gregorio VII, que pretendía la jurisdicción sobre la Península —cosa que logró con Sancho Ramírez de Aragón (1043-1094), que viajará a Roma y le prestará juramento—, Alfonso VI se proclamó «imperator totius Hispaniae». Sin embargo, esta superioridad sobre «todas las naciones de Hispania» no impide que fortalezca las relaciones con Cluny.

Esta alianza implicó una presión fuerte e intensa para europeizar los dominios de Alfonso. La liturgia goda o mozárabe, que había sobrevivido bajo dominio musulmán, era un obstáculo demasiado fuerte para que las princesas borgoñonas se sintieran en casa. Los obispos mozárabes eran para ellas extraños, poco latinizados, y difícilmente podían confiar en ellos para sus atenciones espirituales y sacramentales, altamente ritualizadas. Desde el punto de vista cultural, una ciudad como Toledo, muy islamizada, con una intensa comunidad judía, le era enojosa a esas princesas acostumbradas a la liturgia romana, según la forma de Cluny, con su nueva comprensión de la música y de la participación del coro en la liturgia. La presión por dotar a las nuevas sedes con obispos francos fue muy intensa. Estos, a su vez, desearon atenerse a su propio sentido litúrgico, la clave más profunda de su sentido de lo sagrado. Los libros y objetos de culto mozárabes comenzaron a ser despreciados e incluso quemados. Las nuevas fundaciones de monasterios al estilo de Cluny, completamente ajenas a la multitud de fundaciones realizadas al estilo mozárabe, se impusieron. El derecho canónigo comenzó a cambiar y con él las formas en que se mantenía el régimen de la tierra de los lugares sacros y las rentas debidas a las iglesias. El feudalismo eclesiástico comenzó a generalizarse. Era la vida entera del pueblo hispano la que debía cambiar con aquella decisión por Europa, que hacía fluir el oro de Hispania hacia la lejana tierra de Borgoña a cambio de sus princesas, estilo y prestigio.

Los cristianos mozárabes no quedaron contentos. Las reacciones populares a ese catolicismo nuevo, romano, sin raíces, fueron intensas en Toledo, la heredera de la Hispania goda, la cuna del mozarabismo, eso que Roma llamaba con desprecio la *superstitio toletana*. El nuevo cristianismo que traían los aliados francos era para ellos extraño y, en un momento en que los almorávides presionaban, se comprendió que no era el momento de alterar el estatuto de las religiones. Quizá por eso, en los años finales de su reinado, Alfonso dio un giro muy brusco en su forma de entender la realidad hispana, esa indecisión radical a la que me he referido. El rey casó con Zaida, una princesa musulmana. Las crónicas de los monasterios, como el de Nájera, solo hablan de que era su concubina. De lo que no cabe duda es de que el hijo de esta musulmana y de Alfonso fue declarado heredero. Si estos hechos obedecían a un plan para mantener un dominio sobre comunidades plurales, como en el fondo sucedía en Toledo, no se sabe con certeza. Lo que apenas puede dudarse es que las realidades que se estaban acumulando sobre Castilla, con la incorporación de Toledo, iban en direcciones distintas.

La presión europea caminaba hacia una homogeneidad católica, con toda la fuerza de la acción convergente de Cluny y Roma.

La presión almorávide hacía regresar el islam hacia una versión más rigurosa y menos dada a la tolerancia. Así, las indecisiones de Alfonso entre una cristiandad europea y un islam andalusí nos parecen específicamente hispanas. Eran fruto del dilema entre mantener una realidad social compleja bajo un dominio político dual, islámico y cristiano, con todas las flexibilidades necesarias, o cambiar las realidades culturales y sociales andalusíes con el apoyo europeo, para hacer único el dominio de los cristianos. Pero en este último caso, la base cultural y étnica de las poblaciones cristianas mozárabes e islámicas tendría que cambiar, y esto no resultaría fácil ni en un caso ni en otro.

En efecto, las realidades hispánicas, cristianas o andalusíes, estaban amenazadas por evoluciones traumáticas. Pero si se apostaba por continuar la formación cultural mozárabe, Alfonso debería perder la conexión europea. Si seguía vinculado a la nobleza europea, entonces era preciso cambiar el sentido del cristianismo castellano y leonés. En suma, la cristiandad mozárabe solo podía salvarse junto con el islam andalusí. De otro modo, las dos culturas perecerían juntas. Las indecisiones de Alfonso testimonian que no era completamente inconsciente de esta negra perspectiva.

En todo caso, los cambios litúrgicos sumieron a los habitantes de la franja cristiana en el desconcierto y en la sensación de inseguridad. El caos que iba a producir este asunto no tiene nombre. El cristianismo mozárabe había crecido en monasterios al norte del Duero y en Toledo, León, Zamora y Santiago. El romano estaba presente en Navarra y en Cataluña. Por toda Castilla, el cristianismo mozárabe monacal era muy diferente de la religión de la hueste. Nada hay de cristiano en el *Poema de Fernán González*. Poco habrá en el *Cantar de Mio Cid* y será borgoñón. Tras la vinculación con Cluny, el catolicismo franco era un poder en la corte que se desplegaba por frailes, monasterios, obispos y consejeros, con sus libros y sus ritos. La corte de Castilla estaba feliz de incorporar formas francas prestigiosas y renovadoras, pero había un abismo entre esta religión de corte y la propia de la gente sencilla. Una dualidad crecía en el fondo de la estructura castellanoleonesa cristiana, una dualidad entre las formas culturales francas cortesanas y las formas mozárabes populares de cultura. El mejor ejemplo de esta dualidad está en el Cid, una figura conformada por las dos culturas, con la doble versión del *Poema* y del *Cantar*. También se observa la misma dualidad en los villancicos tomados de los musulmanes, frente a las formas cultas en latín o en ese romance latinizado que pronto se verá en el *Poema de Almería*. Esa dualidad rompería traumáticamente la relación adecuada entre los pueblos y las élites. La época de Alfonso VII saldría asombrada del caos que produjeron las indecisiones de los últimos años de su abuelo, Alfonso VI. Pero antes debería suceder el tiempo de la confusión más profunda, la época de Urraca, que vio emerger el caos por toda la tierra castellana, disputada entre la nobleza gallegoborgoñona y la castellanoaragonesa.

4

DEL EBRO AL GUADIANA

EL CAOS ES EL SEÑOR

Las privilegiadas relaciones de Roma con Navarra y Aragón no cesaron de incrementarse: los obispados de Roda y de Jaca son ya de liturgia romana. Huesca, conquistada en el 1096, también. La base de unión de los hispanos desde Oviedo hasta Toledo, el cristianismo mozárabe, comenzó su retroceso hasta la desaparición de una cultura de la que no quedará rastro alguno. Las consecuencias para la historia de los pueblos hispanos son incalculables. Alfonso VI se entregó a mejorar el Camino de Santiago, acogiendo un flujo emigratorio que dotó a Castilla de artesanos, comerciantes, maleantes, todos peregrinos capaces de poblar nuevos centros urbanos y monasterios renovados. Logroño se fundó entonces. Sahagún, hasta ese momento un centro de mozarabismo, fue transformado y entregado a Cluny, que impuso su señorío eclesiástico y que reclamó hablar en francés, pues tal era la índole de sus pobladores. Santiago, en el centro de los conflictos nobiliarios gallegos, se entregó a Urraca, que dejó su administración al luego obispo Gelmírez, el constructor del prestigio de la sede que culminaba el camino europeo. Castilla, que miraba hacia el Ebro, con sus infanzones, deseaba la expansión hacia Zaragoza y Valencia, pero Alfonso sirvió a los intereses francos con este cordón umbilical con el mundo europeo.

Cuando Alfonso VI desapareció (1109), tras la terrible decepción de la batalla de Uclés, donde murió el heredero Sancho, el reino se entregó al caos más completo. La población que se había forjado bajo aquella política indecisa no estaba unida por lazo alguno. La base popular del reino ya era compleja y caótica. Los centros de cultura mozárabes perseguidos, los libros árabes y judíos circulando hacia Europa, los nobles vinculados a Cluny y a la liturgia romana, que nadie respetaba ni sentía como suya, entregados a las intrigas propias de un escenario de crisis; los emigrantes francos del Camino de Santiago sometidos a unos impuestos exagerados por sus abades; los burgos de frontera, como Sepúlveda, dominados por caballeros pardos o villanos, que hacían de la guerra su forma de vida económica; y el pueblo cristiano despojado de sus ritos litúrgicos comunitarios, carente de todo liderazgo firme. Sobre este caos, la reina Urraca, viuda e impotente, abandonada por los nobles e infanzones castellanos, enraizada en Galicia, se enfrentaba a los caballeros aragoneses dirigidos por Alfonso I el Batallador (*c.* 1073-1134), pronto su esposo en un matrimonio impuesto por un bando de aristócratas castellanos. Era un acuerdo imposible. Y la violencia estalló por doquier, la violencia más intensa que había conocido la tierra cristiana en la nueva historia.

Alfonso I de Aragón es el caudillo de una nueva forma de guerra y está bendecido por los decretos papales de cruzada. Los nobles castellanos y sus infanzones independientes, deseosos de la expansión hacia Zaragoza y Valencia, se enfrentan a los nobles gallegos, con Gelmírez y Traba a la cabeza, anhelantes de nombrar rey al futuro Alfonso VII, el hijo de Urraca y Raimundo, la cabeza visible de los intereses borgoñones. Ajenos a estas tramas aristocráticas, los pueblos se organizan en *conventi* o hermandades contra esos nobles e imponen su ley a sangre y fuego, destruyendo a su paso el orden aristocrático siempre que pueden, sobre todo los pergaminos de los contratos y de las fundaciones. Todo este conjunto abigarrado de intereses no encuentra un principio de orden. La consecuencia fue una lucha de todos contra todos, una guerra ingente, cruel, traumática, que durante los primeros años del siglo XII destruyó casi todo lo que de civilizatorio se había logrado en el reinado anterior, pronto añorado en cantares y romances como una verdadera edad de oro, en la que los vecinos de los pueblos podían dormir con las puertas de las casas abiertas, mientras los campos florecían pacíficos.

Los comentarios del *Anónimo de Sahagún* a los disturbios de 1112 son apocalípticos. Y sin embargo, poco a poco van surgiendo los principios de un nuevo y frágil orden católico romano. En ese momento de dispersión se observa la diferencia, la pluralidad, la heterogeneidad, la dificultad de la nueva batalla por la hegemonía, inevitable en el futuro, la que llevará a Alfonso VII a definirse de nuevo como emperador, cuando logre imponerse por un instante al principio de dispersión.

CABALLERÍA CRISTIANA EN ARAGÓN

El momento de máximo caos sirvió para identificar dónde podían surgir los resortes del orden. Esto comenzó a hacerse visible hacia 1117. Así, en ese año, un concilio presidido por el legado papal condenó las «potestades sociales acéfalas», una forma de referirse a la autonomía de los burgos y las hermandades, alzados contra señores, obispos y abades. En el caso de la hermandad de la ciudad de Santiago, sus miembros lograron poner en jaque a su obispo Gelmírez y a la propia Urraca, a la que humillaron y arrastraron desnuda por el barro. Frente a los burgos, las fuerzas episcopales se unieron. Pero para tejer la unidad señorial contra los núcleos urbanos, Toledo estaba mejor preparado que Santiago. Los diplomas del joven Alfonso VII los firma esa alianza de nobles leoneses y obispos gallegos. Los infanzones castellanos, por su parte, se pasaron en masa a la hueste aragonesa de Alfonso I, que tenía en mente hacerse con la ciudad de Zaragoza, deseoso de dejar de ser un rey de la montaña pirenaica. La tomarán en 1118, treinta años después de Toledo. En realidad, toda la frontera soriana desde Berlanga y Ágreda hasta Tudela estará en manos aragonesas con este monarca, animado por una pulsión de toma de tierras que ya responde, a su manera, al de rey cruzado.

La elevación al papado de Guido de Vienne como Calixto II, un hombre de Cluny y tío del joven Alfonso VII, será determinante para que desde Roma se impulse una alianza con Santiago, con Toledo, con la noble borgoñona Teresa de Portugal. El partido borgoñón cree que se ha cedido demasiado ante Alfonso I de Aragón, que mientras tanto toma Calatayud y Daroca —llegará hasta Molina en 1127—, en un esfuerzo por aproximarse a Toledo desde

Zaragoza. La mirada de este rey es nueva, y su estrategia, ambiciosa. Se percibe que ya no se limita a extraer las parias de las ciudades andalusíes, sino que desea extender la dominación cristiana. Así amenaza Lleida para aproximarse a Tarragona, y se acerca a Teruel para ir hacia Valencia, en una doble flecha que deja para el futuro la conquista efectiva de lo que queda en su arco. Su idea es dejar reducida Cataluña a una especie de Navarra oriental. Animado por una nueva idea, Alfonso I, como rey protocruzado, funda cofradías militares, como las de Belchite y Monreal, que debían asegurar las tierras fronterizas desde Cariñena hasta Teruel y alcanzar las sierras de Albarracín. Su *signum regis*, una sencilla cruz, sin nombre, sin adornos, es el signo de un rudo monje guerrero. Su ansia expansiva no tiene límites. En 1130 pondrá asedio a la Bayona vasca con su aliado, el conde de Bearn, el caudillo de sus fuerzas pirenaicas.

Pero Alfonso tiene un problema: monje guerrero puro, no deja descendencia. Roma percibe la fragilidad y su Papa borgoñón no cesa de preparar el futuro a favor de sus parientes hispanos, los hijos de Raimundo. Para 1120, Roma y Alfonso VII habían sellado sus acuerdos, construidos sobre la ruina del mundo mozárabe y del catolicismo tradicional de España. Entre Toledo y Santiago se distribuyeron todos los obispados. Aunque se hizo de Toledo sede metropolitana y primada, y aunque se transfirió Oviedo y León a su jurisdicción, Santiago se quedó con Braga y Mérida, luego aumentada con Coimbra y Salamanca. Con la idea de disputar la capitalidad a Toledo, Gelmírez armó caballero al joven rey Alfonso ante el Apóstol el 25 de mayo de 1124. Es el primer rito de patrocinio directo del santo sobre el rey. La lucha entre las dos sedes no cesó. Gelmírez lanzó un llamamiento en 1125 para una cruzada hispana a la que convocaba a todos los poderes hispanos, liderados por la sede compostelana. Toledo, dirigido por el anciano Bernardo de Cluny, no cedió el paso.

A pesar de todo, la rivalidad se matiza cuando se trata de detener al rey de Aragón. Para neutralizar la actuación de Alfonso I se fundó la nueva sede de Sigüenza, dotada con tierras desde Atienza hasta Medinaceli, con la idea de controlar también los caminos desde Toledo hasta Zaragoza, desde la centralidad toledana. Cuenca aparecía así como el enclave musulmán más al norte, y era decisiva para colonizar la zona de Albarracín y Teruel. Al final, Roma se dio cuenta de que el peligro estaba en fracturar el frágil poder de Alfonso VII si se daba un amplio poder a Gelmírez y por eso confirmó la superioridad de Toledo. Este hecho tendría una profunda importancia y sembraría de conflictos a la Iglesia hispana cuando Tarragona se active como sede.

Por su parte, Alfonso I no iba a cejar en su lucha por hacerse con el control de la franja oriental de la Península. Su formidable hueste, con los burgaleses, los sorianos, los tudelanos, junto con sus aragoneses y francos, fortalecidos bajo las nuevas formas de cofradías juramentadas, constituía la fuerza militar más imponente y no iba a desaprovechar la ocasión de extender su dominio todo lo que pudiera. No sirve a una idea política diferente de la hegemonía hispana. Ha luchado por los viejos títulos de Alfonso VI y pugna por ser un «imperator totius Hispaniae», en una carrera que no tiene límites, sin idea de institución, de demarcación espacial, o de tradición. Solo decide el arrojo y la fuerza de las armas y por eso el resultado es débil, reversible. Por ahora, la mayor fuerza la tiene Alfonso I y se dispone a llevar a cabo una de las hazañas más impresionantes de la Edad Media hispana. Ha ganado muchas tierras, pero ahora debe poblarlas con cristianos.

En 1125 se encuentra en el reino de Valencia reclamando la libertad de los mozárabes que quedan en las ciudades de la huerta. Desde allí, Alfonso se dirige hacia el sur, llega hasta Almería, remonta por Guadix hasta Baza, rodea Graena, y finalmente entra en Granada. Desde allí se dirigirá hacia Córdoba, para marchar hacia Écija. Luego regresará por Lucena, pero de nuevo gira hacia el sur hacia Málaga, llegando hasta Vélez. Desde allí marchará de regreso a Aragón por Caravaca y Valencia. La finalidad: aparte del botín con el que alimentarse, recoger a cuantos cristianos mozárabes pueda y quieran unirse a él para repoblar las tierras norteñas. Alfonso estuvo más de doce meses en tierras de musulmanes, demostrando que ningún poder militar podía inquietarlo.

Una abigarrada población de mozárabes se desparramó por la ribera del Ebro, por los angostos valles aragoneses del Jalón y del Jiloca, dotándolos de fértiles huertas, y alimentó los distritos militares de Calatayud y Daroca. Esta población nueva, que venía de convivir con los viejos poderes islámicos andalusíes, no tuvo problemas para integrarse con los pobladores tradicionales de las plazas tomadas por Alfonso. Las pautas de convivencia tradicionales andalusíes se mantuvieron en la baja Navarra y en Aragón. Esto dio a la sociedad aragonesa una estabilidad histórica característica hasta 1609. Bajo la presión de los nuevos poderes y de los recién llegados mozárabes, los casos de conversión al cristianismo de pobladores musulmanes fueron notables. Por ejemplo, el hebreo Moisés Sefardí se hizo cristiano y adoptó el nombre de Pedro Alfonso, pues al parecer el propio rey Alfonso fue su padrino. Este hombre, de fama europea, médico de la corte inglesa de Enrique I, viajaría a Toledo, donde entró en contacto con los primeros traductores cluniacenses de textos árabes, como Herman el Dálmata o Pedro el Venerable. Dotado de una clara conciencia de sí, no creía estar por detrás de los universitarios de París. En una *Carta a los estudiosos franceses* defendió un canon de estudios que representa lo más granado de la cultura andalusí, de tal modo que se ha dicho que el programa de Alfonso X fue más bien una continuidad de las propuestas que se forjó por ese tiempo.

CEREMONIAS REGIAS EN LEÓN

Aragón es un reino viable por Alfonso I pero él quería otra cosa. Su afán era disputar la hegemonía al conjunto de abadías, obispados, nobleza leonesa y gallega, que estaban detrás de la nobleza borgoñona de Alfonso VII. No lo logró, y en 1128 tuvo que entregar las tierras de Logroño y parte de Soria que tenía en su mano y renunciar al título de *imperator*, expresión de su anhelada hegemonía. La verdadera línea de conflicto estaba en la violencia interna entre los poderes cristianos. Esta batalla se iba a decidir a favor de Alfonso VII, el hijo de Raimundo el borgoñón, el antecedente más poderoso de la hegemonía castellanoleonesa.

Algo cambia con Alfonso VII. Mientras que todas las noticias históricas anteriores se vinculan a los frailes de las abadías, a las sedes episcopales, a los monasterios, por fin, con Alfonso VII, surgen algo así como escritores de corte. La *Crónica del emperador Alfonso* es obra de un monje borgoñón que ya se dispone a establecer el relato que muestra que la «gracia divina» ha determinado la fortuna del rey, y lo ha llevado a la mayor gloria, a pesar de sus dificultades iniciales. Por fin, se da una idea de legitimidad diferente de la de las armas desnudas. Ahora es «Dios el que dispensa» el reino, cuya finalidad es salvar al pueblo de Cristo. El rey es ahora un medio de la actuación de Dios. Este monje cronista está empeñado en dotar a la realeza de «protocolo reglamentario», por mucho que los nobles castellanos no aparezcan en sus primeros años dentro de la estructura cortesana. El concepto que este culto monje cronista tiene de los nobles castellanos, sobre todo en su más alta jerarquía, la familia Lara, no puede ser peor. No solo son rebeldes contra su rey, sino brutales hasta el extremo.

> A los que lo habían insultado [el conde Lara] los unció como bueyes, y los hizo arar, pacer hierba, beber en pilones y comer paja en el pesebre

dice en un pasaje de la *Crónica*. La sublimación teológica de Alfonso contrasta con la desobediencia que por doquier encuentra en los nobles leoneses y castellanos, siempre dispuestos a usar la desnuda fuerza, el único lenguaje que todos entienden. El rey, envuelto en la *ira* regia, reacciona ante la desobediencia como puede: a veces con violencia y a veces, cuando no tiene fuerza, con pactos «a la costumbre de España», sin sede jurídica reconocida ni forma judicial, con entrega de rehenes para asegurar un cumplimiento que no tiene nunca forma sacramental y que está siempre amenazado por la desconfianza y la fuerza. Se verá que esta «costumbre de España», que personaliza los actos hasta el extremo y que no logra crear formas de entendimiento, confianza o lealtad duraderas, estará en vigor de forma perenne.

Una idea política se impone en la curia del nuevo *imperator*. Es preciso reducir tanto como sea posible el reino de Aragón, lograr que abandone todos sus dominios sobre las tierras del sur de los Pirineos, cuestionar su derecho a conquistar ciudades tan decisivas como Zaragoza. Entonces Cataluña, la gran perdedora de la política de Alfonso I, se hace visible. Si el interés del Batallador era reducir tanto como fuera posible el poder de Ramon Berenguer III, ese era el momento de recomponer los equilibrios. Así, Alfonso VII pronto reclamará un pacto matrimonial y casará con la hija del conde de Barcelona, Berenguela. Fue en 1128. La alianza lo fortaleció, sin duda, tanto que Alfonso VII pudo llegar a Rueda, a la vista de Zaragoza, en manos de su padrastro. Su plan era presionar los dos flancos de Aragón, el oriental catalán y el occidental castellano. Alfonso I reaccionó con una huida hacia delante que lo llevaría a su muerte: se dirigió hacia Fraga, con la idea de seguir hacia Lleida y llegar a Tarragona, ganar el mar y bloquear la expansión barcelonesa. Perdió la vida huyendo hacia San Juan de la Peña, tras la derrota. Aunque había hecho testamento a favor de las órdenes militares, que debían dividirse las tierras ganadas, nadie lo respetó.

Todo su dominio se fracturó. Pamplona eligió rey a García, y los aragoneses tuvieron que elegir a Ramiro el Monje, que abandonó el convento para alcanzar la realeza. Alfonso VII, enterado de la muerte de su rival, se lanzó a recuperar todas las plazas castellanas en poder de Aragón, desde Burgos hasta Soria. En un momento en que los poderes almorávides amenazaban con una nueva oleada, la única hueste que quedaba en pie era la leonesa y así, cuando se brindó a defender Zaragoza de los musulmanes «moabitas» o africanos, Alfonso VII fue aclamado por la ciudad como un rey salvador y mesiánico, como se encarga de registrar en su *Crónica* nuestro monje narrador. Inmediatamente, el rey García de Navarra le juró fidelidad, con la esperanza de obtener la tenencia de Zaragoza, pues no era verosímil que su rey monje se mantuviera en el trono. Que el nuevo *imperator* mantuviera unidos Aragón y Navarra era un cálculo insensato. Así que, al final, Alfonso VII aceptó la tenencia de Ramiro. La lógica del «imperio», como se ve, era dividir los reinos, contener sus límites, sus pulsiones expansivas y, de este modo, mantener la hegemonía con más facilidad desde la centralidad de León y Castilla, que por lo demás tampoco mantenían relaciones pacíficas entre sí. Ello se demostró cuando se aceptó la creación del reino de Portugal para taponar Galicia, siempre que mantuviera la relación de obediencia y fidelidad y reconociera la primacía imperial de Alfonso.

Para 1135, Alfonso VII ya había logrado la cima de su poderío.

Mantenía la protección de los poderes locales musulmanes contra los almorávides, lo que le permitía el cobro de parias, y con ello fortalecía una hueste que estaba compuesta de importantes contingentes francos, fruto de su alianza con poderes transpirenaicos, que bascularon hacia él cuando Alfonso I murió. Esto le permitió en ese año coronarse en un concilio controlado por sus aliados de Cluny. Allí, por primera vez, aparece una ceremonia de coronación al modo franco, con un poderoso ritual que fue el antecedente del de los reyes castellanos, cuando lograban imponer su autoridad de forma rotunda. El rey, nos dice el cronista, avanzó revestido con las reliquias en el pecho y, concluida la antífona, entró en el coro y se postró en tierra en forma de cruz, mientras se cantaban preces para que Dios sublimara al rey. El metropolitano entonces le preguntó sobre su fe y le pidió promesa de que la defendería, custodiaría las iglesias y profesaría la justicia del pueblo, para luego preguntar al pueblo si aceptaba al rey como príncipe y gobernador. Después se ungían las manos, cabeza, pecho y espalda del rey con los santos óleos, y luego lo armaba con la espada, el manto y el anillo, le otorgaba el cetro como vara de la virtud y, por último, le transfería la corona al tiempo que le daba la bendición. En respuesta, el rey daba a los obispos el beso de paz y todo se remataba con una procesión solemne. Una vez coronado como emperador, se inició el concilio que debía conducir «a la salvación de todo el reino de España». Allí estaban

> el rey García, el rey de los musulmanes Zafadola, el conde Raimundo de Barcelona, el conde Alfonso de Tolosa y muchos condes y duques de Gascuña y Francia.

En realidad, Zafadola era el hijo del último rey de Zaragoza, una especie de delegado regio para tratar con los poderes musulmanes hispanos. Es de importancia comprobar que quienes aceptaron la formalidad y el ritual fueron los condes norteños, más acostumbrados a las ceremonias. Ramiro de Aragón no le prestó vasallaje. Es más, el concilio se hizo al estilo franco y se definió la política de convocatorias anuales de la hueste para defender la frontera del Tajo, amenazada por los rumores de invasión africana. La hueste del rey se ordena en «Galicia, León y Castilla, y todos los caballeros y peones de Extremadura entera». Grupos étnico-militares, de límites espaciales dudosos y de formas institucionales casi inexistentes. Todos se disponen a defender Toledo y el Tajo.

Esta hueste permite identificar el sistema de agrupaciones reales. Cuando este mismo cronista, u otro cercano, elabore el *Poema de Almería*, que narra el intento del rey de tomar aquella plaza, describirá las cosas así: «Marcha a la cabeza el ejército gallego, tras haber recibido la bendición de Santiago». Tras los gallegos vienen «la florida caballería de la ciudad de León», que tiene la primacía entre la hueste del monarca. Tras esta parte leonesa, «va el valiente astur» dirigido por su *dux*, bastante rebelde por lo que se sabe. «Detrás avanzan mil espadas de Castilla», lo que testimonia que no se tiene en cuenta a su alta nobleza, sino sobre todo la fuerza de sus infanzones. Por fin, «innumerable, insuperable y sin preocupaciones, Extremadura». Estas eran las unidades étnicas que se estaban conformando bajo el poder hegemónico de Hispania. Son cinco huestes y cinco aristocracias, que convergen en Toledo, que cuenta a su vez con sus mozárabes, con sus mudéjares, sus judíos. Este poema es decisivo para entender la entrada de la idea de cruzada en España. Es muy curioso que el rey que más se nombra en el poema sea Carlomagno. En el libro se exige la colaboración de la espada divina y la material, se concede el perdón de los pecados a quien participe en la batalla y se promete el paraíso al que muera en ella. Sin embargo, es una idea de cruzada que se parece como una gota de agua a la guerra santa islámica, no a la que ha definido la nobleza franca. Junto con el paraíso, al modo musulmán, se «promete a todos recompensa en esta y en la otra vida», la plata y el oro, lo que rompe la pureza de intención religiosa que debe dominar al cruzado original.

¿Cómo se comportan esos poderes unificados por la consigna de defender el Tajo? Lo hacen en proporción a la amenaza de los almorávides. Cuando entran en España, todos saben cuál es la aspiración: llegar al Duero. No albergan expectativas constructivas, sino destructivas, y así lo dicen todas las arengas de los reyes africanos a sus delegados en la Península. Una memoria de al-Ándalus domina en los dos grupos combatientes y todos saben que el sistema de ciudades hispanas es tan frágil e interdependiente que la toma de Toledo produciría una debacle en cadena, hasta Zaragoza y Barcelona. Por eso, Alfonso se concentra en defender Toledo. Los almorávides están en la fortaleza de Calatrava. Para asegurar los flancos, los cristianos toman Ciudad Rodrigo y Coria, por el oeste, y Oreja, por el este. La mayor defensa de Toledo, sin embargo, es la propia debilidad del bando musulmán. La unidad religiosa islámica no es suficiente para salvar las profundas diferencias entre los africanos y los andalusíes. La *Crónica* muestra cómo las aristocracias locales y los elementos populares andalusíes desprecian a los caballeros almorávides, sus nuevos dominadores.

> Los moabitas consumen las entrañas de la tierra y nuestras posesiones, nos quitan el oro y la plata, oprimen a nuestras esposas y a nuestros hijos. Luchemos, pues, contra ellos, matémoslos y sacudámonos su dominio, puesto que no tenemos parte en el palacio del rey.

Este pasaje muestra que los almorávides eran para los andalusíes más enemigos que los cristianos. Aquellos deshacen la estructura social y sus costumbres y hábitos, estos se limitan a extraer sus excedentes.

> Hagamos una alianza de paz con el emperador de León y Toledo, y démosle tributos reales de la misma manera que nuestros padres se los dieron a sus padres.

Así se afirma el orden tradicional. No es roto por los cristianos, sino por los nuevos invasores bereberes de al-Ándalus.

Y este fue el drama del pueblo andalusí; él también desgarrado y roto entre dos poderes, impotente desde el punto de vista militar, que tiene más esperanzas de sobrevivir bajo la protección fiscal de los cristianos que bajo el liderazgo guerrero de los invasores bereberes. No es de extrañar que la rebelión andalusí contra los almorávides fuera total. Ni una sola gran ciudad dejó de hacer frente al nuevo poder de Marrakech, desde Tortosa hasta Almería. La rebelión coincidió con las noticias de la debilidad del poder almorávide al otro lado del Estrecho. Y en efecto, las crónicas nos hablan de otros jinetes, «asirios y muzmutos», los conocidos como almohades, que estaban haciéndose con todo el Imperio norteafricano. Dirigidos por Barraz, un caudillo formidable, su hueste, todavía más dura que la de los almorávides, dotada de innovaciones técnicas de asalto, como el alquitrán, y más fanáticos en su fe, lograron entrar en Sevilla y hacerse fuertes. La crónica dice que

> mataron a sus nobles, a los cristianos que se llaman mozárabes y a los judíos, que allí vivían desde tiempos antiguos, y se apoderaron de sus mujeres, casas y riquezas.

La reacción fue formidable. Los enemigos de ayer, la casta minoritaria de almorávides y el pueblo de los andalusíes, se unieron frente a la nueva invasión, y pactaron todos juntos con Alfonso VII. Los poderes emergentes, como el rey Lobo, Ben Mardanix, que llegó a dominar toda la franja desde Valencia hasta Murcia, ya fruto del mestizaje, se convirtieron en aliados de los poderes cristianos. Es curioso que mientras que Barraz entra en Sevilla, Alfonso VII está en Córdoba, que solo resistió en parte. En ese instante se produce la toma de Almería, con ayuda de catalanes que atacaban desde el mar. Y sin embargo, se abre una asimetría digna de estudio. Los andalusíes no influyeron sobre los almohades, que mantuvieron una cultura primitiva. Los mudéjares, sin embargo, sí lo hicieron sobre los cristianos; les prestaron sus libros y sus prácticas, sus hábitos y sus refinamientos.

ALGO MÁS QUE UN CONDE EN CATALUÑA

La invasión de los almohades y la descomposición del poder almorávide fue un hecho de relevancia. Ante todo, se aprovechó para desplazar la frontera. Nadie pensaba realmente estabilizar la toma de Córdoba y no se pudo mantener Almería. De hecho, en 1150 se volvió a intentar, pero los almohades mostraron una gran capacidad de resistencia. Al menos se logró algo decisivo: tomar Calatrava y desplazar la frontera al Guadiana. Estabilizada esta línea, Alfonso VII empleó sus últimos años en regular las relaciones entre los propios poderes hispanos. La necesidad de resistir a los almohades determinó el mapa de lo que sería la futura Hispania. Lo más relevante de este paso fue la firme alianza del emperador con Barcelona. Los intereses de controlar el mar dieron relevancia a la Ciudad Condal. Este hecho es de un significado fundamental. El poder de Alfonso vio que no se controlaba la situación desde tierra. Sin esta mirada, la idea del Batallador de hacer de Cataluña una Navarra oriental se habría cumplido. Pero el mar lo hizo inviable.

Por ello, el paso del emperador de casar con la hija de Ramon Berenguer III tendrá una profunda repercusión sobre el futuro de los reinos hispánicos. Barcelona no tenía rival en su dominio del mar. Con ello, aportó al sistema de poderes cristianos un foco de estabilidad y de fiabilidad. Todo lo demás, la división de la tierra, era frágil. Por ejemplo, en 1137 Portugal estaba aliada con Navarra para dirigirse, respectivamente, contra Galicia y Castilla. Sin embargo, el emperador estuvo siempre en condiciones de imponer alguna forma de paz. Esto se vio en 1144, cuando casó a su hija Sancha con García de Navarra. Puesto que García era nieto del Cid, en esas bodas se escucharon quizá por primera vez en la corte los versos del *Cantar*. El cronista ha dejado un relato de las bodas lleno de candor, brutalidad y contento. Es la primera noticia de una corrida de toros a caballo de que se tiene constancia, pero las costumbres de fiesta popular son grotescas y crueles. Sin embargo, Navarra no era fiable. Por eso el emperador creó el reino de Nájera, para taponar su poder expansivo.

El esfuerzo por estabilizar la relación entre Castilla, Aragón y Cataluña, y así deshacer de forma duradera la obra del Batallador, llevó al matrimonio de Ramon Berenguer IV con Petronila, la hija de Ramiro el Monje, y solo un año después al Tratado de Tudilén, del 27 de enero de 1151, primer intento de estructurar las relaciones entre reyes y reinos, ya ámbitos territoriales definidos. Las repercusiones de este tratado constituyente son decisivas, y aunque sus cláusulas serán corregidas en el futuro, su espíritu ya será definitivo. Tudilén no reparte las tierras presentes, sino que compensa las diferencias del presente con las tierras conquistadas en el futuro. Este hecho permite comprobar que se organiza la tierra desde el punto de vista de lo que todavía es de dominio musulmán. Así, el tratado genera expectativas. La frontera del Moncayo dividiría las tierras de Castilla y de Aragón, pero desde Valencia hasta Murcia sería zona de conquista aragonesa. Sin embargo, el emperador recibirá homenaje por estas tierras e impuestos de ellas en proporción a su participación en la conquista.

El imperio de Alfonso estabilizó la pluralidad, no la unidad. En estas condiciones, su hegemonía no era estable. Cuando el rey moría, en 1157, las presiones de Portugal, León y Galicia por un lado, y de Castilla por otro, hicieron imposible la unidad. Aquí los intereses de la gran nobleza de Galicia y de Castilla, los Traba y los Lara, a favor de reyes débiles, resultó imbatible. El hijo Sancho se hizo con Castilla, que aspiró a bloquear la expansión de Galicia y León hacia el sur y ocupar la Ruta de la Plata; mientras que su hermano Fernando II, rey desde Galicia y León hasta Salamanca, aspiraba a descender por los valles de Cáceres hacia Sevilla. La unidad del emperador se disolvió porque no tenía soporte institucional alguno. Ya nadie ejerció el ritual de la coronación que llevaba implícito un pacto del rey con el reino. Sin embargo, desde la sede de Nájera, el monarca organizó una práctica jurisdiccional que tendría una dimensión mítica para toda la zona central de Hispania. Las sentencias del rey conformarán el horizonte del ordenamiento de Nájera, escenario de estabilidad que será percibido con nostalgia por toda la época posterior. Su falta de nitidez, sin embargo, hizo que sus invocaciones estuvieran sometidas a imprecisiones y dudas. Estas sentencias y ordenamientos difusos forjaron el derecho señorial castellano, determinaron los hábitos de los hidalgos, organizaron el específico formato del feudalismo castellano de benefactorías, así como la administración de merinos, el sistema de multas y los casos de obligada decisión regia. Pero no lograron disciplinar a la nobleza, ni vincularla a la obediencia regia, ni dotarla de un ideario del honor institucional. La crónica comprende el tiempo excepcional de Alfonso VII de esta forma.

> La insigne Castilla, ávida de cruelísimas guerras, apenas quiso doblegar la cerviz ante rey alguno. Vivió en rebeldía mientras brilló la luz del cielo. La buena estrella del emperador la domeñó en todo momento. Él solo domó a Castilla como una asnilla, imponiendo nuevos pactos legales a su indómita cerviz.

Parece claro que se trató de una buena estrella pasajera.

Otras realidades hispánicas se organizaron con más solidez que una buena estrella. Así lograron entrar por la senda de la fundación. Es el caso de Alfonso Enríquez y de Teresa de Portugal, quienes, contra todo pronóstico, lograron fundar un reino a partir de un condado feudal. Sin duda, la creación de Portugal tenía la misma función que el reino de Nájera: detener el potencial expansivo de la conflictiva nobleza gallega, taponar la dimensión expansiva del espacio gallego, tan influyente y tan rebelde. Alfonso confiaba más en la fidelidad de sus parientes portugueses que en los nobles gallegos, pero cuando él desapareció cada parte entendió las cosas a su manera. En todo caso, su cohesión y capacidad política se demostraron más intensas que la complejidad gallega, con su lucha permanente entre la nobleza, la sede de Santiago y los demás obispados, *conventi* y hermandades. Por eso Portugal sobrevivió como reino.

Pero, al margen de Portugal, nadie como Ramon Berenguer IV es un verdadero fundador, porque generó un poder capaz de reunir una comunidad de pueblos, aceptada de forma voluntaria, desde el manejo de intereses conscientes y compartidos. Por eso será un paso irreversible, constituyente. Antes de él no se observa nada concreto que anuncie ese paso. En el acto de la fundación tampoco se aprecia un designio especial. Casar al conde de Barcelona con una niña de dos años, hija de un rey monje camino de regresar a su convento, no es un acto verosímil de fundación, sino una brusca decisión de Ramiro, presionado por Roma, para no acabar disolviendo su reino ante el poder imperial de Alfonso VII. Por ese matrimonio entre Ramon Berenguer y Petronila, consensuado con sus nobles, los aragoneses vieron al conde de Barcelona como salvador del reino, y el conde vio en Aragón la oportunidad de expandirse por tierras hispánicas y de deshacer la obra del Batallador.

Ramon Berenguer, con fuerzas genovesas, aragonesas y catalanas, logrará lo que Alfonso I no logró: tomar Tortosa. Luego, cumplió uno a uno los anhelos del Batallador: conquistar en 1149 Lleida y Fraga. Ramon Berenguer hablará de ellas como «marcas», como ciudades propias de un *dux*. Todavía no se habla de la Cataluña nueva, frente a la vieja y condal. La patria para este hombre decisivo es Barcelona. Su gesta es la de un conde de Barcelona, el más grande porque también es rey. Y sin embargo, su relevancia es tal que el papa Eugenio III autorizará la transferencia a sus manos de las temporalidades de Tarragona, que entonces era un dominio laico normando. No hay una idea cerrada de Cataluña en la mente de Ramon Berenguer. En tanto esposo de la pequeña Petronila, sin duda asume por filiación de Ramiro el señorío regio de Aragón —«sicut per regem debent tenere», dicen los diplomas— y se convierte por eso mismo en el patrón del rey Lobo de Valencia y Murcia. Pero decide aprovechar las relaciones ultrapirenaicas de Alfonso VII y establece firmes lazos con Tolosa y con Provenza. Los escenarios de la historia catalana adquieren la fisonomía característica gracias a este rey consorte, rey de pleno derecho para la Iglesia de Roma.

El acuerdo de Aragón y Cataluña fue la forma de resistencia de Aragón contra la presión de Castilla, y resultó aceptable para el emperador Alfonso VII porque Ramon Berenguer IV era un aliado fiable. No fue una unión o confederación de coronas, porque no se podían separar —«perennhi et secula», dicen los diplomas—; pero tampoco una unión de pueblos, porque cada uno siguió su propia etnoformación. Fue la construcción de un poder unitario sostenido por el acuerdo de las élites y de los pueblos de los dos territorios. Pero también, y ante todo, un acuerdo de las aristocracias con Roma, que así consintió que la herencia de Aragón no fuera a parar a las órdenes militares. En el fondo, cuando Ramon Berenguer se dirija a Adriano IV en 1156 se llamará «homo, miles, servus» del Papa. Era su vasallo y Aragón volvía a ser un reino que reconocía la jurisdicción romana, contra la inquieta, independiente y ambiciosa dimensión imperial de León. Por último, firmó un acuerdo con el emperador Federico I Barbarroja, que puso Provenza —una tierra oficialmente imperial— bajo la órbita de Barcelona. Como contrapartida, Génova, ciudad imperial, ayudaría a los catalanes en la toma de Mallorca, si llegaba el caso. La influencia del nuevo rey-conde es tal que los hijos del emperador Alfonso, Fernando y Sancho, reconocerán su legitimidad, no dirigirán sus tropas contra él y mantendrán los Pactos de Tudilén. Por su parte, el heredero de Ramon Berenguer, ese joven a quienes los catalanes llaman Ramon y los aragoneses Alfonso, y que pasará a la historia con el nombre de Alfonso II, solo tendrá una obligación vasallática con Sancho, el hijo mayor del emperador: acudir a su coronación teniendo en su presencia una espada desnuda. De forma muy precisa, Ramon Berenguer IV situó la línea de unión de sus dos pueblos en Monzón y en Lleida, uno como plaza militar y otro como capital administrativa, sellando las tierras del Segre y del Cinca. El escudo eran las barras del conde de Barcelona, pero la enseña la llevaría siempre un rico hombre de Aragón. De este modo, la realeza de los condes de Barcelona unió aristocracias e identidades.

Dentro de esa búsqueda de equilibrio, todos ven en Castilla el poder que puede convertirse en dominante. El Pacto de Ágreda de 1162 vinculó León y Aragón, y el de Sahagún, en 1170, estableció la paz perpetua entre esos dos poderes hispánicos. La minoría de edad de Alfonso VIII, nieto de Alfonso VII, secuestrado por los Lara y luego por los Castro, permitió que Aragón recuperara su influencia sobre la frontera de Soria, tomando Caspe, Calanda, y entrando hasta Alfaro y Tarazona. Luego, Alfonso II presionó la frontera de Cuenca, tomando la sierra de Gúdar y dejando para Aragón la espina escarpada de Albarracín, que estabilizó con la fundación de Teruel, buscando la línea del Turia. Aunque no pudo hacerse con ella, Alfonso II ayudó a la hueste castellana a la toma de Cuenca y de Alarcón, en 1177, buscando el Júcar. Este momento de buenas relaciones fue aprovechado por Alfonso II para explorar la toma de Mallorca con ayuda de Sicilia. Al final, los tiempos de Alfonso VII se olvidaron en el Tratado de Cazola, que mejoraba el de Tudilén, en la medida en que ya reconocía a las dos potencias como plenamente autónomas, sin que pudieran establecerse vínculos de jerarquía feudal entre ellas. Aragón rompía todos los lazos feudales con el rey de Castilla. A cambio, perdía Murcia como área de expansión aragonesa y fortalecía a Castilla con el dominio del río Segura. La frontera de Valencia, en efecto, se dejaba en la línea que va desde Denia hasta Biar. Sin embargo, Aragón ya era un reino de plena potestad frente a Castilla. Si Cataluña se avino a estos pactos, que limitaban la expansión hispana de Aragón a favor de Castilla, fue porque tenía por delante un programa compensatorio de expansión hacia el Mediterráneo.

Sin embargo, todavía era necesario contener a Castilla. Este fue el sentido de que, en 1190, Alfonso II pactara en Daroca con Navarra, y todavía un año después en Huesca se llegó a acuerdos con León y Portugal. Zurita nos dice que el rey de Aragón era «muy confederado y aliado» del rey de León. Castilla quedaba aislada. Su política, que aspiraba a disputar las tierras leonesas entre el Cea y el Pisuerga y a morder las tierras de Navarra, tuvo que controlarse y así se llegó a pactar en Tordehumos la devolución de tierras hasta los límites anteriores. Por el tratado, todos los litigios debían ser presentados ante el tribunal de la Iglesia. Sin embargo, Castilla no se amilanó. Deseosa de mantener ella sola la batalla contra los almohades, presentó batalla en Alarcos, una avanzada de la repoblación de Ciudad Real. El desastre desestabilizó a Castilla de forma radical. Calatrava cayó de nuevo en manos islámicas. La incipiente colonización de las tierras del Guadiana con órdenes militares muy frágiles se disolvió. La frontera retrocedió hasta Toledo, que fue sitiada, como Madrid y Guadalajara. El poder almohade no podía disimular que deseaba recuperar Cuenca. Pero la ciudad de las hoces resistió, aunque el poder almohade arrasó todo el espacio desde Extremadura hasta Toledo.

Esta situación inclinó a León a dar un paso arriesgado y difícil. Su rey Alfonso IX (1171-1230) había sido obligado a reconocer la superioridad del monarca castellano Alfonso VIII (1155-1214). León comprendió que el equilibrio de los reinos hispánicos no podría mantenerse si no se hacía entrar al poder almohade en la relación de fuerzas. Así se forjó una alianza entre León y los almohades sevillanos, que aseguraba la zona de expansión leonesa por el oeste andalusí. Fue un error de cálculo radical. Todos los actores presentían que se estaba en una situación crucial. León reaccionó asociándose con Navarra, y ambos reforzaron la alianza con el poder almohade. Cada poder hispano aspiró a adueñarse de los territorios que Castilla mantenía en sus manos: uno la Tierra de Campos, y otro la frontera de Soria. Los almohades, por su parte, atacaron año tras año, mientras al-Mansur estaba operativo; rodearon Toledo, arrasaron las tierras de Madrid, Alcalá, Oreja, Uclés, Huete y Alarcón, manteniendo operativas las líneas con Valencia. Nunca como entonces Toledo fue un islote. Y sin embargo, ni una sola ciudad importante fue tomada. Los almohades, que disponían de una magnífica fuerza de caballería ligera, no podían detenerse mucho tiempo en un asalto para el que no disponían de medios de supervivencia, lejos de sus bases. Así que Castilla volvió a los viejos tiempos de resistencia. Y lo hizo de nuevo sola. De este modo mostró su posibilidad de dominación. Así, tan pronto se firmó la paz con los almohades, Castilla se volvió furiosa contra León y le impuso la boda de Berenguela con su rey Alfonso IX en 1197. Por mucho que Roma no viera bien ese matrimonio, que implicaba la absorción de León por la casa castellana, y por mucho que obligara a su disolución tan pronto pudo, había quedado ya un fruto, Fernando, reconocido como sucesor de León. Hacia 1204, una Castilla fortalecida recomponía la colonización de la tierra del Guadiana repartiendo los espacios entre las órdenes de Alcántara, San Juan, Santiago y Calatrava. Tras quedarse sola, Castilla había reconstruido todas sus líneas y podía hacer frente al poder islámico más al sur del Guadiana, avanzando hacia la próxima línea, que ya para todos estaba en el paso de Despeñaperros.

VÍNCULOS IMPERIALES

Cataluña será la beneficiaria de la herencia europea de Alfonso VII. A la muerte de Ramon Berenguer IV, Alfonso II de Aragón extenderá su poder sobre Cerdaña, Carcasona, Narbona, Provenza y llevará su influencia a Niza en 1176, obligando a Génova a fundar Mónaco. De ahí la importancia de las relaciones de Cataluña con Enrique II de Inglaterra, quien desde Normandía y Aquitania también desea frenar la expansión de la Île-de-France hacia el sur. Sin duda, el cosmos nobiliario y feudal del Midi francés, así como su sistema urbano, resiste cuanto puede a París, y se organiza alrededor de Toulouse. Como se verá, estos procesos, que perciben a Cataluña como un territorio que ordena las dos vertientes de los Pirineos, van a marcar el destino evolutivo de Aragón, de Cataluña y de buena parte de la historia de España.

Y en efecto, Toulouse es el nudo gordiano de la situación europea occidental. Según se posicionen los poderes europeos respecto a este núcleo, así se jugará su destino inmediato. Para entender su importancia a partir de mediados del siglo XII, baste recordar que todas esas tierras, desde Milán hasta Cataluña, están atravesadas por la herejía cátara. En la fronda de poderes provenzales, los nobles se asocian con la herejía para enfrentarse a las aristocracias episcopales, para resistir la presión de Francia, para cuestionar la presencia de Roma, cada día más exigente. Cataluña no podrá separar su poder de su vieja alianza con Roma, pero también se ha enredado en unas relaciones internacionales con Inglaterra que la indispone de forma radical con París. Su expansión por la Provenza tarde o temprano chocará con las aspiraciones francesas. Aquí se da una de esas situaciones que obligan a los pueblos a tomar decisiones radicales. Roma no puede privilegiar sus relaciones con Barcelona frente a su vital alianza con París. Pero tampoco ignora que una Cataluña sensible a su poder puede ayudar mucho en la lucha contra los cátaros. Por los mismos motivos, la voluntad expansiva de los reyes franceses hacia el sur, y su lucha contra la herejía cátara, puede chocar con la hegemonía de Barcelona sobre el Midi y la Provenza. Una alianza entre Barcelona y París es imposible. La que decide la situación es Toulouse. Pero hasta la muerte de Alfonso II, en 1195, no se dará este punto de cristalización. Francia tampoco puede poner su fuerza decisiva en la batalla antes de que la realeza inglesa entre en su declive con Juan sin Tierra, a la vuelta del siglo. Pero todavía no se ha llegado ahí. En vida de Alfonso II, un talento diplomático de primer orden, Cataluña supo moverse con habilidad en ese cosmos enmarañado.

Era un juego complejo, porque la tierra occitana era difícil de administrar. Conviene recordar que hay un gran motor de la propaganda aristocrática, de la forma de vida occitana, de la defensa de la libertad de la tierra, que no respeta a Roma. Se trata de los trovadores, que denunciarán con fuerza la política pacifista de Alfonso II y hablarán de él como un *rei apostatiz*. Es sabido lo que quiere decir: no es un auténtico cristiano, no es sensible a los cátaros, no abandona ciertas costumbres de los reyes musulmanes; es demasiado obediente a esa Roma poderosa. Su política de equilibrio hispano, con sus visitas a Galicia y a Portugal, extiende la influencia cultural provenzal, desde luego, pero implica una indecisión denunciada por los trovadores: Alfonso no da el paso para convertirse en un verdadero rey de todo el Languedoc, un rey capaz de controlar las dos vertientes de los Pirineos, de reunir todos los territorios de lengua occitana para hacer frente a París y a Roma. Esta empresa todavía era vista como viable por los actores hacia finales del siglo XII. Y sin embargo, Cataluña ya estaba unida a Aragón de forma demasiado fuerte para convertirse en una potencia meramente extrahispánica. Por mucho que los trovadores lo exhortaran a convertirse en un rey hegemónico sobre las ciudades y las noblezas provenzales, Alfonso conocía demasiado bien el subsuelo sobre el que se asentaba todo ese complejo cosmos y las dificultades de su ordenación. Frente a esta fronda incierta e inestable, el rey-conde aprende a distinguir los territorios sobre los que su dominio y sus órdenes son obedecidos, de aquellos que requieren una continua negociación y una dependencia de los lejanos poderes imperiales y romanos. Así surgen en los diplomas los lugares que reconocen la paz y la tregua del rey de forma clara: «De Salses a Tortosa i Lleida», dicen los pergaminos, que ya pueden señalar los límites del triángulo de Cataluña. Sobre esta tierra, los agentes del rey despliegan la *potestas regia* del código catalán de los *Usatges*. Los oficiales, los bailes, los *veguers*, ahora tienen poder sobre *catalani i aragoneses*. Por fin, en un documento de la época aparece el nombre *Catalunya* como unidad de todos los condados y de las tierras nuevas y se hace valer retrospectivamente como vigente desde los tiempos de Ramon Berenguer I. Aunque Urgell y Empúries resisten a la potestad del monarca, ya son la excepción y su actitud contrasta con la clara disciplina de los Fox, los Cardona, los Cervera.

Así se percibió la diversa intensidad del mando político del rey-conde. Intensa sobre los territorios hispanos, sometida a imponderables en los territorios extrahispánicos. Nadie puede decir lo que habría pasado si Alfonso II hubiera dirigido todas sus fuerzas en la ordenación del Midi y del Mediterráneo septentrional. Esta era una opción catalana factible, que habría generado un pacto entre la hueste aragonesa y la casa de Barcelona. Pero la verdad es que esa tierra era objeto del deseo de Aquitania-Inglaterra y de Francia, por no hablar del emperador, que reivindicaba su potestad sobre Génova, Niza, Lyon y la Provenza. La índole de estos poderes era de tal magnitud, que obligaba a decisiones políticas radicales. En realidad, la influencia de Alfonso tuvo una condición circunstancial y habría sido complicado transformarla en sustantiva. Por lo demás, la dificultad de mantener el equilibrio de poderes hispanos se enturbiaba porque solo era posible dentro de cierto equilibrio de poderes europeos. Moverse con fluidez en los dos sistemas era algo complejo. Alfonso II lo logró por la debilidad del imperio, por la fortaleza de su aliado inglés y por la debilidad de Francia, y porque no tuvo contemplaciones con los cátaros. En esta dispersión de poderes, él contaba con un núcleo de fuerzas sólido. Pero todo era inestable y azaroso. Cuando Francia dispuso de un gran rey, con Felipe Augusto, Inglaterra conoció la rebelión de los varones con Juan sin Tierra, y Roma dispuso de un gran papa como Inocencio III, que no tenía rival imperial porque el joven Federico II era apenas un niño, la situación cristalizó. Roma mostró la decidida voluntad de acabar con los cátaros y París comprendió que podía aprovecharlo para luchar contra la nobleza provenzal. La correlación de fuerzas cambió de forma radical, sobre todo cuando se proclamó la cruzada. Al frente de las fuerzas francesas y papales se sitúa un personaje hábil como Simón de Monfort. Aunque por un tiempo se supuso que Monfort trabajaba para sí mismo, con la finalidad de lograr un reino propio, pronto esta apariencia se diluyó. Trabajaba para la alianza estructural de la Edad Media, la de París y Roma.

Cataluña se alarmó. Pedro II, el nuevo rey de Aragón a la muerte de Alfonso II en 1196, es una viva imagen de Juan sin Tierra, y su misma debilidad determinó una evolución de Cataluña y de Aragón bastante parecida. Por la influencia de la madre, Sancha, también heredó una política procastellana, que ya comenzaba a alinearse con los planteamientos de París. En el testamento de Alfonso II, los dominios y derechos sobre el Midi se entregaron a Alfonso de Provenza, con lo que Aragón cedió a las presiones de no injerencia sobre aquellos territorios. Al inicio, por lo tanto, Pedro II heredó una política ya diseñada, se declaró vasallo de la Iglesia de Roma y recibió el título de «rey católico». El papa Celestino III tomó el reino bajo su protección y le impuso su política. Cuando León ya estaba bajo la influencia de Castilla, Pedro se asoció en secreto con Navarra y pactó su boda con la hermana de Sancho VII. El pontífice impidió la boda. Así, una Navarra aislada perdió Álava y Guipúzcoa en 1199 a favor de Castilla. La evidencia de que Castilla ya era demasiado poderosa, orientó a Pedro hacia Mallorca, cuyo rey almorávide estaba aislado del sistema almohade. Esto no se podía hacer sin Roma y, en 1204, el rey se embarcó hacia allá para jurar fidelidad al Papa, a cambio de reconocer el derecho de los cabildos a elegir a sus obispos y perder así el patronato regio de las iglesias. El viaje y los impuestos que se le reclamaron arruinaron al país. Sin embargo, todavía se le exigió algo más importante: enrolarse en la persecución de la herejía cátara, tomar partido de forma clara a favor de Roma en el avispero del Midi. Obligó a su hermano Alfonso, conde de Provenza, a mantenerse en su estela y se vinculó con el conde de Tolosa, Raimundo, casándolo con su hermana Leonor en 1204. Por su parte, él contrajo matrimonio con María de Montpellier, con importantes vínculos vasalláticos. Se mostraba así que Barcelona, Provenza, Toulouse y Montpellier podían configurar un cosmos de relaciones viable, siempre que no se pactase con la herejía cátara. Desde luego, el precio a pagar fue que los ricos hombres aragoneses, las familias más importantes de sus aristocracias, se hicieron con todos los recursos del reino de forma patrimonial. Este hecho sería decisivo para la evolución de su clase dirigente.

LA BATALLA DE ÚBEDA: GANAR DESPEÑAPERROS

A su regreso a tierra hispana, Pedro se enfrentó a su nobleza. Había entregado el derecho de las iglesias a Roma y una de las expectativas más claras de promoción de la alta nobleza se cegaba. A cambio, los ricos hombres exigieron compensaciones de las rentas reales. Pedro cedió, pero se embarcó en una revolución fiscal, imponiendo nuevos impuestos. Las medidas alarmaron a la población. Los caballeros y mesnaderos lograron unirse a la alta nobleza y todos obligaron al rey a retractarse y a jurar fidelidad a la ley de la tierra, a no innovar en materia fiscal y a mantener la aleación de moneda como una obligación regia. Era el mismo movimiento de los varones ingleses. Empobrecido y sin poder, Pedro de Aragón se entregó a realizar servicios diplomáticos y militares para los reyes hispanos. Así logró acuerdos con Navarra, que aliviaron su situación económica. Sin sus oficios, la federación militar de Las Navas habría sido imposible. Apoyado por Roma, Pedro fue el principal agente para llevar la bula de cruzada de 1209. Solo León quedó al margen de ese movimiento de unidad de poderes hispanos bajo la cruzada papal. Rada dice que vinieron «pueblos de todos los rincones de Europa». Es verdad que no todos se quedaron, pero algunos importantes caudillos se mantuvieron en la batalla. La hueste fue dirigida por un catalán, Dalmau de Crexel, que en opinión de Pere Tomic, el historiador catalán, «era el más sabio caballero que en España hubiese».

Fue un momento grande de la historia y se luchó por el paso entre Andalucía y la Meseta que permitía ascender hacia el Guadiana o descender hacia el Guadalquivir. Tras el angosto paso podría desplegarse la hueste de los almohades, que preparaban una gran ofensiva dispuestos a recuperar Toledo. Todos los hispanos se unieron, casi sin excepción. Como siempre sucede, la batalla muestra la composición de los pueblos y la percepción según la cual se configuran los grupos. Las milicias castellanas se diferenciaron según los concejos urbanos de origen. Ya no son bandos de gallegos, asturianos, leoneses, extremeños, como en la época de Alfonso VII. Ahora son tropas procedentes cada una de su ciudad. El cronista dice que la «tríada de reyes avanzó en nombre de la Santa Trinidad». Hispania no se menciona, sino la Cruz. Alfonso VIII portaba la que todavía se ve en Las Huelgas. Allí se defendió la patria y los santuarios. La *Crónica latina de los reyes de Castilla*, que cuenta los hechos desde la óptica de ese reino, hizo de la batalla la venganza divina por los desastre de Alarcos y de Uclés. Para ella, el rey ahora aparece revestido del «poder de lo alto». La intervención de la divinidad es milagrosa, concreta, excepcional, providencial y siempre previsora del detalle. «Sobre la mano de la gracia de Dios, a modo de puente, atravesamos el Guadiana», dice Rada, recordando que los musulmanes habían minado el lecho del río. Ante un camino cegado aparece «la virtud divina» en forma de pastor, y muestra el paso. Al final, vence la virtud de Cristo. No reconocerlo llevará la mortífera peste al campamento cristiano, tras la victoria. Cuando el rey victorioso entra en un Toledo por fin libre de la amenaza almohade, se canta «Bendito el que viene en nombre del Señor». Alfonso VIII fue el primer rey que pintó un castillo como emblema propio. Luego, tras la batalla, en homenaje a su hueste, reconoció los derechos de los hidalgos y entre ellos el de obediencia pactada al rey según «la costumbre de España»; esto es, con garantías recíprocas sin instancia judicial común formal y reconocida. Allí, entre el rey y la hueste vencedora, se conformó el conjunto de prácticas y costumbres que se conocería como Fuero Viejo y que formaría la mentalidad hidalga castellana. De este modo, con una fidelidad condicional, en lugar de fortalecerse, el carisma del rey duró lo que duró la batalla. Que nada había cambiado en Castilla se vio cuando murió Alfonso VIII. Su hijo Enrique I, como sucedió con Alfonso VII y con el propio Alfonso VIII, fue secuestrado por la alta nobleza, los Núñez, y solo a su muerte se configura un nuevo bando, que se propondrá hacer rey de Castilla a Fernando, el futuro rey santo.

Por la parte de Pedro de Aragón, la victoria de Las Navas de Tolosa tampoco fortaleció su figura. Su separación de María de Montpellier, con quien tenía un hijo, el infante Jaime, y su alianza con el conde de Tolosa, Raimundo, cuando este descubrió su corazón cátaro, lo debilitaron ante la Iglesia. Cuando en esa ciudad se asesinó al legado papal, Raimundo fue excomulgado. Pedro no podía tomar otro partido que defender una posición cada día más debilitada, ante el avance de los cruzados. No es un problema explicar que Pedro se alineara con el bando cátaro. Lo inexplicable es que, consciente de la gravedad de la situación, preparara la batalla de forma tan incompetente. Hay sospechas de la inestabilidad personal del rey, que lo llevaba a la improvisación y la intrepidez. Su irresistible vinculación a la cultura de las damas, su sensibilidad para la propaganda de los trovadores, debieron de influirlo para defender un imaginario de franqueza y de entrega arrojada. La evidencia de que Francia se hacía con todos los territorios entre el Ródano y el Garona quizá lo llevó a tomar la decisión sin prever un escenario alternativo. Así se dio la paradoja de que el rey *católico* y cruzado se lanzara con toda la hueste de Cataluña contra el delegado de la cruzada contra los cátaros, Simón de Monfort, y que, tras una noche agitada de fraternidades entre caballeros y damas, tras escuchar una misa en la que apenas se podían mantener despiertos, Pedro se entregara a la batalla de Muret, en 1214, para hallar en ella la muerte. Los trovadores se prestaron a cantar la heroicidad del rey, pero el reino quedó entregado a la más terrible lucha de facciones que puso en peligro la unidad de la Corona. El infante Fernando de Aragón se entregó a una intensa recomposición de la nobleza aragonesa, mientras que el conde catalán Sancho, el hermano del rey, no cesó de buscar la revancha con los cruzados de Monfort. La confusión dominó por doquier. Inocencio III decidió intervenir y envió a su legado para obligar a todos los nobles aragoneses y catalanes a jurar como rey al niño Jaime I. No todos acudieron a Lleida. Los más violentos, como Fernando, no lo hicieron. Luego, el grupo dirigido por el legado papal entregó al joven rey a los templarios, que lo encerraron en la fortaleza de Monzón. Una terrible época de hierro y violencia se apoderó de Aragón y de una Cataluña que veía con desazón que su influencia provenzal se ponía en peligro.

Pero al avistar la juventud de Fernando III y Jaime I, se inicia la época de la expansión hacia el Guadalquivir y hasta el Turia y el Júcar. Con el reinado de Sancho VIII de Navarra también se asiste a una encrucijada para la historia de Navarra. Igual de decisivo será el tiempo que se abría para León y para Portugal. La época del gran siglo XIII transformará la base social y la forma política de los pueblos. De esta época saldrá la constitución de los reinos hispánicos que habría de explicar la historia hispánica hasta el siglo XVIII.

5

EL GUADALQUIVIR

IRRUMPE EL CARISMA DEL REY

Con la figura de Fernando III se intensificó el esfuerzo por hacer del rey una figura carismática. La *Crónica latina* lo presenta como inspirado por el Espíritu Santo y conducido por Dios. Así se intenta explicar cómo un hijo de dudosa legitimidad, señor de las tierras de Carrión, pudo devenir rey de Castilla en 1217. Jiménez de Rada insiste en que Dios mismo guiaba los pasos de su madre, Berenguela. Cuando 1224 logró imponerse a los poderosos nobles castellanos, Fernando expuso a sus seguidores su decisión de continuar la toma de tierras hacia el Guadalquivir. El cronista describe este momento excepcional como si el monarca hubiera entrado en trance visionario:

> He aquí que por Dios omnipotente se revela un tiempo [...] en el que puedo servir contra los enemigos de la fe cristiana [...]. La puerta está abierta, y el camino, expedito.

Jiménez de Roda nos informa sobre el efecto que produjo este discurso entre su séquito: todos emocionados, lloran ante el propósito del joven rey.

Sin embargo, los planes no tuvieron efecto. Logró poco después de que el Papa elevara su campaña a cruzada, pero no impresionó a su gente. Toledo, Burgos y Palencia, los principales obispados, se elevaron a sólidos aliados del monarca, pero los nobles eran muy reacios a enrolarse tras un rey fuerte. La Iglesia se declaró tutora del reino y devolvió la mitad de los décimos al rey. No obstante, Castilla era difícil de armonizar. Los nobles antiguos del norte vizcaíno y riojano, la importante plaza de Burgos, las milicias urbanas de la Extremadura soriana, las órdenes militares de la línea del Guadiana y, en medio, la nueva y potente milicia del arzobispado de Toledo, dominando el Tajo, eran elementos muy diversos. La nueva expansión requería tener claro el método de participación en los costes y beneficios. Equilibrar diferencias y conciliar intereses no fue un asunto fácil. Unificar la acción política castellana requería tacto y poder.

La dimensión más hostil venía de la alta nobleza de Lara, Cameros y Haro. La devolución de Guipúzcoa a Navarra era la inequívoca señal de que el rey prefería dejar esos problemáticos territorios en manos de un poder regio aliado que entregarlos a las grandes familias. Para impedir que esa alta nobleza se reprodujese en los territorios de los señoríos fronterizos de Molina y de Albarracín, estos se ofrecieron a las órdenes militares. El arzobispo de Toledo también resultaba preferible a un señorío laico y violento, rebelde e indisciplinado, incapaz de encarnar un concepto fuerte de lealtad. El joven rey Fernando, de forma decidida, solo confió en la nobleza que se integraba en la *curia regia* y se hacía cortesana. Es curioso que el título de *comes* desapareciera justo en 1224, el año de su transfiguración carismática. Sobre todo, el rey mantuvo la estructura foral y privilegiada de las villas, con sus fuertes milicias, la única posibilidad de hacerle frente a la alta nobleza, por mucho que sus fueros urbanos resultaran heterogéneos. Para ellos, la guerra era una actividad económica, y les resultaba prometedor el programa regio expansivo.

Otro acontecimiento colaboró a promover la figura del rey. A la muerte de su padre, Alfonso IX de León, en 1230, Fernando se hará con el reino occidental, en una campaña violenta que arrasó muchas *poblas* recién fundadas. Por supuesto, el monarca no contó con las Cortes leonesas, tan activas, que habían impulsado una regulación intensa capaz de coordinar la política del reino. La guerra civil fue dura y demoledora, pues no se había olvidado el viejo agravio de la campaña de Las Navas, que León había aprovechado para aliarse con el poder almohade. La intervención de 1230 será presentada por los cronistas como una obra divina que garantizará la paz perpetua de los dos reinos. Como se verá, no fue ni mucho menos así. Las costuras de León con Castilla no acabarían de cerrarse hasta mucho tiempo después, con Alfonso XI, por lo menos. Para garantizar una mínima paz, Fernando debía desarticular la potencia de la nobleza eclesiástica gallega, con sus obispados como Santiago, Tuy y Braga, y sus monasterios, como Celanova. En estas condiciones, no es de extrañar que la transfiguración carismática del rey no supere los frágiles límites de la corte. Esa ideología regia no crea poderes nuevos ni genera formas intensas de obediencia. La eficacia directiva del rey está fuera de duda, pero no se aprecia una innovación sobre la forma de organizar un reino que verá duplicada la extensión de tierra bajo su dominio. Se percibe, eso sí, el intento de Fernando de imponer una fiscalidad intensa, centralizada, capaz de conocer y de listar los territorios de realengo, realizada por la Orden del Hospital. Al final, la fuente de ingresos más importante fue la venta a las ciudades de castillos alzados en sus términos municipales, por lo general arrancados a los obispados, a los nobles, o tomados de las órdenes religiosas. Para compensar la fuerza de las ciudades, Fernando comenzó la lucha secular por instalar delegados regios en el concejo municipal, los corregidores.

Frente al tópico, Fernando III diseñó una expansión hacia el sur con clara voluntad antiseñorial. Intensificó la colonización del Guadiana desde las ciudades, las órdenes religiosas y el arzobispado de Toledo, desplazando a las noblezas que se habían instalado en Alcaraz o en el sur del Tajo hacia territorios cada vez más periféricos y montañosos. El rey no deseaba desplegar la violenta forma de poder que había triunfado en la Rioja o en Vizcaya, con sus grandes nobles, clientelas y bandos. En realidad, la línea del Guadalquivir se ordenaría sobre la estructura de reinos, una ciudad con un extenso distrito, al modo de Toledo, con sus concejos urbanos y sus alfoces territoriales inmensos, generando así señoríos urbanos privilegiados y jurisdiccionales, sobre los que el rey intentará colocar sus corregidores al modo de los delegados musulmanes.

Todo estaba destinado a asfixiar a la alta nobleza, que tantos quebraderos de cabeza ocasionaba a cada nuevo rey. Sin embargo, esta decisión generó en la nobleza castellana un hambre de tierras que iba a determinar por entero los siglos XIV y XV. La otra decisión fundamental fue la organización episcopal. Toledo, que llegaba hasta las tierras de la sierra de Cazorla, reclamó el obispado de Baeza. Santiago reclamó Mérida y Badajoz. La lucha por Sevilla se abrió entre ambas sedes, pero era absurdo pensar que la ciudad de san Isidoro, la capital de la Hispania romana, consintiera ser una diócesis dependiente. Rada, arzobispo de Toledo, reclamó una centralidad religiosa y política para su sede, tal y como a su entender había existido en la época de los godos. Lucas de Tuy, el defensor del reino de León, pensó que también se había dado en Oviedo y en León, y así debía seguir, como se vio en el «convento general» que proclamó rey a Fernando I en León, o a Alfonso VII en Santiago. Roma, siempre sabia en sus políticas de pluralidad, intentó impedir por todos los medios las pretensiones hegemónicas de Toledo. Le pesaba demasiado el recuerdo de una Iglesia mozárabe, que para Roma era un peligro. Ya que no pudo impedir la unidad de León y Castilla, Roma fortaleció Santiago y disminuyó tanto como pudo la relevancia de la sede primada de Toledo, una vez muerto Jiménez de Rada, tan poderoso. De hecho, no reconoció su primacía sobre Tarragona. Luego, Roma ofreció a Sevilla el estatuto metropolitano sobre la Bética.

Contra la política regia de unidad, no solo jugaba la Iglesia sino también la alta nobleza. El rey Fernando mantuvo ese imaginario godo, a pesar de todo su arcaísmo. Así dio el Fuero Juzgo a Córdoba y aplicó el fuero de Toledo a Sevilla. Conviene tener en cuenta que los obispos eran como *muftíes* o clérigos con capacidad de dirigir la guerra. En tanto rey cruzado, dirigente de una guerra santa, Fernando también se parece a un califa. Los jefes de los ejércitos que entraron en la ciudad de Córdoba el 29 de junio de 1236, cuando la ciudad cayó en manos cristianas, eran obispos al frente de sus milicias: Cuenca, Baeza, Plasencia y Coria. Todos deseaban extender tanto como pudieran sus parroquias y limitar la pretensión de primacía de Toledo. Para neutralizarla, la sede de Baeza se traspasó a la ciudad de Jaén, más lejana. El rey, por su parte, se reservó el tercio de todas las tierras y el patronato de las iglesias restauradas. Por mucho que el administrador de Toledo purificara la mezquita y la adscribiera a Toledo, solo lo hizo de forma provisional. Los mayores beneficiarios del reparto de Jaén y de Córdoba fueron las órdenes militares —además de las ciudades—, que ocuparon las tierras periféricas del distrito urbano: la Orden de Calatrava se instaló en Martos, Porcuna, Arjona y en la parte occidental de Jaén. La Orden de Santiago se hizo con la sierra de Segura. La nobleza no obtuvo apenas nada.

HACER LAS CUENTAS EN SEVILLA

Cuando el 23 de noviembre de 1248 se entró en Sevilla, las sedes de León y de Santiago quedaron tan fuera del reparto como el propio Toledo. Los nuevos señoríos eclesiásticos se dieron solo a los obispos de corte, como los de Segovia, Astorga o Cartagena. La diócesis sevillana no fue dotada en exceso porque se quiso impedir la tensión entre la ciudad y el obispado, como era endémica en Toledo. Los señoríos colectivos urbanos andaluces del Guadalquivir, con las grandes ciudades de Sevilla, Córdoba, Jaén, Úbeda, Baeza y Andújar, serían lugares de realengo. Sin embargo, todo estuvo determinado por la propia fuerza del rey Fernando. La conquista posterior será diferente. En todo caso, Toledo logró algo decisivo: que al sur de sus tierras no se creara una gran sede episcopal, pues el obispo de Sevilla no contaba con un gran poder.

Así, las tierras de expansión de Castilla se conformaron desde decisiones muy diferentes, desde miradas de la realeza propias de cada tiempo histórico. En su diagrama, cada fase expansiva lleva la impronta de su propio tiempo y acabará conformando una sociedad diferente por su estructura y por sus formas de supervivencia e intereses. En esta evolución, el enemigo siempre fue la nobleza de los clanes castellanos y gallegos, que no habían logrado disciplinarse como elementos cortesanos. Esa nobleza tenía un estatuto jurídico privilegiado que permitía la desobediencia legal frente al rey. Así se convirtió en una fuerza oportunista y combativa que, haciendo valer el Fuero Viejo, estaba en condiciones de desarticular el sistema. Tal cosa fue posible porque la capacidad directiva regia fue muy variable. La causa de esta variación tiene que ver con la insolvencia institucional de la monarquía castellana. Nada estuvo por encima de los linajes, de las fidelidades de la sangre, producidas por las historias de la vieja violencia compartida. Castilla no dispuso de una corporación capaz de unir a los nobles, ni de conciliar los intereses tan diferentes de los viejos burgos del Duero, los distritos militares de Extremadura y Cuenca, los grandes obispados gallegos y centrales, las órdenes militares que ocupaban las desoladas tierras del Guadiana, las grandes ciudades de la Bética, y los nobles instalados en las gobernaciones militares de las merindades y adelantamientos de frontera.

No hay que extrañarse de esta insolvencia institucional. Un reino en devenir era difícil que dispusiera de un diseño claro territorial e institucional, con un programa de ordenación. Lo que daba al rey Fernando su carisma era un programa expansivo, no su poder institucional. Unido por su soberano, y vinculado a una Iglesia de la que obtenía la legitimidad de rey cruzado, el reino era más bien un conjunto de fuerzas en movimiento dirigido por un señor político que había logrado quebrar las alianzas nobiliarias. Su capacidad dependía de las fuerzas concretas en cada caso. Dado que no había fidelidad incondicional por parte de nadie, esas alianzas nobiliarias eran tanto más probables cuanto más débil fuera el rey. La clave es que todos los actores estaban dominados por una mentalidad señorial: señores laicos con tenencias y cargos, señorío episcopal y abadial, señorío colectivo urbano, señorío de órdenes militares, todos compartían el valor de la independencia política y militar; todos deseaban hacer valer su sentido propio del derecho incluso ejerciendo la desobediencia con la fuerza de las armas. En este sentido, la *curia regia*, la única institución verdadera, no era sino un equilibrio de pactos entre los señores que se vinculaban a ella de manera libre o forzada. De ahí su inestabilidad característica.

Se ha dicho que no hay diferencia cualitativa entre Castilla y las otras monarquías europeas. No es así. Castilla no tiene Cámara de los Lores ni Cámara de los Comunes, tampoco, en esa época, Tribunal del Rey, ni capacidad de juzgar a los nobles en su propia sede, ni dispone de *habeas corpus*. Sus ciudades no tienen bailes ni cargos electivos anuales, ni sede propia de sus instituciones, ni hay forma de regular la administración del rey y la de la ciudad. Desde luego, los monarcas europeos se parecen todos en la lucha por los patronatos de las iglesias, pero se diferencian por el cuerpo institucional desde el que llevan a cabo sus objetivos. Cuando se repara en el éxito de Fernando III, se constata que se logró porque el sistema se unía cuando se creaban expectativas de expansión, cuando los beneficios eran verosímiles y probables. Pero cuando la fase expansiva acababa, las tensiones entraban en una fase aguda. Ante todo porque el reino quedaba extenuado por el gasto de recursos. La integración de los nuevos territorios era débil y no permitía recuperar inversiones a corto plazo. Los agravios del reparto se hacían insoportables cuando ya no había esperanza de compensaciones. Entonces, todas las fuerzas se entregaban a una lucha sin cuartel por sus intereses. Cuando Fernando III propuso continuar la cruzada hacia el sur, tras la toma de Sevilla, nadie se entusiasmó, prueba evidente de que antes deseaban ajustar cuentas. Por lo demás, los grandes centros, Burgos, Toledo, León o Santiago, no deseaban trasladar la capitalidad a Sevilla, para desde allí seguir combatiendo.

¿PRIMERAS CORTES CASTELLANAS?

Pronto se dejó sentir la necesidad de una instancia capaz de ordenar un reino tan complicado. Y así, el rey Fernando se decidió a imitar el reino de León y en el año 1250 convocó a sus ciudades a una reunión en Sevilla. De allí salió un cuaderno que fue dirigido a los concejos urbanos. Por el mismo es sabido lo que el rey deseaba: que los enviados por las ciudades ante él fueran caballeros y hombres buenos. No se dice que sea algo parecido a unas Cortes representativas. Se regula el estatuto de los hombres representativos, no menos de tres ni más de cuatro, y se confiesa que el rey los llama para que «vengan a mí por cosa que oviere de fablar con ellos». En todo caso, esa reunión de Sevilla fueron las primeras Cortes de las ciudades castellanas y leonesas conjuntas. El asunto que se trata es muy significativo: «tornar las aldeas a las villas, assí como eran en días del rey don Alfonso [VIII], mío avuelo e a so muerte». La medida reparaba otra del propio rey, tomada en sus primeros años de reinado. Lo que se jugaba ahí era hacer continuo el alfoz de las villas con las comunidades de aldea que se habían alzado en su tierra, y someterlas de nuevo al señorío de la ciudad. De este modo las aldeas volvían a depender del concejo. La consecuencia era su mayor capacidad de resistir a los señores y a los caballeros. En suma, se adscribían formalmente al realengo urbano. No era lo mismo luchar contra una pequeña aldea y apropiarse de su tierra, que luchar contra una ciudad. En la plenitud de su poder, el rey intentaba que los señores de castillos no metieran sus manos en la tierra de la ciudad. El rey ejerce de protector de la urbe por concesión expresa de la propia ciudad. Lo que el rey buscaba era que los caballeros se atuvieran al gobierno urbano y no se apropiaran de impuestos de las aldeas.

Pero la medida tenía otro aspecto, pues concedía el poder gubernativo a la élite hidalga. Para lograrlo, apartaba a los menestrales de los cargos gubernativos. «Que los menestrales non echen suerte en el judgado por seer juez». El juez era el adalid de la ciudad y llevaba la bandera del concejo. Su función era dirigir la milicia urbana tanto como la justicia. Ambas funciones eran propias de un *milites*, un hidalgo. Por su parte, el rey deseaba que la alta nobleza se instalara en la corte para gozar de los cargos de alférez, merinos y adelantados. La división del trabajo era así clara y unívoca. Los nobles no debían intervenir en el fuero urbano, y los caballeros e hidalgos se mantenían como jueces y *milites* de las ciudades. Esto se puso de manifiesto cuando Fernando prohibió las cofradías y las asociaciones de menestrales y artesanos. Con ello, el sentido europeo de la ciudad como *universitas* se cegó. El sentido de corporación comunitaria capaz de dotarse de normas a partir de sí misma se bloqueó. Solo se permitieron las agrupaciones para «soterrar muertos», dar limosnas y asistencia mutua.

La vida urbana se minimizó. Los menestrales no pudieron reunirse de forma autónoma. La organización autocéfala desapareció. Solo quedaron en pie las funciones de los hidalgos y el orden de la milicia. Una ciudad dotada de sus instituciones y cofradías, con sus gremios y menestralías, fue vista como un peligro para el poder regio y un daño para el concejo. Sin duda, el primero que inspiró una evolución oligárquica de la ciudad fue el propio rey, que pensaba así facilitar su control sobre ella a través de los hidalgos. El sentido de la ciudad que tiene el monarca es el de «míos pueblos», tierras de realengo que pueden disponer de un sistema de poder delegado del rey, no de formas colectivas que se autorregulan. La ciudad es una tenencia señorial más y en ella solo hay que dirigir la milicia, cobrar impuestos e imponer justicia. Eso es todo. La vida urbana organizada como tal produce «la ira de Dios y la mía». Las ciudades son distritos militares, jurisdiccionales y fiscales bajo protección regia y delegación de poderes. Nadie reconoce los derechos corporativos propios de la ciudad europea o de la ciudad mediterránea, como Lleida o Barcelona. En esas Cortes, sin embargo, nadie habló de pagar servicios. Los viejos impuestos militares para financiar la milicia urbana eran suficientes.

Es evidente que el sentido de la vida urbana que tiene Fernando se parece a la forma de la ciudad musulmana. No se tiene ahí una ciudad específicamente europea con sus cargos electivos del baile, curia y racional. El sentido de la corporación y de la *universitas* no se actualiza. La vida urbana clásica se reduce a la de una sede del obispado cuya catedral ya resulta imponente y en cuyo cabildo bullen los hijos segundones de los hidalgos que no pueden dedicarse a la milicia. Todavía se hace más evidente este límite de comprensión cuando se constata que Fernando no es capaz de asociar universidad, episcopado y corte, como ya sucede en París, Bolonia, Colonia o Tréveris. Todavía deja que Santiago y Toledo pugnen por fundar universidades propias (Salamanca y Palencia), y cuando tiene que unificarlas opta por Salamanca, bien lejos de los lugares del poder. No parece haber diseñado Fernando nada parecido a una capital, una ciudad que funcione como París o Londres, donde los juristas enseñen las *lex regia* y donde hagan del rey la cabeza visible de la sociedad humana, con su *aula regia* y su cámara; donde se dirimen en última instancia los juicios y donde se regulan los conflictos de las familias nobles.

Sin una idea clara y unitaria de su tierra y de su reino, era difícil ofrecer un diseño de corte. No es un capricho o un azar. El rey no puede visualizar su poder en un sitio sin correr el peligro de desobediencia en otros. La complejidad del reino hace inviable la centralidad de una corte estable. Burgos era demasiado norteño para gobernar la tierra entera; Toledo, demasiado abigarrado y dependiente del arzobispo; Sevilla, demasiado andalusí e islamizada; Santiago, conflictivo, norteño y arzobispal. La universidad del reino se funda en Salamanca porque estaba a medio camino entre Toledo y Santiago, equidistante de ellas, imparcial, cercana de Ávila y de Zamora, una ciudad casi gallega. Fernando, como antes Alfonso VII, siguió pensando no en un reino unitario, en un único cuerpo místico, sino en Galicia, León, Castilla, Toledo, Extremadura y ahora en Andalucía. Cada uno de estos territorios tenía su centro y el rey no podía identificarse solo con uno de ellos sin ofrecer una razón para la desobediencia y el malestar de los otros. Este será el error que cometa Alfonso X.

Si se quiere saber lo que pensaba el rey Fernando de su gobierno, y las distancias con el primer «espejo de príncipes» para Luis IX de Francia, conviene leer el *Tratado de la nobleza y lealtad*, también conocido como el *Libro de los doce sabios*, escrito por «grandes filósofos». Su contenido se deriva de la mentalidad musulmana e impone su concepto sobre el rey, con su defensa del oportunismo, su alabanza de la venganza, frialdad, piedad y crueldad, y su aspiración central: el «refrenamiento de los poderosos». En ese libro no aparecerá la palabra *Cristo* ni el nombre del obispo de Roma. En realidad, no es un libro cristiano. Los sabios que lo escribieron no lo eran. Así se observa la dualidad que se abría tras la toma del Guadalquivir. Por mucho que los obispos norteños, los jefes de sus milicias, reconocieran al rey como «alférez de Santiago» o como «Caballero e vicario de Jesu-Cristo», sus nuevas tierras andalusíes le ofrecían a Fernando una cultura distinta. Ni León ni Castilla tenían gente suficiente para desplazar las poblaciones musulmanas y judías de aquellas grandes urbes de la Bética, como no la habían tenido para repoblar Toledo, dotadas de una cultura densa y antigua. Al final, Fernando podía alcanzar el poder militar, fiscal y jurisdiccional sobre las realidades urbanas andalusíes que podía admirar, pero no cambiar. A su hijo Alfonso X le transfirió la obsesión de seguir haciendo lo único que podía hacer: huir hacia delante con una toma continua de tierras, hacia el Estrecho, más allá del mar. Así se comprende la decisión de pasar a África.

A la muerte Fernando III, Alfonso, su hijo, quedaba «señor de toda la tierra que los moros habían ganado del rey don Rodrigo».

La llamada «Reconquista» quedaba concluida. Ahora, Alfonso debía aumentar la hazaña paterna. En el testamento se le recordó la obligación y las consecuencias de no cumplirla.

> Si todo esto [...] hiciese, que la sua bendición cumplida oviese, y que si no, que la su maldición le alcanzase.

Alfonso tuvo que decir amén. Con estas palabras en su boca moría el único rey santo que ha tenido España (se canonizó en 1655 para el culto en Sevilla, y en 1675 para todos los reinos de España). Fue una forma de consolar la triste suerte de Carlos II.

REYES MALDITOS

«La una conquistada, la otra tributada», dice la *Estoria de España* para referirse a que el nuevo rey tenía mando sobre «toda la tierra de la mar acá». Era verdad. Murcia había jurado fidelidad. Granada daba tributos. Sin embargo, un monarca que deseaba ser «augusto» debía aumentar ese dominio recibido. Estas palabras del testamento de Fernando legitiman la pulsión imperial de Alfonso, anclada en un sentimiento de superar al padre, pero también de cumplir con un mandato inolvidable. Y sin embargo, cuando al final de su vida escriba *El Setenario*, Alfonso comentará que

> imperio quisiera que fuese assí llamado su sennorío, e non regno, que él fuese coronado por emperador segunt lo fueron otros de su linaje.

Por ser descendiente de emperadores godos, hispanos y europeos, podía aspirar con plena legitimidad a recibir la fidelidad de los demás reinos de Hispania y de otros sitios, no solo como Alfonso VII, sino como Suintila, que era también señor de la Tingitania, la Mauritania.

En todo caso, conviene percibir el *fecho del imperio* alfonsino como la búsqueda de la unidad de mando de los godos. El Imperio europeo será un camino para lograr una hegemonía indisputada sobre los reinos hispánicos. Alfonso, esta es la cuestión, se creía con títulos para ser *imperator Hispaniae* y para serlo buscó el imperio de Alemania. Pero, sobre todo, Alfonso llevaba una herida abierta en sus carnes: su disputa con Jaime I, su suegro, por la ciudad de Xàtiva había acabado mal para él. Jaime le había vencido en esa partida cuando le impuso la frontera del Tratado de Cazola en los llanos del campo de Almizra. Con dicho tratado en la mano, Xàtiva era de Aragón, por mucho que Alfonso la deseara. La escena había tenido lugar en 1246, cuando era todavía el infante de Castilla, antes de la boda con la hija de Jaime que se celebraría a finales de año en la lejana y fría Valladolid. Esa sería una espina clavada en el fondo de su alma. Si hay en Alfonso una emulación con el padre, tampoco dejará de materializarse con Jaime, su suegro, su segundo padre, el personaje imponente que, rey de un reino pequeño, le ganará todas las partidas importantes de su vida. Todo en la acción de Alfonso deseará compensar esa humillación. Ya se verá.

No por un azar en su coronación en Toledo, en 1254, dos años después de ser nombrado rey en Sevilla, aludió a que llevaba la corona «por onra de los emperadores et de los reyes dond nos venimos que yazen hý». Toledo era la sede «cabeça de España y do antiguamente los emperadores se coronavan». No cabe duda de que alude a los reyes de los godos. Como no era seguro que allí hubiera algún rey godo enterrado, Alfonso hizo trasladar los llamados restos de Wamba desde Pampliega hasta la ciudad del Tajo. Para los propagandistas de la época, Wamba había dominado desde la Tingitania hasta el Ródano. Este era el imaginario del rey Alfonso y lo seguirá con un carácter inflexible. Ninguna consideración fue tenida en cuenta ni bastó para desecharlo. Al comenzar el reinado, con un país arruinado todavía por la campaña de Sevilla, devaluó la moneda. La inflación alimentó la carestía. La reacción del rey fue poner tasas a los precios. El resultado no se hizo esperar. Los comerciantes escondieron los géneros, al negarse a vender a precios intervenidos. Entonces, el rey lanzó leyes de austeridad para deprimir el consumo. Todo ello alteró no solo la economía, sino las costumbres.

Para recuperar la fiscalidad, que cayó en picado, se apropió de las herencias de los hermanos para con hermanos y exigió fidelidad por los donadíos de Sevilla a los caballeros. La alta nobleza de Haro se intranquilizó con motivo de la segunda disputa de Alfonso con Jaime, cuando en 1253 lucharon por hacerse con el control de Navarra, ante la muerte de su rey, Teobaldo I. Alfonso, por segunda vez, se dio cuenta de que no podía oponerse a Jaime y luchar contra sus nobles. Debía contar con un aliado más fuerte. Así casó a Berenguela con Luis, el hijo de Luis IX de Francia. Navarra pasaba a estar segura en la órbita francesa. La paz se hizo inevitable. Su estatuto es indicativo de la mentalidad de Alfonso. Cedió San Sebastián y Fuenterrabía a Navarra, a cambio de que Teobaldo le prestara juramento de fidelidad por esas tierras. En su imaginario, era un acto propio de un emperador. Fue la misma jugada que en el Algarve de Portugal, cuando su rey Alfonso III tomó Faro. Alfonso reclamó esas tierras para Castilla. Al final se firmaría el Tratado de Badajoz en 1267, que dejaría la frontera en el río Guadiana. Pero con anterioridad, el acuerdo de 1253 establecía que una parte del reino de Portugal, el reino del Algarve, se cedía en usufructo a Castilla durante un tiempo. Eso le permitía a Alfonso titularse rey del Algarve. Luego lo pasaría a su nieto don Dionís, en usufructo, a cambio del vasallaje.

Como señal de triunfo en esa época, hacia 1255, en el libro *El Espéculo* Alfonso pudo reclamar que «non avemos mayor ssobre Nos en el [poder] temporal». Esa era también una proclamación imperial. Entonces se proclamó vicario de Dios en la Tierra. Con ese libro podría definir el derecho del rey, como lo hacía Federico II, Luis IX o Eduardo I. Pronto el monarca reclamó el poder de hacer leyes nuevas y generales, como el Fuero Real, que derogaba el derecho tradicional urbano, basado en antecedentes y la inspiración del momento, al modo del cadí musulmán, y homologaba el derecho de las ciudades entre sí, haciéndolo depender de las sentencias del Tribunal del Rey. Pero la heterogeneidad entre las ciudades era demasiado distante para reducirse de repente y a favor de los alcaldes del rey. Así que para garantizar la homologación de prácticas se propuso *El Espéculo*, «el espejo de todos los derechos», libro por el que las formalidades procesales eran tipificadas según las prácticas del tribunal regio, y por el que las sentencias dictadas por los jueces de la corte regia eran la referencia obligada para juzgar casos similares.

Ambos libros se debieron de promulgar en alguna reunión amplia de obispos y ricos hombres, así como de delegados de las villas, quizá como la celebrada en Toledo en 1254, o en Palencia, un año después. En cierto modo, el monarca deseaba fortalecer su dominio regio a través del control del derecho urbano. El enemigo era el mundo de los privilegios nobiliarios. Quedó claro cuando por esta época funda más de diecisiete nuevas *polas*, que instaladas en territorios de señorío venían a mermar las capacidades fiscales de los señores, órdenes e hidalgos. Así se fundó Ciudad Real y Aguilar. Era la continuación de la política de su padre, solo que radicalizada. La reacción fue inmediata y conjunta. Las ciudades querían defender su propio fuero; los nobles, la integridad de sus tierras; y los obispos no deseaban una regulación regia de sus ciudades. El mundo del señorío urbano, militar y episcopal se movilizó contra el rey.

Percibiendo las resistencias generales, Alfonso apeló a la vieja pulsión y pensó unificar los ánimos mediante la convocatoria del *fecho del imperio*. Desde 1254 reclamaba la bula de cruzada al Papa para marchar por África y ocupar las tierras que los godos tuvieron más allá del Estrecho. Finalmente, Alfonso consiguió la bula y el reino de Castilla se aprestó al *fecho de allende el mar*. El papa Alejandro IV nombró obispo de Marruecos a un hombre del rey, a quien hizo su legado papal. Pero las expectativas fueron más europeas que castellanas. Alejandro llamó a los caballeros saboyanos a prestar obediencia al monarca Alfonso. Pisa se aprestó a ofrecerle el nombramiento de «rey de romanos», a condición de que protegiera sus intereses sobre el norte de África frente a Venecia. Marsella se unió, siempre con la idea de limitar la influencia de Génova. Así, la aspiración imperial de Alfonso sobre África acabará vinculándose a la problemática europea. Esta operación significó para Castilla carestía y nuevas «querellas de todas las partes de sus reinos», como dice la *Crónica*. Deseoso de dotarse de un código imperial, entonces se comenzó a redactar las *Partidas*. La elección imperial de 1257 dejó las cosas confusas, aunque los sobornos entregados a los electores arruinaron al reino. El Papa finalmente no se decidió y otros electores jugaron sucio. Al final los dos candidatos se vieron con derechos, pero Ricardo de Cornualles se adelantó y se coronó en Aquisgrán en mayo de ese 1257. Alfonso, que se consideraba elegido, conformó una corte imperial, entregando puestos a nobles europeos y gastando sumas extraordinarias, ante el asombro de los nobles castellanos y leoneses. Cuando el rey tuvo necesidad de nuevos impuestos, reunió las Cortes en Toledo y pidió la doble moneda. Era el impuesto que se cobraba para no alterar la aleación de la moneda, pero ahora lo reclamaba doble, como anticipo del período que solo entraría en vigor siete años después. La justificación fue la necesidad de culminar el *fecho del imperio*. Lo que en realidad quería era visitar al pontífice, en Lyon, para asegurar su coronación. El viaje estaba previsto para 1259.

Jaime I reaccionó rápido y escribió a su yerno para asegurar que no reconocería bajo ningún concepto el título de «imperator Hispaniarum». Para dejar claro que tenía su propia política, aceptó la boda de su hijo Pedro con Constanza, la hija de Manfredo, rey de Sicilia, el heredero de la tradición imperial de Federico II. Alfonso se indignó y habló del «mayor tuerto del mundo». El Papa se dio cuenta de que su mayor enemigo, Manfredo, salía reforzado de su intento de implicar a los reinos hispanos en la política europea y retrocedió en su apoyo a Alfonso, pensando que así tendría más derecho a solicitar de Jaime que abandonara su expansión hacia Sicilia. Pero Alfonso continuó con su aventura imperial, al margen de la legitimidad del pontífice, pues su anclaje en el imperio de los godos era su imaginario originario.

Así se dispuso a hacer de Toledo la ciudad imperial. Esta decisión está detrás de la traducción del saber árabe al castellano. Las tablas astronómicas del rey partían del meridiano de Toledo como el lugar central para la observación del cosmos. De esta manera, se colonizaba el espacio astronómico desde el espacio político y se hacía de Toledo no solo el centro del saber, sino del mundo conocido. Una nueva legitimidad se impuso, la del «hombre de seso et entendimiento», que estaba por encima de «todos los omnes» y, desde luego, de «todos los príncipes de su tiempo». Ese era el rey de España, como dijo en el prólogo al *Libro de las Cruces*. Ahora, la gracia de Dios era el «alumbramiento» que el monarca recibía y por el cual se recuperaban «los saberes que eran perdidos al tiempo que Dyos lo mandó regnar en la tierra». El programa era conscientemente regenerador: salvar saberes perdidos. Pero sobre todo era político: dejar claro que la legitimidad del rey era independiente del papado y procedía de una noción platónica del rey sabio. Pero en el fondo, Alfonso imitaba de lejos el programa de Federico II. Y lo hacía de lejos porque Federico no solo traducía el saber de Toledo, sino que también producía nueva ciencia en la corte mediante el uso de la experimentación. Alfonso se limitaba a recuperar los saberes perdidos. En todo caso, algunos europeos conocían la unidad de ambos proyectos y su dimensión enciclopédica y así, cuando el jurista Brunetto Latino, el maestro de Dante, vino de embajador a Castilla, se trajo consigo el *Libro del Tesoro*, la enciclopedia del saber más moderna hasta la fecha, de la que pronto se hizo una versión castellana para el rey, que parecía seguir los intereses y postulados gibelinos antipapales.

Pronto el proyecto imperial de Alfonso chocó con un problema geopolítico. Cuando se decidió el ataque a la ciudad de Salé, en Marruecos, ya era evidente que toda la empresa imperial se dirigiría mejor desde Sevilla que desde Toledo, y hacia el Guadalquivir se trasladó la corte. Este rasgo del programa imperial implicó una decisión de largo alcance. La expansión imperial castellana sería atlántica. Para ello se necesitaba tomar Jerez y Niebla, y se fundó El Puerto de Santa María —hecho del que dan testimonio las *Cantigas* con insistencia—, dotando a Cádiz de un obispado. La empresa imperial dependía de un saber antiguo recuperado: el cartográfico. Según los viejos esquemas de Macrobio, que el rey buscó estudiar con ahínco en el ejemplar que había en Nájera, África era una franja muy estrecha de tierra; se podría tomar con facilidad e incluso rodear por mar para llegar a los Santos Lugares por el sur. Si hubiera tenido los mapas de Sicilia, dibujados por Ibn Idrisi, el rey Alfonso se habría dado cuenta de que África era mucho más ancha y larga de lo que él creía; rodearla por mar resultaba mucho más costoso de lo que imaginaba y las proporciones de tierra hasta los Santos Lugares eran mucho más amplias de lo que podía pensar. En este sentido, el imaginario imperial del rey sabio estaba fundado más bien en la ignorancia y en la incapacidad de alcanzar el saber cartográfico disponible de la época.

La *Crónica* recuerda bien que todas aquellas medidas «troxieron gran empobrecimiento en los reinos de Castilla y de León». Todos esos recursos fueron puestos al servicio de un proyecto que para todos los súbditos era una quimera. Las demandas de los concejos de volver a las viejas leyes aumentaron. Las inquietudes de los nobles se fortalecieron cuando el rey determinó que los caballeros villanos fueran sus agentes en las ciudades, sin relación alguna con los altos señores. Cuando los mudéjares comprendieron, hacia 1264, la debilidad del reino empobrecido y agitado, iniciaron una rebelión general, apoyados por Granada, que veía peligrar su posición en el dominio del Estrecho. Andalucía y Murcia estallaron. Trescientas villas pasaron a poder de los rebeldes, y Granada soñó por un momento con tomar Sevilla y devolver la frontera al Guadiana. Desconfiadas del poder del rey, las ciudades del Guadalquivir hasta Cazorla firmaron una hermandad de autodefensa. La rebelión fue tan general que todos los poderes hispanos se unieron. Jaime se haría cargo del frente oriental, y Portugal, del occidental. Pero con el rey Alfonso no contaba nadie.

En el centro peninsular las ciudades se organizaron. Después de tres años de luchas, Granada se avino al pacto, Jerez fue tomado por tropas extremeñas y portuguesas y Murcia fue recuperada por Jaime I, hacia 1264. Portugal exigió el derecho pleno sobre el reino del Algarve como compensación, y Jaime reclamó un reino autónomo entre las tierras al sur de Denia y al norte del río Segura para su hija Constanza y el hermano de Alfonso X, don Manuel. Como la campaña había sido una cruzada, el Papa se vio autorizado a reclamar una solución definitiva para los mudéjares, lo que implicaba su expulsión de las tierras cristianas. Acelerar los tiempos de homogeneización, sin embargo, no hizo sino aumentar el desastre: territorios importantes quedaron desertizados. El reino quedó empobrecido al extremo, como se vio en la reunión de Jerez de 1268. Nuevos impuestos, como el diezmo de aduana (sobre productos de importación, consumo de nobles), se reclamaron y se impuso una devaluación del maravedí.

Para sorpresa de todos, en 1268 se reactivó la embajada del *fe-*

cho del imperio. La situación de pobreza del reino era extrema y el rey no lo percibía. En las famosas bodas de Burgos entre Fernando de la Cerda y Blanca de Francia se mostró que las restricciones del consumo impuestas a todos no tenían nada que ver con el rey. La gente se escandalizó del lujo de las bodas, financiadas con un nuevo impuesto sobre los ganados. A ellas asistió Jaime I, que percibió el peligro en el que se hallaba el rey Sabio. Por aquel entonces la influencia política del rey de Aragón era intensa. Su hijo menor, Sancho, a quien había colocado de arzobispo de Toledo, ofició las bodas. En ellas, el otro infante, Sancho de Castilla, le reclamó al gran rey aragonés que le armara caballero para no prestar juramento a su hermano mayor, el primogénito Fernando. Jaime era el árbitro de una familia sin norte. Un año después, la gran conspiración nobiliaria de Lerma estaba en marcha. Jaime se lo había anticipado al rey Alfonso, en un viaje compartido tras las bodas. Los pactos de los nobles castellanos con los ricos hombres aragoneses se extendieron a Granada. Los avisos que le había dado Jaime se cumplían. Sin hacer caso de la gravedad de las cosas, la muerte de Roberto de Cornualles provocó en Alfonso la ilusión de que el Papa ahora lo coronaría por fin.

El año 1271 lo pasó Alfonso en Murcia, cerca de su suegro, por si tenía que embarcarse para ver al pontífice. Las ciudades lombardas entonces apoyaron a Alfonso, que les prometió dos mil caballeros. Los pactos fueron sellados con bodas adecuadas y los impuestos aumentaron de forma proporcional: ahora se retiraba a las ciudades el montazgo por los rebaños, que pasaba al fisco regio. Todo esto significaba, para la empobrecida nobleza castellana, un agravio insoportable. Para las ciudades, una pérdida considerable, pues sufrían el paso de los rebaños de las manadas de corderos sin ninguno de los beneficios. La Mesta, la institución para la protección de las actividades ganaderas de las órdenes militares y de los grandes nobles, iniciaba su camino como corporación en defensa de los intereses laneros. Sin embargo, la nobleza, que seguía organizada desde la conjura de Lerma, hizo la lectura adecuada cuando el rey pidió nuevos impuestos a las ciudades. El rey por fin se veía solo frente a todos, nobles, obispos y ciudades.

Los nobles se desnaturalizaron y se acogieron al derecho antiguo de rebelión, destruyendo la tierra mientras se refugiaban en el reino de Granada. Las ciudades protestaron por los abusos de la Mesta; los obispos, porque el rey amenazaba con gravarlos y porque estaba coaccionando al Papa para que lo coronara; y los nobles, porque estaban empobrecidos y agraviados. Pero el monarca se había comprometido a ir a Milán con dos mil caballeros, lo que era imposible sin pactar con la nobleza. Al final, pudo reunir quinientos caballeros, pero en lugar de ir a Milán se dirigió a Lyon, donde estaba el Papa, para escuchar de sus labios que no lo coronaría emperador. La entrevista fue un desastre y Alfonso comprobó con amargura la prudencia de los consejos de su suegro, Jaime, quien le había recomendado que no hiciera ese viaje por caro e inútil. Como dice la *Crónica*, «en el fecho del Imperio que le traían en burla».

DESTRONADO

Lo que entonces sucedió no fue una burla, sino la tragedia de 1274. Los andalusíes de Granada, aliados de los nobles rebeldes, esperaban ese momento para iniciar las hostilidades. La rebelión fue general en todo al-Ándalus y en las gentes mudéjares. La guerra se llevó por delante al infante Fernando de la Cerda, pero también a don Sancho, el hijo de Jaime I. El rey Alfonso tuvo que regresar de Lyon, «molt yrat e malaut», como lo vio Muntaner, que lo hospedó en su casa. Mientras la guerra estallaba, se quedó en Camarena durante semanas, melancólico e impotente. Fue el momento en que el infante Sancho se hizo con la herencia del reino, apoyado por Aragón, frente al hijo de Fernando de la Cerda, el niño Alfonso, apoyado como heredero por Francia y por los Lara, muy hostiles a Jaime. El rey Alfonso se entregó a la furia y eliminó de forma cruel a su propio hermano don Fadrique y a otros nobles, acusándolos de homosexualidad. Las Cortes de 1277 fueron un fiasco total. La esposa, Violante, lo abandonó. El legado papal Pedro de Rieti llegaba a España con un memorial con todas las quejas de los obispos, y se mostraba dispuesto a examinar la opresión regia sobre los súbditos. Desde luego, decretó que la orden de caballería de Santa María de España, fundada en 1273, no tenía legitimidad, dando la razón a Jaime, que no la aceptó porque monopolizaba a favor de Castilla el honroso nombre de España. De la investigación del legado podía seguirse la excomunión del rey.

Cuando se convocó a los pueblos a juzgar sobre su opresión, no acudieron. Las ciudades se habían organizado en hermandades y los obispos se mostraban dispuestos a defenderse por su cuenta. Sancho IV, sin clara legitimidad, pero con el apoyo de Aragón, con quien había firmado la paz perpetua, cediendo Requena a Valencia, controló la situación de la frontera. Mientras, sumido en la impotencia, la crueldad del rey Alfonso conoció un nuevo brote con la muerte de Çag de la Malea, el contable judío de Sancho. Cuando la situación se estabilizó, Alfonso volvió a llamarse «rey de romanos», *semper augustus*, y prometió enviar ayuda a Italia. Sancho, de forma realista, ya comprendía que su tío Pedro (hijo de Jaime I y marido de Constanza de Sicilia) era el que dirigía los asuntos italianos. Todos vieron cómo Alfonso se aliaba con la Francia enemiga de Aragón en un clima de abierta crispación y rebelión del pueblo, que no podía olvidar, como dice la *Crónica* «quántas muertes y quántos desafueros e quántos despechamientos avía fecho el rey».

El 20 de abril de 1282, en unas Cortes de Valladolid, se despojó al rey de todos sus poderes y su hermano don Manuel leyó la sentencia. Era una deposición en la que coincidieron «todos los de la tierra», pero no surgieron acuerdos que dotasen al reino de instituciones y de Cortes con funciones normativas. Alfonso utilizó el último recurso: aliarse con el rey benimerín Abu Yusuf, con la razón de que «los cristianos» eran violadores del derecho y la fidelidad. Nadie de Francia fue en su socorro. Murcia y Sevilla eran lo único que tenía y le quedaba. Con ayuda de los musulmanes derrotó a Córdoba y desheredó a su hijo Sancho, ahora «digno de la maldición paterna». El Papa, al ver que Sancho se había aliado con su enemigo Pedro de Aragón, puso en entredicho al infante, sin duda bajo la presión de Francia, que deseaba imponer como heredero al infante Alfonso de la Cerda. Al final, se llegó a un acuerdo y el rey Alfonso volvió a reinar. Su último testamento sembraba la semilla del caos futuro, pues mantenía los derechos de Alfonso de la Cerda a disponer de un reino en España. De haber vivido más Alfonso, la posición del infante Sancho se habría convertido en muy delicada. Sin embargo, el rey moría en Sevilla en 1284. El siglo de hierro de Castilla comenzaba entonces. Sería también el de la hegemonía catalanoaragonesa sobre España.

6

TURIA, JÚCAR

¡AY DEL REINO CUYO REY ES UN NIÑO!

Esta primacía de Aragón fue obra de Jaime I el Conquistador, el más grande de los reyes hispánicos, un hombre de dimensiones europeas. Que fue un pequeño milagro se comprende tan pronto se advierte el punto de partida. Apenas hubo un rey tan pobre como el padre de Jaime. Pero todavía lo fue más su desvalido hijo, huérfano, amenazado, abandonado. Hacia 1214 todos los bienes públicos estaban en manos de los condes catalanes y de los ricos hombres aragoneses como fideicomisos inalienables, que solo podían disfrutarse por los miembros de sus grandes familias. Si no se destruyó el reino en la infancia de Jaime, hay que agradecérselo al papa Inocencio III, que debía asegurarse de que la herejía cátara no recibiera el apoyo de nuevo del rey aragonés. Un monarca unido a la nobleza provenzal era demasiado peligroso para la voluntad directiva de Roma. Aragón no podía salir de la órbita del papado. Los viejos tiempos de Alfonso II, que llegó a gobernar Marsella, no volverían. La nobleza provenzal y la catalana comenzaron justo entonces a separar sus destinos en medio de mutuos reproches, lanzados al viento por los trovadores. La gran cultura catalana, la lengua *d'òc*, que todavía Dante admirará, iba a perder terreno ante la presión del francés. Poco a poco iría retrocediendo hasta hallar en Cataluña la tierra en que por fin anclaría de forma perenne.

Pero si la Iglesia tuvo fuerza para intervenir se debió a que ante la violencia disolvente de la forma política, los obispados, las ciudades y los pueblos se unieron. Como tal, Aragón no podía organizarse por sí mismo. Así que todos comprendieron que un árbitro externo era necesario para ordenar un poder político que no encontraba su propia *ratio* desde dentro. Y así fue como el legado papal, Antonio de Benevento, presidió las Cortes de Lleida de 1214, en las que se ordenó la Corona. Nadie creía que con la distribución de cargos se acabarían las luchas entre Fernando, el conde de Montearagón, y el conde Sancho, líderes de las facciones respectivas. Pero se logró que, con la intervención de la Iglesia, el niño Jaime, arrancado de las manos de Simón de Monfort, fuese rey de Aragón y se mantuviese la Corona unida.

«¡Ay del reino cuyo rey es un niño!», recordaron todos los juglares. Como estaba previsto, el reino se entregó a la violencia endémica. Pero esto ya era un mal menor. Ni Sancho ni ningún rico hombre se nombraría rey. La unidad política estaba salvada. Los ricos hombres y los condes podrían cansarse de guerrear, pero mientras, en el brumoso Monzón, ajeno a su influencia, el joven Jaime crecía junto con su amigo el conde de Provenza, dos niños perdidos en un promontorio pelado, padeciendo un estatuto parecido a la prisión, pero una cárcel preparada para protegerlos.

Cuando Jaime I alcanzó la mayoría de edad y comenzó a reinar, el movimiento de barones y ricos hombres estaba muy consolidado como para hacerle frente. La habilidad de sus consejeros se mostró en su capacidad de unir los intereses plurales al máximo. Ante todo, se intentó dotar al rey de una base condal fuerte más allá de Barcelona. Así se asoció con la condesa de Urgell y a su muerte reclamó el condado, que tuvo que ganar a punta de lanza. La hueste así conformada se amplió. La operación verdadera de unificación de la nobleza catalana y de la burguesía barcelonesa fue ganar Mallorca. Esta conquista, con la toma a sangre y fuego de la ciudad, tuvo una consecuencia inesperada: la muerte de la mejor nobleza de Cataluña. La conquista, en 1229, dio al rey superviviente un prestigio mítico, que aumentó con la incorporación pacífica de Menorca. Desde ese instante, el monarca pensó mantener reunidas sus fuerzas mediante la expansión peninsular. La punta de lanza eran los castillos de Ademuz. La siguiente pieza fue el Maestrazgo. Así se empezó a gestar la toma de Morella. Desde allí, Jaime buscó el mar hacia Peñíscola. Había comenzado la aventura que habría de expandir por Europa la gran noticia de la toma de Valencia, en 1238, algo sin precedentes en los anales de la cristiandad europea desde la toma de Toledo.

Pero el rey Jaime, que había sabido incorporar a la nobleza catalana, sabía que no podía aspirar a contentar a los ricos hombres aragoneses, que disfrutaban de todas las rentas del reino. Aquí se producirá la herida que no dejará de perturbar la evolución política de la Corona hasta 1414, fecha en que se transformó su constitución con el final de la casa de Barcelona. En el imaginario de los ricos hombres, tras la toma de Mallorca, que había beneficiado a Cataluña, ahora les tocaba el turno a ellos con la expansión desde Teruel hacia Valencia. El propio rey habría alentado esta imagen de las cosas y habría lanzado señuelos a los líderes de las grandes familias. Las ricas tierras de la taifa de Valencia los esperaban con pocas posibilidades de defenderse, en manos de un débil usurpador. Mallorca para los barceloneses, Valencia para los aragoneses. Esa era la idea y la expectativa.

No fue así. Morella quedó en manos regias, aunque era deseada por los nobles. Burriana, ya cerca del mar, también, tras una entrega negociada que molestó a los que deseaban un asalto y el saco subsiguiente. Para esta conquista, el rey no pactó con los ricos hombres, sino con las milicias de los distritos de Calatayud, Daroca y Teruel. Ellas fueron el soporte para llegar hasta Sagunto y para mantenerse en el Puig, en unos días de angustia, con Valencia a la vista, abandonado por los grandes. Los ricos hombres abandonaron al rey, jugaron a ser imprescindibles, y perdieron. Jaime logró la declaración de cruzada y Roma se la dio con gusto porque sabía que hacia allá se dirigiría la nobleza occitana que tantos problemas había dado. La herejía cátara quedó sepultada ante ese movimiento de entusiasmo cruzado. La *magna* Valencia pronto sería cristiana. La nobleza aragonesa de los ricos hombres, incapaz de evolucionar, quedó disuelta en medio de la avalancha europea que venía a mostrar su confianza en el rey Jaime. Fue una buena lección para esas catorce familias de ricos hombres incapaces de prestar una fidelidad rigurosa a quien inauguraba una nueva época. Al final, Valencia fue rodeada y el rey se hizo con toda la huerta, desde Montcada hasta Silla, y luego la capital fue tomada tras un largo asedio. No fue sometida al saqueo, pero la población musulmana tuvo que abandonarla. El rey cumplía entonces treinta años.

ORDENAR UN REINO DE CIUDADES

Jaime aprovechó el impulso de la toma de Valencia para dejar la frontera del reino en Xàtiva. Ante él se abría un nuevo reino complejo y heterogéneo. Por todo el interior de las tierras valencianas, desde Biar hasta Vallada, y desde ahí hacia el norte de las sierras castellonenses de Espadán, todo era una población morisca y pacífica, con poca capacidad de organizar una resistencia militar. La zona costera era completamente diferente. Ordenada en ciudades, colonizaba ricas huertas y mantenía un comercio por mar. Desde el río de Albentosa por el norte hasta el magnífico castillo sureño de Xàtiva, el rey procuró dar al nuevo reino una planta nueva. Jaime estaba decidido a que la tierra valenciana no se organizara al modo aragonés.

En efecto, las ciudades serían ordenadas sin cargos patrimoniales. Inspirándose en las constituciones urbanas afirmadas en las Cortes de Lleida, de impronta romana, Jaime dio magistraturas anuales electivas para el justicia, el baile, los síndicos y los regidores, con sus propios recursos fiscales y sus locales públicos. Los cargos electivos anuales eran jurados en el día de San Miguel en la catedral mayor de Santa María de Valencia, ante el pueblo cristiano, en la fecha en que se había producido la rendición de la ciudad y su paso a manos cristianas. Las ciudades serían territorios de administración real y el rey las entregaba a su propia capacidad de ordenación, organizadas en parroquias y gremios. Eran ciudades en el sentido romano del término, unidades autocéfalas. Sin duda, habría cargos que representaban al rey y ante el rey, pero se nombrarían mediante negociación y consenso de las dos partes. Hubo conflictos, pero esa forma no se eliminó. Por supuesto, los barrios de las grandes ciudades se repartirían entre los distritos urbanos más activos en la conquista. Tortosa, Lleida, Barcelona, Calatayud, Daroca y Teruel fueron especialmente beneficiados.

Pero no solo las ciudades no estarían al alcance de la mano de los grandes nobles. La tierra tampoco se repartiría al modo señorial, en grandes lotes. En un proceso bastante difícil, entregado a un mesnadero aragonés competente, el rey logró que los lotes de tierra sirvieran para crear una nobleza menor fiel, suficiente en su riqueza, cercana a la tierra, numerosa. Los lotes se disminuyeron justo para aumentar la base social de la monarquía. Con esos lotes no se podría contentar a los ricos hombres, pero el estamento más numeroso de los mesnaderos encontraría su forma de asentarse en la tierra valenciana. Todo esto dio a las ciudades y a las tierras de Valencia ese aspecto de verdadera síntesis de la Corona, con sus territorios costeros vinculados fraternalmente a Cataluña y los interiores más cercanos a Aragón, con barrios de todos los territorios de la Corona en sus ciudades, con vínculos activos de intercambio y de comercio, de costumbres y de hábitos, de lengua y de prácticas.

Poco a poco, la forma constitucional de la ciudad de Valencia se fue ampliando a todas las demás urbes del reino. Esta ampliación del fuero de Valencia a todo el territorio le fue prestando una homogeneidad suficiente a la tierra. Los privilegios que el rey concedía al *cap i casal* valentino, casi de forma automática, se suponían concedidos a las demás villas reales, como Burriana, Bétera, Paterna, Silla, Alcira. Así se fue creando un reino de ciudades, demasiado cercanas entre sí como para considerar a cada una de ellas cabeza de un reino propio, como sucedió con la conquista de Andalucía. Ahí, la capital era tan poderosa que proyectaba su sombra sobre las demás ciudades. Sin embargo, poco a poco se fue abriendo camino una decisión fundamental para el destino del reino de Valencia, una decisión que apenas se puede exagerar.

La capital, Valencia, estaba sometida a un profundo problema. Desde la época goda, su obispado dependía del metropolitano de Cartagena. Si Toledo había heredado los derechos de la sede cartaginense, Valencia quedaba sometida a Toledo. Además, se usaba el antecedente del Cid, que había llevado a un obispo consagrado por Toledo, lo que asentaba el derecho del caso precedente. Así que Valencia fue reclamada ante Roma por Jiménez de Rada, el arzobispado toledano. Por lo demás, Toledo había logrado tras la conquista el reconocimiento del Papa de cierta primacía entre las sedes arzobispales hispanas. Por lo tanto, en caso de conflicto, se creía con cierta razón para decidir por encima de Tarragona, que había regresado al cristianismo después de Toledo. La reacción de la sede de Tarragona fue radical: excomulgó a Rada cuando viajaba a Roma por cruzar el territorio de la provincia con la cruz descubierta.

Hacia 1246 se estaban desplegando las negociaciones matrimoniales entre el infante Alfonso de Castilla y la hija de Jaime, Violante. Entonces surgió otro conflicto decisivo. Alfonso, desde que era príncipe, había recibido en nombre de su padre, Fernando III, el reino de Murcia. En plenas negociaciones, Jaime comprobó que Alfonso tenía avanzadas las relaciones con Xàtiva y con su caudillo musulmán. No solo Alfonso. También el arzobispo de Toledo había mandando sus agentes, por cuanto pensaba fundar en Xàtiva un obispado integrado en la Cartaginense. Jaime, entonces dio una muestra de firmeza y decisión y se negó en redondo a conceder Xàtiva como tierra de conquista de Castilla. Esto habría significado que el reino de Murcia llegase a pocos kilómetros de Valencia, con la conquista de la plaza de Denia, tan decisiva para el comercio con Ibiza, una necesidad geoestratégica fundamental. Además estaba la importancia propia de Xàtiva, un castillo inexpugnable. En manos de Castilla, era una amenaza intolerable para Valencia.

El rey Jaime vio claro que todo aquello era asfixiar su conquista y su futuro. Así que las cosas llegaron al extremo de la guerra. Alfonso cedió. Xàtiva sería valenciana, como ya se vio. Y en el Campo de Almizra, en medio de los llanos que se extienden entre Biar y Villena, en una ceremonia que todavía representan los naturales del lugar, se llegó al acuerdo de frontera. Se trazaba una línea casi recta desde Biar, el puerto seco del interior, hasta Calpe, con la señal del mítico peñón de Ifach como mojón natural. Todo lo que quedaba al norte se reconocía como reino de Valencia. Dentro quedaban las ciudades de Bocairent, Ontinyent, Onil, Castella, Ibi, Alcoy, Guadalest, Callosa. Desde luego, Denia, con la punta que entra en el Mediterráneo camino de Ibiza, también era valenciana.

Las pretensiones de Castilla quedaron neutralizadas. Las del arzobispado de Toledo eran más duras de vencer. El pleito que se interpuso ante la Santa Sede de Roma quedó sin resolver en los términos jurídicos en que se planteó. Pero con la solución que entonces se buscó, se demostró que la teoría papal de las exenciones, excepciones y reservas de derecho era una doctrina operativa y funcional para romper con la tradición cuando el poder decisorio del Papa lo estimaba prudente. Así que se detuvo el pleito, se dejó sin decidir y al final Roma otorgó a Valencia el estatuto de sede exenta. En la teoría, significaba que dependía directamente de Roma y que no tenía por encima arzobispado hispano. En la práctica, significó que la unidad política del reino de Valencia dependía de las relaciones que se trabaran entre el rey de Aragón y el papado. Pero dado el conflicto del rey con la alta nobleza aragonesa, que de forma tradicional ocupaba la sede de Zaragoza, el rey no tuvo otra opción que entregar Valencia a la influencia de la sede de Tarragona. Así, la potencia cultural de Cataluña se proyectó sobre la tierra valenciana por sus obispos y, aunque desde el punto de vista humano, familiar, de algunos usos y costumbres, y desde el comercio, los vínculos con las tierras de Teruel y de Zaragoza se mantuvieron, desde el punto de vista cultural y religioso, tan unidos, el factor dominante fue el catalán. Poco a poco, la influencia de la Iglesia catalana impuso su lengua en las escrituras, en los manuscritos, en los códigos, en los sermones, en la educación, en las notarías. Esta impronta, que poco a poco se introdujo en la cultura urbana, homogénea con la catalana, determinó flujos emigratorios importantes hacia Valencia, que permitieron que el proceso de repoblación, que apenas se había iniciado con la conquista, después se nutriera de sangre en su mayoría catalana.

CONSTITUIR UN REINO

El rey Jaime inició un proceso de movimiento poblacional sin precedentes. Toda la zona sur del reino desde Xàtiva experimentó una clara limpieza étnica. Colas inmensas de moriscos, que incluso despiertan en el rey la compasión y el dolor, se dirigen al puerto de Biar, donde tienen que pagar un impuesto de emigración para que se les permita dirigirse al reino de Murcia y a Granada. La Corona de Aragón no tenía una masa de población suficiente para reocupar las tierras baldías, así que la limpieza étnica no fue eficaz. Lo mejor era concentrar la población morisca bajo la vigilancia ejercida por una plaza fuerte. Pero tampoco se tenían fuerzas suficientes para diseminarlas en un territorio que, de repente, se había duplicado. Así que la frontera sur siempre fue inestable, porosa, agitada. Instalados también en los recónditos valles del interior valenciano, fortalecidos en los roquedales, los moriscos, habituados a una existencia frugal, no estaban ni en paz ni en guerra. En realidad estaban a la expectativa. Aprovecharían cualquier situación que se produjese en el sur, con sus erupciones vinculadas a los movimientos de más allá del Estrecho, para levantarse. En realidad, eran poderes oportunistas.

Hacia el inicio de la década de 1260 tuvo lugar un giro decisivo. Poco antes, los ricos hombres aragoneses habían logrado recomponer una alianza con el propio hijo de Jaime, Alfonso, habido con la princesa castellana Leonor, la primera esposa de Jaime, y heredero legítimo de la Corona aragonesa. Los pactos incluían deshacer en Valencia la obra de Jaime, y es fácil que implicaran la concesión de una franja al mar para Aragón y la aceptación de que Valencia sería territorio adscrito al fuero de Aragón. El rey no podía hacer gran cosa en este escenario, con su propio hijo liderando las viejas reivindicaciones nobiliarias. La amenaza de una fractura de la federación era intensa, pues Alfonso era procurador de Aragón, pero nadie deseaba obedecerlo en Cataluña. La muerte del infante, a los pocos días de su matrimonio, liberó todas las tensiones acumuladas. Jaime dio al infante Pedro la primogenitura y la herencia legítima, y con ello aseguró que ningún príncipe castellano reinara en Aragón. Basta ver la lápida del sepulcro de Alfonso en el monasterio de Veruela, para darse cuenta de su idea: abajo se ve el escudo de Castilla, en medio de la lápida se presentan las barras de Aragón, rodeadas por castillos pequeños. La muerte del infante Alfonso aceleró las transformaciones y permitió a Jaime ordenar de forma definitiva Valencia, aprovechando la debilidad de unos ricos hombres aragoneses sin líder. Así, convocó a todas las ciudades valencianas y otorgó por contrato y pacto a la *univer-*

sitas valentina una constitución que no podría alterarse sino con acuerdo de las Corts de las ciudades. Todo heredero debería jurar esas normas en los primeros tres meses de su reinado, ante los valencianos, como reino reunido al efecto.

Pero también entregó a Pedro un capital político que lo puso en el tablero internacional. Así que casó a Pedro con Constanza, la hija de Manfredo y Beatriz de Saboya, «genitrice dell'honor di Sicilia e d'Aragon», como dijo Dante. La aventura mediterránea de Cataluña, más allá de Baleares, comenzaba. Y con ella, la hostilidad contra la casa de Anjou, que había logrado someter la Provenza occitana, pero no Sicilia. Estas decisiones fueron de un calado revolucionario, pero consumaban las líneas de conducta anteriores. A su vez, determinarían la historia completa de Cataluña y de España. Se puede decir que la razón internacional de España se forja en ese mismo instante. Alfonso X, ya rey castellano, montó en cólera al ver cómo su suegro se introducía en la política imperial, que él acariciaba. Alfonso era desplazado de la dirección del partido imperial, que él reclamaba por herencia. La Santa Sede reaccionó con violencia y exigió que Luis IX se indispusiera con Jaime. Este siguió adelante con sus intenciones, aunque a costa de firmar una paz con Luis en la que abandonaba sus derechos sobre Provenza. Por Jaime la política catalana fue hispánica e italiana a la vez.

A la muerte de Jaime en 1276, una larga vida plena de éxito llegaba a su final. Tras él, las Baleares y Valencia quedaban integradas con solidez en la estructura de la Corona de Aragón. Pero además, esta proyectaba su influencia sobre el reino de Murcia y estaba en condiciones de disputar a Francia la influencia sobre Sicilia. Durante el tiempo del reinado de Alfonso X de Castilla, Jaime no solo había resistido la hegemonía del reino central hispano, sino que había neutralizado todos sus esfuerzos expansivos y toda su política internacional. Como se verá, este proceso generaba nubes espesas sobre el reinado de Pedro III de Aragón y de Sancho IV, los dos jóvenes reyes que tenían enfrente el sistema completo de poder europeo, con una alianza firme entre Roma y París, decididos ambos poderes a que los dos reinos hispánicos no tuvieran una presencia propia en el escenario de la política europea. Apenas un milagro podría bastar para que estos dos jóvenes reyes contuvieran la ofensiva europea. Y sin embargo, lo consiguieron.

EL CARISMA DEL REY JAIME

Cuando se compara la trayectoria de Jaime con la de Alfonso, uno no puede más que dejarse llevar por las grandes diferencias. Muchos, de forma tradicional, se han preguntado por el enigma de que un rey no especialmente ilustrado, en modo alguno vinculado a las nuevas ideas platónicas del filosofo-rey, que no oyó hablar nunca de Macrobio, sin embargo deseara dictar con desparpajo una sabrosa autobiografía, *El Llibre dels feyts*. Se debe comparar la humildad de esta empresa biográfica con la grandiosidad de la política intelectual de Alfonso X. Frente a esta, que sugiere la obra de un legislador encargado de darle dignidad a una auténtica *traslatio imperio*, se halla la historia oral de la vida del rey Jaime. Algo extremadamente simbólico de un mundo político y cultural se aprecia en esta diferencia de gestos. Uno compone una obra monumental que no guarda proporción alguna con sus realizaciones políticas. Otro, compone una obra sencilla traspasada por un orgullo que tiene que ver con las realizaciones políticas, cuyo complemento teórico es ese conjunto de máximas tradicionales, ese breviario de prudencia cristiana que se puede leer en el *Llibre de la sabiessa*, que todavía pudo tener en su cámara Martín I.

Un programa regio solo obtiene sentido desde la emulación y desde la comparación con el otro. Jaime muestra una voluntad de marcar las distancias respecto a Alfonso, que surgen de la aguda comprensión de que el oficio de rey tiene más que ver con el «hombre de hechos» que con el de ciencia. Los *feyts* del rey Jaime son apropiados a sus relatos. Los *facta* políticos de Alfonso son completamente ajenos a sus *dicta*. Nadie podía ignorar esto cuando se reveló el final de cada una de esas vidas, cuando los reyes cristianos, siguiendo la sentencia paulina, pueden verificar si han corrido la carrera hasta el final. La manera de saber si se produce ese equilibrio entre *facta* y *dicta* es comprobar si una vida ha sido querida por Dios o no. Mas la única forma de conocer esta sentencia sublime emerge en el cosmos cristiano a partir de la fe rica en obras.

Lo más relevante entonces de la autobiografía del rey Jaime no lo dicta ni lo dice el propio rey, sino los que, al escribir el inicio y el final, cuando el monarca ya ha muerto, se encargan de mostrar que su vida ha sido querida por Dios. Frente a un rey Alfonso denunciado por la Iglesia de Roma como cismático, y que lanza su maldición sobre su hijo Sancho, según la tradición de la época, los hombres de Iglesia que escribieron el final y el principio del *Llibre dels feyts* quieren dejar clara la ortodoxia católica de Jaime, la plenitud de su fe, de su carisma sagrado y la bendición que ha recibido de poder entregar el engrandecido reino a su hijo. El subrayado de estos hechos solo tiene sentido desde la voluntad de marcar la contraposición perfecta con Alfonso. Todo en las páginas iniciales y finales de la crónica regia de Jaime se dirige a marcar diferencias con la forma de Alfonso de ejercer el poder. Ante todo, la perfección de la gracia carismática recibida por Jaime, desde la santidad de su madre, María, dado su profundo y pleno sentido de la fe cristiana. Luego, su vinculación suficiente con la tradición imperial, por sus ancestros maternos, como para no tener que vincularse ni someterse a las pretensiones imperiales de Alfonso. Finalmente, su transmisión plena de poderes, bajo bendición inequívoca, a su hijo Pedro, cosa que no pudo decirse de Alfonso. Estos tres elementos, entre otros, muestran lo esencial de la presentación del rey de Aragón y su especial protección divina. La finalidad del relato, por lo tanto, reside en mostrar su figura querida por Dios y la dimensión eterna de su reino. La consecuencia que se seguía de esta percepción era clara: Dios contaba con Aragón, y la división respecto de Castilla, en este sentido, quedaba legitimada. En modo alguno, la idea política de Alfonso podía ser afirmada como sagrada.

En efecto, la perfección de la gracia carismática del rey se presenta ya desde su propio comienzo en el capítulo IV de su crónica autobiográfica. Pues lo que «recompta» san Jaime es que la «fe sens obres morta es». Lo que va a contar el rey Jaime es su fe viva con obras. Por lo tanto, lo decisivo es que los *facta* son consecuencia de una fe viva. La diferencia con Alfonso es radical: la carencia de *facta* reales —el *fecho* del imperio fracasado, el *fecho* allende del mar también, el *fecho* de los mudéjares, igual— testimonia una fe muerta, como sin duda el legado enviado por Roma deseaba averiguar y extender.

Con la plenitud de quien habla como si ya hubiera muerto o estuviese a punto de morir, tras haber recibido el *consolamentum*, según se confiesa en los breves capítulos finales, con los que el prólogo hace juego —«E puix nos, purgat dels pecats mundanals per rahó de la confessio damunt dita, ab gran goig, e ab gran pagament rebem lo cors de nostre senyor Jesu Christ»—, el que puso estas palabras iniciales en boca del rey nos dice con sencillez, pero con fuerza, que la teoría del Apóstol, esa teoría de la fe viva que produce obras, «volch cumplir nostre senyor en los nostres feyts». Fe con obras, esto es lo que caracteriza a los elegidos por Dios, a los que se recibió en el templo con ese «Te Deum laudamus», que se repetirá en cada una de sus grandes hazañas, como la toma de Valencia y de Murcia, y a los que por eso «Deus vol rebre en la sua mansio». Esta certeza de salvación sorprende, pero constituye el punto de seguridad de una época, frente a las dudas que tendrán las siguientes: «de la fe que nos hauien, nos ha duyts a la vera salut», dice el rey. Este prólogo se nos presenta como un pequeño tratado acerca del carisma del monarca y su sentido en la raíz misma de la providencia protectora. Primero una larga vida, luego las grandes obras.

Este prólogo de la *Crónica* es así un texto de frontera. Situado en la línea de la vida y de la muerte, en el umbral de este mundo y del otro, el rey habla como si estuviera en el instante mismo de su muerte, como hablaban los cátaros tras recibir el último sacramento, cuando la muerte era inminente, en el último instante, cuando ya no era posible temer una intervención del diablo, pues este ya no tenía concedido más tiempo. Esto da sentido a la frase entre paréntesis que se deja incluir al final del prólogo. Esta frase dice que «car hauriem passada aquesta vida mortal». Jaime habla como aquel que se comunica con nosotros desde la otra vida, desde más allá de la muerte, en esta imposibilidad lógica que la filosofía se ha empeñado en denunciar. Por eso puede asegurar acerca de sí mismo que está salvado. Y esta seguridad de la propia salvación es lo único que justifica que deje memoria de su vida y que escriba esta autobiografía. En suma, de todo ello se deriva una presentación propia del rey mesiánico.

LA VOZ DEL DIFUNTO

Este comentario nos da pie a concluir con otro elemento. Pues ningún rey puede ultimar su reinado de manera perfecta, sin acabar su obra con la transmisión de poderes adecuada. En ella se verifica el triunfo sobre el tiempo, la continuidad del reino y la conexión con el reino celestial. Por eso el *Llibre* se concentra en los últimos pasajes en preparar esta escena final, que acalla todas las dificultades que el monarca había tenido con su hijo en el pasado. De hecho, el rey Jaime no tiene inconveniente en presentarse en su vejez, en la plenitud de su conciencia, como un auxiliar de su hijo. Así, la última campaña militar en la que toma parte tiene que ver con la necesidad de llevarle víveres a Pedro y su hueste, un asunto como se ve menor. Su enfermedad así queda vinculada de forma expresa a los «treball que hauien soffert». El rey, como los viejos patriarcas bíblicos, se dispone a la muerte, cansado y satisfecho.

En este contexto solicita que venga su hijo personalmente. El *Llibre* quiere dejar constancia de que el príncipe heredero vino de Xàtiva y que nada más llegar, al anochecer, se presentó ante el rey. La diferencia entre la actitud de Sancho IV y Alfonso X es completa. Pedro se inclina ante su padre «e dona a nos reuerencia axi com bon fill deu donar a son pare». Luego todo se dispone para demostrar la unidad de espíritu entre ambas personas regias. De forma muy gráfica se nos dice que los dos «oym nostra missa». Entonces, como sucedía con los demás oficios públicos que se transmitían y se juraban ante el altar, en el tiempo sagrado de la celebración, acabada la misa, el rey se dispone a decir las últimas palabras a su hijo. Está funcionando aquí el doble cuerpo del rey, algo que no se observa jamás en la transmisión de los reyes de Castilla. Lo que se escucha entonces tiene mucho que ver con lo que se ha leído al principio de la *Crónica*. Ante todo, que el rey ha sido un caballero de Dios, que no ha reinado para sí de forma principal, sino que ha estado al servicio del verdadero señor poderoso. Y esto lo ha hecho durante más de sesenta años, sin duda uno de los reinados más largos que se conocen en la historia, símbolo por sí mismo de haber sido querido por Dios. En realidad, aquí se dispara la dimensión mítico-bíblica del monarca. No se conoce una duración semejante desde David y Salomón. Pero para nosotros es sumamente importante que don Jaime se presente en la estela de los reyes davídicos, no en la estela de los emperadores como Alfonso. Reyes de pueblos, dotados de una tarea mesiánica, pero no reyes dominadores del mundo ni legisladores de nuevas leyes. La misma relación que tuvieron aquellos reyes respecto al pueblo de Israel la tiene Jaime respecto a la Santa Iglesia. No hay aquí protonacionalismo, como se vio en el caso de Alfonso X, ni hay un subrayado de sus pueblos como elegidos. Jaime es un rey de los cristianos y la única palabra que tiene para referirse a su pueblo es «tota nostra gent», esa que le ha ofrecido «amor e dilectio». Eso ha producido su honra, no su mérito, pues todos, los súbditos y él, reconocen que «tot aço [...] era vengut tot de nostre senyor Jesu Christ».

La escena ejemplifica a la perfección lo deseable en un mundo en el que las transmisiones de poder han sido caóticas. El rey le pide a su hijo que respete el testamento, que honre a su hermano Jaime, que ofrezca a todos los deudos de su compañía y a todos «los altres sauis de nostra cort», todos ellos hombres de religión, las recompensas adecuadas. Finalmente se consuma con la dimensión que la tradición castellana no podrá acreditar: la bendición del padre al hijo, «axí com pare deu donar a son fill» y la promesa del hijo de «cumplir tot aço damunt dit». Por fin, una vez organizada esta despedida con presencia de todos los obispos y ricos hombres que pudieran estar, con el rey todavía en vida, se produce lo más inesperado de todo: la renuncia al poder por parte de Jaime y la profesión del hábito cisterciense para que se entienda que la abdicación es definitiva. Luego, el hijo, ya rey a todos los efectos, marcha al frente a cumplir con sus deberes de «stablir la frontera», en medio de «grans plors e ab grans lagrimes».

La vida del rey se cierra así todavía sin ser acogido en los brazos de la muerte. De ahí que pudiera describirla en su perfección. De hecho, la *Crónica* termina como si el rey llegara a testificar hasta el momento final. Como es sabido, inició el viaje con la idea de llegar a Poblet. No pudo pasar de Valencia, y por eso confiesa que «plach a nostre senyor que nos complissen lo dit viatge que fer voliem». El último párrafo de la *Crónica* ya se pone en tercera persona solo para decir que el rey «passa dequest segle». Su modelo de rey carismático, y la felicidad de culminar su vida de forma tan inapelable, garantizaba un futuro para la Corona de Aragón. Mientras, su yerno, Alfonso X, tenía que ver cómo se quedaba solo, era desplazado del reinado y del cetro, y tenía que recurrir a los enemigos en Marruecos para intentar disputar el poder a su hijo Sancho, a quien de forma terrible y espectacular había declarado maldito. Era la última escena de una contraposición que entre los testigos de la época, como don Juan Manuel, iba a dejar honda huella.

7

EL RÍO SEGURA Y EL RÍO SALADO

CONFLICTOS CONSTITUYENTES EN ARAGÓN

La constelación europea no hizo sino agravarse hacia 1280. Sin embargo, contra todo pronóstico, el pequeño reino de Aragón, con la base catalana, atendió a todos los frentes internos y externos de conflicto y logró salir airoso de ellos, construyendo los fundamentos del largo siglo XIV, la centuria de la hegemonía catalana sobre el Mediterráneo europeo, el siglo que forjó a la *gens catalana* como pueblo imperial, ofreció a Barcelona la dimensión de metrópolis europea y forjó las bases de ese orgullo propio de los pueblos que no pueden olvidar su pasado ni su identidad. Se puede creer que lo que sucedió en el siglo XIV apenas tiene relevancia para el presente. Sin embargo, de ese pasado y en cierta continuidad con él, sigue intacta la realidad de la ciudad de Barcelona, varios centros vitales de espiritualidad popular y, sobre todo, una forma de habitar una tierra, concentrada en un imaginario político y religioso claramente constituido y un lenguaje literario formalizado.

Lo más sorprendente de este éxito político de la Corona de Aragón es la naturaleza imponente de los enemigos a los que hizo frente y venció. Nada más coronarse Pedro III, un rey pleno de energía, tuvo que atender a los compromisos de su vínculo familiar con su sobrino, el infante Sancho de Castilla. Así, hacia 1276, aplacó la rebelión de los mudéjares valencianos, que se concentraron en Montesa, el más fuerte de los castillos de los amplios espacios entre Xàtiva y Villena. El arrojo del joven rey Pedro en la toma de Montesa fue proverbial. Luego siguieron las operaciones hacia el sur, para aplacar los focos que todavía ardían en el reino de Murcia, donde las dos casas reales tenían intereses compartidos. Sin embargo, Francia y Roma, enojados por su boda con la siciliana Constanza, la hija de Manfredo, lejos de apoyar a las fuerzas cristianas hispanas en esa situación trágica, lanzaron una ofensiva. El papa Martín IV excomulgó a Pedro por inmiscuirse en los asuntos sicilianos, que Roma consideraba de su competencia. Además, el pontífice recordó que Aragón era un reino sometido a Roma por homenaje de sus reyes, lo que convertía la intervención siciliana en una injuria muy grave. La consecuencia fue la publicación de un decreto papal por el cual el rey Felipe el Atrevido de Francia podía disponer del reino de Aragón para uno de sus hijos. Francia decidió tomar posesión del reino que le había transferido la Iglesia, en tanto portadora de la *plenitudo potestatis*, la soberanía última sobre los reinos cristianos.

Cuando Pedro reclamó la ayuda de la hueste aragonesa para detener la invasión francesa, se encontró con el problema político que había estado latente, desde la toma de Valencia. La nobleza aragonesa aprovechó la oportunidad para poner condiciones al rey Pedro. Ayudaría, pero solo si el rey se avenía a un pacto. Su argumento era sencillo: todo el conflicto del monarca con la Iglesia y con Francia era un asunto particular y familiar de Pedro, derivado de la defensa de los derechos de su esposa, Constanza, al reino de Sicilia. Nada de aquello afectaba al bien público aragonés. El rey Pedro se vio de repente solo. Su sobrino Sancho, el rey de Castilla, tampoco podía ayudarlo, él también con problemas con Roma y con Francia, que exigían que la herencia pasara a la rama de los infantes de la Cerda.

En suma, la sociedad aragonesa se resistía a la aventura marítima de Cataluña. A pesar de todo, el pueblo y la nobleza de Sicilia estaban de parte de los catalanes, odiaba a los Anjou y pensaban conciliar sus puntos de vista con los intereses de los armadores y nobles hispanos para consolidar una amplia ruta comercial mediterránea. Pedro intervino de forma exitosa en Sicilia y pudo mantener el reino en 1282, contra todo pronóstico. Así estaban las cosas cuando los franceses, para cumplir las bulas papales, irrumpieron por los valles pirenaicos. El rey Pedro, desde Sicilia, desafió al rey francés en combate singular, pues se trataba de una disputa no de pueblos sino de honor. La peripecia del rey Pedro apenas tiene parangón en la Edad Media y constituye un momento dorado de la época de los reyes caballeros. Se trató de un duelo entre reyes, y por parte de Pedro se cumplieron todas las reglas del juego limpio. Desde Sicilia hasta Burdeos, el rey atravesó a uña de caballo media Europa para verse engañado por el soberano de Francia, que aprovechó su ausencia para atacar Sicilia. En aquella coyuntura, la sólida conjunción de intereses entre Barcelona y Palermo definió el poder decisivo. La nobleza catalana y la siciliana se conjuraron mediante todo tipo de pactos y de alianzas y lograron la primera aristocracia de orden europeo que se complementó en sus saberes militares por tierra y por mar. Nombres ya definitivos de la mitología medieval, como los Lauria o los Próxida, tendrán un significado durante décadas en cualquier lugar del Mediterráneo.

Lo más importante fue lo rápido que se movió Pedro para fortalecer su posición. En 1283 ya se había reunido con la nobleza catalana y había firmado la constitución de su comunidad política, el Acta Recognoverunt Proceres. En ella, de forma curiosa, se aplicaba a Cataluña el derecho que Jaime había configurado en Valencia, a su vez fruto de medidas similares tomadas en Lleida. Cataluña, como antes Valencia, fue definida como una *universitas* o *generalitas*, y el rey se comprometía a innovar en legislación solo mediante acuerdos con próceres urbanos, obispos y nobles. Con esta Constitución se logró cerrar filas entre todos los estamentos catalanes que mostraron la capacidad de cooperar. La fidelidad de la tierra logró que las tropas francesas no pudieran mantenerse en suelo hispano y regresaran derrotadas a su país. Pedro, entonces, se dirigió a presionar a los nobles aragoneses y logró firmar con ellos el Privilegio General, que institucionalizaba un ordenamiento semejante al que se había pactado en Barcelona, aunque con una innovación más, el cargo de justicia mayor que vería todas las causas y agravios producidos por extralimitaciones del poder regio. Valencia renovó sus pactos constitucionales de 1251 y de 1261 en el nuevo *Privilegium Magnum*, en un acto político nítido ante el «populo congregato» en la catedral. Con ello, la Corona se dotó de instituciones homogéneas en todos los territorios, que eran muy parecidas a las que ya conocía Sicilia. Esta unificación de la vida política alrededor de pactos entre rey y reino concedió a la Corona aragonesa una cohesión intensa y una vida institucional característica. Figuras como el justicia pasarán a la tratadística europea como típica institución jurisdiccional destinada a regular los límites del poder regio y sus conflictos con los estamentos nobiliarios o urbanos. Mientras el justicia no se pronunciara, el que había recurrido a él no solo era inocente, sino inviolable.

La necesidad de acordar en las Cortes medidas ejecutivas y legislativas impuso unas prácticas políticas más pactistas, pero sobre todo hizo entender a los reyes que debían impulsar políticas capaces de atraer el interés de las poblaciones. Rey y reino en cooperación, bajo garantías de derecho, a través de representantes en Cortes de todos los estamentos, con ciudades autónomas en la elección de sus cargos fundamentales —jurados, justicia, racional, zalmedina—; todos estos elementos conceden a la Corona de Aragón su personalidad propia. El sentido del reino pudo verse en la libertad, defensa y garantía de esos privilegios, que se concretaron en la capacidad de someter a inspección a los oficiales del rey por parte de las Cortes. El circuito de Zaragoza, Lleida, Tarragona, Tortosa, Barcelona, Valencia, Mallorca y Palermo, todas ellas con poderes para ordenar oficios y gremios, para regular el comercio y liberalizarlo, fundó una comunidad económica y política en la que todos veían un claro interés. Todo ello se hizo en 1283, el año en que Aragón, bajo circunstancias extremas, se dotó de una constitución suficiente en todos sus reinos, solo comparable a Inglaterra. La previsión de cambio legal se entregó siempre al consenso del rey con los representantes de la mejor parte de los prelados, barones, caballeros y ciudadanos. Nada de todo ello disminuyó el conflicto, pero lo dotó de cierta formalidad, a veces exigente y puntillosa.

Siglos después, Zurita dirá que, en ese pacto de Barcelona de 1283, «usó el rey de la gratificación que debía a la nación catalana». Lo mismo podría haber dicho de Aragón y de Valencia. Los acuerdos determinaron durante un tiempo el sentido corporativo de los reinos y ciudades, las libertades de los ciudadanos y los límites del poder real. Puesto que existía pluralidad, habrá conflicto, sobre todo entre Aragón y Valencia, pero siempre se dará alrededor de una base institucional y rara vez alcanzará la forma de la violencia desnuda. En todo caso, fue la lucha por una forma de derecho. Ese conflicto por hacer de Valencia un territorio de fuero aragonés —que mantuvo activa la Unión aragonesa todavía con el hijo del rey Pedro, Alfonso III— venía producido por la decisión tomada en tiempos de Jaime I de hacer de la tierra valenciana una *generalitas* y *universitas* propia. La hostilidad de los ricos hombres aragoneses a esa fórmula determinó que Valencia viera en Cataluña un aliado en la defensa de su forma jurídica. Eso forjó una especial vinculación que atravesará todo el siglo XIV. De un reino repoblado por gentes venidas de toda la Corona, e incluso de diversas partes de Europa, Valencia pasó a ser un reino que acogió gustosa a gente catalana, dispuesta a integrarse de buena gana en sus estructuras jurídicas, y esto ya desde el inicio. Así se configuró como un reino jurídicamente propio, y muy celoso de su forma institucional, pero con el mismo idioma y la misma cultura que Cataluña, aunque con una retrotierra muy sensible a las aspiraciones de la nobleza aragonesa. En todo caso, para defenderse de Aragón, Valencia hizo reconocer al rey Alfonso III su derecho a formar una *germanitas* para defender sus instituciones en caso de peligro excepcional. La primera vez que lo usó fue para contener a los aragoneses. Pero sentaría un precedente importante de autodefensa.

Pero no solo se debe reparar en esta pluralidad interna de la Corona aragonesa. De forma paradójica, el momento de máxima alianza entre los reyes de Aragón y Castilla coincidió con el momento de máxima heterogeneidad constitucional entre ambas coronas. El complejo sistema constitucional aragonés siempre fue diferente al escaso sentido corporativo de la Corona de Castilla. El siglo XIV mostrará que la superioridad política estará de parte del reino que presente la mejor forma gubernativa y la mayor consistencia institucional, y esta quedará en la Corona de Aragón que, por el momento, había logrado algo imprevisto: contener a Francia y a Roma, mantenerse en Sicilia, ordenarse como reino e impedir que el malestar de Aragón desmembrara la unidad de los territorios.

MIRAR DESDE CASTILLA

Sin duda, el acuerdo con la Castilla de Sancho IV hizo posible que Pedro de Aragón lograra sus objetivos. La hostilidad de Castilla en aquella circunstancia habría sido una catástrofe. Ese acuerdo entre los poderes hispánicos era tan sólido porque en el fondo Sancho era rey por la ayuda de Pedro, quien mantenía en su poder al aspirante Alfonso de la Cerda. Este gesto ya testimonia que Pedro guardaba sus cartas de presión. Lo cierto es que a la muerte del rey Alfonso X, en 1284, y a todos los efectos, Sancho era un paria. Desheredado y maldito por su padre, tuvo que elevarse al trono de otro modo que el patrimonial, pues por esta lógica estricta jamás habría heredado la corona. «Señor —le dijo a su padre— non me feciste vos, mas fízome Dios». Su ascenso a la Corona era la obra del cielo, que había mandado la muerte de su hermano mayor, Fernando, como lo fue el consenso y hermandad del reino a favor del joven que lo había defendido contra los benimerines.

Sin embargo, la alta nobleza de Lara no iba a ceder en sus pretensiones y en sus viejos hábitos de obtener ventajas interviniendo en la sucesión regia. Así que la gran familia nobiliaria se aprestó a defender al infante De la Cerda. Francia y Roma tampoco estaban dispuestas a ceder. Todas estas fuerzas hostiles no reconocieron a Sancho y no aceptaron su matrimonio con María de Molina, lo que ponía en entredicho la legitimidad de sus herederos. Impugnado por su forma de elevarse al trono, e impugnados sus descendientes, era lógico que Sancho no pudiera controlar la situación y que Castilla se enfrentara a un período de profunda inestabilidad.

Aunque Sancho se mantuvo en el poder, no logró nada parecido a la constitución del reino que Pedro había logrado. Desde luego, la política de Castilla no conoció pactos entre el rey, sus territorios y sus estamentos de naturaleza institucional. Su política estuvo dirigida ante todo por la lógica de neutralizar a la alta nobleza con los pactos matrimoniales adecuados. Ese fue el sentido de la alianza de Sancho con la familia Molina, que se había fortalecido en la frontera con Aragón. Las ciudades se dieron cuenta de que era mejor una autodefensa y configuraron una hermandad o liga para protegerse contra los obispos y los nobles. El rey Sancho, en lugar de ponerse al frente de sus reivindicaciones, rompió sus acuerdos con ellas y las atacó de forma brutal y extrema. Su apuesta por la nobleza y su desprecio de los caballeros de las villas no trajeron sino malas consecuencias. Conscientes de la debilidad del rey, los altos nobles lo abandonaron y lo dejaron solo en Sevilla, cuando se esperaba una nueva oleada benimerín. En ese instante, carente el reino de una élite capaz de administrar los asuntos internacionales, se produjeron los clamorosos fracasos de la diplomacia castellana con Francia, que deseaba llegar a un acuerdo en el asunto del infante De la Cerda. Para todos los observadores, en el reino de Castilla reinaba la anarquía en 1286. El rey, sumido en la impotencia, protagonizó escenas de furia y crueldad, matando a palos a algunos de sus súbditos. Desde entonces, la saña sería el defecto del rey, como se ve en ese rudimentario espejo de príncipes que es el *Libro de los castigos de Sancho IV*.

La manera de gobernar el reino tuvo que improvisarse tras las violentas campañas contra algunas ciudades. Al final, el rey llegó a una innovación. Mediante un acuerdo privado, nombró jefe de la nobleza a López de Haro, el señor de Vizcaya, con el cargo de alférez y *tenente* de todos los castillos, que dirigía la caballería y recibía el pago de impuestos. Era un valido al estilo musulmán, con la plenitud del poder militar y fiscal, que dejó al rey en la impotencia. Las fisuras de la Corona aparecieron. Vizcaya era el núcleo fuerte de Castilla, y la nobleza de León y Galicia mostró su agudo malestar. No se dejaría gobernar por un noble que no era de la tierra y amenazaron con irse a Portugal. En una entrevista con su primo don Dionis de Portugal, este le abrió los ojos a Sancho en la línea de lo que denunciaba la nobleza galaicoleonesa: él se había quedado sin poder alguno. Pero para neutralizar a Lope de Haro no tenía otra posibilidad que intensificar sus relaciones con la familia rival de los Lara. Lope de Haro se dio cuenta de que había perdido el favor del rey y huyó a Gascuña. Así que Castilla se fracturó: Lara y López de Haro definieron entonces incluso las relaciones internacionales. Los primeros se vincularon a Francia; los segundos, a Aragón. El rey, indeciso entre tantas fuerzas, vio cómo don Lope de Haro arrasaba León. La única solución que encontró fue matarlo en la sesión del Consejo de una forma violenta: un mazazo en la cabeza. No hubo forma judicial alguna ni proceso institucional. La violencia desnuda era el único camino abierto para una política carente por completo de mediaciones institucionales, a la musulmana. La muerte resolvía el conflicto personal, pero solo de forma provisional. En realidad, lo eternizaba.

Al final, Sancho solo tenía una salida: formar un gobierno episcopal. Y este fue el que dirigió don Martino, obispo de Astorga, quien logró un principio de acuerdo con Francia para reconocer a Sancho como rey y legitimar su matrimonio con María de Molina. No cabe duda de que este acuerdo con Francia se dirigía contra Aragón. Implicaba darle a Alfonso de la Cerda el reino de Murcia, tierra sobre la que Aragón tenía expectativas. Consciente de que esta opción no colmaría las aspiraciones del infante De la Cerda, Aragón, ya con el rey Alfonso III, lo liberó para que pudiera actuar en Castilla. El rehén que había asegurado las buenas relaciones con Castilla dejaba de serlo. A partir de ese momento, las posibilidades de una hostilidad castellanoaragonesa no cesarán de crecer. Afortunadamente para Aragón, ni Francia ni Roma estaban por apoyar de forma incondicional a Castilla, pues seguían sin reconocer de forma efectiva el matrimonio de Sancho con María de Molina.

Fue el compromiso hispano inicial el que vinculó a estos dos reyes, unidos por un sentimiento personal de amistad y de familia contra los poderes europeos. Si Castilla hubiera sido un enemigo entonces, ni Pedro ni Sancho hubieran podido estabilizarse. Ahora ese acuerdo estaba roto por la intervención de Roma y de Francia. Este desencuentro dejaba la expansión de los reinos cristianos hacia el reino de Granada abierta y sin decidir. Los cuatro puntos fuertes del reino nazarí todavía podían tener alguna relación con los dos reinos. Almería, Granada, Málaga y Algeciras quedaban por conquistar, pero para ganar la primera ciudad siempre se pensó en la colaboración de Cataluña, algo que era ya una tradición desde la época condal. Por lo demás, la repoblación de Murcia con caballeros valencianos y catalanes ofrecería una base humana para esta expansión sureña de la Corona de Aragón. La destrucción de la escuadra de Alfonso X había dejado a Barcelona con el control del mar hispano, y su vínculo con Palermo fue una plataforma para extender su influencia en las rutas comerciales que deseaban mantener los lazos con el oriente, conectando con Venecia o compitiendo con ella. Por un instante, la diferencia tierra/mar marcó la realidad de Castilla y de Aragón. Para superarlo, Sancho dio un paso decisivo para la historia castellana: pactó con Génova, que le ofreció sus barcos para las empresas castellanas en el norte de África. Este paso hizo más difícil un futuro de paz con Cataluña.

La diferencia entre Castilla y Aragón fue que, mientras Pedro había vencido las resistencias internas mediante sendos pactos constitucionales, que regularon las relaciones políticas entre las poblaciones, la Castilla de Sancho superaba los obstáculos sin lograr instituciones eficaces. El poder personal del rey implicaba una lucha por impedir que los ricos hombres entraran en las ciudades. En estas luchas fueron apareciendo actores nuevos, como la nobleza sureña de los Guzmán y de los Fernández de Córdoba, que se instalaron en la frontera occidental; o las órdenes militares, que dominaron toda la Meseta sur, desde Toledo hasta el Guadalquivir. Frente a estos grupos, los obispos poco a poco se muestran como la administración más fiable. Así dominan las Cancillerías, por mucho que el reino de León mantuviera la propia separada de Castilla, siempre controlada por Toledo. Nada une a estos grupos, y no hay espacio político común donde puedan defender sus intereses de forma equilibrada. Los nobles y los obispos no suelen ir a las Cortes, pero esperan poder administrar los servicios que el rey extrae de las ciudades a cambio de fortalecer sus privilegios. Finalmente, las ciudades se entregan así a un particularismo que solo se quiebra cuando necesitan formar hermandades contra los bandos nobiliarios o entregarse a alguno de ellos.

DE NUEVO EL RÍO SEGURA

La diferencia institucional de los reinos se hizo evidente cuando las dos realezas tuvieron que enfrentarse a la sucesión. Cuando Pedro III murió, en 1285 (justo el año que desaparecían todos los grandes, actores de la época, como Carlos de Anjou, Martín IV y Felipe III), subió al trono un joven de veinte años, su hijo Alfonso. Como era previsible, la Unión aragonesa se activó y renovó sus reclamaciones sobre Valencia. El joven rey sorprendió a todos. Juró ante valencianos y catalanes en un clima que mantenía a los aragoneses en rebeldía. De hecho, no habían asistido a las exequias fúnebres de Pedro, en Santas Creus. Lo que ofrecieron al rey como pacto era una innovación que dividió al grupo aragonés. No fue una conservación de la libertad sino, como dice Zurita, una «invención». Se trataba de una forma institucional nueva: una Corona con dos territorios de gobierno: Cataluña, por un lado, y Aragón, por otro. Cada uno de ellos ofrecería al monarca sus consejeros propios elegidos en Cortes. El de Cataluña sería válido para el principado (aunque la previsión era que se reintegrara a la Corona el reino de Mallorca, ahora con un poder propio que unía las islas Baleares a los territorios al norte de los Pirineos). El de Aragón tendría tres territorios: Ribagorza, Aragón y Valencia. Lo decisivo no era solo la configuración del gobierno del rey y sus consejeros desde las Cortes, en una especie de gobierno parlamentario, sino su ordenación territorial. Mallorca sería para Cataluña, y Valencia, para Aragón.

Valencia no aceptó la presión aragonesa y el desencuentro se radicalizó hacia la guerra civil. La Unión aragonesa se vio a sí misma como el reino en su integridad, sustituyó a las Cortes, se elevó a representación exclusiva del reino y diseñó la función del rey como mero ejecutor de sus acuerdos. Esta consideración de las cosas dotaba a la Unión del poder de destronar y elegir un nuevo rey en caso de que este no cumpliera sus mandatos. El rey cedió y se avino a firmar el Privilegio de la Unión, que radicalizaba el Privilegio General anterior firmado con Pedro. Se había pasado de un protoparlamentarismo a un protorrepublicanismo. Para explicar esta posición del rey Alfonso III, hay que tener en cuenta que Francia y Mallorca habían pactado contra Aragón y que el peligro de una nueva invasión aumentaba. Por otra parte, Castilla apenas podía intervenir a favor de Alfonso en 1288, pues su acuerdo con Francia le había permitido pacificar el reino y contener las exigencias del infante De la Cerda. Así que el joven rey Alfonso cedió, pero extendió la idea de que el Privilegio se lo imponían los *milites* y la *universitas* de Zaragoza, no la generalidad del reino de Aragón. En suma, el rey quiere denunciar la impronta oligárquica y señorial de la Unión. Y en efecto, los unionistas fueron demasiado lejos para la mentalidad de la época y amenazaron el poder real hasta un punto que la base popular y las demás ciudades, desde Calatayud hasta Daroca y Teruel, no entendían ni querían. La militarización general del reino que proponían, de base señorial, no era integradora de intereses y aspiraba sobre todo al control de los grandes núcleos fuertes y castillos, la vértebra militar del reino, con fuerte exigencia fiscal. Entonces, la Unión dio el paso fatal que neutralizó sus puntos de vista: consciente de que no podía contar con la base del reino, reconoció a un Anjou como rey de Aragón y de Valencia. En suma, rompía la federación. A cambio de su reconocimiento como tal, la Unión exigía del rey francés que permitiera repartir todos los bienes fiscales de Aragón y de Valencia según un consejo emanado de ella. Con ello, la dependencia de Valencia respecto de Zaragoza quedaría asegurada.

La respuesta del rey Alfonso fue la única posible: apeló a la base popular de sus reinos, a todas las *generalidades*. Frente a la formación oligárquica de la Unión, controlada por los *milites*, convocó curia general de toda la Corona, en Monzón, en junio de 1289. Entonces, ante una asistencia masiva de obispos, nobles y ciudades, dispuestos a encontrar un sentir común del reino, se dejó en evidencia el carácter minoritario y excesivo de la Unión. Así se ofreció de nuevo el Privilegio General de 1283 y se pusieron en práctica todos los acuerdos constitucionales logrados con Pedro III, dejando ver que la totalidad de la Corona podía llegar a acuerdos que garantizaran un equilibrio de intereses. Los ricos hombres aragoneses, por el contrario, no podían ser árbitros adecuados. En esos acuerdos con el rey se recogieron inmunidades de las iglesias, se ordenó la inspección y multas de los oficiales regios, se garantizó la autonomía de las ciudades, se protegieron los intereses señoriales al dificultar las *remensas* y se asumió que la Cancillería no podía emitir órdenes contra acuerdos de Cortes, se organizó el Consejo Real y se comenzó a vincular sus decisiones a los acuerdos públicos de las Cortes y no a los grupos como la Unión. Todas las medidas de *habeas corpus* se renovaron y fortalecieron, y se reconoció el derecho de los gremios de menestrales a formar hermandades en apoyo de la administración regia en caso necesario, frente a la alta nobleza militar. La influencia de Cataluña en estas Cortes Generales de la Corona en Monzón es bien conocida y vino a demostrar que su capacidad política era la fundamental en el mantenimiento de la federación. De forma clara, se asumió que Mallorca debía ser un reino indisoluble en ella, al modo de Valencia.

Las Cortes de Monzón ofrecieron a la Corona de Aragón la estabilidad institucional y política necesaria para forzar a Francia y a Roma a llegar a acuerdos. La pretensión papal de que el rey le jurara vasallaje se mostró una ilusión, y la demanda de Francia de que Sicilia le fuera entregada resultó un brindis al sol. El hermano de Alfonso, Jaime II, controlaba allí la situación con plena eficacia. Sancho IV de Castilla, para entonces, se sabía enfermo de muerte. Y sin embargo, de forma completamente sorpresiva, el que moría era el joven rey Alfonso en 1291. Los acuerdos y los logros alcanzados en su corta vida fueron tan importantes que el nuevo monarca, su hermano Jaime II, ya disponía de un plan claro y de una política trazada de forma firme. Las Cortes Generales fueron el mejor medio de limitar las pretensiones oligárquicas de la alta nobleza y de canalizar la fuerza de la pequeña nobleza y de las ciudades. Pero sobre todo, fueron el mejor medio para debatir de forma conjunta intereses y de forjar acuerdos válidos para toda la Corona.

EL ETERNO RETORNO DEL CAOS

Nada parecido sucedía en Castilla. Cuando Sancho IV murió, el reino regresó a la anarquía. Su hijo Fernando no era reconocido por Roma ni por Francia, así que todos los pretendientes a la corona recordaron que el propio rey había sido maldito por su padre, Alfonso X. Así, el infante don Juan, hermano de Sancho IV, se proclamó rey de León, y el infante Alfonso de la Cerda, con el apoyo de Francia, se pretendió rey de Castilla. El infante don Enrique, hermano de Alfonso X, se alzó con la tutoría del joven Fernando, su sobrino nieto, pero jamás estuvo interesado en mandar el dinero a Roma para que el rey fuera reconocido como legítimo, con lo que se mantuvo la provisionalidad general. El nuevo rey de Aragón, Jaime II, apoyó las pretensiones de los rebeldes contra el rey Fernando y mandó a su hermano Pedro al frente de una hueste de apoyo a la causa. A cambio de la ayuda, se pactó que Aragón recibiría desde Cuenca hasta Requena. En suma, Fernando solo contaba con el apoyo de su madre, María de Molina, pero de forma igualmente sorprendente resultó suficiente. Las ciudades, organizadas por ella, se unieron alrededor de Valladolid y de Palencia, e intentaron mantenerse al margen de la violencia nobiliaria, acuñando moneda y protegiéndose. En medio de un caos que él había contribuido a forjar, Jaime II mandó su hueste a Murcia y la tomó para sí. De este modo se anticipaba a la posibilidad de que dicho reino acabara siendo para el infante De la Cerda.

Los cronistas se sorprendieron de la poca resistencia que se opuso a la entrada del rey de Aragón hasta Lorca. Lo achacaron al hecho de que Murcia estaba repoblada con catalanes y valencianos. Castilla mostraba sus debilidades frente a un Aragón que confiaba, aunque de forma oportunista, en que el reino vecino nunca sería capaz de unificar sus energías. En efecto, Aragón interpretó que la fusión de León y Castilla no era sólida, sino una mera yuxtaposición de tierra sin institución alguna que organizara el poder. Este cálculo fue certero. Así que Jaime II se implicó en ampliar el reino de Valencia con una integración oportuna de los territorios al sur de Calpe. En este segundo cálculo no acertó. Como se verá, esa ampliación iba a ser fuente de conflictos que jamás acabaron de decidir la índole de esas tierras. En realidad, serían durante tiempo un espacio de difícil orden, que a duras penas aceptó la dirección de la capital valenciana, pero que tampoco deseaba asumir la hegemonía de la ciudad de Murcia. La forma en que se organizó fue diversa y generó conflictos a lo largo del siglo.

Cuando Fernando IV de Castilla logró la fidelidad de Granada, Jaime II comprendió que no podría mantener Murcia si era atacado desde los dos frentes de Castilla y de Granada y se aprestó a un pacto, el de Torellas, en 1304, con la finalidad de retener toda la tierra que pudiera. Dejó la capital de Murcia para Castilla como colchón entre los musulmanes y Valencia, y acogió para este reino todo el norte del río Segura, perdiendo Cartagena. El reino de Valencia, oficialmente, llegaba a su plenitud hasta Orihuela. Sin embargo, Jaime II no se dio por satisfecho con aquellos acuerdos, fruto de una constelación particular. Cuando en 1308 se firmó el Tratado de Alcalá de Henares para tomar el reino de Granada, Aragón prometió ayuda a Castilla, pero a cambio de recibir Almería o la sexta parte del reino de Granada. Era evidente que Jaime II tenía una idea concreta de su expansión hacia el sur. En realidad, quería tierra de costa para extender la red de ciudades unidas por el activo comercio catalán.

El tiempo de Fernando IV fue tan intenso y dramático que generó los fenómenos habituales en las crisis profundas, la expectativa mesiánica. La iniciaron los judíos, que fueron sometidos a condiciones duras y coactivas por las ciudades, ante las redobladas exigencias fiscales de la alta nobleza. Las comunidades judías quedaron empobrecidas. Para calmar su dolor, se anunció que el Mesías liberador vendría en 1295. El Mesías, sin embargo, no vino. Cuando un prestigioso líder de la comunidad, Abner de Burgos, se refugió en su sinagoga para «llorar por la desgracia de su pueblo», tuvo una visión. Un ángel le exigía cambiar el Talmud por el Evangelio. Los seguidores que fueron a esperar al Mesías vieron que sobre sus túnicas blancas se dibujaban cruces. Las conversiones comenzaron a ser el único camino de integración en la vida urbana, que se mostró un muro demasiado alto para la nobleza castellana. Las ciudades y las órdenes, dirigidas por María de Molina, vencieron a la vieja nobleza de Lara y de López de Haro y obligaron a una nueva estrategia nobiliaria en la segunda mitad del siglo XIV. Puesto que las ciudades se basaban en el comercio, los nobles comienzan a reclamar el mayorazgo, un privilegio que iguala su patrimonio al del rey y lo torna inalienable e invulnerable al comercio. Pero todavía hay que comprender algo más: la alta nobleza castellana vio en Jaime II un remedio seguro para aumentar la debilidad de su propio rey, de la que esperaban obtener beneficios.

Cuando se logró la mayoría de edad de Fernando IV y fue separado de la madre, su conducta errática lo llevó al desastre. Describir el caos es imposible, pero basta recordar que los dos partidos, los Lara y los López de Haro, se disputaban la dirección de la política regia con un fin: hacerse con el fisco de las ciudades, la vieja forma de extracción de excedente propia de los musulmanes. La política del rey les hizo disputar por Vizcaya. Centrados en esa disputa, Fernando IV pudo lanzar una ofensiva contra Granada, que acabó en un desastre. Con veintisiete años, su vida desdichada llegó al final en la soledad de su alcoba en 1312. El reino volvía a estar regido por María de Molina, ahora abuela del pequeño Alfonso, el hijo de Fernando IV, de un año.

DISCIPLINAR A LOS HIDALGOS

Era como si la maldición de Sancho IV se cumpliera y la esposa devota del rey tuviera que sobrevivir para ser el testigo de la desgracia familiar. Como esposa, madre, abuela, su vida entera se consumía en mantener una dinastía contra todo y contra todos. De nuevo, los concejos de Extremadura y de León dijeron «que no querían ayuntarse con Castilla», y exigieron su propio tutor y su propio gobierno. Ante la reina María, los tutores estuvieron a punto de matarse entre sí. La única manera de soportar la violencia de estos era mandarlos a la frontera, llevar la guerra fuera de la tierra. Expertos en la violencia política, no en la guerra formal, sucumbieron ante la caballería andalusí de forma vergonzosa. En el caos, un noble tan ambicioso como oportunista, con su pretensión de llegar a rey, don Juan Manuel, el heredero de la vieja promesa de que la tierra alrededor de Elche se organizaría como reino familiar, vio que le llegaba el momento y exigió la tutoría del rey. Su alianza con Galicia «partió la tierra en dos», como dice la *Crónica*, y las ciudades respondieron como solían: formaron la confederación general de una hermandad para impedir la ruina completa y defenderse de la alta nobleza. La única institución reconocible, por débil que sea, es la del rey. Todo lo demás es una lucha sin cuartel por la obtención de ventaja, siempre en el horizonte de una unión de reinos que nadie quiere en León, una unión con la que se carga, pero que no significa nada desde un punto de vista institucional. La indignidad y la violencia es el elemento permanente de esta política, que altera los pactos desde la desnuda conveniencia de los actores y las circunstancias cambiantes.

Preocupada por los asuntos castellanos, Roma mandó a su legado, quien se puso del lado de María, aunque pronto descubrió la imposibilidad de llegar a acuerdos entre unas partes que no tenían concepto alguno de fidelidad. La vieja reina, exhausta, moría en 1321 y dejaba a su nieto Alfonso al cuidado de la ciudad de Valladolid. Con su muerte, la desolación se cierne sobre todos, «partidos en bandos», como dice la *Crónica*, pero sobre todo se deja sentir sobre los más humildes, los campesinos, los pecheros, los judíos. En este relato, donde se celebra la causa del rey, se describe el estado de la tierra, los lugares yermos, las aldeas despobladas, los emigrantes que «fueron a poblar a regnos de Aragón et de Portugal».

Cuando el rey Alfonso obtuvo la mayoría de edad, en 1322, intentó tomar el mando con ayuda de las Cortes y forjar un nuevo gobierno, con un judío, Yuzaf de Écija, como consejero, empleó la desnuda violencia y el engaño para imponerse a sus viejos tutores. A uno lo asesinó mientras negociaba un acuerdo. A don Juan Manuel intentó atraerlo con pactos matrimoniales, pero jamás salió de la formidable Chinchilla, desde donde asolaba las tierras desde Alcaraz hasta Requena. Allí se está formando el señorío formidable de Villena, que tendrá un gran protagonismo en la historia de España. Pero el rey es una promesa de pacificación y de justicia, y recibe la simpatía de la gente a pesar del uso de la violencia. Sin embargo, el joven rey da un paso decisivo: nombra a Álvar Núñez conde de Trastámara, jefe de la nobleza y alférez del reino. En medio de la misa juran, compartiendo la comunión bajo las dos especies. Aunque aquel territorio era gallego (tras el río Tambre, Tamaris en latín, en A Coruña), ahora se le daba a un Lara, porque Vizcaya quedaba como señorío del rey. Toro y Zamora se alzaron ante lo que consideraron una afrenta. Valladolid, que había cuidado del rey niño, se sintió decepcionada ante el poder de Álvar Núñez y, en señal de desconfianza hacia el gobierno del rey, alzó a su gente y asesinó al almojarife Yuzaf, uno de los «hebreos ricos», tan odiados por las élites urbanas y por los pecheros. Al final, otro asesinato político. Consciente de que ha concedido demasiados poderes a Núñez, el rey envía unos sicarios a eliminarlo. La rebelión se calma.

Hacia 1325, Alfonso XI controlaba la situación. El rey era

consciente de que el mayor problema del reino era la indisciplina de la nobleza, que lucha desesperada por no perder posiciones frente a las ciudades, que construye torres fuertes en territorios de realengo para cobrar impuestos o para el bandidaje, que organiza la tierra en bandos. Una vez logrado el prestigio como pacificador, el rey hace un intento importante por civilizar un colectivo celoso de su independencia política. Así fundó la orden regia de la Banda, el primer intento de forjar una nobleza cortesana al servicio exclusivo del rey. Para ello debía dotarla de un *ethos* caballeresco e infundirle valores de fidelidad, rigor, disposición, disciplina y estilo. En realidad, mediante la orden, que se dotó del primer uniforme del que se tiene noticia (una banda oscura que cruzaba el cuerpo hasta la falda), el rey trataba de dotarse de la primera administración nobiliaria de la que echar mano para los cargos generales del reino, sobre todo para disponer de actores jurisdiccionales, los veedores que pronto el rey mandaría a las villas. El imaginario literario del *Libro del caballero Zifar* ahora se pretende llevar a la práctica mediante un ordenamiento que recoge el ideario de la orden, el estilo de vida limpio y sobrio de los caballeros, la forma de presentarse y de manifestarse con cuidada atención, el uso del tiempo, los sentimientos de fraternidad entre ellos, el sistema de honras y recompensas, de sueldos públicos. Las aspiraciones de Alfonso X, que había previsto su orden de caballería propia, la de Santa María de España, se cumplen ahora por un tiempo. El *milites* debe dejar de ser un señor discrecional y levantisco, soberbio e indisciplinado, para convertirse en un funcionario público con un talante de servicio. Abierta a los *fijosdalgo*, el reglamento de la orden venía a considerarse como un fuero privativo que sustituía el conjunto de prácticas y privilegios que permitían el uso libre de la violencia, mediante duelos y venganzas y, sobre todo, la desnaturalización, la posibilidad de que el noble se desvincule de su rey sin por ello cometer traición, la posibilidad de invocar el mayor respeto a los pactos privados que a los pactos con el rey. Lo decisivo es que la propia orden, en asamblea, juzgará las faltas de sus miembros. No solo dispondrá de un *ethos* caballeresco, sino también un sentido de la justicia propia de los agentes del rey. De forma correspondiente, el monarca rechaza poner la mano encima de uno de los caballeros sin que medie juicio formal. Por fin, se comprende que la justicia privada no lleva sino a la destrucción del reino.

Como es natural, ni los Lara ni don Juan Manuel asistieron al acto de la fundación de la Orden de la Banda, en Burgos, que el rey aprovechó para coronarse de forma solemne, armarse primer caballero de su nueva milicia y armar luego a todos los demás. Se trata de una ceremonia nunca vista en Castilla desde la coronación de Alfonso VII. Deseoso de integrar a Galicia en el nuevo orden, de forma inmediata realiza la romería a Santiago, velando las armas toda la noche. Por la mañana recibirá el «pescozón» del brazo articulado del santo, que de esta manera lo hace su caballero. De regreso a Burgos, donde la orden se entrega a juegos y justas, el rey será ungido por el arzobispo de Santiago en una ceremonia en Las Huelgas, en medio de sus caballeros, presididos por el infante De la Cerda, que se encargaría de calzar las espuelas al rey. Aunque no se sabía cuándo un monarca castellano llegaría a repetir una ceremonia tan elaborada, parecía que la hora de la alta nobleza independiente llegaba a su fin. Álava, para protegerse de las insidias y bandos de la nobleza de Vizcaya, se había entregado al rey en una asamblea de vecinos en la campa de Arriaga. Sin embargo, todavía quedaba operativa la familia de los Lara, que aspiraban al señorío de Vizcaya, y el infante don Juan Manuel, versátil y ambicioso, que exigía un ducado hereditario y la capacidad de acuñar moneda propia en las tierras de su señorío.

Cuando Alfonso XI tenga que financiar su hueste, deshecha en los conflictos con los dos grandes nobles, impondrá un impuesto de largo alcance, la alcabala, que gravaba los consumos urbanos. La justificación era ultimar la toma de tierra a los musulmanes, bloquear el Estrecho, impedir para siempre las incursiones de los benimerines. El fracaso en Gibraltar, donde la hueste del rey quedó destruida, devolvió por un tiempo la tierra al caos y al oportunismo de los nobles. Los partidos nobiliarios, conscientes de que el monarca se había metido en un asunto del que no podía salir airoso, aprovecharon la ocasión violentando la tierra. Como siempre, recurrieron a Aragón con la finalidad de recibir tierras en la frontera castellana. Los intentos del rey de imponer el *ethos* de la Orden de la Banda, con la exigencia de que todo señor jurase fidelidad superior al rey, frente a la fidelidad privada que tuviese respecto a otro señor, chocan con el muro de la costumbre, carente de todo sentido público de reino. La «violencia como derecho» acaba imponiéndose de nuevo, y el rey hace también uso de ella, como cuando despeña a Díaz Sánchez o degüella a un mensajero de los Lara. El soberano no es para estos nobles la cabeza pública de un reino. Eso lo es para las ciudades. Para los nobles, el rey es el jefe de una hueste que, al estilo musulmán, se forma desde el libre consentimiento de los seguidores y mientras ellos lo estimen oportuno.

No hay sentido de la pertenencia a un cuerpo común, a una *universitas*, un concepto que los nobles castellanos no tienen ni conocen. Por mucho que el rey se imponga de nuevo, eliminando al señor de Cameros, y tomando posesión de Vizcaya, no logra destruir a los Lara ni a don Juan Manuel. Y sin embargo su poder es suficiente y su capacidad de diagnóstico clara como para, en un momento de paz, proclamar el Ordenamiento de Burgos en 1338. Por él se imponía —«tenemos por bien e mandamos», dijo— una especie de homenaje al estilo francés: la fidelidad al rey vincula a un *fijodalgo* por encima de cualquier otro pacto privado o fidelidad acordada con otro *rico hombre*. Esto implicaba una revolución en el derecho nobiliario y solo se lograría con mucha paciencia. Según la costumbre, si un rico hombre se desnaturaliza, sus hidalgos se desnaturalizan con él. Ahora, tras el ordenamiento, quedan vasallos del rey y debían entregarle sus castillos. Si siguen al rico hombre desnaturalizado, ellos y sus familias son traidores y pueden perder sus propiedades confiscadas por el rey. Solo así se producía una jerarquía unívoca de mando, desde el rey hasta el último vasallo. En su intento de frenar la violencia endémica, Alfonso declaró una amnistía general para los hidalgos perseguidos por violencias y duelos anteriores, y declaró un perdón general de las ofensas entre hidalgos y una tregua de treinta y sesenta años por cualquier pleito. Por lo demás, todos los retos debían ser presentados ante él para intentar resolverlos por la vía de su justicia. Quien no se presentara ante la corte, sería hombre muerto. Este intento de imponer «paces y treguas» del rey entre la nobleza castellana llegaba siglos tarde respecto a sus primeras manifestaciones en

Europa. Y sin embargo, el rey contempla una tierra de excepción: la frontera andaluza, que así se va configurando como un territorio especial, militarizado, donde la viejas costumbres perduran y donde los nobles mantienen privilegios para sobrevivir en una tierra dura y lejana.

EL RÍO SALADO

Este ordenamiento del reino le dio fuerza para detener la que iba a ser la última gran incursión de los benimerines en la Península. La importancia de la amenaza se vio cuando Abul-Hassán destruyó la flota de los Tenorios genoveses en Sevilla, puso sitio a Tarifa y amenazó Jerez. La *Crónica*, que tiene que dar relevancia a la gesta del rey, habló del peligro de que el soberano musulmán tomara Sevilla y, con ella, España entera. Benedicto XII otorgó la bula de cruzada, de tal modo que las tropas castellanas portaron el pendón papal. El 30 de octubre de 1340, las huestes de Castilla y Portugal avistaron a los musulmanes en el río Salado, en Cádiz, no muy lejos de Guadalete, donde se había entablado la primera batalla real entre cristianos y musulmanes seis siglos antes. El rey arengó a sus caballeros para que entraran en batalla «las cabezas de los caballos ayuntadas». Debían lanzarse con las lanzas enhiestas hasta que se quebraran. Al final, la caballería pesada castellana destruyó la tropa ligera de los benimerines y la *Crónica* recuerda que todavía se combatía cuando ya muchos se daban al botín. Los más nobles de entre los africanos murieron «a manos de omes viles», dice el cronista. La batalla se vio como una repetición de Las Navas de Tolosa. Era 1340, y en medio de las fiestas, Sevilla celebró la victoria que significaba el final del peligro de invasión musulmana. Es de notar que Granada no movió un dedo para ayudar a sus correligionarios africanos. Al contrario, la *Crónica en verso de Alfonso XI* nos recuerda que

> Et los moros et las moras / muy grandes juegos facían; los judíos con sus Toras / estos reys bien resçebían.

La flota sevillana, ahora al mando de los genoveses Bocanegra, bloquearon el Estrecho. Entonces se aceleró la pretensión de tomar Algeciras, la verdadera torre-vigía del Estrecho.

La política de nuevo no jugó con el tiempo. Cansadas del esfuerzo de la batalla del Salado, las ciudades vieron cómo el rey reclamaba la alcabala general. No fue suficiente. Se acuñó nueva moneda, disminuyendo la plata de la anterior. La inflación se disparó. En estas condiciones, Alfonso se aprestó para un largo sitio. Ocho meses después, Algeciras resistía. La hueste, aterrorizada por los nuevos artefactos defensivos, expresamente diseñados contra las pesadas armaduras cristianas, cayó en un desánimo que la *Crónica* recuerda con detalle. Al final, tuvieron que llegar refuerzos de toda Europa, con lo que se activó la memoria de Las Navas. Algeciras era como una batalla definitiva. El rey de Navarra que acudía al asedio, murió en Jerez. Cuando Granada vio que la hueste de los sitiadores estaba desorientada y deprimida, no dudó en atacarla. El rey pidió auxilio a todos los concejos sureños desde Badajoz hasta Murcia. Al final, el Domingo de Ramos de 1344 entraba en la ciudad. Con Tarifa y con Algeciras, toda nueva invasión masiva de África se hacía inviable. Granada estaba aislada.

Con una energía admirable, Alfonso XI atravesó el reino imponiendo sus ordenanzas municipales, regulando el orden administrativo y jurisdiccional de las ciudades, configurando el cabildo a los veinticuatro regidores, militarizando el Consejo, elevando el poder de los caballeros hidalgos, eliminando la presencia de los hombres buenos. Sin embargo, en un esfuerzo por mantener el prestigio de los caballeros villanos, intentó ofrecerles la mitad del concejo. No percibió que era una política contradictoria. El cierre oligárquico de la ciudad en manos de los caballeros hidalgos no era una buena noticia para los caballeros villanos, con obligaciones militares, pero sin verdadero acceso al núcleo central del poder local. Esta doble actuación llevó a la inhibición de los cristianos viejos no hidalgos en la política local, pero también a otro fenómeno decisivo, pues los cristianos nuevos, los «conversos», comenzaron a comprar esos puestos, sobre todo de letrados, en lo que no tenían competencia de los hidalgos, menos alfabetizados. Para garantizar la influencia regia y controlar el cierre oligárquico, se creó la figura de los alcaldes veedores o *enmedadores* en 1345, que debían emitir su informe de actuación una vez cumplido el mandato de los alcaldes principales. La ciudad castellana comenzó a caminar así hacia la lucha secular de la que no sabría hallar una adecuada solución, entre una cultura hidalga atrincherada en los puestos centrales de la ciudad, siempre temerosa y a la defensiva, y las capas de cristianos nuevos que se asomaban a los cargos menores con insistencia y con tesón.

La ordenación de la frontera con el reino de Granada tuvo consecuencias de largo alcance. Casi despoblada —«en los lugares que no eran çercados, non moravan a ningún omme», dice la *Crónica*—, era preciso organizar una línea de defensa que impidiera las incursiones desde las tierras andalusíes. Arcos, Morón, Puebla de Cazalla, Osuna, Estepa, Lucena, Cabra, Priego, Arjona, Bedmar, Bélmez, Quesada, Lorca fueron así centros que sellaron la frontera de Granada. Allí se forjaría una nobleza nueva belicosa y bulliciosa, que aspiraba a obtener la mayor ventaja en un frente que iniciaba la carrera por la conquista de la última tierra disponible. Por delante de estos centros locales, torres almenadas y castillos refugio para incursiones de botín. Estos nobles desean ante todo atraer población desde las ciudades hacia estos lugares de alto riesgo y, para ello, conceden fueros favorables, que amenazan con despoblar el territorio de realengo. Surge así la nobleza con amplios poderes jurisdiccionales que realiza funciones públicas de justicia y de ordenación sobre su tierra. La familia Guzmán, el clan de la favorita del rey, Leonor, la defensora de Tarifa, se hace con un buen trozo de este pastel. Junto a esta nobleza, al sur del Guadiana se asienta la que ya se mira en las aguas del océano y ensaya economías que no tengan que ver con la guerra, sino con el dominio del mar en constante competencia con los portugueses. En su totalidad, la nobleza de los Ponce de León, los Tenorio, los Portocarrero, los Bocanegra, los Fernández de Córdoba, los Aguilar, los Niebla, los Medina Sidonia, los Biedma, procedentes de todos sitios, desde la Rioja hasta Génova, de Soria a Portugal, mirará con afán su forma de expandirse y pondrá sus ojos en las grandes ciudades, con inmensos alfoces de realengo. El escenario para una Andalucía cristiana se prepara.

Por fin, tras la hazaña de Algeciras, el rey de Castilla estaba en condiciones de acumular el suficiente poder para continuar la labor iniciada en los tiempos de Alfonso VII y cuestionar el fuero de los hidalgos. Así surgió el Ordenamiento de Alcalá de 1344, que defendió la superioridad de la jurisdicción regia sobre los señoríos y la necesidad de los señores de acreditar el tiempo de ejercicio para consolidarlos. «Si los señores menores la menguaren», siempre se podía recurrir a la justicia del rey para que los «ampare y guarde en todo su derecho». Allí se desplegó la nueva teoría de la voluntad del monarca, la capacidad de hacer leyes nuevas, interpretar las viejas, enmendarlas, revisarlas. Sin embargo, incapaz de generar una administración propia, el rey consideró legítimo otorgar la jurisdicción a los señores. Con ello, la evolución de Castilla se dirigió hacia un destino contrario al de Francia e Inglaterra. Los señores «sean tenidos de façer gerra e pas por nuestro mandato», dijo. En todo caso, el monarca se reservaba la última instancia y consideraba al señor como un ayudante. En suma, Alfonso XI pensó que la clave de bóveda de su obra era la pacificación de la nobleza y la separación de su dimensión militar mediante la nueva tarea jurisdiccional. Así se declaró protector y guarda de todos los castillos. Quien no abriera los castillos a sus oficiales, podría ser condenado a muerte. Todos eran vasallos del rey, fuera cual fuese la jerarquía feudal en que se hallase. El monarca, como se ve, aspira al monopolio de la violencia legítima. Pero, mientras hubiera frontera, era muy difícil esa pacificación de la nobleza, esa reducción de su función a la administración de la justicia.

Alfonso XI, que promulgó las *Partidas*, aunque le concedió un valor secundario como fuente de ley, intentó estabilizar el orden social y jurídico del reino. Luchó por contener en sus límites a la nobleza y por proteger la jurisdicción eclesiástica, cuyos bienes consideró como «originarios regalos de los reyes», de tal manera que pudiera controlar la sucesión de los obispos e impedir el crecimiento de las iglesias. Todo se hizo con la vista puesta en defender el realengo. La mentalidad de la Edad Media se obtiene aquí en su forma más pura: el mayor poder del rey, su máxima capacidad de intervención, tiene que reponer la forma en que se hallaba el reino «cuando las cortes de Nájera», en la época de Alfonso VII o, como a veces se establece, en el tiempo anterior a la muerte de Alfonso X. Cima de la Edad Media castellana, el Ordenamiento de Alcalá, fruto de unas verdaderas Cortes con presencia de todos los brazos, si hubiera quedado como un acto fundacional, con carácter irreversible, habría producido una Castilla diferente. Pero no lo fue. El error del hijo de Alfonso XI, Pedro I, para unos el Cruel, para otros el Justiciero, fue, en todo caso, pensar que lo logrado por su padre no requería de la política y de la negociación, sino de la autoridad y de la fuerza. La comprensión autoritaria de la realeza por parte del nuevo soberano se abrió camino ya en 1351, en Valladolid, «en estas cortes que ahora fago». En ellas mandaba «usar y guardar las leyes», afectaban a todos los que estaban sometidos a su señorío, porque producían «justicia e igualdad». Entonces se vio que Alfonso XI había hecho una política contradictoria al mantener el señorío jurisdiccional, y que solo una evolución lenta habría podido configurar una nobleza cortesana, oficial y pacífica. Cuando el joven rey aceleró la afirmación de la voluntad regia, se encontró con una resistencia de la nobleza fortalecida por la jurisdicción. La nueva nobleza iba a comenzar una guerra contra la realeza, de la que Castilla no saldría hasta más de un siglo después. La época de los Trastámara se anunciaba.

SEGUNDA PARTE

GUERRAS CIVILES Y PRÍNCIPES NUEVOS (1350-1808)

I

TRASTÁMARAS EN CASTILLA

REPLIEGUE

Con la victoria castellana del río Salado, la epopeya hispana por ganar la línea de los grandes ríos llegaba a su final. Lo que había empezado en Guadalete, acababa muy cerca de allí, en una batalla por el mismo Estrecho por donde habían penetrado los jinetes del norte de África en 711. Lo que había comenzado como una incursión berebere terminaba con el alejamiento del peligro benimerín. Los flujos de las poblaciones de más allá del Estrecho hacia la Península, ahora daban paso a incursiones de baja intensidad en las que la piratería y el contrabando acabarían tejiendo relaciones indiscernibles. El final de esta época, sin embargo, iba a traer a los reinos hispanos nuevos problemas. Junto con estos cambios se alteraría la constitución de los grupos dominantes, su extracción, sus prácticas, sus intereses y sus afanes. Los pueblos, como es natural, también tendrían que cambiar en sus relaciones con los nuevos elementos directores.

Cuando se ultimaban las posibilidades expansivas de una sociedad guerrera, la vida hispánica conoció un momento de repliegue sobre sí. Entonces se pudo comprobar si el fruto de aquella expansión era estable o si los reinos hispánicos estaban construidos sobre un entramado de fallas y fisuras. Por su parte, la Corona de Aragón, apegada a su costa mediterránea, hacia mediados del siglo XIV había encontrado un camino expansivo al margen de su solar hispano y, dotada de una flota propia, emprendió su aventura imperial mediterránea, consolidó su poder sobre Sicilia y Cerdeña, y estableció un protectorado en Atenas y en Neopatria, buscando el camino hacia el este bizantino. Castilla también había mostrado su interés por los asuntos europeos, pero, sin apenas flota propia y sin salida al Mediterráneo, apenas pudo desplegar su influencia. Estos dos caminos diferentes de los dos reinos debían de cruzarse en la tierra peninsular produciendo agudos e inquietantes problemas. De entrada, quedaba sin resolver el problema de la división del reino de Murcia y todavía estaba en el aire la aspiración del infante don Juan Manuel de fundar un territorio jurisdiccional bajo su mando en el sudeste. Luego quedaba ultimar la conquista de esa franja costera que iba desde Cartagena hasta el estrecho de Gibraltar. Los tres problemas estaban muy implicados.

Si se comienza con Castilla es porque esta Corona presentaba problemas muy agudos a la muerte de Alfonso XI en 1350. Ante todo, estaba la cuestión de la unión de los reinos de León y Castilla, que durante los primeros cuarenta años del siglo se reabrió una y otra vez con la impugnación de la legitimidad de los reyes Sancho IV y Fernando IV. Si la restauración del reino de León fue una bandera para los infantes De la Cerda, se debía a la comprensión de que la unión se había cerrado en falso y que había poblaciones fieles a la antigua división. La percepción de la red de ciudades entre el Duero y el Tajo, sin embargo, era diferente y dominante. El verdadero núcleo de Castilla lo formaba esa red de ciudades desde Burgos hasta Salamanca y Ávila, y desde aquí hasta Soria y Segovia, siempre alrededor del corazón de Valladolid, ámbito que por aquel entonces mantenía un cierto cosmos comercial y económico. Por su parte, Toledo era una compleja realidad por sí sola, y la ciudad mantenía una lucha contra su poderoso arzobispo, dos señores enfrentados por la dominación sobre la misma tierra. Entre el Tajo y el Guadiana quedaban las órdenes religiosas, controlando la ganadería lanar con pocas ciudades. Más allá del Guadiana estaba la consolidación de la sociedad cristiana que, de forma meteórica, se había superpuesto sobre los estratos de la sociedad andalusí, con su compleja trama de ciudades-reino de la línea del Guadalquivir, desde Úbeda hasta Sevilla. En la periferia montañosa de estos territorios merodeaban los nuevos nobles al acecho de cualquier oportunidad de entrar en las ciudades, bien con cargos del rey, bien con cargos urbanos.

En este complejo escenario, lo único que había unido a estas sociedades tan plurales había sido la toma de nuevas tierras a al-Ándalus. Si este escenario estaba concluido, las mejores oportunidades económicas y políticas para los diferentes estratos dirigentes del reino de Castilla y León, para sus noblezas y obispos, solo podían encontrarse si se alteraba la relación de fuerzas interna del reino. Al no haber enemigo exterior disponible, el reino se dirigió contra sí mismo. Todos los agentes comprendieron que el punto débil eran las ciudades y que, si estas perdían su autonomía fiscal y jurisdiccional sobre sus alfoces, entonces muchas tierras quedarían disponibles para una nobleza pobre y sedienta de tierras *ciertas* o seguras. Pero el asalto a las ciudades no podía hacerse sin debilitar el poder de la realeza. Territorio de realengo, protegidas por el rey, las ciudades podían ofrecer la suficiente fuerza fiscal y militar a la Corona como para detener las aspiraciones de los nobles. Cuando el joven Pedro I reforzó la autoridad regia, se vio que solo eliminando al rey las ciudades caerían en poder de las noblezas de corte. En esta batalla, sin embargo, todo iba a depender de la capacidad del monarca para unificar las ciudades, regular sus relaciones e institucionalizar su cooperación en un sistema de gobierno estable y formal.

En este asunto, los modelos políticos fueron primitivos y arcaicos por todas las partes. Mientras que los nobles aspiraban a gobernar ciudades para adueñarse de impuestos y privatizar sus tierras, como habían hecho las taifas musulmanas, el rey aspiraba a ser su señor fiscal para pagar su hueste, como había hecho Almanzor. Nadie pensó en una institucionalización parlamentaria de la cooperación entre ciudades y rey, de la que pudiera salir un Consejo regio para regular esa cooperación. Así, unos sectores dirigentes se lanzaron contra otros, dispuestos a mejorar sus posiciones en una bronca lucha social y política, carente de mediación institucional. Todos querían lo mismo de la misma primitiva manera: apropiarse de los impuestos urbanos.

Entonces se vio que los estratos espaciales y temporales de Castilla, las diversas etapas de la lucha secular por el control de la tierra, se disponían a dar esa nueva batalla interna. Las estructuras que marcaban los ríos, las grandes etapas de la cruzada, habían generado sociedades heterogéneas, y el proceso de diferenciación social no había hecho sino crecer durante el tiempo en que los hijos y nietos de María de Molina sufrieron impugnaciones muy poderosas. Pero solo esa realeza unía a las partes heterogéneas y, como se había mostrado con Alfonso XI, solo ella era capaz de impulsar reformas en el reino. En todo caso, la mayor dificultad se vio en la divergencia entre el proceso de formación de pueblo y realeza. La base popular conducía a la diferencia y a la heterogeneidad. El proceso de formación de la realeza, cuando triunfaba y aumentaba su poder, llevaba a la afirmación desnuda de la autoridad regia y de sus oficiales, sin un amplio soporte político, institucional y administrativo. Así, la debilidad institucional del vínculo regio producía ulteriores divergencias en la base popular. Eso hacía más difícil la empresa unitaria. Castilla entró en un círculo vicioso. Cuando el joven Pedro I tuvo que recomponer las bases de su poder al principio de su reinado, lo hizo desde la desnuda voluntad de autoridad, y se condenó a una política ineficaz. La violencia estructural del sistema castellano se dirigió contra sí. De este modo, en el edificio del cuerpo castellano asomaron las grietas profundas que subyacían al cuerpo de la sociedad. Sobre dichas grietas no se podría construir un sólido gobierno regio más que con mucho tacto, fuerte institución y profunda cooperación de ciudades y obispos en Cortes. Pero para ello era necesario un horizonte mental y espiritual complejo. Al enfrentarse a situaciones difíciles con herramientas culturales limitadas se configuró un estilo específico de política muy arcaico, con poco margen para las formas pacíficas. Así, Castilla se encaminó a una larga guerra civil y a la necesidad de construir tras ella un edificio de nueva planta. No sería la última vez que ocurriría esto.

Si esa guerra civil alcanzó dimensiones hispánicas se debió al hecho de que Granada ya no significaba un peligro y a que África no podía generar una más de sus invasiones. Por supuesto, la raíz del conflicto estaba en la lucha por el sudeste peninsular, por las tierras desde Alicante hasta Murcia, que el reino de Aragón había conquistado en los tiempos de Fernando IV. Era previsible que Castilla no aceptara aquella conquista, y menos en un momento en que la solución de generar un señorío neutral en aquella tierra ya no era viable, dada la nueva política regia del joven rey castellano Pedro I.

Cuando Pedro I se vio arrastrado por la lógica de la crisis castellana hacia la violencia extrema contra los nobles, estos corrieron a refugiarse bajo la protección de Aragón. Lo habían hecho unos y otros desde los tiempos de Alfonso I el Batallador. La diferencia fue que ahora Pedro I se embarcaba en un conflicto abierto con el reino que acogía a sus nobles rivales. Ese conflicto tenía que ver al principio con la definición de la frontera, y seguía todavía la vieja lógica de los ríos, en este caso del Segura. Pero carentes de instituciones, mediaciones y estructuras de moderación, todo conflicto se disparaba hasta el extremo. Así, el conflicto por las tierras entre Alicante y Murcia se convirtió en la lucha por la hegemonía hispánica, en un momento en que la conquista de al-Ándalus ya estaba acabada *de facto*.

GOBERNACIÓN EN ARAGÓN

Si la guerra civil entre Pedro I de Castilla y Pedro IV de Aragón se convirtió en una lucha por la dominación hispánica se debió a que la hegemonía ya venía definida a favor de Aragón y Cataluña. Como dijo el cronista Jaume Muntaner acerca de Jaime II, que moría en 1327, «el poder del señor rey de Aragón [...] tenía a toda España bajo su mando». La capacidad de movimiento de este rey es proverbial y la élite de nobleza, cultura y diplomacia que consiguió, con los grandes Raimundo Lulio y Arnau de Vilanova a la cabeza, solo tiene precedentes en Raimundo de Peñafort y Ramon Martí, en el reinado de Jaime I. Con esa élite, Jaime II anudó lazos con Federico III de Sicilia, llegó a tomar Córcega, pactó con Pisa, mantuvo una alianza con Roma y detuvo la influencia de París sobre la zona de los Pirineos. Contra todo pronóstico, Aragón se había abierto camino entre las potencias europeas y había forjado una especie de federación familiar de reinos, los de la casa de Aragón, uniendo Mallorca y Sicilia a la dirección política de la casa de Barcelona. En la plenitud de su poder, Jaime II había establecido un «orden de gobernación» con oficios públicos organizados sobre lugartenientes regios distribuidos por los reinos.

La familia real superaba el indigenismo medieval y su instalación en los cargos gubernativos mantenía la unidad de la Corona y permitía una coordinación que garantizaba la función política e institucional al heredero desde su mayoría de edad. Este sistema supone una legitimidad hereditaria indiscutida. En efecto, el príncipe heredero ocupaba el cargo de procurador general, dotado de su administración y funcionarios propios. En tiempos de Jaime II se llegaron a distribuir funciones hasta para el nieto del rey. Así, cuando el hijo de Jaime II, el futuro rey Alfonso IV, recibió el encargo de «vencer o morir» en Córcega, el nieto (futuro rey con el nombre de Pedro IV) fue jurado heredero por si ocurría lo peor, para así evitar «los mismos inconvenientes» que habían asolado a Castilla, con el asunto de los infantes De la Cerda. El territorio de la Corona fue dividido en gobernaciones, con sus delegados nombrados por el procurador general, como sus «portanveus», con la supervisión y aceptación del rey. Este cargo de «portavoz» podía ser general, para todos los reinos, pero entonces debía recaer sobre un infante. Lo normal era que fuese uno para cada reino, con su *curia* propia. Lo interesante es que los caballeros de la tierra, no la alta nobleza, solían ocupar el cargo de portavoz o de «vicegerente». Se argumentó que era mejor así porque podían ser juzgados en el ejercicio de su función y recibir castigos, algo que no se podía hacer con la alta nobleza. Por debajo de ellos quedaba una administración de *vegueres* de distrito, o los *suprajunteros* de Aragón, y en general los bailes, justicias, merinos. El justicia general de Aragón estaba fuera de su jerarquía y afectaba al derecho de los ricos hombres y sus juicios en Cortes. En Valencia se siguió el mismo orden, con variaciones, como el lugarteniente para la línea de Orihuela, ya sobre el río Segura. Al final se reconoció la vigencia parcial del fuero de Aragón en el reino de Valencia. Por encima de todo se afirmó la unidad de la Corona y de sus funcionarios. En todo caso, el poder se hizo visible con nitidez, formalidad, orden y jerarquía, en tanto sistema de los oficios públicos encargados de hacer cumplir las órdenes de paz, de guerra y de justicia; en suma, «el bonum statu regni». Como es natural, este orden gubernativo fue aprobado en las Cortes Generales de cada reino.

Este buen orden de gobierno fue decisivo para que Aragón consiguiera su hegemonía y su dimensión imperial. Cuando uno se pregunta por la condición de posibilidad de esta ordenación gubernativa, se descubre bien pronto: se basaba en el respeto escrupuloso a la forma sacramentada de la familia regia. Este detalle parece trivial, pero algo tan sencillo no se alcanzó de forma plena en la Corona de Castilla. Se sabe que el matrimonio de Sancho IV con María de Molina no fue reconocido como sagrado. Esto imposibilitó un orden hereditario claro. Alfonso XI no profesó un sentido matrimonial sacramentado y sus relaciones con Leonor de Guzmán eran más bien las propias de una favorita que de alguien sometido a la Iglesia de Roma. No hablo de amantes. Se trata de la confusión respecto a los derechos políticos entre los hijos de las esposas sacramentadas y los de la favorita. En este sentido se usó el antecedente de que los hijos de una esposa sin sacramentar, María de Molina, habían heredado el reino.

Pero esta visión de la familia —de influencia musulmana— está relacionada con el sentido prebendal, específicamente musulmán, de las mercedes regias. Así, los abundantes hijos de Leonor de Guzmán recibieron grandes señoríos, que fortalecieron a la familia como base de una nueva nobleza. Cuando nació su hijo Pedro de su esposa sacramentada, María de Portugal, Alfonso XI ya tenía tres hijos de Leonor de Guzmán. Que el primero hubiera nacido en 1330, cuando la boda con María había tenido lugar en 1328, demuestra que no podía justificarse la relación extramatrimonial por no tener heredero. Con ello se llegó a la imposibilidad de institucionalizar un gobierno con la familia del rey, al estilo de la casa aragonesa. En realidad había dos familias regias, con toda clase de intrigas y rivalidades.

JURISTAS Y REYES

Implicada en la política europea, Cataluña tenía las manos libres para mantener su imperio si su retaguardia castellana estaba tranquila. Cuando Castilla tenía un rey fuerte era preciso pactar con ella. Como es natural, Cataluña hizo todo lo posible para que Castilla siguiera en el caos. Alimentó al infante Juan Manuel para que pusiera en jaque a Alfonso XI todo el tiempo posible. Cuando Génova se mostró dispuesta a recuperar Córcega e incluso preparada para atacar Cataluña, no bastó con que el bullicioso infante hiciera el trabajo sucio. Así que el viudo Alfonso IV, rey desde 1327, se avino a un pacto matrimonial con Leonor de Castilla, hermana de Alfonso XI. Este gesto sembró la inquietud en toda la Corona, pero fue forzado por la situación. La familia real ya estaba bien instalada en los cargos de gobernación. Se trataba de disminuir tanto como fuera posible el efecto del nuevo matrimonio con una castellana. Al nacer los hijos, los infantes Fernando y Juan, se complicó la situación de la familia regia aragonesa. Por supuesto, nadie contaba con ellos para la gobernación. A todos los efectos los consideraron como hijos privados del rey, no como los hijos públicos de su primera esposa. Pero siempre había existido la norma de que el monarca, al margen del sistema de la gobernación, podría darles lugares y castillos a sus hijos naturales. Jaime I lo había hecho. Pero con Leonor se presionó a favor de aumentar las tierras de señorío prebendado en Aragón al modo de Castilla. El partido de los nobles aragoneses, que aspiraban a imponer su régimen sobre Valencia, se arremolinó alrededor de la castellana Leonor e hizo suyas sus aspiraciones. El partido señorial se recompuso de forma inmediata. La tierra de Valencia era el objetivo de ambas partes, la reina y los nobles aragoneses. Cuando el rey entregó al infante Fernando la ciudad de Huesca, y luego Tortosa con título de marqués, era evidente lo que deseaba Leonor.

Se vio cuando le entregó a Fernando las villas desde Alicante hasta Guardamar. Todas las expectativas se superaron cuando se añadieron todas las plazas desde Xàtiva hasta Castellón. Era el reino de Valencia entero el que pasaba al señorío de un infante medio castellano. Valencia capital se armó y se juramentó para matar a cualquier oficial que asomara para imponer aquellas órdenes. Guillem de Vinatea, en contacto con el infante Pedro, defendió el fuero valentino frente a la posibilidad de separar Valencia de la Corona. Por un instante, las noblezas principales de las dos coronas se imitaron. Los altos nobles castellanos, como don Juan Manuel y Juan Núñez, estaban con el príncipe de Aragón, y los altos nobles de Aragón, como Jaime de Jérica, con el rey castellano. Los infantes de Leonor aspiraban a ser tan dotados como los hijos de la Guzmán y generar así una casa regia paralela. Los nobles de todos lados, por lo tanto, mantenían su guerra contra la realeza propia, ayudando al rey ajeno.

Así, los dos sistemas políticos se fueron interrelacionando. Cuando comenzó su reinado en 1335, Pedro IV de Aragón no invitó a los infantes hermanastros a las Cortes del juramento, trató como extranjera a Leonor y movilizó las ciudades que pudo a su favor. Burriana, Valencia y Xàtiva se mantuvieron firmes con él. Eran la columna vertebral del reino. Mientras que don Juan Manuel implicaba a Portugal en una guerra contra Castilla, Pedro de Aragón casaba con Juana de Navarra. La Península entera quedaba concernida en la batalla, con ayuda de una nobleza regida por lo que se llamaba a la sazón Fuero de los Españoles, la posibilidad de desnaturalizarse y atacar a su rey. Si se evitó el rompimiento fue porque Barcelona pensaba que todo podía arreglarse si pactaban los dos monarcas, Alfonso XI y Pedro IV. Pronto se declaró la amenaza de una invasión del rey de Tremecén y se extendió la noticia de que las naves que trasladarían a los marroquíes eran propiedad de Génova. En este clima, las paces entre los dos reinos se hicieron en 1338, el año en que el arcipreste de Hita ultimaba su *Libro de buen amor.* Eso condujo a la victoria del río Salado.

Solo la presión musulmana salvaba la unidad de acción de los reinos hispánicos. Se invocaron tradiciones y se dijo que «ambos [reyes] fuesen en ello una misma cosa, como lo fueron los reyes de donde ellos venían». Zurita recuerda que la armada que se debía dirigir al Estrecho para detener un ejército nunca visto «desde la batalla de Úbeda», se debía distribuir al modo antiguo: dos partes para Castilla, una para Portugal y otra para Aragón. La visita de Pedro IV al Papa de Aviñón para que le concediera ayuda financiera de las iglesias, acabó en un fiasco. Al final se llegó a la batalla del río Salado y a la victoria. Cataluña no participó en la batalla de tierra, aunque sí Portugal. Su flota, sin embargo, se mantuvo operativa en el Estrecho.

En aquella constelación difícil, con el abandono papal, se forjó el complejo carácter de Pedro IV, su inclinación a la meditación, su apego al secreto de su propio Consejo, su hostilidad respecto a Roma, su tenebrosa capacidad de maquinación y su maquiavelismo. Zurita no lo ama. Habla de «su naturaleza perversa e inclinada al mal». Su forma de anexionarse de nuevo el reino de Mallorca, en 1344, sembró la inquietud en la época, y la forma en que trató a su rey Jaime mereció censura general. La reacción observada entre su gente aumentó su desconfianza. Para neutralizar este poderoso sentimiento popular comenzó a fiarse de letrados y juristas, dejando a un lado a los nobles tradicionales, que hasta la fecha eran los verdaderos especialistas en derecho. Luego se vio para qué deseaba juristas regios: para falsear el proceso judicial contra el rey de Mallorca, y para decretar por derecho que su hija Constanza podría ser reina de Aragón, frente a su hermano don Jaime. Nuevas figuras aparecen en la corte: los espías, los agentes de inducimientos, que acompañan las nuevas prácticas de autoridad regia, como hacerse conducir bajo palio. Ante las ofensas al justicia de Aragón, no se pudo evitar la rebelión y la reedición de la Unión aragonesa. En Valencia, también se llegó a una Unión semejante. Cuando al final el monarca aceptó presentarse en Cortes en Zaragoza, tuvo que ver cómo le exigían «que ningún catalán entrase en el consejo del rey ni se empachase en cosas y negocios del reino de Aragón». Era evidente que se abría una fractura entre Cataluña y Aragón.

Entonces, Pedro encontró a su hombre, Bernat de Cabrera, el primer valido de nuevo estilo, jurista y marrullero, el representante de una nueva élite que también por ese tiempo se formaba en Europa entera. La mente de Cabrera era todavía más retorcida que la del rey y le recomendó que cediese en el asunto de nombrar a su hija heredera. En realidad, fue una treta para envenenar al infante Jaime de Urgell cuando estaba confiado y pensaba que su estatuto de heredero de la Corona estaba asegurado. La guerra estalló en 1347, y ante la sorpresa de todos, la Unión demostró que solo era una parte del reino, pero no el reino entero. Los distritos militares de Teruel, Calatayud y Daroca estaban con el rey. También Xàtiva. Valencia se mostraba unida y dispuesta a defender su estatuto. La hermandad de la nobleza valenciana dirigida por Lauria se mantuvo fiel a Pedro IV y movilizó a los moriscos valencianos en su hueste nobiliaria, forjando un odio profundo de las poblaciones hacia ellos. El reino estalló en bandos. Alfonso XI apoyó a su sobrino, el infante Fernando, que en un movimiento rápido se puso al frente de la Unión valenciana. El rey Pedro IV, aislado en Sagunto, cedió en todo: dio el derecho de sucesión al infante Fernando, firmó la Unión aragonesa y celebró la cooperación con la valenciana. No fue suficiente: debía además desprenderse de sus ministros catalanes, Francesc Mir, Bernat de Cabrera y Berenguer de Abella, «muy odiosos», como dice Zurita.

La fractura entre Cataluña y los territorios del sur era evidente. Cuando el rey intentó huir de Sagunto, fue descubierto y llevado a Valencia. Allí, ante el rumor de que se estaba matando a gente de la Unión, los valencianos se dirigieron al palacio real. Empezaron a buscar a los auxiliares catalanes del rey atravesando con espadas los colchones. Al final el propio soberano, maza en mano, se enfrentó a la multitud que avanzaba con las espadas desnudas escaleras arriba del palacio. En una prueba de su valentía, el rey les dirigió la palabra y alabó sus virtudes como pueblo leal y natural. La multitud se entusiasmó en el etnicismo y comenzó a proclamar vivas al monarca. Cuando el infante Fernando, que estaba en la ciudad, se enteró de los alborotos, marchó al palacio a ver qué pasaba. Las dos comitivas, la que él llevaba y la que traía el rey, se dieron cita en el puente del Real. La situación fue endemoniada. Los valencianos estaban con Fernando porque defendía la Unión. Pero sabían que Fernando era castellano y tampoco lo querían cerca del rey. Al grito de que ningún castellano se acercase al soberano, la multitud obligó a la reconciliación entre los dos grupos. El rey besó al infante y el grupo se reunificó. En medio de una peste que se llevaba trescientos vecinos al día, la gente, pletórica, bailó toda la noche. El baile regio lo dirigió un barbero. En su correspondencia, se observa que el rey despreció aquel momento. En realidad se sentía preso y, como tal, lo recordaría con profundo resentimiento. Cataluña, «nación de naturaleza muy reposada [...] que no acelera las cosas hasta que hay sazón», como dice Zurita, comenzó a armarse para liberar al monarca. Al final, el infante Fernando y el ejército de la Unión fueron destruidos en la batalla «postrera en defensa de la libertad del reino», según el mismo historiador. «La Unió és morta», escribió el rey a su tío Pedro, con «goig e plaer». La venganza del soberano fue terrible. El linaje de los Urrea desapareció; el de los Cornel casi. Se quemaron los privilegios y se rasgó el de la Unión con el puñal del rey. El justicia ahora se convirtió en un juez para atender las denuncias contra los oficiales del monarca. La nobleza condal sustituyó a la de los ricos hombres. Toda la estructura nobiliaria aragonesa de poder fue alterada.

Las cosas no acabaron ahí. Valencia, dirigida por un letrado, Juan Sala, constituida al modo de república, resistía en medio de la peste. En diciembre de 1348, las tropas de Pedro IV vencieron a las de la Unión en Mislata. Aunque el rey había prometido arrasar y quemar la ciudad del Turia, y sembrar sus campos con sal, no cumplió su amenaza. Sin embargo, entró en ella en orden de guerra. Sala murió cuando un oficial del monarca vertió en sus oídos el bronce de la campana que llamaba a la Unión. El barbero que dirigió el baile regio aquella noche feliz fue arrastrado por toda la ciudad. Valencia no fue autorizada a reforzar su muralla.

Los movimientos que entonces hizo Bernat de Cabrera permiten comprender la orientación de fondo de la política de Pedro IV, lo que en verdad se jugaba. El rey marchó a casar con Leonor de Sicilia y dejó sin celebrar la boda de su hija Juana con el bastardo Enrique de Trastámara. La muerte de Alfonso XI ya no lo hacía necesario. Cuando tuvo un hijo varón, Juan, lo elevó a duque de Gerona y fue jurado heredero en Perpiñán. El reino de Aragón percibió que ya era irrelevante en la confederación de la Corona. Luego, Pedro IV se embarcó en una política de matrimonios para casar al príncipe Juan con la hija del rey de Nápoles, Catalina, de la casa de Anjou. La dote debía incluir la herencia de Provenza, la alianza de Nápoles y Sicilia, y un frente común contra los genoveses. Aunque estos planes no llegarían a cerrarse, testimonian una orientación política muy clara: recuperar el terreno provenzal, mantener la franja del Mediterráneo hispánico, y separarse de la suerte de Castilla. Que los territorios del sur se entregaran a Fernando era lo de menos. Una federación de puertos y una red de comercio bastarían para consolidar el poder de Pedro IV.

LA GUERRA CIVIL

¿Qué pasó para que estos planes no solo no se llevaran a cabo, sino que la implicación de Cataluña en el momento hispánico deviniera más profunda? ¿Qué es lo que determinó que Pedro IV se viera envuelto en esa guerra civil contra su homónimo castellano Pedro I? Sin duda, que sus hermanastros, los infantes medio castellanos Fernando y Juan, ya estuvieran implicados en la política aragonesa. La manera de alejarlos de su injerencia en los asuntos del reino, una vez fracasada la Unión, fue mandarlos a Castilla en un momento en que su joven rey Pedro I no definía su política y se encontraba impotente en medio de los grupos cortesanos. Era la táctica de llevar la guerra fuera. Junto con los numerosos Trastámara, los hijos de la Guzmán, el infante Fernando se repartió los oficios castellanos en una reunión en Toro, celebrada en el año 1354. Las condiciones cortesanas en que vivió el joven rey Pedro I produjeron en él una debilidad psíquica característica. La exreina madre Leonor de Aragón, tía del rey Pedro I, junto con su hijo Fernando y los condes Trastámara, querían los cargos principales de Castilla para intentar el asalto al reino de Aragón y Valencia, aprovechando que Pedro IV se hallaba en Cerdeña. Deseoso de recuperar el poder regio frente a ellos, Pedro I se alió con el rey de Aragón y le solicitó su ayuda para luchar contra Fernando y los Trastámara. Los concejos urbanos siguieron el ejemplo de Burgos, que no deseaba enrolarse en una guerra con los Trastámara y los segundones infantes de Aragón. Tan pronto Pedro I se vio con algo de fuerza, comenzó su política preferida: eliminar con saña a todos los Trastámara que pudo. Estos huyeron a Toledo, entraron en la ciudad y mataron a más de mil doscientos judíos, sin duda para obtener recursos con los que huir hasta Toro. Allí los siguió el rey, tomó la ciudad y la sumió en un baño de sangre. Su propia madre, María, maldijo al hijo que manifestaba aquella insensibilidad ante la muerte. El primogénito de los Trastámara, Enrique, huyó a Francia. Luego, Pedro I se dirigió contra el infante Fernando, que le cedió todo el sur del reino de Valencia, con la idea de incorporarlo a Castilla. Después pactaron que Fernando recibiría ese reino en feudo. Pero cuando fue a tomar posesión de Biar, Fernando fue recibido de forma hostil y en vano invocó su pasado como líder de la Unión valenciana. Ahora se trataba de una guerra de pueblos, de valencianos contra castellanos, y nadie lo siguió. Para defenderse de lo que consideraba una agresión de Castilla, Pedro IV se alió con los bastardos Trastámara, que dominaban el maestrazgo de Santiago y el señorío de Vizcaya. A este partido nobiliario se unió lo que quedaba del partido de don Juan Manuel y de los Cerda, así como otros miembros de la familia Guzmán, que tenían agravios contra el rey Pedro I.

Así se complicó la situación: el rey de Aragón sostenido por la nueva alta nobleza de Castilla, los Trastámara, y el rey de Castilla sostenido por un infante de Aragón. La guerra civil fue el escenario que mostraba la interconexión de las dos casas, los frutos de una política matrimonial que, al no disponer de instituciones de cooperación, generaba una violencia más intensa. Cierto, las dos coronas formaban un sistema nobiliario, pero sin instituciones de orden jurídico común ni formas políticas de cooperación. Todos los acuerdos se hacían «al modo de España», y esto quería decir mediante sistema de rehenes y coacciones, de desconfianza y cautelas. Fe no existía.

La guerra fue inevitable en esas condiciones. Aunque la violencia fue intensa, por ambas partes, la hueste castellana invadió la tierra aragonesa. El resultado, el nacimiento del odio a lo que se tiene más cerca. Ciudades enteras fueron sitiadas por las tropas de Pedro I, hasta morir de hambre, como Calatayud. Por tierra y por mar, el rey castellano asoló todo lo que encontró a su paso. Para restarle apoyos se logró atraer al infante Fernando de nuevo al servicio de Aragón, ofreciéndole la procuración general de la Corona, el estatuto de heredero. Al final se llegó a la escena más extraña, a la coexistencia del conde Enrique Trastámara y del infante Fernando, ambos en la hueste del rey de Aragón, contra el rey castellano.

Pedro I tuvo una reacción furiosa. Mató en Sevilla a Fadrique Trastámara, cuando le fue a entregar Jumilla, que había tomado para el rey. Desde allí marchó a Vizcaya, con la idea de matar a Tello Trastámara, que huyó. Hizo venir al infante Juan de Aragón, hermano del infante Fernando, con la promesa de transferirle Vizcaya. Cuando llegó a tomar posesión, lo mató y lo echó al río, «en guisa que nunca más pareció». Luego prendió a su tía Leonor y a la esposa del infante Juan. En Castrojeriz recibía la cabeza de todas sus víctimas. Cuando vino el legado apostólico para imponer paz, reconoció que Pedro quería todo el sur valenciano. Aquello era excesivo. La mediación fracasó y Pedro reaccionó matando a su tía Leonor. Tuvieron que hacerlo servidores musulmanes, «car nengún Castellá no volgué tocarla», dice la *Crónica* de Pedro IV. Después sitió por mar Barcelona, mientras por tierra atacaba Aragón. Cuando los ejércitos se vieron en Ágreda, muchos castellanos se fueron de su rey, que jamás volvió a confiar en ellos. La consecuencia de la derrota fue que mató a Juan y a Pedro Trastámara, los hermanos menores de Enrique, capitán del ejército de Aragón.

Disgustados los aragoneses con este protagonismo de Enrique Trastámara, Pedro IV decidió disminuir la presión y nombrar general de la hueste al infante Fernando, que al menos era aragonés de nacimiento. Preterido, desde ese momento Enrique Trastámara comenzó a acariciar la posibilidad de hacerse con la corona de su hermanastro Pedro I. Así entró por Nájera con su antigua política de Toledo: eliminó y saqueó a todos los judíos de la ciudad, y luego desde Haro hasta Miranda de Ebro. Pedro I acudió a detenerlo, pero en lugar de sitiarlo, desconfiado de su propio ejército, presa del pánico (había pasado ante él un escudero gritando por la muerte de un familiar), marchó a su refugio sevillano.

Para todos los actores de la época, Pedro I había violado los deberes de rey y los propios cronistas aceptaron el tabú de narrar sus formas de dar muerte, «asaz fea e crua de contar». Para todos se trataba de un tirano, y como todos los de esta condición, estaba pendiente de los pronósticos y las profecías. Mientras, Bernat de Cabrera imaginó una estrategia. Pactó con el infante Fernando que si este llegaba a rey de Castilla, entregaría a Aragón no solo el reino de Murcia, sino la franja de tierra que va desde Agreda hasta Soria, Berlanga, Almazán, Molina, Cuenca, Cañete, Moya, Requena y Villena. No solo eso: si Fernando moría sin sucesión, dejaría Castilla al rey de Aragón. Si solo tenía hijas, las casaría con los herederos de Aragón. Como se ve, Pedro IV y su ministro deseaban la unificación de las coronas a su favor. Rodeado por todos, cruzando España como una sombra errante que solo portaba muerte y sangre, Pedro I pactó una alianza con el Príncipe Negro, por entonces un victorioso caudillo de la guerra entre Francia e Inglaterra. Hacia 1361, Pedro I dio sentencia de traición contra Fernando por dirigir el ejército de Aragón. Como el legado papal rechazara la sentencia por ser Fernando natural del reino, la cólera del rey se dirigió contra su esposa Blanca de Borbón, presa desde antes. Así que María de Padilla, la amante del monarca, muerta ya, fue declarada reina y esposa legítima. Su hijo, el pequeño Alfonso, podría ser jurado heredero. Los obispos castellanos, dirigidos por un Gómez Manrique, arzobispo de Toledo, juraron a Alfonso, desde luego. Todo parecía encaminarse hacia la paz con Aragón. Sin embargo, fue mera apariencia. El motivo: que no se había cumplido un punto del tratado secreto pactado entre Pedro I y Cabrera: el asesinato del infante Fernando.

En la nueva guerra, hacia 1363, Pedro IV tuvo que recurrir a las compañías francesas de Enrique Trastámara. Ahora este impuso el precio de la ayuda. Quería el reino de Castilla. La condición fue que, de llegar a reinar, entregaría a Aragón una sexta parte de Castilla, a elección del rey de Aragón. Mientras, desesperado por la muerte de su hijo Alfonso, Pedro I asaltó la tierra desde Calatayud hasta Valencia, pero, como siempre, se negó a dar la batalla decisiva en los llanos de Nules, donde se avistaron los dos ejércitos. Los nuevos pactos de paz de Pedro I con Cabrera implicaron los dos puntos de rigor: la muerte de Fernando y de Enrique. El rey Pedro IV por fin cumplió el primer punto. Simuló conceder gracia de nuevo a Fernando, lo invitó a comer y, a una orden suya, en el mismo palacio, sus agentes lo asesinaron. «Muchos caballeros aragoneses, catalanes y castellanos» seguidores de Fernando quedaron aterrados. Se argumentó acuerdos secretos de Fernando con Pedro I, lo que era falso. Cuando se acusó al rey Pedro IV de este crimen, dijo «que estas cosas eran de tal calidad que no se podían probar en proceso». Se vio que era obra de Bernat Cabrera.

Por aquel entonces la tierra estaba desolada. Ayala, el cronista y poeta, en su *Rimado de Palacio* dice que «do moraban mil omes, non moran ya tresçientos». La nobleza castellana entera quedó diezmada. Los crímenes del rey Pedro I acabaron con buena parte de ella. Ante aquella situación, Enrique de Trastámara se proclamó rey. Invocó entonces el proceder de los godos y dijo que el rey electivo era la constitución natural del reino, y que estaba todavía vigente, como se veía por el juramento debido al primogénito. Pedro I no se quedó atrás y por la cabeza de su hermanastro Enrique ofreció a Navarra la villa de Logroño, y a Aragón, todas las tierras que le había ganado en la guerra. Al final, cuando se pactó de nuevo entre Enrique y Pedro IV, se exigieron máximos rehenes. Trastámara entregaría a su hijo Juan, y Pedro, a su hijo del mismo nombre. Cabrera debería entregar a sus nietos. El honor no tenía crédito esos días.

Esas guerras dejaron claro que no había concepto alguno de reino en Castilla, pero que la incorporación de medio reino de Murcia a Valencia tampoco era sólida. El juego de las cesiones y las incorporaciones enseñó a las localidades que su pertenencia a las unidades políticas era accidental, y que nada unía las tierras y las gentes con los poderes regios. Nadie estaba a salvo de ser entregado a otro rey. Una idea de cuerpo místico del reino, como por aquel entonces forjaba Juana de Arco, la unión de todos los franceses como pueblo querido y elegido por Dios, que no cejaría en luchar contra el enemigo hasta ver ganado el último palmo sagrado de la tierra de Francia, eso no surgió en aquella hora.

Ante la siguiente oleada de Pedro I, la de 1363, el rey de Aragón exigió a Enrique que defendiera el reino con sus gentes francesas. Consciente de que ahora controlaba la situación, Enrique exigió algo más: la cabeza de Bernat de Cabrera. Mientras no la tuviera, no movería un soldado. Zurita nos cuenta que mientras el rey escuchaba el oficio de Viernes Santo, Cabrera fue apresado. Fue sometido a proceso de Corts y se le acusó del acuerdo con Pedro I para mantener la guerra. El 22 de junio de 1364 fue publicada la sentencia que le condenaba a morir decapitado. El texto fue leído por el infante don Juan, que era su ahijado. Como era de esperar, esta pérdida dejó a Pedro IV debilitado. El árbitro de la situación era ya Enrique y sus compañías francesas. Con un Pedro I psíquicamente desarbolado, cada vez más inclinado a refugiarse en su Alcázar sevillano, el conde de Trastámara se proclamó rey en Calahorra en 1366. Burgos decidió seguirlo y lo coronó en Las Dueñas, con una ayuda importante de la comunidad judía. Desde allí se dirigió a Toledo y, cuando lo tomó, obligó a los judíos a que pagaran las tropas. Luego se dirigió a Andalucía y obligó a Pedro a huir a Galicia. Por fin entró en Córdoba y en Sevilla, disolviendo a su hueste.

Aunque Pedro I logró la alianza del príncipe de Gales, este se mostró cada vez más ofendido por las prácticas violentas y le exigió «que non matase a caballero ninguno de Castilla fasta que fuese juzgado por derecho». El rey Pedro, anclado en la cultura política de sus consejeros andalusíes, no estaba dispuesto a renunciar a esas prácticas. Al final, tras la continua alternancia de la fortuna de las armas y abandonado por el Príncipe Negro, Pedro I sucumbió ante su propio hermano en Montiel. Su piel fue expuesta sobre las almenas encima de unas tablas. Era el final de una época para Castilla, que llegaba así al punto más bajo de su destino histórico reciente. Pero fue también el final de una época para Aragón, que ya no pudo desplegar una política independiente. Se había puesto de manifiesto que el espacio hispánico de poder era unitario, aunque estuviese construido sobre el conflicto y la disputa, no sobre la cooperación. Formas de integración política de las dos comunidades más allá de los pactos personales «a la costumbre de España» o de los pactos matrimoniales, no se contemplaron. Que los dos reinos acabaran uniendo sus casas reales era casi una necesidad histórica. Pero que no acabara el conflicto, también.

2

TRASTÁMARAS EN ARAGÓN

EROSIÓN DEL CONSTITUCINALISMO CLÁSICO

Con Pedro IV se agotaron las formas institucionales del reino de Aragón, erosionadas por las prácticas regias absolutistas. En medio de las guerras con Castilla, la evolución hacia un constitucionalismo y un gobierno unitario de todos los reinos, se cegó. Acabó triunfando el autoritarismo regio, reforzado con juristas expertos, que amenazó la relevancia política de la alta nobleza catalana y aragonesa. Las instituciones antiguas se mantuvieron, pero sin la capacidad de acoger su espíritu originario, mientras que los reyes desplegaban cada vez más atribuciones y poder. Entonces se fundó la Diputación General de Cataluña por parte de Pedro IV. Pero su función y su origen estaban relacionados con la necesidad de imponer un servicio financiero a los estamentos para sostener la guerra contra Castilla. La institución imitaba el sentido de las Cortes castellanas como fuente de ingresos para la guerra. La diferente tradición corporativa catalana previa hizo que el impuesto se administrara por una comisión de las propias Corts, y esa era la Diputación. Sin duda, este hecho fue decisivo para la historia futura. Tan pronto la figura del rey entró en crisis, la fortaleza de las Corts catalanas supo dotar a la Generalitat de competencias políticas y judiciales, y no solo de las financieras.

El resultado de la guerra civil con Castilla fue muy influyente y no en el sentido de apoyar la fortaleza de la institución regia. En todo caso, ayudó a configurar un «nosotros» valenciano, aragonés y catalán. Sin embargo, no logró imponer un sentido de pueblo unitario a toda la Corona. Las diferencias entre los territorios se profundizaron cuando se hizo evidente la mayor integración política de Cataluña y su liderazgo a la hora de determinar la actuación política del rey Pedro. Por mucho que este pudiera convocar Cortes Generales de la Corona, configurando un parlamento general, esta práctica era vista como excepcional y solo se justificaba bajo la invocación del caso de necesidad. Así sucedió en las convocatorias de 1363 y 1376; esta última vez para defender a la Corona del ataque inminente de Francia. Estas Cortes excepcionales se utilizaban para demandar servicios extraordinarios, eran vistas como una práctica castellana y se realizaban bajo la sospecha de contrafuero fiscal. Su no convocatoria era recibida con alivio por todos los territorios. Este hecho demostraba la insuficiente integración de los diversos reinos de la Corona de Aragón.

La guerra contra Castilla pronto comenzó a mostrar sus efectos sobre el sistema social de los territorios. En 1370, un clima de guerra civil se adueñó de Cataluña. La alta nobleza arruinada deseó cobrar impuestos a los caballeros y generosos, los equivalentes a los *fijosdalgo* castellanos, exentos de obligaciones fiscales. Pedro IV se puso del lado de los caballeros y afirmó su política contraria a la alta nobleza. Cuando se casó con Sibilia de Forcia en 1381, esta alianza con la pequeña nobleza se consolidó. Tan deseoso como los altos nobles de mejorar su capacidad fiscal, el rey se dirigió entonces contra la Iglesia, exigió el patronato regio y las décimas de sus reinos por diez años, y reclamó la legalidad de las confiscaciones realizadas en la guerra. Pedro IV deseaba obtener todo el beneficio posible del cisma que desangraba a la Iglesia. Imitándolo, todos los estamentos reclamaron poderes para tratar a discreción a sus campesinos, con lo que todo el peso de la crisis recayó sobre ellos, que vieron endurecidas sus condiciones de vida, ya de por sí miserables. Los oficiales del rey no podrían controlar ni inspeccionar el trato dado a los vasallos por sus señores. El sistema foral se resquebrajó y la posibilidad de una cohesión social se esfumó. En las Cortes Generales de Monzón de 1383 se percibía el malestar y se denunció a los consejeros del rey por su política. Era la antesala del desprestigio de la figura del rey.

Demasiado temido y poderoso, Pedro IV había permanecido intocado. Pero el primer enfrentamiento entre el justicia de Aragón y la administración del nuevo rey aragonés, Juan I, se dio muy pronto, en 1390. El monarca pretendió declarar al justicia no competente en materias centrales de contrafuero y concedió sus atribuciones a su Consejo privado, plagado de juristas y literatos a su servicio. Cuando el justicia Cerdán, con una obstinación característica, escribió su informe con la sentencia acerca de una violación de derechos nobiliarios, el rey nombró al arzobispo Heredia para que la revisase. Cerdán se negó a aceptarlo, diciendo que solo daría cuenta ante las Cortes Generales. El arzobispo no era una instancia superior. Los diputados del reino defendieron al justicia y el rey Juan tuvo que ceder. Este aspiraba a las mismas prácticas que su padre, pero carecía de sus agallas y su prestigio. A pesar de todo, no olvidaría el asunto. Para las próximas Cortes prohibió que los más destacados defensores del justicia acudieran a ellas. Estos no se amilanaron. Asistir a las Cortes era un derecho, no una gracia. Zurita describió aquellos tiempos como si estuviera haciendo un homenaje a la libertad de su pueblo frente a «la insolencia y la tiranía de los oficiales regios». El gran historiador aragonés no pudo disimular su melancolía.

En realidad, el final del reinado de Pedro IV había generado un clima insano y confuso en Cataluña. Aficionado a las letras, pero también a la astrología y a la alquimia, el rey era amigo de físicos y de magos. Esta conducta produjo estupor en una sociedad católica. Se suponía que había sido hechizado por su esposa Sibilia y llevado a la muerte por un maleficio. Su testamento, con la amenaza de maldecir a su sucesor y a todos sus vasallos, sembró el desconcierto. Cuando su hijo Juan I comenzó su reinado, lo primero que hizo fue someter a un proceso cruel al círculo de la reina Sibilia. Se extendió el rumor de que el monarca Juan se consideraba víctima del mismo maleficio que su padre. Sometió a los médicos a una increíble tortura, hasta que extrajo de ellos un supuesto contraexorcismo eficaz para salvarle la vida. La paranoia de la corte no cesó con ello. El miedo a la conspiración se extendió y, cuando el soberano padeció una enfermedad extraña —quizá la epilepsia—, se produjo un espanto generalizado.

La política del rey se tornó caótica, y su personalidad, cada vez más extraña. Encerrado en su gabinete de lectura, aficionado a los libros de caballerías como el *Tristany*, a la música, a la caza, al coleccionismo y a la ostentación, Juan I se separó de los asuntos políticos y su Consejo Real, libre del control de las Cortes, se encargó de todo. Con la excusa de que las Cortes Generales de 1389 estaban dominadas por el partido de Sibilia, las disolvió. Se vio claro que la Corona estaba en un *impasse* evolutivo. Lo lógico es que se hubiera desplegado un Consejo Real desde las Cortes Generales, para ordenar la política de la Corona completa. Sin embargo, esta opción fue bloqueada por el rey, que prefirió regresar a las prácticas de Cortes particulares de los reinos, impotentes para controlar la política regia en su sentido general. A su vez, se identificaron los aliados clave en cada reino y se usaron con maestría. En estas condiciones, se recurrió a la propaganda ideológica de la mano del hombre de confianza de la reina, García Fernández de Heredia, el arzobispo de Zaragoza.

Milagrosamente, justo entonces se descubrieron los cuerpos de santa Engracia y de san Lupercio con sus compañeros mártires; se organizaron procesiones, *tedeums* y festividades. Así se demostró que el líder de Zaragoza ya no era el justicia, ni los ricos hombres, ni las Cortes, sino el arzobispo. Se organizaba con ello una nueva alianza entre la nobleza instalada en los altos cargos eclesiásticos y la Corona. Como se verá, esta estrategia inaugura la constelación que vinculó a la realeza aragonesa con la Iglesia a través de los Heredia y los Luna, lo que tendría como consecuencia la elección de un Papa aragonés en Aviñón. Mientras, Juan I se entregaba a una existencia extravagante. Hallaría la muerte persiguiendo a una loba en medio de la fronda boscosa. Zurita tuvo este caso por muy extraño, pues el rey era un magnífico cazador y su cadáver no presentó herida alguna. Los comentarios acerca de hechizos y envenenamientos se extendieron. Como se desprende del escrito de Bernat Metge, *Lo somni*, el clima alucinatorio y de apariciones fantásticas era asfixiante. El espíritu que destiló aquel clima fue el propio de cínicos arribistas y escaladores cortesanos, que ya sabían que para ser un desdichado solo se necesitaba decir la verdad. Todo el mundo asumía la degeneración moral, que tenía como símbolo preciso el cisma de una Iglesia caída en la cautividad.

Consciente de esta situación, el nuevo rey Martín I, que subió al trono en 1394, compensó el cinismo general con una extremada religiosidad. Es sintomático que tan pronto se enterase de la muerte de su hermano Juan, Martín, que estaba en Sicilia, en vez de dirigirse a Cataluña, marchase a Aviñón para consolarse con el papa Luna. Este respondió con largueza a su anhelo piadoso dejándole ver el códice *Arbor Crucis*, de Ubertino de Casale, un libro de mística del que finalmente obtendría una copia. El rey llegó a Cataluña con la rosa de oro del papado y su visión del libro que confortaría sus últimas horas. Sin embargo, en los reinos se preguntaban por doquier por qué el monarca, al inicio de su reinado, se entregaba a esas prácticas tan lejanas de la cultura política de la tradición. Por supuesto, no había jurado los fueros. Cuando lo hizo en 1398, se asistió a un notable espectáculo: el rey, en el altar de la catedral de Zaragoza, sentado en su solio real, pronunció un sermón en el que cantó las alabanzas de las glorias aragonesas, justo en el momento de su mayor decadencia. Así, el cierre propagandístico de la etnoformación aragonesa coincidió con su colapso político.

Todas las esperanzas se proyectaron hacia su hijo, Martín el Joven, que luchaba en Córcega por el mantenimiento del imperio de la casa de Aragón. Todos soñaban con que el concepto de reino, claro a sus ojos, se reactivase con un rey adecuado. Se puede decir que las arengas y discursos de Martín I, que se repitieron en sonadas ocasiones, tuvieron una función extraordinaria para mantener en vigor lo más granado de las tradiciones catalanas y aragonesas. Los reinos sabían que el rey Martín I no podría restaurarlas, pero su hijo Martín el Joven mostraba capacidad para intentarlo.

Cuando este joven murió, en 1408, el duelo fue general. Con rapidez se casó al viudo, envejecido y obeso rey Martín I, de cincuenta y un años, para poder tener un nuevo heredero; pero la mente del rey ya estaba puesta en su nieto Fadrique, hijo natural de Martín el Joven. El Consejo regio esperaba que el papa Luna, instalado en la corte, lo naturalizase. Acosado por los pretendientes hasta la violencia, consciente de haber hecho testamento a favor de Fadrique, el rey moría cansado de la coacción de su entorno. Él se fue con la convicción de que la casa de Barcelona no llegaba a su final. Pero toda su esperanza estaba ahora entregada a la voluntad del papa Luna. Ningún poder regio que tuviera un concepto adecuado podría haber sido tan confiado. El papa Luna, en su extrema debilidad política, buscando su propia perpetuación, se negó a naturalizar a Fadrique. Las presiones más fuertes no serían entonces las de los consejeros catalanes del rey Martín. En esa constelación y con esos actores se iba a llegar al momento más determinante de la historia política hispana.

PRÍNCIPES NUEVOS, REALIDADES VIEJAS

Para entender lo que pasó a partir de 1409, se debe reseguir la evolución de Castilla tras la muerte de Pedro I. En general, la situación de Castilla era tenebrosa. La nueva realeza Trastámara produjo consecuencias terribles. Se había matado a un rey, lo que tenía un impacto traumático. Además, se suponía que lo había matado su propio hermano, algo que recordaba las viejas maldiciones. Tras una larga guerra, se creaba un antecedente peligroso: una rama de infantes bastardos había logrado desplazar al heredero legítimo. Desde entonces, los infantes segundones serían menos fieles a la línea central de la realeza. Por lo demás, Castilla aparecía empobrecida y los pagos a las tropas mercenarias la empobreció aún más. Si Pedro I había eliminado casi a la vieja nobleza, ahora las prebendas de un rey ilegítimo, fratricida y dependiente, forjó una nobleza nueva, insegura, ansiosa de estabilidad y poder. Las ciudades andaluzas habían apoyado a Pedro I, así que los nuevos reyes Trastámaras, demasiado débiles, no lograron entrar en ellas y las entregaron a su propio devenir. En esa libertad, las minorías judías y conversas desplegaron un sincretismo religioso, siguiendo los dictados de la vida concreta. Enrique solo tenía algo claro: no podía indisponerse con Cataluña ni con Francia, potencias a las que debía la realeza y, así, casó en 1375 a su hijo Juan con la hija de Pedro IV, Leonor, en un acto de «paz perpetua» que implicó definir la frontera definitiva en Valencia. Este hecho sería decisivo para el futuro.

Las pagas a los mercenarios franceses obligaron a acuñar nueva moneda devaluada, el cruzado, que provocó una fuerte inflación. Una exigencia se eleva con fuerza en esa hora de pobreza: la prescripción de las cartas de deuda en poder de los judíos. Mosé Ha Cohen, de Tordesillas, llegó a decir que «si estuviéramos en poder de la multitud y esta no temiera a la Corona, no tendríamos salvación». Como a pesar de todo no se quería dejar al reino sin circulante, fue necesario pagar las deudas con señoríos y prebendas, las llamadas «mercedes». Como estos pagos en señorío se consideraban provisionales mientras se encontraba dinero suficiente, los beneficiarios aspiraron a tornarlos definitivos. Así se extendió la institución de los mayorazgos, la comprensión del patrimonio señorial como si fuera una propiedad inalienable. Desde el principio, el mayorazgo quiso proteger la propiedad de la tierra frente a la economía en dinero. Así generó una nobleza endeudada, que no podía liquidar su deuda con venta alguna. Para extraer el máximo de renta, el señorío reclamó y obtuvo el mero y mixto imperio, y se convirtió en señorío jurisdiccional, que obtenía el beneficio de los juicios, las penas, las multas y los pleitos. En suma, se consideró como un estado.

El rey Enrique, en las Cortes de Toro de 1371, reaccionó ordenando la Audiencia Real para revisar los casos de las ciudades y la creación de los ocho alcaldes mayores. Pero lo más urgente era ordenar la función política de los miembros de la familia regia, para dotarlos de papel institucional y bloquear la posible rebelión. Los hijos bastardos del rey comienzan a portar el título de duques; los familiares más cercanos, el de conde; mientras los hijos legales se hacen con el señorío de Vizcaya y de Lara, el cargo de alférez del reino y el primero de la hueste. La jerarquía nobiliaria se fortalece al modo francés, y se identifican títulos y funciones, sobre todo en los casos de los adelantados. Sin embargo, la corte regia y los lugares cercanos a los reyes se llenaron de linajes de nobleza menor, como los Velasco, Mendoza, Manrique, Estúñiga, Ayala, etcétera. Poco a poco se define el Consejo Real, poblado de prelados, oidores juristas, alcaldes y nobles. Por mucho que las ciudades luchen por instaurar un consejo derivado de las Cortes, solo podrán incluir algunos hombres buenos de ciudades en el Consejo Real. Lo que se abría camino era la comprensión del rey como poder absoluto y como fuente de ley. Esto se vio en la voluntad expresa de elevar sus testamentos a la condición de leyes emanadas de las Cortes.

Cuando Juan I de Castilla subió al trono exigió que se tomaran medidas contra su hermanastro rebelde Alfonso Enríquez. Los juristas del Consejo recordaron que era preciso atenerse a un proceso formal, con abogado defensor. La mayoría del Consejo eran prelados y se abstuvieron de una causa que podría implicar derramamiento de sangre. Un consejo con aquella disposición no podía hacer frente a la alta nobleza. Así que solo quedaba un camino: fortalecer la pequeña nobleza, como esos cien caballeros que se ordenan en las Cortes de Burgos. Ante la imposibilidad de hacer operativo el Consejo Real dominado por obispos, solo se pudo recurrir a la violencia selectiva, eliminando a los parientes más díscolos, como don Tello, señor de Vizcaya, y don Sancho, conde de Alburquerque. La aspiración de Juan I era dejar estos altos cargos en monopolio de sus propios hijos. Entonces tuvo lugar una escena de profundas consecuencias. Cuando hizo señor de Lara a su segundo hijo, Fernando, le dio como escudo tanto las armas de Castilla y León como las de Aragón, en atención a su madre, Leonor, la hija de Pedro IV. Esto muestra que lo que aconteció en Caspe no fue algo improvisado.

La única solución para mantener la unidad era la de siempre: emprender una guerra expansiva que produjera expectativas en los grandes. Esta fue la operación que llevó al asalto de Portugal y a la batalla de Aljubarrota, en 1385. No todo el Consejo Real estuvo de acuerdo en aquella invasión. Juan I, ignorando la profunda conciencia protonacional portuguesa, pensó que tenía suficiente con atraerse a algunos miembros de la nobleza y que la promesa de repartir el reino haría el resto. Pero en un acto de configuración de pueblo, la inmensa mayoría de la nobleza y las ciudades portuguesas eligieron rey al maestre de Davis. «Los del regno podían de derecho esleer Rey», esta fue la aguda conciencia de los que aclamaron al nuevo soberano, que colgó los hábitos y se vinculó a la casa de Lancaster. En Aljubarrota destruyó a la hueste del rey Juan y eliminó lo más granado de la nobleza castellana.

La debilidad de Castilla estaba a la vista de todos. Temeroso de una invasión inglesa para imponer como rey a Lancaster, el rey Juan decretó el estado de alerta general y movilizó a todos los varones entre veinte y sesenta años. Alarmado, el monarca tuvo que ver cómo aumentaba la popularidad del asesinado Pedro I. Para ganar tiempo, Juan decidió integrar en su consejo a cuatro ciudadanos, que nunca actuarían. Al final, se decidió por comprar a Constanza, la hija de Pedro I, su derecho al trono. Sin duda, el oro saldría del pueblo castellano, que veía cómo se arruinaba otra vez. Tras pagar a los mercenarios, ahora se tenía que pagar a los vencidos. Las Cortes de 1386 decretaron que se instalasen guardas en las puertas de las ciudades para acallar las quejas contra el rey. Al final se llegó a la boda de Catalina, la hija de Constanza, con Enrique, el hijo de Juan I. Todos tuvieron que pagar, incluso los *fijosdalgo*. Las resistencias al pago fueron extremas. Dependiente del apoyo de Francia y de Roma, la dinastía de los Trastámara tuvo que dar beneficios eclesiásticos a prelados extranjeros, que extraían las rentas de sus sedes y las depositaban en lugares lejanos. El resultado fue letal: la alta nobleza se desvinculó de la alta clerecía, un detalle que no era menor.

En esta situación se llegó a las trascendentales Cortes de Guadalajara de 1390, tiempo en el que el rey acarició la posibilidad de dimitir y dejar la mitad norte del reino a su hijo Enrique, que no era mayor de edad todavía. La propuesta dejó espantados a los miembros del Consejo. En las Cortes, con la ayuda de los representantes de las ciudades y hombres buenos, se intentó definir un catastro, delimitando provincias fiscales y la nómina de jinetes que cada una debía ofrecer según su riqueza. Poner en regla aquel asunto implicaba definir el ejército castellano, que se cifró en cuatro mil lanzas, mil quinientos jinetes y mil ballesteros. «Pero la tal ley non se guarda», dice el cronista Ayala. Las ciudades, incapaces de ser apoyadas por el rey de manera firme, organizaron hermandades para protegerse de los nobles, pero sin capacidad de imponerles su política. El resultado fue una lucha de todos contra todos, lo que implicaba la fractura continua del poder regio.

Atravesado por la melancolía y el derrotismo, el hombre que había llevado al desastre de Aljubarrota murió en 1390, al caerse del caballo que le habían regalado, en las puertas de Burgos. Dejaba un hijo de once años, Enrique. Las Cortes de Madrid, donde se debía jurar al rey, vieron cómo sus peores temores se cumplían: la alta nobleza, como don Fabrique, o el marqués de Villena, el conde don Pedro Trastámara, o el arzobispo de Santiago, no fueron a jurarle fidelidad. Sin embargo, cuarenta y nueve ciudades estuvieron presentes. Las discusiones sobre la forma de organizar el Consejo de Regencia fueron eternas y se discutía si debía aplicarse el testamento del rey o las previsiones de las *Partidas*. El desacuerdo fue completo y las ciudades no lograron imponer su presencia de forma eficaz ante la división de la alta nobleza y los arzobispos. Sería demasiado enojoso describir los movimientos que entonces se sucedieron, de una confusión general. Al final, lo único claro es que en cada ciudad y en cada villa se forjaron dos bandos. Era el año 1390.

TESTIGOS PRECLAROS

Estos oscuros tiempos de Enrique II y Juan I encontraron en López de Ayala su testigo más exigente. Hombre culto y religioso, no fue un jurista como los que desprestigiaron al rey de Aragón. Su sobrino, Pérez de Guzmán, dirá de él que era aficionado «no a obras de derecho, sinon filosofía e estorias» y que, por el contrario, le parecía «orgullo e soberbia fablar en theología». Con él se alcanza el perfil originario de lo que va a ser el siglo XV de la cultura castellana, dotado de un profundo sentido religioso pero de una conciencia crítica contra frailes y obispos. «Si estos son ministros —dijo de esos obispos guerreros— sonlo de Satanás». Comentarista de los salmos, traductor de Tito Livio, poeta social con su *Cancionero de Palacio*, Ayala nos ofrece una noticia deprimente de Castilla, y con él comienza a circular la metáfora que compara la vida con las aguas de los ríos, que luego usará Manrique. Fortalecido con la figura de Job, en quien ha visto el modelo de virtud adecuado para una Castilla que se lamenta a gritos por doquier, Ayala ha compartido el consuelo del credo mariano. A Monserrat promete «ir fazer mi oración», y a María llama su esperanza y su alegría. ¿De dónde viene esta mentalidad? Ayala es un personaje de transición, desde luego. Sus ideales son los propios de los caballeros de la Orden de la Banda de Alfonso XI, pero su mentalidad ya está atravesada por la melancolía que implicó el fracaso de esa idea.

El trauma de la época de Pedro I ha pasado factura, pero en esta mentalidad nítida cristaliza un fenómeno que comienza a fraguar en esta época, de máxima trascendencia para Castilla: la fundación de la Orden de los Jerónimos. Sus iniciadores, como Pedro Fernández Pecha, habían ocupado puestos de relevancia en la gobernación de Pedro I. Hacia el año 1370 se marcharon a las soledades de Luliana, en Guadalajara, para olvidar. Al poco fueron reconocidos por el Papa. Su primera producción fue unos *Soliloquios*, y con ellos se introdujo la mentalidad agustiniana en la orden. Otro fenómeno iba a configurar la mentalidad castellana de los sectores más populares: el *Libro de buen amor*, donde «el pueblo pequeño siempre temeroso» recurre al instante, entregándose al loco amor del mundo, anclado en las dos verdades elementales: sobrevivir y «aver juntamiento con fenbra placentera». El gran contraste entre la mentalidad popular y la mentalidad prehumanista ya se estaba forjando.

Por parte de Aragón y de Cataluña tampoco faltaron los testigos cualificados. Uno de ellos ofreció una visión sistemática tan completa que su obra hace de él uno de los grandes hombres de la cultura escolástica tardía, Francesc Eiximenis, quien supo consolar los últimos años de Martín I y definiría la impronta cultural de la Corona de Aragón, al menos en sus territorios catalanohablantes. Activo en Valencia y en el principado, Eiximenis escribió una obra tan importante como *Regiment de la cosa pública*, un tratado fundamental para comprender el republicanismo de las élites urbanas de las ciudades comerciales costeras. No es de menor importancia que este libro se reedite en la víspera de la rebelión las Germanías de 1520. Sin comprender bien este libro, no se entenderá el sentido de la identidad valenciana.

Pero, sobre todo, es en su magna obra *Dotzè del Crestià* donde aprecia la cosmovisión completa del mundo medieval de este franciscano cuya presencia hispánica es incomparable. La influencia de Eiximenis fue plena cuando, a finales del siglo XV, las imprentas castellanas forjaron un mercado del libro. Entonces los textos de Eiximenis se traducirán al castellano, como el *Llibre dels àngels*, que fecundará la mentalidad del cardenal Cisneros; o su *Vita Cristi*, que probablemente leerá Ignacio de Loyola y que traducirá Hernando de Talavera, el confesor de la reina Isabel; o el *Llibre de les dones*, que luego criticará Vives. Eiximenis goza de una autoridad sin límites en este tránsito del siglo XIV al XV y actualiza la íntima relación entre la Orden de los Franciscanos y la casa de Aragón. Su prestigio en Barcelona no tiene parangón, aunque sus ideas se extienden también por boca de otros predicadores muy escuchados. En los tiempos en que Martín llegaba a su final, Eiximenis defendió la doctrina de la *plenitudo potestatis papae*, que autorizaba al Papa a intervenir en las crisis sucesorias de los reinos, y que lo dotaba de la posibilidad de transferir el señorío regio de una casa a otra, por encima de la voluntad general de los pueblos, cuando un reino quedaba vacante. Esta doctrina, que era vieja, iba a significar algo completamente distinto en la crisis que se avecinaba.

EL TERRIBLE AÑO DE 1391

Dejamos el relato en la minoría de edad de Enrique III, con las disputas sobre la formación del Consejo de Regencia. En aquel clima de enfrentamiento general, con un reino empobrecido, sin dirección política, con las ciudades decididas a enfrentarse desde las Cortes hasta la alta nobleza, se produjo lo inesperado. Sin duda, allí cristalizaron muchas cosas. Ya se vio la exigencia de una quita general de las deudas contraídas con los judíos, dada la pobreza general del reino. Entonces se descubrió el talón de Aquiles de las ciudades. Si alguien quería impedir que se impusiera su idea de Cortes y de Consejo Real, solo tenía que incendiarlas. Y para sembrar la violencia interna solo tenía que activar el antisemitismo. Es lo que hizo el arcediano de Écija, Ferrán Martínez. No actuaba solo. Era un servidor del cardenal de Sevilla (un Gil de Albornoz), y llegó a ser el confesor de la reina Leonor. No era esta la primera vez que actuaba, ni mucho menos. En otras ocasiones había merecido la censura regia por su comportamiento. Pero cuando en 1390 se produjo el vacío de poder, fue nombrado vicario general del arzobispado de Sevilla. Dotado de la nueva autoridad, decretó la destrucción de todas las sinagogas. Las reacciones fueron duales. Unos exigían que decayera en sus funciones, y otros, como la reina Leonor, lo apoyaron. Obstinado, Ferrán Martínez organizó a sus «matadores de judíos» y asaltó las pobladas juderías urbanas del reino de Sevilla. Murieron por miles. La oleada se extendió por todas las ciudades castellanas y luego se transfirió al reino de Aragón, llegando hasta el *call* de Girona.

Decenas de miles de judíos murieron en aquella oleada de odio y confusión. Cuando las Cortes estaban a punto de convertirse en el gran órgano de la decisión política, las ciudades quedaron arrasadas. Muchas comunidades judías desaparecieron, y otras, mermadas y expoliadas, perplejas ante una violencia furibunda, se plegaron y aceptaron el bautizo en masa. En realidad, el judaísmo hispano sufrió un golpe del que ya no se iba a recuperar. Las figuras principales de sus sinagogas, quemadas, se pasaron al campo cristiano bajo la amenaza de exterminio. Burgos, que siempre había sido un faro en el reino, vio cómo su rabino mayor, Slomo Ha-Levy, se convertía con toda su familia y sus clientes. Por supuesto, Ferrán Martínez, enriquecido, empleó el dinero en fundaciones piadosas y fue tenido por santo en Sevilla. Ayala dijo que «todo esto fue cobdicia de robar, según paresció, más que devoción».

Las consecuencias no tardaron en presentarse. Todo se desordenó. Se intentó aplicar el testamento de Juan I, pero ni siquiera se llegó a un acuerdo. El rey de Francia envió a sus mensajeros para imponer la calma, pues Castilla seguía siendo necesaria para su guerra con Inglaterra. Las cartas a los grandes señores del reino circularon por doquier. La posibilidad de una especie de protectorado francés no fue suficiente. La violencia continuó entre los regentes. Al final, el Papa tuvo que enviar el legado y ante su presencia se adelantó la mayoría de edad de Enrique III. A los catorce años tomó el reino en Las Huelgas, en 1393, en presencia del legado papal. La homilía la hizo el arzobispo de Santiago. Su sentido fue que el monarca no debía pedir cuentas de lo que había hecho el Consejo de Regencia, del que el arzobispo formaba parte. Al fin y al cabo, con las rentas se había comprado la paz, dijo. No era verdad. En realidad, no había habido ni paz ni rentas. Al arzobispo no le importaba. «Ca las rentas, loado sea Dios, cada año vienen e lo que se daba, en los vuestros se despendía». Era su forma de decir «Pelillos a la mar». Allí estaban los pecheros para remedirlo, puntuales, todos los años.

La política de Enrique III fue constante contra la alta nobleza, toda ella procedente de su propia familia. Uno a uno los fue neutralizando y reintegrando sus tierras a la Corona. Los pequeños nobles que ya habían emergido con Juan I comenzaron a crecer, aupados a los altos cargos de la administración. Los almirantes serán de los Mendoza, los adelantados de Murcia, de los Fajardo; los adelantados de Castilla de los Manrique, los Dávalos, los Béjar, los Álvarez de Toledo, todos se fortalecen en las tierras laneras. Pero la temprana muerte del rey en 1407 determinó que no diseñara de forma clara la manera de incorporar la familia real al gobierno. Sus hijos María y Juan eran demasiado pequeños cuando quedaba viuda Catalina de Lancaster. El hombre poderoso era ya su hermano Fernando, señor de Lara, duque de Peñafiel, señor de Medina, dueño de un patrimonio ingente. Tuvo en sus manos hacerse con el reino, desde luego. Sin embargo, el recuerdo del crimen originario determinó que levantara a su sobrino Juan, un niño de un año, y le prestara fidelidad, proclamándolo mientras recorría las calles de Toledo. Sobre este gesto de lealtad construyó su figura prestigiosa. Su divisa fue hacerlo todo con el menor pecado posible, como era propio de un «caballero de Jesucristo». Sin precedentes en Castilla, Fernando mostró gran competencia en el uso de la propaganda. Sin duda, una inteligencia se despliega alrededor de esta figura. Sus nuevos ayudantes quedaron identificados cuando fio las llaves del arca donde iba sellado el testamento del rey, que lo proclamaba regente del reino junto con la viuda Catalina, a Pablo de Santa María y a Pedro Suares, el viejo rabino de Burgos Ha-Levy, ya convertido al cristianismo y ahora obispo de Cartagena, y a su hermano. El otro hermano, Álvar, sería su cronista. El papel de esta familia comenzó su andadura como servidores de la monarquía educando al nuevo rey, Juan II.

EL HOMBRE DE CASPE

Algo se había aprendido. Los dos regentes castellanos pronto llegaron a acuerdos para definir las áreas de influencia. Fernando se concentró en la frontera, donde puso su inmenso patrimonio en juego para extender la reconquista en el reino de Granada. Así que se reservó las rentas del sur, desde Toledo hasta la frontera. El norte, atravesado por sus propiedades desde Medina hasta Peñafiel, lo dejó a la otra regente, la viuda Catalina de Lancaster. Por si fuera poco, cedió el arzobispado de Toledo a un Luna, sobrino del papa Benedicto XIII. A cambio, obtuvo la bula de cruzada para su campaña sobre Antequera, el maestrazgo de Alcántara para su hijo Sancho, y el de Santiago para su otro hijo, Enrique, con lo que administraba todas las tierras lanares entre el Tajo y el Guadalquivir. Además, casó a su hijo mayor, Alfonso, con la hermana del rey de Castilla, María. El Papa concedió gustoso la licencia. Era el verdadero señor de Castilla. Con estos recursos se dirigió a la frontera de Antequera. Sabía que de tomar la ciudad alcanzaría el prestigio de un verdadero rey cruzado. Sobre la frontera se enteró de que en Barcelona el rey Martín moría sin descendencia. Era el momento de hacer valer que su escudo llevaba dibujadas las armas de Aragón como hijo de Leonor y nieto de Pedro IV de Aragón. No abandonó el sitio de Antequera por eso. Envió una embajada de duelo que además debía hacer la pregunta. Fernando quería «saber del reino si [Aragón] le pertenecía de derecho». En otras cartas recordaba que había sido voluntad del rey Martín verse con él para tratar el tema. Ahora la muerte lo impedía. Las buenas maneras de Fernando como rey cristiano y respetuoso del derecho no impedían la coacción. Si hacían lo que debían, «fallarían que a él devían conocer por derecho». El reino no podía generar derecho, sino solo reconocerlo. A pesar de todo, escribió al arzobispo de Zaragoza, y le prometía no turbar el derecho y la justicia si se decidiese que no caía sobre él.

El otro candidato era Jaime de Aragón, conde de Urgell, que se suponía el más solvente de los nobles catalanes; tenía claro que tarde o temprano el derecho debería ser respaldado por la hueste o por los pueblos. Fernando tenía una hueste bien formada y estrenada en el asedio de Antequera, por lo que el conde de Urgell, nombrado procurador general de Aragón por Martín I, comenzó a formar otra hueste alternativa. Pero acordar los pueblos era difícil. Las viejas desconfianzas entre Aragón y Cataluña estallaron.

Valencia no se quedó atrás. Todas las realidades de los pueblos estaban atravesadas por bandos internos. En estas condiciones, alcanzar la unanimidad suficiente capaz de proponer un rey nuevo por elección, era más bien inviable. Y si esta posibilidad se excluía, entonces la violencia de una guerra civil era una posibilidad cierta. Zaragoza, dirigida por un arzobispo de la saga de los Urrea, armó a su clan contra los Luna, que apoyaban al conde de Urgell. En Valencia, el bando de los Centelles estaba con Fernando, y el de los Vilaregud se inclinaba por Jaime. Barcelona, viendo la reacción, retiró el poder a Jaime de Urgell y pasó a gobernarse por una junta de *consellers* de Barcelona, con otros doce diputados de la tierra, presididos por Cervelló. La nobleza, dirigida por Montcada, se incorporó al gobierno. Zurita dice:

> No podemos negar a la nación catalana la mayor alabanza porque dio con su ejemplo y autoridad la mano a los aragoneses y valencianos que se anegaban.

La única realidad que resistió a los bandos fue Cataluña. Pero ni Aragón ni Valencia mantuvieron la paz, por lo que estaban condenados a no decidir el proceso. Tenían que elegir entre entregarse a la violencia desnuda o seguir de la mano de Cataluña. Este era el sentir del arzobispo de Tarragona, que impuso la tesis de que Cataluña debía ir «en compañía de los demás reinos». En ese momento se trataba de saber a qué candidato pertenecía el reino, no de decidir a quién se deseaba elegir como rey.

Al margen de esta visión, se alzaba la doctrina católica oficial, que afirmaba que en casos de interregno debía decidir el Papa. Esta doctrina no funcionaba de forma decisoria, pero en aquel tiempo el pontífice era un aragonés, Pedro de Luna, y no estaba en Roma, ni en Aviñón, sino en las tierras hispanas. Así que la plenitud de soberanía del Papa dejó de ser una lejana doctrina para convertirse en la presencia de un pontífice real, cercano, al que las gentes de la Corona amaban por encima de cualquier otro ser humano. Sin este hecho no se puede entender esta historia. Cuando el papa Luna entró en Zaragoza en diciembre de 1410, su presencia obligó a firmar la paz entre los bandos. El arzobispo Urrea no podía oponerse a un Luna que era su superior eclesiástico. El bando de Antón de Luna, que apoyaba a Jaime de Urgell, tomó ventaja. El Parlament de Barcelona persuadió a Urgell de que licenciara su hueste. Debió de sentirse seguro con el apoyo de Luna, y así lo hizo. Cataluña no cejaba en su propuesta: reunir un parlamento general de los reinos presidido por el principado y allí resolver la cuestión. A finales de diciembre de 1410 y principios de 1411, todo parecía que se inclinaba a Urgell con el soporte del papa Luna. Y sin embargo, algo cambió por el destino mismo de la política.

Lo que debilitó esta opción fue el crimen político. En efecto, Antón de Luna dio muerte al líder del bando rival, el arzobispo Urrea. Los parlamentarios catalanes quedaron perplejos. «Encara no havem delliberat que deben fer», aseguraron. Se barajó un acuerdo entre Barcelona y Valencia. Los parlamentarios valencianos se trasladaron a Vinaroz y los catalanes a Tortosa. Así podrían unirse en parlamento general de forma inmediata. Si decidían apoyar a Jaime de Urgell, sería al margen del crimen de los Luna. Desde luego, Fernando de Antequera culpó a Jaime de la muerte de Urrea. Los valencianos partidarios de Fernando se negaron a ir a Vinaroz. Al final, de nuevo la intervención del pontífice los convenció de unificarse. Hasta ese momento el papa Luna apostaba por una salida aragonesa a la crisis y nada nos impide decir que daba ventaja al conde de Urgell. Pero entonces ocurrió algo decisivo y un nuevo actor irrumpe en el escenario. Vicente Ferrer venía de Castilla, donde había protagonizado una gira de milagros y multitudes con fama de santo. Curiosamente, su llegada potenció la actuación del papa Luna, quien si hasta el momento parecía apoyar a Urgell, ahora ya se mostraba esquivo.

Luna logró que los aragoneses se reunieran en Alcañiz el 2 de septiembre. Así, el triángulo de Tortosa, Vinaroz y Alcañiz aproximó los parlamentos para cualquier solución pactada. Fernando de Antequera, por su parte, reunía tropas en la frontera de Teruel y lanzó un comunicado al Parlamento catalán: se extrañaba de que no se persiguiera al asesino de Urrea y amenazó con entrar en Aragón para hacer justicia. Ramon Savall, el portavoz catalán, le recordó que mantener el orden público era asunto del Parlament. El embajador de Castilla pronunció otras palabras que resonarían en los oídos de todos. Por «conservación de su justicia», Fernando «proveería de derecho y de fecho». El caso es que Fernando no sacó las fuerzas de Teruel. Todos aconsejaron a Urgell que se armara. Al no hacerlo, todos lo dieron por perdido. Por qué no lo hizo, es difícil saberlo. Quizá seguía confiando en Luna y, sobre todo, en su popularidad. Por lo demás, sabía que no era tan querido por la nobleza catalana, decisiva para lograr una buena hueste. Se seguía luchando por su candidatura y nada se daba por perdido, pero retrospectivamente, a los ojos de la época, esto significó que «no venció la justicia, sino el poder y las armas». Poco a poco, las presiones se hicieron nítidas y todo se aclaró. La hueste de Fernando en la frontera de Teruel, el claro sentir popular a favor de Urgell, con el que todos pensaban que concordaba el papa Luna y, en medio de todo ello, los grupos de notables reunidos en los parlamentos. El principio jurisdiccional (identificar a quién correspondía el derecho) se iba a imponer mediante tres reuniones de notables cuya capacidad de resistir presiones estaba por ver.

Urgell se supo perdido en esa dinámica. Si Barcelona lo hubiera elevado a rey, el pueblo lo habría aclamado y la Corona lo habría aceptado. Esta era la cruda realidad. Los notables catalanes no lo vieron claro. Sus cálculos políticos se hacían eco de otros argumentos, como la división interna de Aragón y de Valencia. El juego de presiones comenzó a crecer de forma inquietante. Una supuesta carta de Urgell a Granada para que declarara la guerra a Castilla causó estupor. Los Centelles pasaron a la ofensiva y Fernando mandó sus tropas a Sagunto. Un destacamento enviado por Urgell en ayuda del bando de los Vilaregud fue bloqueado en la frontera de Tortosa, porque el Parlamento catalán no deseaba tomar partido en la violencia. Valencia ya era de Fernando. El papa Luna, a través de Vicente Ferrer, lanzó entonces la idea definitiva: a quién perteneciera el reino se dirimiría en una comisión de jueces. De nuevo Ferrer se traslada a Ayllón, a entrevistarse con Fernando. Allí se formalizó el Compromiso de Caspe el 2 de enero de 1412. Y no por los nueve jueces, sino por la entrevista de Ferrer y Fernando. El fruto, como siempre, lo inobjetable: las leyes antisemitas de Ayllón, que marginaban a las comunidades judías hasta el extremo e imponía el círculo rojo en el pecho de todo judío. El mismo papa Luna extendió a Aragón las leyes por las que los judíos eran «tolerados e sufridos». La única actividad que se les permitía era la de buhoneros, remendones y prestamistas.

Fernando acordó someter su destino a la decisión de «ciertos hombres que temen a Dios», la idea del papa Luna. Vicente Ferrer fue enviado a Alcañiz y a Tortosa para que todos aceptaran esta solución, que ya tenía como finalidad decorar bajo la forma de sentencia lo que se había acordado en Ayllón. El 15 de febrero se llegó a la Concordia de Alcañiz, por la que se acordó que el tribunal se reuniría el 29 de marzo en Caspe. Tres meses después, como máximo, debía estar cerrado el asunto. Desde luego, Ferrer y su hermano Bonifacio, el prior de la cartuja de Portaceli, serían jueces por Valencia. El gobernador de Aragón, pro-Fernando, nombró al obispo de Huesca, al jurista Berenguer de Bardaxí, que serviría a Fernando con lealtad, y a un fraile de Teruel, Francisco de Aranda, que curiosamente profesaba en Portaceli. El tercer juez de Valencia, el jurista Rabassa, alegó locura, que luego se demostró transitoria. La comisión catalana estaba dirigida por el arzobispo de Tarragona, Pedro Zagarriga, y dos juristas. La mano del Papa era la dominante y tenía la mayoría de los votos.

La forma en que actúo la comisión de jueces muestra que Vicente Ferrer era el señor del juicio. Primero se enredó el asunto todo lo posible. Cuando la cosa estaba en un *impasse*, Vicente Ferrer dijo:

> Mirad, no curéis más de deteneros en acordar la sentencia: que la justicia da el derecho al infante don Fernando de Castilla.

Se añadió que la sentencia «de lo alto procede, no de la tierra». Los votos de Ferrer así lo acordaron. Todos sabían que era la tesis del papa Luna. Como dijo Zurita con sensatez, «fue celebrada la noticia [...] por lo general en Aragón, en Valencia no tanto, y mucho menos en Cataluña». El rumor popular circuló, sobre todo en Cataluña, sepultando el pesar y la hostilidad sorda ante el escándalo de que se hiciera rey a un extranjero. Ferrer se hizo eco de estas objeciones en el discurso de presentación de la sentencia. ¿Qué era aquello de que el rey era extranjero?, dijo. ¿No eran todos los nobles frutos de la mezcla de sangres? En realidad, Ferrer tuvo que pronunciar la palabra decisiva. La sentencia había «elegido al infante por el mejor y más a propósito para los reinos, como en un caso muy especial para su consecuencia, omitidas las reglas ordinarias».

La comisión había «elegido». Y lo había hecho más allá de los modos ordinarios, como una comisión soberana. Eso era lo escandaloso: que la soberanía del reino había recaído en nueve jueces. Si se aceptó fue porque todos vieron en esa comisión la presencia firme del papa Luna, que recibía los informes a diario. A todos dijo que «determinar sucesiones de reinos pertenece a nos o a emperador». Fue la plenitud de potestad del Papa lo que avaló a los jueces. Pero no se debe olvidar que en el consistorio del pontífice operaba el cardenal de San Eustaquio, Alonso Carillo, el hombre de Fernando. Fue ese colegio de cardenales el que decidió, y una de las razones de inclinarse por Fernando fue que ya tenía el poder en Teruel y en Valencia, y que con él «la iglesia de Dios será más ayudada y defendida». Lo que quería decir Luna es que, con Castilla y Aragón reunidos, su posición sería más fuerte. Ferrer impuso «callamiento perdurable» a Urgell y sus descendientes bajo pena de excomunión, y argumentó que ese poder se lo había «dado nuestro santo padre Benedicto». El mismo Ferrer reconoció que «dicho santo padre envió su conformatoria a la sentencia que pronunciamos». El ejercicio de la soberanía papal se había consumado.

En su discurso final, Ferrer argumentó que la prole de los reyes de Aragón llegaba al final por sus pecados. Mencionó los de Pedro IV, el asesinato de su hermano Fernando, la muerte del arzobispo Urrea, y «otros muchos pecados en el reino, escondidos sin reparador». Era otra forma de invocar lo que se ocultaba bajo el poder, en las grutas ignotas de los pechos de los reyes. Pero ¿la prole de los Trastámara era más limpia? Esa pregunta popular era inevitable. La sensación de derrota dominó Cataluña más que en ningún otro sitio. Ella, la que podía haber actuado sola y liderar a los pueblos de la Corona, no solo no lo había logrado, sino que se le había impuesto el peor resultado posible por dejarse llevar por la obligación de consenso. Desde entonces su encaje en la Corona de Aragón resultó problemático. Pero una vía republicana a la veneciana era inviable si quería mantener su imperio mediterráneo. El dilema era o república y soledad, o imperio y anclaje en la Corona de Aragón. La indecisión profunda de Cataluña duró casi todo el siglo XV y el fruto de esa indecisión fue su decadencia. Fernando fue proclamado rey en Zaragoza en unas Cortes Generales de la corona convocadas en agosto de 1412, bajo presencia del papa Luna. La casa de Trastámara ya reinaba en Castilla y en Aragón.

3

EL POGROMO DE 1449

ANSIA DE GLORIA, AFÁN DE RIQUEZA

Tras coronarse en Zaragoza en 1412, Fernando no renunció a la tutoría de Castilla. Sus cuatro hijos varones iban a servirle para dominar Castilla desde Aragón. Su primogénito, Alfonso, pasó a ser el heredero de Aragón, casó con la hermana de Juan de Castilla, María, y recibió como dote el marquesado de Villena. Su segundo hijo, Juan, heredó las tierras de Alfonso y pasó a gozar del ducado de Peñafiel y el señorío de Lara, el primero de los nobles castellanos, y se dispuso a casar con Blanca de Navarra. Su hija María se prometió al propio rey de Castilla, Juan II. Enrique, al frente de la Orden de Santiago, puso los ojos en Portugal y se le dio además el condado de Alburquerque, en la frontera. Por último, Leonor, la hija menor, casó con el rey Duarte de Portugal. Fernando es el talento verdadero de la política Trastámara que culminaría en su nieto Fernando el Católico. Toda la Península caía bajo su mirada y sus manos. Cuando se coronó de forma solemne en 1414 utilizó el rito mozárabe «conforme a las ceremonias antiguas de los tiempos de los godos». Todavía Luna pudo asistir a las bodas de su hijo Alfonso con María de Castilla en Valencia, en junio de 1415.

Fernando se mantuvo por un tiempo fiel a la constelación que lo había llevado al poder. Mantuvo a muchos oficiales de Martín y fortaleció la Diputaçió permanente de la Generalitat para ser aceptado por un pueblo que lo miraba con desconfianza. No pudo gozar mucho tiempo de su victoria. Al final de su vida, desde las Cortes de Montblanc en 1414, su melancolía estalló y no dejaba de expresar su profundo deseo de volver a respirar el aire de Medina del Campo. Las tensiones a las que tenía que hacer frente permiten explicar el colapso de su personalidad. Tenía que hacerse cargo de una política europea que ahora heredaba como rey de Aragón. Y para eso debía buscar otros aliados. Para la política italiana, el mejor soporte era el emperador, que podía contener a Francia y a Roma. El mayor obstáculo para lograr una alianza estable era el papa Luna. Así que este fue el primer peón en caer. En una reunión en Perpiñán, en la que se dio una contienda «entre muchos perros y un viejo zorro», como dijo Valla, se presionó al aragonés hasta el límite de las fuerzas. «Me quiero ir», dijo Luna. Y eso hizo, irse a Peñíscola. Es curioso que, para calmar el rumor de traición entre los mismos pueblos que habían aceptado a Fernando por obediencia a Luna, Vicente Ferrer tuvo que publicar un decreto «contra Pedro, en otro tiempo Benedicto».

La increíble flexibilidad de los dominicos a la hora de servir a la casa Trastámara no sería olvidada jamás. Luego, Ferrer se desplazó a Barcelona a predicar contra el clero local, que todavía prestaba obediencia a Luna, ante una situación que causaba «grande admiración entre todas las gentes», como dice Zurita. Otros predicadores menos prestigiosos fueron perseguidos. Una multitud hostil al rey recorrió la ciudad al grito de «mort als capellans». En este clima, la ciudad estaba a punto de la revuelta contra el Trastámara. Un incidente en el mercado, unas mercancías no pagadas, agitó a la gente. Los hombres de la Diputación de la Generalitat se aprestaron a la defensa de las instituciones, se juramentaron y se presentaron en la corte para denunciar los contrafueros. Aquellos «enemigos secretos» de Fernando, que según Zurita habitaban por doquier, estuvieron a punto de declararse enemigos públicos. La reina, angustiada, pidió a Fernando salir de Barcelona. El rey cedió. Cuando los *consellers* vinieron a despedirse, el monarca no los miró ni les dio la mano. La marcha hacia Igualada era su último trayecto hacia la muerte.

Cuando Fernando de Antequera murió, en abril de 1415, ya era visible que el destino de los Trastámara en Cataluña sería muy complicado. El héroe de Antequera tuvo que salir de Barcelona, malherido y agotado, amenazado por el ardor político de los menestrales en defensa de sus fueros. En realidad, ya había cristalizado la impresión popular de que Cataluña había perdido a sus reyes y de que los Trastámara eran más bien unos reyes dudosos. Arrepentida del Compromiso de Caspe, la población de Barcelona en ese momento se veía en una encerrona histórica. Tenía sus propias instituciones, pero no una realeza que las coronara. La angustia histórica se expresó en sermones cargados de patriotismo y en una sorda indisposición hacia la nueva casa regia. El clima de desconfianza se consolidó y, en el fondo, nadie estaba dispuesto a poner las cosas fáciles. Las Cortes de coronación al rey Alfonso V fueron un laberinto y quedaron sin terminar. La ciudad exigió que se diera obediencia a Luna y que salieran de tierra catalana todos los oficiales castellanos del rey. Barcelona, que había logrado imponer la Diputación de la Generalidad de forma permanente, consideró que debía cambiar de actitud. Convocó Cortes de los tres reinos para imponer el indigenismo de los cargos en toda la Corona. Si el rey quería algo, debería ganarlo con respeto. El arzobispo de Tarragona le dijo que esperaba que la justicia de su proceder hiciera olvidar la dudosa fortuna con que había ganado la corona. La propuesta regia de relanzar la aventura mediterránea y someter Génova, no entusiasmó a nadie.

Así descubrió Alfonso V que no podía contar más que con Valencia. Fue un paso decisivo para la historia hispana, pues implicaba promover a los hombres de la capital del Turia al centro mismo de su consejo y de su empresa italiana, con su inyección de dinero en astilleros y artesanías de todo tipo. Así dotó al reino de las instituciones de Cataluña su propio sistema de diputación, su propia autonomía fiscal con un *mestre raçional*, y su sistema de notarías. La soledad de Cataluña respecto de Valencia y de Aragón puso las bases de su decadencia, pero también la de su camino político propio. Uno de esos valencianos, un miembro de la pequeña nobleza de Gandía, un Borja, futuro Calixto III, le sirvió a Alfonso para intentar convencer al testarudo Luna para que dimitiera como Papa. Alfonso no olvidaría este favor cuando desplegara su política italiana.

Alfonso V comprobó pronto que la búsqueda de gloria no podía dar frutos en la Península. Así se embarcó en una empresa italiana, con la idea de asentar su poder en Sicilia y tomar Nápoles.

La situación italiana era endiablada, pero no había un agente hegemónico. Alfonso decidió intervenir cuando la reina de Nápoles, Juana, llegaba a su fin sin hijos. Aceptó su ahijamiento y se aprestó a garantizar la tranquilidad de sus últimos años. No se pueden aquí narrar las cosas de este primer intento de hacerse con Nápoles. Baste decir que su fracaso en 1423 ya estaba claro. Ese año tuvo que regresar a sus reinos peninsulares. Y era urgente porque la situación de sus hermanos era desastrosa e inesperada. Dirigidos por su impetuoso hermano, Enrique, los infantes de Aragón habían logrado secuestrar en Tordesillas al rey de Castilla. Un rey Juan, tímido y sensible, impresionado por las capacidades caballerescas y por el porte de un hombre de procedencia dudosa que lucía un apellido de resonancias míticas, Álvaro de Luna, era liberado de forma rocambolesca por su paladín. Desde ese momento su fidelidad al valiente y arrojado Luna sería enfermiza y se mantendría intacta hasta las fechas previas de la muerte del valido. Luna, elevado al Consejo, aprisionó a Enrique, confiscó todos sus bienes y los de sus seguidores. Dávalos, el condestable, tuvo que huir a Valencia y Luna se hizo con el cargo. Juan, el hermano siguiente, ya casado con Blanca de Navarra, en esta situación recompuso su posición con el rey de Castilla y se mantuvo en su Consejo. La política de Fernando se había roto y Alfonso V, enojado y contrariado, intentó reponerse del desastre de Nápoles con una intervención decidida en Castilla, capaz de restituir el control de sus riquezas en manos de sus hermanos. Si quería asegurar una segunda empresa italiana, debía contar con la familia entera y con su poder castellano. Para eso era preciso organizar un partido aragonés en Castilla y denunciar la dependencia del rey respecto de Luna como una tiranía.

Otra vez la sorpresa estalló. De repente, el rey Carlos III de Navarra moría en 1425 y el hermano de Alfonso V, el infante Juan, ya casado con la princesa Blanca, se vio rey. Con esta noticia, la política se inclinó de nuevo hacia los infantes que lograron liberar a Enrique. En un acto «nunca oído jamás», como recuerda Zurita, se organizó un juicio sobre la política de Juan II y su gobierno. Se le impuso al monarca que jurara acatar la sentencia en todo caso. Pronunciada en Cigales en 1427, se le impuso la orden de destierro de su valedor, Luna. La situación era increíble. El Consejo Real de Castilla pasó a ser dirigido y controlado por el rey de Navarra, y su finalidad era consolidar las tierras de los hermanos aragoneses. Todo era tan escandaloso que hacía difícil que los castellanos y sus ciudades aceptaran esta interferencia de los infantes de Aragón. La sola idea de ver las rentas de Castilla en manos de los infantes de Aragón humillaba a los castellanos conscientes. Por parte de Castilla también había una batalla protonacional. Era comprensible que los infantes tuvieran patrimonios privados en Castilla, pero resultaba intolerable que pudieran ser los gestores de los asuntos públicos del reino. Un rey de Navarra no podía ser parte del Consejo de Castilla. Un rey de otro reino no podía sentarse en el Consejo Real.

Era una realidad desmedida tanto para los castellanos como para los catalanes, valencianos y aragoneses. Castilla tenía razón. La ambición familiar de los Trastámara era insultante. Cuando el arzobispo de Zaragoza, el castellano Alonso de Argüello, predicó a favor de la paz con Castilla, fue encarcelado y muerto en la cárcel, acusado de tener tratos secretos con los castellanos. Muchos otros fueron detenidos. El objetivo de echar a Juan de Navarra del Consejo se convirtió en motivo de guerra. Cuando Alfonso pidió ayuda a sus pueblos para invadir Castilla, «los del principado de Cataluña» —dice Zurita— no solo no lo ayudaron, sino que publicaron que la guerra era injusta. Los agentes de Fadrique, el hijo natural de Martín el Joven, pegaron pasquines por las iglesias, denunciando la injusticia del Compromiso de Caspe, que había entregado el reino injustamente a los Trastámara, pues los jueces habían sido comprados y sobornados, privando a los pueblos «de su antigua lealtad» y dejándolos en «infame sumisión y cautiverio».

Las Cortes de Tortosa enviaron embajadas a Castilla: ellos no estaban en aquella guerra. Las tropas se vieron entre Cogollado y Jadraque, en Guadalajara. La conversación final de los capitanes se nos ha conservado. Enrique y el adelantado Pedro Manrique se ven las caras. Uno por el lado aragonés, el otro por los castellanos. «Adelantado, non perdamos tiempo. Ved si hay algún remedio porque España no perezca el día de hoy». Manrique contestó que defendería el reino de una invasión injusta. El infante dijo: «Pues pártalo Dios». Al final, la reina María sentó su tienda entre las dos huestes. Si querían pelear, tendrían que arrasarla. Alfonso V cedió. Se firmaron paces por cinco años, donde el juez por parte de Alfonso era de nuevo Alonso de Borja. Los infantes de Aragón sufrieron las consecuencias. Enrique y Pedro se entregaron a destruir todo lo que encontraron y se refugiaron en Alburquerque. La buena estrella de Alfonso parecía eclipsarse. Hacia 1430, el futuro Alfonso el Magnánimo no tenía nada que llevarse a su boca ansiosa de gloria. Así que el 20 de julio de 1431 convocaba Corts a los catalanes para armar una nueva escuadra y se mostraba decidido a entregar a sus hermanos a su propia suerte, en la frontera de Portugal. La nueva experiencia italiana, la definitiva, se ponía en marcha. La rivalidad entre Valencia y Cataluña se extremó y al final se dispuso que su hermano Juan fuese el lugarteniente en Aragón y Valencia, mientras María se quedaba en Barcelona. El 23 de mayo de 1432, el matrimonio regio se despedía para siempre. Jamás volverían a verse, y Alfonso ya no regresaría a sus reinos hispánicos. En la flota iban de nuevo Enrique y Pedro, los infantes de Aragón, en busca de la gloria europea para la familia. La paz de cinco años no ofrecía un mejor escenario a su desordenada ambición.

EL VALIDO PERFECTO

Álvaro de Luna regresó al gobierno de Castilla y se hizo con las tierras de los derrotados. A su cargo de condestable añadió el maestrazgo de la Orden de Santiago. Tenía fácil el argumento cuando quería neutralizar a un rival: acusarlo de connivencia con los infantes de Aragón. Ese era el principio de la persecución. Luego lo desalojaba del cargo y finalmente se hacía con sus despojos. Cuando Luna comprendió que los hermanos Trastámara ya no eran enemigos, intensificó su política de persecución y de expropiación. Los castellanos cercanos al Consejo Real decidieron crear otro consejo para fiscalizar el uso de las rentas del reino. Fue en diciembre de 1431. Los miembros de la comisión fiscalizadora fueron acusados de complicidad con los infantes de Aragón. Gómez de Toledo y Álvarez de Toledo fueron detenidos.

Entonces se produjo el escándalo de encarcelar al «buen conde de Haro» en 1432 y luego a Fernán Pérez de Guzmán, el autor de *Generaciones y semblanzas*. Se temía que el marqués de Santillana sería el próximo. En Galicia, el malestar con los señores llevó al movimiento irmandiño, un sindicato de defensa de los vasallos frente a la justicia de los oficiales señoriales. Mientras, las Cortes castellanas, desde 1425 hasta el final del reinado, eran convocadas una y otra vez con el argumento del estado de necesidad, una y otra vez eran obligadas a pagar y pasaban por la humillación de no ver atendidas sus demandas. Jamás podrán alcanzar su pretensión principal: formar parte del Consejo Real, colocar en él a algunos de sus delegados y controlar las concesiones de prebendas de Luna. Ni siquiera lograron que una representación suya pudiera actuar como diputación en la corte o que sus milicias tuvieran capitanes propios. Los escándalos de los corregidores se multiplicaron y los recursos al tribunal regio, inacabables, no resolvían nada. Las ferias francas, que organizaban los señores en sus tierras, sin fiscalidad, eran competidoras desleales de las ferias oficiales, y los llamados «alcaldes de oficios», con sus cargos comprados en la corte, intervenían de forma tiránica en los visados de los artesanos y oficiales, médicos y albéitares. De esta manera, los gremios y los oficios no regulaban su propia calidad. Las licencias de actividades se compraban, con lo que la vida profesional de la ciudad se deterioró con actores

> inhábiles e nos suficientes, ni sabidores de los tales oficios [... pues] el físico es tal que no conoce ni sabe de la tal enfermedad, ni el cirugiano de la llaga, antes mueren muchos que guarecen uno.

Las mesas de cambio de moneda eran igualmente tiránicas, con precios de compra y de venta completamente desproporcionados. Por lo demás, «las muchedumbres de los coronados», frailes verdaderos o falsos, que recorrían las ciudades defendidos por la inmunidad religiosa, sembraban la inquietud por doquier. Los intentos de ordenamientos de ciudades y villas fueron arrumbados.

En 1434 tuvo lugar algo relevante. El converso Álvar García de Santa María, hermano de Pablo de Burgos y tío de Alfonso de Cartagena, fue desalojado de su oficio de cronista. Lo último que escribió en la crónica es que su sobrino Alfonso se iba al Concilio de Basilea y que el papa Eugenio había dicho que, en tal caso, «con gran vergüenza nos asentaremos en la silla de Pedro». Aquí se interrumpe la crónica, aunque Álvar viviría hasta 1460. ¿Por qué se le retiró el oficio? Guzmán dice que el motivo fue «non ossar complacer a los reyes». Creo que la cuestión tiene que ver con el hecho de que rompió todos los equilibrios, el nombramiento de una serie de cargos. Primero el del obispo de Sigüenza. Los Santa María querían el cargo para Gonzalo, sobrino de Álvar. Luna impuso a su familiar Alonso Carrillo. Ese mismo año de 1434 le dio la cámara del rey a su primo, Gómez Carrillo. Finalmente, le dio el arzobispado de Toledo a su hermano, Juan de Luna. El puesto de cronista lo tuvo el halconero de Álvaro. Un cronista Santa María era ahora improcedente.

Hacia 1435, cuando se acababa la paz, Castilla bullía en el descontento, con Álvaro de Luna en la cima de su poder, viendo cómo Alfonso V en Italia no daba un paso bien dado y perdía su escuadra en Ponza, cerca de Gaeta, lo que luego el marqués de Santillana elevaría a comedieta. Luna todavía pudo sostener mejor su causa cuando le llegó la noticia de que Alfonso V y sus hermanos estaban presos en Milán, tras la derrota de Ponza. El malestar castellano se vio en las Cortes de Madrid de 1435, que protestaron por los intereses exorbitantes de los préstamos.

Conviene mirar estas Cortes porque las ciudades se quejaban de que «personas de diversos estados y condiciones» se entregaban a la usura de forma despiadada. Las Cortes pedían que se prohibiesen esas prácticas, excepto los préstamos que daban los judíos «por los menesteres de los pueblos», que estaban tasados por ley. No es verdad, sencillamente, que los judíos tuvieron mala fama de usureros. Eran los nuevos competidores, mejor posicionados en la red social, los que rompían todas las reglas. Esto no se debe olvidar. Los retrasos ruinosos en los pagos del rey y de la administración se impusieron. Con ello, los créditos firmados por el monarca se vendían muy baratos, pero los créditos que tenían que pedir los proveedores para sobrevivir eran caros. El malestar creció durante todo ese tiempo. Pero al menos, con la familia Trastámara pasando apuros en Italia —donde en 1436 moría el infante Pedro—, se avanzó en la paz con Aragón. El fruto fue la nefasta boda de la hija de Juan de Aragón, Blanca, con el príncipe de Asturias, Enrique. En el pacto de matrimonio se incluyó una cláusula por la cual, si el matrimonio no se consumaba, se debían pagar a Navarra tres millones de coronas. Algo se debía saber sobre el pobre y desdichado Enrique.

Luna continuó con sus arrestos discrecionales, y en 1437 aprisionó a Pedro Manrique. Otro hombre del grupo converso, Diego de Valera, denunció al rey y su dependencia de Luna, provocada por «mágicas e diabólicas encantaciones». El soberano clamaba por su autoridad absoluta, al margen del juicio de los hombres, pero solo para entregar su voluntad a Luna. El malestar era tan profundo en Castilla que, cuando el infante Enrique regresó de Italia en 1439, se recompuso de inmediato el partido aragonés en el Pacto de Renedo y, con la ayuda de Juan, se logró expulsar del Consejo a Álvaro de Luna en 1441. Todos sus oficiales huyeron y el oficio de cronista quedó para el obispo converso Lope de Barrientos. Entonces, para devolver la crónica de Álvar a su «pureza e simplicidad», Pérez de Guzmán se decidió a escribir sus *Generaciones y semblanzas* y su propia crónica.

Por fin, la pluralidad política se hizo expresa y el viejo grupo de Pérez de Guzmán y Álvar, con los Santa María, aspiró a escribir de tal manera que se pudiera «examinar e corregir las costumbres de los çibdadanos». La crítica y la censura «en defensión de su ley e servicio de su rey e utilidad de su república» se abrían camino en Castilla en esos tenebrosos tiempos. Ese es el motivo de *Generaciones*: exponer doctrinas morales «útiles a la república» y la «defensión de la patria». La consecuencia fue poder decir que el rey Juan estaba dominado por una «nigligençia cassi monstruosa». A pesar de todo, el monarca seguía prendado de Luna, hasta el punto de que Valera, el «menor de los menores», vio la situación tan patética que su lealtad no le «consiente callar». Si el rey no retiraba su voluntad del valido, se cumplirá la profecía de que «España aver de ser otra vez destruida». Todo se recordó en ese día y ante todo la simonía de los cargos eclesiásticos a sus familiares. La familia Santa María no olvidaba.

El grupo de conversos y nobles damnificados por Luna no quería la guerra. Valera lo dice de forma continua. Ese grupo no quería depender de los infantes de Aragón, como es natural. Su previsión era acertada. Cuando entraron en Medina del Campo, casi mantuvieron preso a Juan II, con la ayuda de la reina María, que veía escandaloso y sorprendente el afecto del rey hacia el valido. Fue entonces cuando, en el mismo día, se produjo la doble boda de Juan de Aragón con Juana Enríquez, la hija del Almirante, y de su hermano Enrique con una Pimentel. De aquella boda nacería Fernando el Católico. La política depredadora de los infantes no era menor que la de Luna, con quien se intentan forjar alianzas en secreto. La confusión estalló cuando se tomó preso al rey en 1443. Entonces había cuatro actores en Castilla: los infantes de Aragón, que perdían poder a marchas forzadas; Álvaro de Luna, exiliado pero con el favor del rey; el príncipe Enrique, con sus dos amigos Juan Pacheco y Pedro Girón, que, conscientes de que no podría estabilizarse el linaje del príncipe, buscaban ansiosos su parte; y el cuarto grupo unía a los hombres del grupo converso, con los Santa María de líderes, con los nobles como los Haro, Manrique, Toledo, Santillana.

El obispo Lope de Barrientos, cercano al príncipe Enrique, escribió a Alfonso el Magnánimo, quien ya había logrado entrar en Nápoles, para que su hermano Juan abandonara Castilla. Consciente de que ya estaba fuera del cenagal hispano, Alfonso no intervino y se entregó a la transformación de Nápoles en un reino capaz de encarnar las nuevas ideas de los humanistas sobre el príncipe virtuoso. Castilla, en el punto álgido de la fase de cristalización del conflicto, estaba todavía en una fase previa. La gente de armas de Luna una vez más era la dominante, pues con él estaba el rey. La batalla de Olmedo en 1445 fue la victoria decisiva de Luna, que impuso al monarca más débil e incompetente los atributos de «ciencia cierta, motu propio y poderío real absoluto» que solo él podía gozar. La muerte del infante Enrique en Olmedo acabó con el partido aragonés. A esta batalla deben su fortuna los Santillana y los Manrique, los Haro y los Stúñiga. Entonces se inició el principio del fin de Álvaro de Luna.

En 1447 se vio que el lugar donde el grupo converso podría hacerse fuerte eran las Cortes. En Valladolid, en 1447, el portavoz fue el procurador de Cuenca, nuestro Diego de Valera. Era preciso reparar las heridas, reponer la paz, decretar una amnistía para los nobles que no habían seguido a Luna, acordar un gobierno entre el rey y el príncipe. Con la típica mentalidad profética, propia de este grupo, Valera, en una carta pública, señaló que «vuestra España de toda parte le cerca tormento». La solución era conformar un Consejo Real de «hombres discretos, de buena vida, ajenos a toda parcialidad y afición». Su modelo era Alfonso de Cartagena. El valimiento debía ser desterrado, y la ambición de los Luna, contenida. El valido, en la plenitud de su poder tras la victoria, montó en cólera. Sus agentes acusaron a Valera de loco. Él arguyó que se apoyaba en «el testimonio de su limpia conciencia, de la cual es Dios testigo». Así que se decidió a encarnar la figura del siervo de Yahvé que se sacrifica por su patria. No conocía otra obligación que la que «la razón natural nos obliga». Entonces se volvió a llamar el menor de los menores, que no por eso podía dejar de trabajar por el «bien común de nuestra mesquina España que, con aquexados pasos trabaja llegar a su desastrosa e dolorosa fin».

CONVERSOS

Lo que más temía Valera y todo su grupo es lo que ocurrió. En Záfraga se entrevistaron el rey Juan II y su hijo Enrique. Sus hombres, Luna y Pacheco, se repartirían el reino y el gobierno. Para ello tenían que encarcelar a muchos nobles, como los Alba, Benavente, Quiñones, mientras que el Almirante y el conde de Castro escaparon por fortuna. El patrimonio de la familia Alba pasó a Pacheco. Para Enrique se reservó Logroño. No se quedó satisfecho con eso. Reclamó para el príncipe toda Andalucía. Álvaro de Luna no podía mantener la imagen de una alianza con Pacheco tras este gesto. Solo le quedaba un camino hacia la abierta tiranía en una situación económica muy delicada. Para mejorar el fisco se devaluó la moneda, con lo que los precios aumentaron más del 20 por ciento. Las Cortes castellanas de 1448 vieron que se les exigía un subsidio muy cuantioso. Las ciudades se alarmaron y vieron con simpatía la liga de nobles que reunía a los adversarios de Luna, los Alba, Benavente, Mendoza, Stúñiga, Haro.

La situación devino explosiva. Luna solo podía hacer la guerra a los nobles con la ayuda del dinero de las ciudades, que le resistían. Si Enrique y Pacheco se hubieran puesto de parte de esta constelación de nobles y ciudades, Luna habría caído al instante. Pero el gobierno de nobles y ciudades beneficiaba al grupo converso, y Pacheco y Girón no ganaban nada con eso. Ellos querían heredar la posición de Luna, no entregar el poder a las ciudades y nobles patriotas. Debían ganar tiempo y hacer coincidir el final de Luna con su ascenso definitivo, quizá con la elevación al trono de Enrique. Así decidieron debilitar a Luna, pero no eliminarlo hasta que la fruta madura del poder no cayera en sus manos.

Por su parte, a Luna no le quedaba otra cosa que cobrarse los elevados subsidios de las Cortes anteriores para fortalecer su posición contra los nobles y para invertir en la expansión atlántica, donde sus negocios con portugueses eran conocidos. En su condición de maestre de Santiago, en 1449 se dirigió desde Ocaña hacia Toledo para reclamar el anticipo del subsidio. Si fue a Toledo fue porque lo tenía todo a favor de imponer su voluntad. Había logrado poner como alcalde del alcázar a su repostero, Pedro Sarmiento. El alcalde mayor era su propio hijo, Juan de Luna. El arzobispo era su hermano. Contra todo pronóstico, la ciudad se negó a pagar. Toledo era una ciudad franca, no pechera. No pagaría. Lo que pasó entonces es uno de los acontecimientos más decisivos de la historia hispánica y tendrá una gran relevancia. Luna encargó a Alonso Cota la recaudación, y a un tal Solórzano la recepción de los impuestos. Cuando el regidor Arias de Silva, junto con otros hombres del gobierno urbano, intentó calmar a la gente la ira se impuso. Fueron linchados.

En un gesto de supervivencia, pues el destino de su señor ya estaba echado, Pedro Sarmiento, defensor del alcázar, se prestó a defender la ciudad y se puso él mismo al frente de la rebelión. Mientras, entró en contacto con Enrique y con Pacheco, que eran los astros del futuro, para transferirles el señorío de Toledo. Para tener la ciudad en sus manos, desplegó lo que ya era el medio infalible, la propaganda contra los conversos. Luego, la ciudad entera se entregó a una persecución de los judíos, fueran o no cristianos. Todos fueron saqueados, muchos fueron asesinados, y la mayoría fueron investigados. Los que tenían familiares ricos en otras ciudades fueron encerrados en el alcázar para pedir un rescate por ellos. Los demás, tras días encerrados, fueron expulsados de la ciudad, desnudos, dejándolos vagar por los campos.

Álvaro de Luna, sin el control de la situación, llevó al rey para tomar posesión de la ciudad del Tajo. Toledo lo recibió al grito de «Puto», pues eran conocidos sus vínculos con Álvaro de Luna. En estas condiciones, los cabecillas de la rebelión vieron garantizado por el príncipe Enrique el fruto de sus robos, despojos y atropellos. Bajo su protección, los líderes toledanos tomaron medidas durísimas, como el primer reglamento de pureza de sangre, que excluía a los que llevaran sangre judía del acceso a cargos del regimiento urbano y eclesiástico. Las leyes de Ayllón, que impusiera a Castilla el dominico Vicente Ferrer, se restablecieron, pero ahora eran válidas también para los cristianos nuevos. La bula de 1436 que Cartagena obtuvo de Eugenio IV fue despreciada. Era un giro radical en la constitución social e intelectual de Castilla.

Al final, Sarmiento sacó de la ciudad una recua de cientos de mulas con todo el tesoro robado. Cuando el obispo converso Lope de Barrientos, en nombre del príncipe Enrique, entró en el alcázar, vio emerger de las mazmorras una comunidad de seres espectrales, famélicos, abandonados a una muerte segura por los regidores de Toledo, al haber perdido la esperanza de obtener de sus familiares un rescate. Dijo de ellos que eran la viva imagen de cuando Cristo «sacó del limbo a los santos padres». Lo que Lope de Barrientos describe en su *Crónica* ya es un cuadro que no abandonará Castilla. La acción de Sarmiento anticipa la acción de la Inquisición punto por punto: robo, destrucción y muerte de ciudadanos honrados, quebrantando la Iglesia, invadiendo los monasterios donde se habían guardado y protegido sus bienes, no escuchando ni a Dios, ni a la justicia, ni a la conciencia, ahorcando y quemando bajo acusaciones falsas y testigos amañados. Lo decisivo es que esto se hizo en nombre del príncipe Enrique, abusando de su «oficio real y contra toda justicia». Todos los observadores, con el jurista Fernando Díaz de Toledo al frente, sabían que el culpable último era Luna.

El trauma que desencadenaron estos acontecimientos no se puede valorar hoy. Causó un profundo impacto en los espíritus. La indignación cundió. Las consecuencias fueron ingentes. Los conversos se movilizaron y pusieron en marcha el aparato jurídico del reino y la diplomacia. Los juristas conversos condenaron al bachiller Marquillos, el autor de los estatutos de limpieza de sangre. Los obispos conversos obtuvieron del Papa la condena de Marquillos y de la ciudad de Toledo. Alfonso de Cartagena escribió su *Defensorium unitatis fidei christianae*, advirtiendo al rey de la responsabilidad que contraía al mantener esos estatutos discriminatorios y al impulsar una política contra los conversos que destruía la unidad del pueblo cristiano. Por primera vez se emplearon estas palabras con plena conciencia de lo que significaban y de las consecuencias que se podían derivar para el reino. Las milicias castellanas, dirigidas por el caballero de Burgos Pedro de Cartagena (un Santa María familiar del obispo Alfonso), salieron al encuentro de Sarmiento y lo deshicieron, impidiendo que se quedara con el botín de la infamia. Desde ese momento, todos comprendieron que el motivo profundo de ese acontecimiento no era otro que la política recaudatoria de Álvaro de Luna. Así comenzó la conspiración para desalojarlo del poder.

Tuvo en su centro la hostilidad de la nueva reina, Isabel de Portugal, elegida para favorecer los negocios de Álvaro de Luna, de continuo humillada por las inquietantes relaciones de su esposo con el valido y por el autoritarismo extremo de este, incluso en actos cotidianos. Asociada a un conjunto de nobles como los Santillana y asesorada por obispos y juristas como Cartagena y Valera, se puso en marcha todo un dispositivo contra Álvaro de Luna. Y en efecto, este fue detenido en la casa familiar de los Santa María de Burgos y desde allí llevado al patíbulo. Juan II se apresuró a reservar para la Corona el maestrazgo de Santiago. Luego, la realeza miró hacia Portugal y preparó la nueva boda de Enrique IV con una princesa portuguesa. La primera esposa, Blanca de Navarra, había sido impuesta por los infantes de Aragón. Por todos los puntos cardinales se percibía el final de una época.

CUERPO MÍSTICO

No todo lo que se apuntaba en el horizonte era prometedor. Nuevas divisiones, ahora muy profundas e irreconciliables, emergían en la escena. A la salida de la casa donde fue preso, Luna elevó la vista hacia los balcones y, al identificar a Lope Barrientos, que lo miraba marchar, le hizo una señal amenazante. Antes había dicho que su principal enemigo en aquella causa era Alfonso de Cartagena. En suma, Luna acusaba a los dos hombres de su caída. Como por un azar, al salir de la casa, se le acercó un fraile que lo consoló en el duro camino hacia Valladolid, donde debía recibir el suplicio. Ese hombre era un franciscano, Alfonso de Espina, de la estirpe de aquel Ferrán Martínez que había promovido el pogromo de 1391. Es importante recordarlo porque este, como aquel, se convirtió en el principal agente de la propaganda antisemita de la Europa del siglo XV. Su libro, *Fortalitium Fidei*, que se empezó a escribir en 1458, reunió todas las leyendas y prejuicios contra los judíos que rodaban desde siglos y los puso de nuevo en circulación.

Asesinatos rituales, ceremonias blasfemas, raptos de niños para crueles venganzas, conspiraciones de toda índole, y los más compartidos por las gentes: la ambición, la avaricia, la falta de piedad, todos los prejuicios se pusieron en circulación, denunciando que se hacían cristianos para cometer de forma impune sus fechorías. Espina, como Ferrán Martínez antes, no era un cualquiera. Era el superior de los franciscanos de Salamanca, y luego llegaría a rector de la universidad. El libro demostraba información y erudición, aunque de la peor especie. Dotado de ese plebeyo arrojo de los frailes, Espina medró en la corte de Enrique IV y llegó a ser su confesor. Aupado por Girón y por Pacheco, cuyos odios contra los judíos compartía, demuestra que el movimiento contra los conversos no fue un asunto popular, sino una política alimentada por los que querían medrar bajo la protección de un rey impotente. Ellos habían hecho una lectura de la época de Luna: los únicos que habían mostrado inteligencia y capacidad de detener una tiranía absoluta eran los conversos de las ciudades, vinculados por su estilizada mentalidad a los nobles más conscientes, en la línea del viejo canciller Ayala. Ellos, aliados de los nobles con más sentido del reino, habían sido un muro adecuado a las pretensiones de Luna. Si los nuevos favoritos de Enrique querían desplegar sus ambiciones sin freno, tenían que destruir esa formación social y política. Espina susurró a los oídos del nuevo rey el proyecto decisivo para lograrlo: instaurar una Inquisición general para investigar a todos los conversos.

Afortunadamente, todos vieron muy claramente la jugada. Desmantelar ese acuerdo entre la nobleza de los Haro, Stúñiga, Santillana, Pérez de Guzmán, Manrique y Mendoza y las élites conversas dirigidas por los Santa María, era dejar el campo expedito para los arribistas como Girón y Pacheco, ansiosos de prebendas y cargos. El grupo rival de nobles, con el Almirante y el arzobispo Carrillo, muy contrarios a Enrique, no podían permitir que el grupo converso fuera destruido. Todas las facciones activaron a los religiosos afines, los de Enrique a los franciscanos y dominicos, y los conversos a los que desde hacía tiempo se habían integrado en la Orden de los Jerónimos, cuyas aficiones literarias y bíblicas permitían canalizar las inquietudes religiosas con libertad. La dura batalla por las élites religiosas del país, capaz de vertebrar el estilo de la cultura y de la subjetividad hispana, comenzaba justo en ese tiempo y duraría un siglo largo. Fue uno de esos jerónimos, Alonso de Oropesa, en un debate público, que naturalmente no se ha conservado, quien destruyó los argumentos de Alfonso de Espina, para solaz de todos los espíritus decentes de la época, y bloqueó la posibilidad de que se llevara a cabo este proyecto tan terrible ya en la época de Enrique IV. Por ahora, la batalla estaba ganada. En 1463, un converso pleno de ingenio pudo escribir *De vita beata*, un libro que alabó con gracia y solvencia la época de Santillana, de Alfonso de Cartagena, de Juan de Mena, en la que todavía se podía confesar el orgullo de ser judío y cristiano, hebreo y noble, castellano y libre.

Pero ya para siempre resonarían las palabras de Luna: «ya sabéis otrosí cuánto mal me quiere este linaje», dijo en su *Crónica*. La familia de Luna propaló la especie de que el valido había sido juzgado «por hombres de sangre y linaje diferente del suyo». En suma, había sido una conspiración conversa. Aquel hombre «que no tobo color nin sabor de rey», ese débil Juan II, llevaba al país a la ruina, en la medida en que su incapacidad de gobernar había producido una tiranía. Ahora, los que se oponían a Luna eran desprestigiados como una minoría interesada, no como los defensores de la dignidad de Castilla.

Luego, es sabido lo que sucedió. Enrique IV se mostró como un gobernante variable, caprichoso, melancólico, amante de los refinamientos moriscos, que continuamente elevaba a hombres oscuros con sus favores. Los nobles se escandalizaron de su gobierno desde el primer día. El Almirante dijo, según lo relata la *Crónica* de Alonso de Palencia, sucesor del espíritu de Alfonso de Cartagena, que «los males de la república serán eternos en tanto que los toleremos y con nuestro consentimiento nos hagamos cómplices de ellos». El clima moral y anímico se hundió en la tristeza. Hacia 1460, los escándalos, las turbaciones, los signos y las premoniciones eran apocalípticos. Sus interpretaciones eran unánimes. Todos los consideraban «presagios de la inmediata desgracia del rey impío», como dice Palencia.

LA BIGA Y LA BUSCA

Cataluña no estaba mejor. Dividida por los dos partidos de la Biga y la Busca en la ciudad de Barcelona, el primero mayoritario en el Consell del Principat y el segundo dominante en el Consell del Cent de la ciudad, fracturada en los campos por los problemas de los remensas; escindida entre la burguesía de rentistas que compraba tierras señoriales y una nobleza arruinada, Cataluña conocía una época de profunda decadencia. El heredero del Magnánimo, Juan, se unió a los movimientos remensas campesinos, y los dirigió contra las oligarquías nobiliarias y urbanas, la base del constitucionalismo catalán. Esperaba conectar con el espíritu igualitario de la Busca, y erosionar para siempre las constituciones de Cataluña, que asociaba a los grupos privilegiados. No lo consiguió. Aunque la Busca deseaba hacer de Barcelona «lo cap de la llibertad de Spanya», pronto se descubrió que Juan aspiraba sobre todo a la realeza absoluta. Nadie con la conciencia constitucional clara se identificaba con el partido del rey. Pronto la Busca se orientó hacia Carlos de

Viana y una rama más moderada de este movimiento se asoció con la Biga para defender la constitucionalidad catalana.

La guerra civil contra Juan arruinó todavía más al principado. Desde luego, tras la Concordia de Villafranca de 1461, Juan II era un rey nominal en Cataluña y se le prohibió la entrada en la tierra catalana. Cuando poco después su hijo Carlos moría, tras un esfuerzo por dotar a la Corona de Aragón de un nuevo espíritu basado en el republicanismo aristotélico, la rebelión abierta estalló, con la radicalización de todas las posiciones. Los remensas no tuvieron dudas de irse con el rey Juan y hablaron de la «cruel sens justicia Barchinona». La Busca moderada fue perseguida. Las más variadas formas de salir del atolladero se pusieron en práctica, pero cada una era más insensata que la siguiente. Se ofreció la Corona de Aragón y el Principado de Cataluña a Enrique IV, el más débil de los reyes, y finalmente, cuando esta oferta fracasó, se pensó proclamar rey a un infante portugués y, tras su derrota, a la propia casa de Anjou. Todo esto en un clima de crisis económica como jamás se había conocido, lo que le permitió a Vicens Vives aludir a un «desajuste entre las ambiciones políticas y las realidades económicas». Alonso de Palencia, siempre tan claro, interpretó ese torbellino de alianzas como la forma desesperada de lograr «su anhelada independencia». Solo así tenía sentido ofrecer la corona a un monarca inepto. Mientras en Castilla, escandalizada por la conducta de Enrique IV, se hacía rey a su joven hermanastro Alfonso.

Cuando este murió en 1468, el rey Enrique daba muestras de enfermedad, sumido en una melancolía severa. Todo era posible entonces en Hispania. Pacheco, siempre retorcido, se pasó al bando de Isabel, pero no cesó de exponerla a la peste y la dejó en Ávila, «donde iba cundiendo el mortal contagio». Es posible que esa fuera la estrategia usada con el hermano Alfonso. Al final, las ciudades y nobles se organizaron en hermandades y se decidieron por Isabel. Así se llegó al Tratado de los Toros de Guisando a favor de Isabel como heredera, aunque una de sus cláusulas prohibía a esta casarse sin el permiso del rey, aunque no contra su voluntad. Mientras esto sucedía en Castilla, en Cataluña, ahora aliada de Francia, se luchaba para expulsar a Juan II, quien comprendió que solo con la ayuda de Castilla podría vencer en aquella guerra. Así se aceleraron los planes de casar a Isabel y Fernando, mientras don Juan de Anjou se llamaba rey de Aragón.

En 1470, todo estaba consumado: la Castilla de los hombres de Isabel y el Aragón de Juan II ya tenían a Francia como el principal enemigo. La constelación internacional del futuro se definió cuando se lograron acuerdos con Borgoña. La posición de Cataluña en este escenario internacional quedó sumida en lo imprevisible. Todo podía cristalizar, y Pacheco se dio prisa en apoderarse de todo lo que pudo, en un movimiento señorial por hacerse con el control de las ciudades importantes, como Córdoba, Toledo, Salamanca, Bilbao. Pronto, su esperanza fue Isabel. Cuando en 1472 se entregó Barcelona al rey Juan, la nueva época comenzaba, con los franceses retirados hasta Salces. Esa nueva época se articuló todavía más con la visita del cardenal don Rodrigo de Borja, «ansioso del botín de España», como dijo Palencia. Carlos de Borgoña, por fin, mandó su collar de la Orden del Toisón de Oro a Fernando. Hacia 1473, la lucha había acabado en Aragón y se tendrían que restañar muchas heridas. Pero la larga lucha comenzaba ahora en Castilla.

4

ÉLITES EN TIEMPOS DE LOS REYES CATÓLICOS

MESIANISMO REGIO

Hacia 1473 el caos se adueñó de Castilla. Por doquier se vivió una situación tan extrema que pronto se revistió de tintes apocalípticos. Los escritores dieron cada uno una versión de las cosas, pero todas ellas fueron patéticas. Alguien cercano a Alonso de Palencia escribió las *Coplas de Mingo Revulgo*, de las que Fernando del Pulgar hizo unas glosas que atraviesan la conciencia dolorida de la España moderna. Tendrá ediciones continuas a través de los siglos y fueron la forma de expresar un malestar continuado de los pueblos con las élites políticas que rodeaban a sus reyes. A estos se unieron otros textos anónimos, como el *Libro de la consolación de España*.

De nuevo se volvió al escenario de los godos y a pensar que el reino estaba maldito. Otros personajes, como Alfonso Carrillo, fueron identificados como nuevos don Oppas. Desde Aljubarrota se suponía que un segundo castigo de España se avecinaba, y en el recuerdo estaba la dimensión cainita de la nueva realeza, surgida del crimen. En el famoso *Cancionero de Baena*, un Juan Alfonso consternado recuerda las afinidades entre su época y la de don Rodrigo, de cuya crónica, recuerda, «leí del rey Rodrigo / terribles cosas e modos». El conjunto de estas piezas es innumerable. Una muestra interesante vincula a los franciscanos como fray Íñigo de Mendoza con Pedro Girón, a quien presta voz para recordar las viejas culpas del último rey de los godos. Esta literatura tenía tintes antifranceses, pues se denunciaba la política de intervención de Francia en España con motivo de los disturbios de Cataluña. Así se preparaban los ánimos para provocar una hostilidad que rompía la privilegiada relación de Castilla con el país vecino.

Otra literatura respondió a este tono depresivo con una propaganda mesiánica en favor de los jóvenes reyes Isabel y Fernando, y desplegaba el programa imperial de una monarquía que avistaría el fin de los tiempos, con su dominio del norte de África y su toma de Jerusalén. Eran los que anunciaban la nueva edad de oro que sacaría a España de ese destierro histórico que ya duraba un siglo largo y clausuraría, en lo más hondo de sus dolores, la terrible decadencia que se manifestaba a la vista de todos. No había manera de pasar del estado presente a esa esperanza más que de forma milagrosa. Y, sin embargo, se anhelaba que «Dios miraculose [...] quisiera reedificar este tenplo tan destruido», como dijo Pulgar, la más franca conciencia castellana de la época, el heredero de Valera, el hombre de bien cuyo recuerdo emocionará para siempre. Para este grupo de intelectuales cristianos, con Alonso de Palencia, Juan de Lucena, Diego de Valera, Fernando del Pulgar, Fernando Álvarez de Toledo, Hernando de Talavera, hijos o nietos de conversos, Isabel significó una luz divina, como para millones de castellanos. Dios no había abandonado a Castilla, esa era la evidencia. Por fin se cumplía el sueño de Pérez de Guzmán, quien había pensado en términos de una «segunda y tercera generación e todavía más adelante». Las simientes de los tiempos de Álvar de Santa María y de Alfonso de Cartagena podían fructificar. Valera pudo decir que en Fernando se reformaría «la silla imperial de los godos» y que en su mano tendría «la monarchía de todas las Españas». Pero más importante todavía es que supo «sacar estos reinos de la tiránica gobernación en que tan luengamente han estado».

Esta propaganda, que circuló de forma masiva en el tiempo en que Enrique IV se acercaba a su final, entre 1470 y 1474, dominó todos los espíritus. Infundió una luz de esperanza a los pueblos y se supo expresar en las formas más populares, dando voz a personajes humildes. Los que como Carrillo, el arzobispo de Toledo, prepararon esa boda entre los dos jóvenes e inexpertos príncipes Isabel y Fernando, y falsificaron la bula de levantamiento de incesto, pensaron que estaban construyendo dos títeres en sus manos. Pero no se daban cuenta de que, por debajo, un grupo de letrados preparaba el reinado con el que confiaban responder al anhelo popular. Cuando por fin los jóvenes novios llegaron al poder tras la muerte de Enrique en 1474, no se cumplieron las esperanzas de manipulación de algunos. Juan Pacheco optó por la Beltraneja, como su tío Carrillo, y tejió una alianza con Portugal, de donde procedían, y así se invadieron con su dinero las tierras leonesas y castellanas. Una legión de escritores se alzó en clamor contra estos nobles traidores, que deseaban mantener los viejos tiempos, la indisciplina, la ira, la avaricia. Nunca se vio más claro que cuando Fernando de Pulgar arremetió contra Carrillo, o cuando Alonso de Palencia escribió contra Enrique IV y contra los grandes. Había un consenso, casi un anhelo general de paz y de estabilidad. Y aunque cada uno de los que apoyaban a los jóvenes reyes esperaba una cosa de ellos, todos forjaron expectativas e ilusiones. La larga guerra de sucesión, que duró desde 1474 hasta 1479, generó una verdadera euforia popular a favor de la monarquía, con el anhelo de que aquella guerra fuera la definitiva.

LA TRAICIÓN

Cuando se alcanzaron los últimos objetivos de esa guerra con Portugal, que se localizaron en las tierras de Huelva, donde la alianza entre andaluces y portugueses implicaba empresas expansivas, Fernando e Isabel se dieron cuenta de la realidad sobre la que se asentaban. Su viaje a las ciudades de Andalucía fue deslumbrador. Alonso de Palencia nos cuenta cómo quedaron fascinados por las realidades urbanas, sobre todo por Sevilla. Los reyes se movieron rápido entre 1479 y 1480 en medio de ese escenario delicado. Arruinados, cargados de deudas y gastos, quedaron sorprendidos por la riqueza que acumulaba Sevilla y Córdoba, ciudades en las que no había entrado el poder regio durante casi un siglo, desde la época de Pedro I. Con el carisma de la victoria, sintiendo que el viento de la historia estaba con ellos, se entregaron a la reforma del reino con intensidad. El conjunto de medidas que pusieron en marcha no tiene parangón. Reconocieron a las ciudades en su independencia militar y administrativa, y sobre ese reconocimiento organizaron la Santa Hermandad, policía de distrito a cargo de la ciudad, pero también milicia urbana, con lo que las ciudades dejaban de pagar impuestos para la formación de la hueste.

La batalla de las ciudades contra la nobleza parecía ganada y esa victoria la había logrado una pareja de reyes improbables, pobres, jóvenes. Continuó el impuesto de la alcabala, pero la monarquía se apropió de los mayorazgos de órdenes militares, se vinculó al sector exportador de la lana y afianzó el pacto con los intereses de Borgoña. Medina del Campo, Burgos, Bilbao, el circuito financiero y exportador, quedaron tranquilos. Los jóvenes reyes lograron reducir la deuda pública con una quita importante, a la que acudieron todos los nobles, incluidos los más cercanos, como los filoconversos Manrique y Mendoza. El contable de aquella operación de quita fue otro converso, Hernando de Talavera, un jerónimo con fama de santo y experto, que pronto sería confesor de la reina. Pero, sobre todo, los reyes decidieron canalizar esta energía hacia la empresa que se había considerado por la propaganda apocalíptica como la clave de la época nueva que se inauguraba, la toma de Granada, la rehabilitación del nombre de la cristiandad tras la pérdida de Constantinopla, la lucha contra el Anticristo que daba clara centralidad al combate hispano y le ofrecía la visibilidad imperial sobre su anhelada expansión. Así se reconciliaban los intereses de Castilla con los de Aragón, pues se consideraba que la aventura seguiría por el norte de África y acabaría en Jerusalén. Sicilia y Nápoles eran una escala en ese camino. El escenario del dominio catalán sobre el Mediterráneo se recomponía.

Y así fue como Fernando e Isabel, no bien habían acabado con una violencia cuyas raíces se hundían en el propio origen de la monarquía Trastámara, una realeza ilegítima que había gobernado en tres de los cuatro reinos hispanos, lograron de nuevo reconstruir la punta de lanza que dirigía toda la fuerza castellana y aragonesa hacia el exterior, hacia un enemigo que esperaba ansioso ese momento fatídico: Granada. Sin embargo, quedaba un pequeño problema: el de la financiación. No pagar las deudas es una cosa. Disponer de recursos es otra. La quita de deuda, la revisión de mercedes contribuyó a liberar a los reyes de pagar intereses por los *juros*. Pero el pacto con las ciudades implicaba que estas no financiarían servicios al modo antiguo, sino con la asistencia de sus milicias. Solo una cosa quedaba en pie: la misma operación que Luna había diseñado en Toledo, pero ahora con alcance más general. Lanzar una Inquisición que tuviera inmediatos efectos expropiatorios generales sobre los conversos.

En las duras negociaciones que se dieron hacia 1478 para arrancar de Sixto IV la bula de la fundación del tribunal, que asestaba un golpe de muerte a la jurisdicción de la Iglesia católica, ante una Santa Sede que estaba rodeada por Trastámaras, desde Nápoles hasta Sicilia, sin el apoyo real de nadie, con los turcos cerca de Otranto, se obtuvo aquella bula de forma impropia con los servicios impagables del cardenal corrupto Rodrigo de Borja. El papado, arrepentido de lo hecho, afirmó que la fundación de la Inquisición castellana iba «en contra de los decretos de los Santos Padres, y de nuestros predecesores y de la observancia común». Escandalizado, tuvo que decir una y otra vez que «preferimos perdonar antes que castigar». Así que se decidió por la derogación. Si se trataba de pureza de la fe, ¿por qué no se entregaba el tribunal a la Iglesia? ¿Por qué no se usaba la vieja Inquisición de Aragón? ¿Por qué se tenía que fundar una nueva forma inquisitorial que daba la autoridad acerca de la fe a los juristas del rey? ¿Por qué se tenían que extremar los efectos confiscatorios del tribunal, rompiendo las tradiciones de las reglas eclesiásticas y las normas de justicia tradicionales, que extrapolaba las penas a las familias enteras y que violaba las costumbres y las leyes antiguas, los privilegios y los fueros de las comunidades? ¿Por qué la culpa se lanzaba sobre el linaje y no sobre los individuos? ¿No sería, se respondía el Papa, «más bien por ambición y por ansia de bienes temporales que por celo de la fe y de la verdad católica o por el temor de Dios»?

Nadie en Castilla pensaba de otra manera. Se puede decir que la acumulación de poderes inquisitoriales en manos de los oficiales del rey fue la primera reforma de la Iglesia moderna, y que abrió el camino a la autoafirmación de los reyes a costa de la Iglesia, como sucedería en Inglaterra. Castilla, con esta Inquisición, arruinó la forma de gobierno eclesiástico pura, y aprovechó la extrema debilidad de un papado y luego la suma venalidad de un cardenal (el futuro Alejandro VI Borja) para asestar la puntilla a la Iglesia católica que, sin prestigio internacional y sin poder de resistencia a los reyes, ya no pudo reformarse y entregó al Estado moderno el *ius reformandi*.

Las consecuencias fueron numerosas, pero no se dejaron ver en 1482. Para todos, la medida era claramente puntual y estaba diseñada para acabar con el problema converso de las grandes ciudades de Andalucía, ese mundo converso en contacto con comunidades judías amplias, que impresionaba a los espíritus castellanos antiguos por el sincretismo de una religión configurada desde el libre curso de la vida social y humana. Nadie pensaba en llevar la Inquisición a la vieja Castilla, donde las élites conversas llevaban casi un siglo asentadas en una fidelidad comprobada y en una integración funcional. Por lo demás, ¿quién se iba a oponer a unos reyes que acababan de lograr la paz, que eran aclamados por todos como los salvadores de la patria? Desde luego, hubo alguna resistencia: Juan de Lucena editó en Zamora su *De vita beata*, en 1483, la vieja alabanza de la generación de los grandes conversos como Cartagena. Pulgar escribió con una decencia que nos conmueve contra los delatores anónimos. El mismo confesor de la reina, Hernando de Talavera, exigió que se diera una auténtica función a la Inquisición y que no se asaltara la buena fe de tantos buenos cristianos. Gómez Manrique presionó y logró que no entrara en Toledo hasta un tiempo después. Aragoneses, catalanes, valencianos, todos lucharon, incluso matando a los inquisidores, contra lo que arruinaba su legislación y libertades. Nada tuvo efecto. La decisión se mantuvo. Mientras duró la guerra de Granada nadie protestó. La presión por poner fin a la presencia del islam en la Península acallaba las protestas.

Sin embargo, lo que era puntual se convirtió en constituyente. Lo que fue acogido con sorpresa y disciplina, pensando que pronto pasaría, se convirtió en la más profunda constitución de España. Los grupos conversos que habían apoyado la nueva realeza vieron con estupor cómo esta se dirigía contra ellos, sus más fieles apoyos. El desconcierto fue intenso, sobre todo en Andalucía. Pero no solo se puede considerar la fundación de la Inquisición como un asunto regio. La inquietud sobre la reforma de la Iglesia venía de lejos. El Concilio de Basilea había visto a importantes participantes hispanos con posiciones conciliaristas, como Juan de Segovia.

La introducción de Aristóteles, iniciada por Alfonso de Cartagena, sobre textos de Leonardo Bruni, tuvo una gran difusión, y llevó a hombres valiosos a discutir el republicanismo aristotélico en Salamanca. Desde la *De optima politia* de Alonso Fernández de Madrigal, más conocido como «el Tostado», se llegó a un comentarista tan pormenorizado como Martínez de Osma, que había fundado una escuela de aristotelismo político en la ciudad del Tormes.

Sin duda, tanto Madrigal como Osma eran biblistas y en la siguiente generación fecundarán la filología de Antonio de Nebrija y la política de Fernando de Roa. La cuestión importante es que Osma había llegado a posiciones teológicas muy avanzadas, tras Basilea, que impugnaban la fundación evangélica de la confesión. Desde este rechazo del valor sacramental de la confesión se impugnaba toda la estructura de las bulas de indulgencia, basadas en la capacidad de la Iglesia de perdonar los pecados. Esta posición implicaba una dura crítica a los dominicos y franciscanos, los predicadores habituales de las bulas, con quienes ya había cruzado sus pullas Alfonso de Cartagena. La cuestión llegó a producir escándalo en la Universidad de Salamanca, y el arzobispo de Toledo formó, en la víspera de 1480, un tribunal para juzgar la obra de Osma. Sus obras fueron quemadas y él condenado a retirarse de la docencia. Este caso demuestra que había inquietud doctrinal, sin duda, pero hace evidente que, con la vieja práctica del tribunal era suficiente para neutralizar estos aspectos teológicos.

Lo que se temía era que esa nueva religiosidad producida desde las aulas, que había prendido en la nobleza castellana y en los grupos conversos, conectara con las clases populares. Por lo tanto, lo que se vio es que el grupo converso implicaba un liderazgo no solo moral, sino económico e intelectual, que ponía en jaque a las élites tradicionales, auxiliares del poder en la medida en que controlaban a las masas a través de la predicación. Esa lucha fue despiadada y encarnizada, y forjó una alianza firme y rígida entre la monarquía, que se financiaba, y los dominicos y franciscanos, que veían eliminados a sus rivales intelectuales conversos. El dispositivo de la predicación popular y plebeya se impuso, frente al dispositivo de la universidad y del saber converso, que extendía una nueva mentalidad en las capas nobles y urbanas. El primero fue complementado con el dispositivo de la Inquisición entregado a jueces de extracción hidalga o plebeya, y así la estructura de poder se tornó infalible. No se debe olvidar que, en el juicio a Osma, surgió un dominico como Diego de Deza, que desempeñó un papel importante. Era el defensor de Osma, desde luego, pero con aquel amigo no le hicieron falta más enemigos. Este nombre, Deza, será decisivo hasta la época de Felipe II.

EXPULSAR Y COLONIZAR

En medio de este clima, la expansión final de la Reconquista significó otra cosa. Cuando tras doce años se tomó Granada, se abrió un horizonte europeo nuevo. La toma de la última ciudad en manos de musulmanes fue reconocida por todo el mundo cristiano. Para ellos se trataba del final de una sangría económica que dejaba al reino agotado. Pero los reyes no podían descansar. Los pactos implícitos con Cataluña implicaban hacer todo lo posible para recuperar los territorios que todavía estaban en manos de Francia desde las guerras civiles con Juan II. La recuperación de Perpiñán, la toma de Salces, era una operación que no podía esperar. La renovación de la confianza catalana en un Trastámara pasaba por retornar la integridad del suelo catalán y mantener Italia. El pacto con Cataluña obligaba a desplegar los intereses italianos con rigor, de los que dependía la recuperación de Barcelona. Para lograrlo, era necesario detener las aspiraciones francesas. La lucha con Francia era el horizonte y las tropas de la Hermandad no parecían adecuadas. Era inviable mandar milicias urbanas a Sicilia. Pero ¿cómo otras tropas?

Estas eran las urgencias que agobiaban a la corte de Fernando e Isabel. En estas circunstancias, la aventura de Colón era una opción más que podía mejorar la financiación si lograba traer a Sevilla lo que hasta ese momento iba a Lisboa y de forma más barata y cómoda: las especias de las Indias. Portugal había abierto la ruta africana, pero era larga y compleja. Si se lograba un camino más competitivo, se podría usar la conexión flamenca y acabar con la mediación veneciana, que seguía negociando con Turquía. Así se va a lograr la convergencia de intereses entre Francia, Venecia y Turquía. Enfrente, el rey de Aragón había logrado poner la fuerza militar de Castilla a su disposición, con la finalidad de reconstruir la relación con Cataluña, que en el fondo jamás lo había reconocido como tal, y también con Borgoña y con Inglaterra.

La verosimilitud de una ruta más corta por Occidente hacia China y la India era elevada, y la inversión no muy gravosa. Quizá merecía la pena arriesgarse cuando se perdía tan poco. «Casi con repugnancia», dice Anglería, le confiaron tres buques a Colón, que llevaba un mandato de firmar pactos de monopolio comercial con las autoridades políticas que se encontrara. Era el modo en que funcionaban los Trastámara de Aragón y la mentalidad que había forjado Alfonso el Magnánimo. Se inició así la aventura hacia un mundo ignoto, un continente imprevisto, unos hombres desconocidos, una tierra para la que no se tenía concepto ni palabra, una realidad por completo nueva, apenas imaginada, que mostraba que la tradición literaria clásica no era ni fiable, ni cierta, ni completa. En comparación con los problemas que asfixiaban a los reyes, los regalos que trajo Colón eran decepcionantes. Iba a ser difícil convencer a los monarcas de que allí se abrían perspectivas de financiación para su situación política.

Dado lo inseguro de la empresa colombina y la decepción inmediata, fue preciso recurrir a los viejos métodos de expropiación y poner en marcha uno de esos golpes que se realizan desde el poder y que tienen como origen la desesperación y pobreza que había llevado a la creación del tribunal de la Inquisición en 1480. Nadie reflexionó sobre el hecho de si era un azar que la pobreza aumentara sin freno cuanto más se expropiaba. La coartada teológica se impuso. La Inquisición no podría tener éxito en su combate mientras los conversos mantuvieran relaciones familiares con judíos practicantes. Era inevitable la contaminación. Así que la lógica de la Inquisición llevaba a la lógica de la expulsión. Lo que sucedió fue una masiva expropiación de bienes. Por mucho que escaparan algunos al cuidado de los oficiales del rey, el control de las salidas de oro fue exhaustivo, examinando hasta el interior de los cuerpos.

Pero al margen de ese resultado, la finalidad de ese golpe no fue tanto económica como política. Aspiraba a que la gente comprendiese que el poder es activo, controla la situación y mueve a las poblaciones. Se puede suponer lo que significó para los observadores de la época una movilización general como la de 1492, encomendada a los hidalgos como administración informal, que identifica a los judíos, los censaba, los expropiaba, los reunía, los conducía a las costas y los embarcaba. Esta sensación de que la realidad está en manos del poder es la inducción más poderosa a la obediencia. Luego, el sueño de que por fin somos como queremos ser, puros, «nosotros»; que hemos expulsado lo que nos manchaba, lo que nos perturbaba. Hemos de recordar los miles de sermones que, desde todos los púlpitos, explicaron por qué ya no se podría ver al vecino, ni comprarle ni encargarle sus bienes, ni casarse con sus hijas, las sugerencias de que esto sucedía por su maldad intrínseca, por su avaricia; y luego, en silencio, esos guiños de ojos a los que ya no tendrían que pagar sus deudas, esa insinuación de que no solo el rey alcanzaba ventajas, sino cada uno de los que escuchaban.

Sin duda, cegados en el corto plazo, resultó fácil lograr una mutación mental de la comunidad: lo que antes integraba, ahora se cerraba como una concha. Luego vendrá la sensación de soledad, la comprensión sorda de que se ha cometido una injusticia, de que se ha apartado de las ciudades y campos a gente que llevaba milenios habitando en ellos. Un vacío que ya no podría llenarse, un fantasma que no podría encarnarse, se abrió ante todos. Se suele pensar que eso no tiene consecuencias sobre el futuro, hasta llegar a nuestro presente. Pero las tiene. No se trata de las económicas. Se trata de una soledad impronunciable, en la que ya no se puede hablar con lo que se ha convertido en un vacío fantasmático, que solo se vive como inquietud, que tiene que olvidarse para que no presente los cargos de las víctimas. Y luego los gritos de la desesperación de los que se van para siempre, pero se llevan su alma vinculada a una lengua de la que no pueden prescindir, la realidad que no podía ser expropiada por ningún agente regio, esa lengua en la que se expresará durante siglos la nostalgia de Sepharad.

Así fue como expulsión y colonización, dos procesos contrarios, asimétricos, se dieron la mano a través de una misma lógica: el oro, la necesidad de financiar a un rey deseoso de impulsar un imperio soportado por un reino pobre. ¿Fue una huida hacia delante? La historia siempre es un poco así, una huida en el tiempo en la que hay que tomar decisiones sin plena conciencia de sus efectos. ¿Quién podía plantearse otra cosa que seguir la práctica de la lucha contra el islam en el norte de África, mantener la presencia hispana en Sicilia y en Nápoles? Lo decisivo es si ese proyecto generaba integración o disolución de la sociedad hispana. Aquí, las élites que dirigieron el proceso, desde el rey hasta sus aliados dominicos y franciscanos, impusieron una paulatina reducción de la base social del proyecto. Esto es lo que resulta fascinante del caso español. Donde se han dado procesos expansivos, siempre se han procurado procesos de integración. Lo peculiar de los Reyes Católicos es que el proceso expansivo militar y político se dio sobre bases de integración cada vez más débiles, endebles, reducidas. Esto caracterizó la fragilidad del proceso imperial español.

PUÑALES

Entre 1492 y 1497 todo parecía ir bien. Es la época que se inicia con el cuadro *La Virgen de la Reyes Católicos*, decisivo para entender el imaginario de los monarcas. En él, la Virgen domina la escena, pero bajo ella aparecen santo Tomás y santo Domingo de Guzmán, los grandes dominicos. La Virgen protegía a España por medio de la orden encargada de definir la ortodoxia. Luego, tras los reyes, los dos jóvenes príncipes, la esperanza de los monarcas, y ante todo Juan, príncipe de España. Por fin, tras los príncipes, los dos inquisidores, Torquemada y Arbués, asesinado en Zaragoza al implantarse el tribunal. La serie de mediadores que mantenía unida la monarquía con la trascendencia estaba clara. La aspiración que se deseaba conseguir era la protección de los herederos de la monarquía. De la misma manera que la Virgen presenta a su hijo en el cuadro, así, no faltarían hijos a los reyes.

Todo parecía ir bien entre 1493 y 1497. El príncipe Juan estaba bajo la protección del dominico Deza, obispo de Salamanca. La boda de los jóvenes enamorados, el príncipe Juan y la princesa Margarita se celebró en Burgos en abril de 1497. Hacia septiembre, Juan comenzó a dar síntomas de debilidad. Al sentirse mejor, Diego de Deza lo hospedó en su palacio episcopal. Murió en las manos de este dominico, el que transformaría la Universidad de Salamanca y sus estudios en favor de la introducción de santo Tomás como vértebra central de las enseñanzas. La joven Margarita había quedado preñada, pero perdió a la hija que llevaba en su vientre. Finalmente, la escena que invocaba el cuadro de *La Virgen de los Reyes Católicos* no iba a producirse. La promesa de proteger a su descendencia no se cumplió. Castilla y Aragón estaban sin heredero. Los cuarenta días de duelo cubrieron la Península de negro. Nunca se vio un dolor y una decepción tan intensos. Ahora, los Reyes Católicos conocían la experiencia de Cataluña con la muerte de Martín el Joven. El clima de inquietud fue general.

Los literatos que rodearon la pequeña corte del príncipe en Salamanca comprendieron bien de qué había muerto. Mal de amores, amores furiosos, esa concentración de toda la personalidad en el amor, bien vista por la reina, que lamentaba la frialdad de Fernando para con ella. No se podrá jamás entender lo que significó esa muerte para Isabel. En realidad, para toda Castilla. Pueblos y ciudades, hombres y caballos, incluso las cosas, como murallas y casas, se vistieron de luto. La manifestación de duelo recorrió España mostrando el dolor que le había producido ese puñal traicionero de la muerte. Quienes no iban de negro fueron sometidos a duras penas. El mismo país que había visto transitar hileras de judíos hacia los puertos, ahora veía atravesar las procesiones que iban a ninguna parte, a mantener la memoria de un dolor que no tenía cura. La reina Isabel entró en una fase aguda de depresión que ya no superó. Encerrada con los juguetes de su hijo, repasando los cuadernos de ejercicios latinos, acariciando su querido órgano, abandonó los asuntos de Estado.

Cuando Colón llegó de vuelta de su tercer viaje, encontró la corte deprimida. Su amigo Pedro Mártir, muy interesado en la fama que le esperaba como el primer cronista de los maravillosos sucesos, preparó su visita a la corte. Colón tuvo que esforzarse para traer buenas noticias, aunque nadie las juzgó así. Las tierras que había descubierto eran inmensas, no cabía duda. Sus ríos descomunales. En su desembocadura, el agua dulce entraba kilómetros mar adentro. La única forma posible de explicar aquello, desde las fuentes antiguas, era que se había descubierto ese lugar ignoto en el que se levantaba la Montaña del Paraíso, la tierra que en el imaginario europeo estaba en los confines del mundo. Estas noticias no levantaron los ánimos de una corte que todavía tendría que ver cómo morían, uno tras otro, los herederos de los reinos. La cláusula del decreto de la Inquisición que garantizaba protección a la casa de España se mostró una ironía. El Dios de santo Tomás estaba encolerizado con España.

Diego de Deza, que se muestra en la estatua de Colón de Madrid discutiendo con el descubridor sobre la distancia de América, recién hecho obispo de Jaén en 1498, dio una explicación que se entendió adecuada: los sacrificios que se elevaban desde España eran impuros y provocaban la cólera de Dios. Esto era así porque los realizaban manos impuras, sacerdotes por cuyas venas circulaba sangre judía. Deza convenció a Fernando de que la depuración inicial no había sido suficiente. Así que Fernando lo nombró inquisidor para Castilla en 1498, y un año más tarde también para Aragón. Luego introdujo el tribunal en Sicilia, pero fracasó en Nápoles. Deza definió nuevos cargos, publicó las reglamentaciones antiguas de Aymerich que tanto furor provocaron en Pedro IV. Lo que parecía una institución provisional, acabó por estabilizarse en un momento en que el reino, sin heredero, entraba en una situación de expectativa. A partir de entonces, la Inquisición fue un instrumento de gobierno en manos de Fernando, pues la reina Isabel apenas podía superar su melancolía. Una nueva oleada de furor inquisitorial se desató. Cuando Deza se hizo cargo de la Suprema puso en Córdoba a Diego Rodríguez de Lucero, el más sanguinario de los jueces.

Andalucía entera quedó iluminada por las hogueras y muchos nobles, hidalgos y conversos se quejaron de que no habría leña para alimentar ese fuego. ¿Quiénes eran los enemigos? Deza persiguió al converso Hernando de Talavera, el confesor de la reina, el amigo de Nebrija, arzobispo de Granada. Para que quedara claro quién formaba el grupo, persiguió a Nebrija, el discípulo del viejo catedrático Osma. Respecto de Talavera se consideraron que sus crímenes eran negarse a introducir el tribunal de la Inquisición en Ávila, y luego, cuando ya era arzobispo de Granada, por exigir que se mantuvieron los pactos de la conquista de la ciudad, que protegían la forma de vida de los moriscos; por introducir algunas fórmulas en árabe en la liturgia o por permitir las zambras moras en las ceremonias religiosas; por predicar en árabe y por mantener una vida pobre y dedicada. En suma, por ser fiel a lo jurado por su rey.

Si Fernando asumió esta dinámica hacia 1500 fue porque ya sabía que Isabel estaba fuera del gobierno, algo lamentado de forma sincera por todas las élites castellanas. Él se sabía observado y muchas voces lo veían como un tirano en Castilla. Es verdad que había buenas noticias de Italia. En 1498, la influencia hispana sobre los territorios del viejo imperio de Aragón estaba asegurada por obra del Gran Capitán. Pero esta alegría no podía compensar los terribles sucesos de la corte, ni podían retirar la alarma de los pueblos. Las campañas de Italia servían a intereses aragoneses, a pesar de que estaban dirigidas con prodigiosa maestría por Fernández de Córdoba. La indisposición del caudillo militar con el rey se extendía a toda la nobleza andaluza, que no cesaba de protestar ante la destrucción de las ciudades por los inquisidores.

DESOLACIÓN

Todo estalló cuando murió la reina Isabel, en 1506. Fernando, asediado, con la nobleza andaluza en contra, vio cómo todos apoyaban a Felipe el Hermoso. Este sustituyó a Deza, detuvo las actuaciones de la Suprema, atendió las reclamaciones de los andaluces y dio alientos a un movimiento constitucional de ciudades castellanas que debían reunirse en Burgos en 1506. Su repentina muerte bloqueó el proceso de constitución castellana con una tragedia que no tiene otro parangón que la frustración catalana ante la muerte de Carlos de Viana. De nuevo, las largas procesiones de luto atravesaron España, aunque ahora tras ella andaba desorientada y enloquecida la misma reina Juana, que se negaba a abandonar el cuerpo de su esposo muerto. Abrazada a su ataúd, atravesó Castilla hasta llegar a Granada, infundiendo por doquier un dolor que atravesó el alma incluso de los moriscos. Por mucho que las ciudades y algunos grupos nobiliarios, como los Manrique, desearan ir adelante con las Cortes bajo la protección de Juana, Enríquez y Alba disolvieron las resistencias a punta de espada y con amenazas, siempre en contacto con Fernando que, mientras tanto, se mantenía en Nápoles. Desde su arzobispado de Toledo, al frente del Consejo Real, Cisneros pactó la venida de Fernando. Finalmente, en 1507 el rey lo nombró nuevo inquisidor general, aunque Deza seguía deseando volver al cargo. No fue sencillo el regreso. Fernando tuvo que vencer una guerra civil en Andalucía.

Cisneros se embarcó en una megalomanía apocalíptica asesorado por frailes visionarios. Luego, todo fue el intento por parte de Fernando de lograr un hijo. No es fácil creer que Fernando pensara en disolver una unidad que a los ojos de todos no había cuajado. Si hubiera querido hacerlo, habría anexado el reino de Navarra a la Corona pirenaica. No lo hizo. Aprovechando una dudosa bula papal, Fernando se vio autorizado a emprender una guerra contra Navarra al tiempo que casaba con una princesa de la casa de Foix, Germana, con derechos sucesorios a esa corona. La acumulación de legitimidades proclama la inseguridad de todas ellas. Al final, el rey Fernando no pudo evitar morir solo, en un pequeño pueblo de Cáceres. Cisneros, en su doble cargo de inquisidor general y de arzobispo de Toledo, se hizo con un país expectante, inquieto, decepcionado, deprimido. El mismo cardenal, no podía entender que se aproximara su hora sin haber realizado nada concreto. Pero la hora se aproximaba mucho más deprisa de lo que él creía.

5

CARLOS, EL BORGOÑÓN

PERSIGUIENDO A CISNEROS

Es fácil mantener en pie el imaginario de que, muerto el rey Fernando, el humilde cardenal Cisneros mantuvo las riendas del país hasta que llegó el nuevo soberano. Se suele creer que los fieles españoles esperaban pasmados a que llegara su señor, tranquilos y obedientes. Pero, sin duda alguna, nada era más lejano de la realidad que ese cuadro. España entera bullía de movimientos, planes, especulaciones, inquietudes y resistencias. La política, en los elementos más populares y en los más altos, nunca dejó de actuar. En realidad, todos los actores sabían lo que significaba un nuevo monarca. Nuevos ministros, élites, costumbres, gentes, clientelas, relaciones de poder, todo ello producía una viva inquietud. El país no olvidaba que Fernando se había impuesto a sangre y fuego en su segunda gobernación. Muchos habían resistido: los nobles andaluces, como los Priego, Arcos, Fernández de Córdoba, Medina Sidonia, Aguilar y desde luego los Manrique.

Fernando, al no lograr un nuevo hijo, es bastante probable que deseara testar en favor del hermano menor de Carlos, el príncipe Fernando. Era lógico este movimiento. Implicaba una regencia, desde luego, pero las fuerzas instaladas en el control de la corte, desde Cisneros hasta el Almirante y Alba, se sentían aliviadas por la continuidad. Sin embargo, Adriano de Utrecht, el servidor de Carlos, controló el testamento y atajó esas expectativas. Pero no las eliminó y crecieron sordas y persistentes. En estas condiciones, el partido fernandino con Deza, Alba y Enríquez se mostraba ansioso por saber cómo iba a responder un monarca que era el hijo de su enemigo, el rey Felipe, y de los nobles que habían luchado por él, como Manrique. Sobre todo ignoraban las intenciones de su séquito de flamencos. Otros hombres de la administración, avispados y listos, se habían pasado a Flandes antes de que Fernando muriera y allí se habían integrado en una nueva élite en torno a los intereses flamencos. Uno de ellos será el obispo de Badajoz, Mota; otro era Francisco de los Cobos, mediador entre la vieja administración de Fernando y la nueva imperial.

Por su parte, Cisneros no iba a entregar fácilmente la gobernación del reino. Su resistencia era convergente con los intereses de los nobles fernandinos, aunque tenía sus propios objetivos, ante todo no perder el poder. Así, movilizó a su brigada de frailes predicadores y estos comenzaron a agitar las aguas castellanas recordando que la reina legítima era Juana, la castellana. Sin duda, sabían que no podía gobernar, pero esto daba igual. Cisneros soñaba con ser también el gobernador de la reina, o del joven príncipe Fernando, como lo había sido cuando murió Felipe. Las ciudades eran muy sensibles a esta argumentación, porque deseaban que sus reivindicaciones se atendieran según los borradores que habían hecho para las Cortes de Burgos de 1506. Como sabían que los nobles fernandinos y el inquisidor general y el arzobispo de Toledo bloquearían sus perspectivas, en realidad deseaban obtener el visto bueno de la frágil reina.

Para 1516, los delegados de Carlos asistieron a la cómica escena de perseguir por media España al moribundo Cisneros para que entregara sus poderes. Únicamente la resistencia lo mantenía vivo, con esa obstinación que solo puede presentar un fraile, vinculado al mundo de los vivos por la idea de ser un portador mesiánico para Castilla. Cuando por fin le arrancaron su poder y su vida, prepararon la venida de Carlos, que llegó a España en octubre de 1517. Como es natural, Deza reclamó pasar a la primera línea de la batalla política y presionó para ser nombrado arzobispo de Toledo y heredar a su enemigo. El testigo de este tiempo es de nuevo Pedro Mártir, que recogió las coplillas que se inventó el ingenio popular sobre el afán de oro de los ministros de Carlos. Las gentes dejaron de ver los doblones de oro como por arte de magia y celebraban la vista de uno de ellos como si se tratara de un milagro. Anglería dijo lo más certero, algo que sería verdad durante más de un siglo: los españoles eran los indios de los flamencos. Cuando por fin vino el joven rey a recibir la corona, a un Valladolid embarrado, todos pudieron comprobar cuál era la índole de la situación. El obispo Mota traducía a Chièvres y este hablaba con el rey, que parecía absorto; luego, Chièvres de nuevo hablaba con Mota y este traducía a los inquietos castellanos. Un pequeño teatro fue organizado en la plaza de Valladolid. En él se representaban las bodas de la viuda España con el joven Austria, invirtiendo el imaginario medieval, según el cual la casa de Austria ofrecía sus vírgenes a todas las demás casas reinantes. Ahora, la desdichada viuda España encontraba a un joven en quien revitalizarse. Mientras, la reina Juana recibía en su prisión de Tordesillas a su hijo Carlos, a quien desconoció con una indiferencia que alarmó a todos.

No nos consta que este espectáculo entusiasmara a los castellanos. Es sabido algo más de lo que al final de todas las traducciones quedaba claro. Que era preciso convocar Cortes, asistir al joven rey y ofrecerle un buen servicio en oro, como una viuda debe dotar a un joven mancebo que viene dispuesto a darle alguna alegría. Así se abrieron las Cortes de Valladolid de 1518. Los castellanos comenzaron a reconocer que los catalanes tenían una buena costumbre en sus Corts. No rechazaban dar la asistencia, pero desde luego antes debían ser escuchados en sus agravios históricos acumulados. El ambiente se puso tenso y el rey dijo que por su reputación no podía aceptar aquella innovación. Los delegados de las Corts contraatacaron: debían consultar a sus ciudades. Ellos eran unos meros delegados vinculados. Mota exigió que se acabara con aquella farsa, y tras varios tira y afloja logró que unas nuevas Cortes se convocaran en A Coruña, lugar inédito para este asunto.

Las protestas arreciaron. Los correos entre delegados y ciudades se multiplicaron. Las amenazas de los agentes regios se intensificaron. Los nobles fernandinos se abstuvieron de intervenir, dejando que la situación se pudriera y esperaron a ver cómo se desarrollaban los acontecimientos. Las resistencias se extremaron de forma pasiva en relación con el joven Fernando, el hermano del rey Carlos. Nadie sabía cómo, pero no había forma de que se embarcara hacia Flandes, como exigía Carlos. Por doquier se acumulaban los obstáculos para su partida. En las iglesias aparecieron pasquines que clamaban contra la falta de vigor de los castellanos que se dejaban gobernar por un extranjero, mientras finalmente veían cómo su querido paisano, el joven Fernando, que sabía el idioma, se alejaba para no volver jamás.

Carlos aprovechó el año que quedaba hasta las Cortes de A Coruña para marchar a Cataluña y jurar allí las constituciones del principado. Antes, delegados de la ciudad habían marchado a Flandes para tratar asuntos propios ante el equipo de gobierno de Carlos. Resultaba evidente que, para los planes imperiales, Barcelona era central. Se demostró cuando se celebró en la ciudad la fiesta del Toisón de Oro. Por fin, se olvidaban las reservas eternas con los Trastámara, de las que Fernando todavía tuvo noticia con un atentado que solo de forma milagrosa no fue mortal. No por eso las tensiones de las Corts fueron menores. Sin embargo, el sentido del futuro ya se preveía: libre comercio con Berbería y con las tierras de Oriente y «totes les terres subjectes». Es posible que Barcelona acariciara la idea de comerciar con América, algo que habría cambiado la historia hispana. Por lo demás, Cataluña obtuvo exclusividad de comercio en sus puertos y se prohibió que los barcos extranjeros cargaran sal, lanas, grano y fruto. El nuevo rey cargó con la responsabilidad de neutralizar el bandolerismo que asaltaba las rutas comerciales y ofreció promover «consols de cathalans» en las tierras conquistadas. Por fin, hubo un intento de limitar las actuaciones de la Inquisición, tan perjudiciales para la vida económica. El gobierno regio se cerró cuando se nombró virrey a Pedro de Cardona, el arzobispo de Tarragona y miembro de una antigua y noble familia.

En resumen, siguiendo a Anglería, se puede decir que la elección de Carlos fue un buen negocio para Cataluña. En el año en que estuvo en Barcelona la corte, se gastó más de lo que obtuvo. «Nos roerán hasta los huesos», dijo este humanista rezongón, que protestaba de los alquileres y los precios elevados de los alimentos. No esperaban nada del rey, continúa, pero «los catalanes los conocieron con más sutileza [a los flamencos] que vosotros los castellanos, y no sacarán jamás de ellos ni un átomo de salvado ni una pavesa de ceniza». En realidad, todos adivinaban ya que el monarca deseaba marchar al asunto del imperio, y por mucho que esta aventura abriera horizontes a la nobleza de los Cardona, Montcada, Alemany, Requesens, Oms, Cervelló y los grandes armadores, para el resto de la gente popular no era sino una «hinchada ambición de viento vano». Con pleno sentido común, Anglería sentenciaba: «Pluguiera a Dios que tal fantasma hubiera caído sobre el francés».

Con sentido profético, la única consecuencia de todo ello, apreciable a la atenta mirada de Anglería, era que «pereceremos de hambre mientras tierras ajenas se saturan de nuestro pan». No todos pensaban así. Los prohombres de la ciudad, al recordar que él sería el emperador de la nueva edad de oro como Augusto, afirmaron que inauguraba un tiempo en el que los barcos deberían zarpar de Barcelona rumbo a la conquista de Jerusalén. Así dice un texto de 28 de noviembre de 1520 que recogió Reglá:

> De aquesta ciutat partira lo gran stol ab les enseyes de la Santisima Creu per reparació de la Casa Sancta de Jerusalem y terra de promisió, segons en alguna antigua scriptura es legit.

Mientras esta carta se escribía, en Castilla se intentaba hacer reina a Juana, y en Valencia se caminaba hacia la búsqueda de un poder que se hiciera cargo de la deriva de una rebelión menestral y antiseñorial.

COMUNIDADES Y GERMANÍAS

A finales de 1520 Carlos terminaba sus asuntos en Cataluña y marchaba rumbo a Galicia. La elección de A Coruña como sede de la asamblea mostraba las intenciones del nuevo equipo de gobierno: hacer Cortes, presionar a los castellanos, obtener el servicio de las ciudades y tomar el barco hacia Alemania, donde se debía recibir la elección imperial que debía tener lugar en 1520. Todos sabían que lo que estaban entregando al joven rey era la garantía de pagar los sobornos de los electores que habían elegido a Carlos como emperador frente a Francisco I de Francia. Las retorcidas razones de los electores para inclinarse por el borgoñón se reducían a una: temían menos a Carlos, incluso con el poder de España, que a Francia. Así que en 1520, Carlos abandonaba España para tomar la corona de hierro de Aquisgrán como «rey de romanos» y luego dirigirse a presidir la primera Dieta de Worms, donde los señores imperiales le reservaban una pequeña sorpresa: el juicio a un fraile, Martín Lutero, que estaba dispuesto a acabar con la primacía del obispo de Roma sobre la Iglesia alemana. Si la casa de Luxemburgo, unida a la de Borgoña, vinculada a España, iba a dar la batalla por un imperio patrimonial y fuerte, los señores alemanes se armaban para resistir y combatir. La constelación de la Europa moderna comenzaba.

Pero los procesos de los castellanos seguían prendidos de una lógica propia. Por allí seguían intactas las aspiraciones de las ciudades desde los terribles sucesos del inquisidor Lucero y las guerras civiles de Andalucía. Los castellanos querían renovar los obispados, ordenar la representación de ciudades en Cortes, impulsar la Santa Hermandad, regular y limitar la Inquisición, ordenar las normas sobre exportación de lana, proteger las artesanías de tejidos, regular el comercio con las Indias; en suma, organizar el reino. Ahora se veían implicados en una lógica que se les escapaba y de la que solo sabían algo: que la nueva aventura europea iba a costarles mucho dinero. Allí se dio cita la primera inclinación a optar por el mar, y no tanto por la tierra europea con sus complejos asuntos. Castilla tuvo esa oportunidad antes que Inglaterra, pero la dejó pasar. No obstante, las Cortes no cedieron por el momento. Los delegados de Cortes pidieron nuevas instrucciones a sus ciudades y decidieron ordenarse en una junta gubernativa propia que dejó de obedecer a Adriano como regente de España.

En Valencia el malestar era amplio por otros motivos. La crisis de la ciudad era intensa y se había dejado sentir la doble presión de la Inquisición contra la minoría conversa y la expulsión de los judíos. Fernando la había dejado arruinada y nadie daba nada por la deuda pública de la ciudad, los *censats*. El enfrentamiento entre la nobleza urbana y los menestrales no podía relajarse porque todos los pequeños ahorradores habían sido arruinados por la administración de la ciudad en manos de las élites que colocó Fernando. En un clima apocalíptico, con la peste declarada, los inquisidores se entregaron a una persecución de los sodomitas, y algunos fueron quemados. Los grupos de *fadrins* tomaron las calles y se organizaron por gremios. Para colmo de males, como el rey no pensaba sacar nada de una ciudad empobrecida, Carlos no juró sus fueros ni les hizo Corts. Las noticias de que embarcaciones de piratas berberiscos se asomaban a sus costas fueron suficientes para que se organizara la defensa de la ciudad y se armara la milicia urbana. Cuando se llegó a esto, los *caballers* y *generosos* ya abandonaban la ciudad, dejando a las organizaciones menestrales el control y el gobierno de la misma. El clima apocalíptico se extendió con rumores sobre el Encubierto, una figura mesiánica de procedencia judía, y la certeza de que se aproximaban los días anteriores al Juicio Final impuso el bautismo general de los moriscos valencianos, muchas veces a punta de espada.

Como se ve, la situación de Castilla y del reino de Valencia era explosiva. Sin embargo, tras Caspe, la solidaridad de los reinos de la Corona estaba rota. Por eso nadie asistió a los valencianos en esta hora. Barcelona pretextó la peste para no acudir. Nadie ayudó a los *agermanats* valencianos, aunque el malestar antiseñorial era muy extenso y conoció focos aislados en Cataluña y en Mallorca. Por lo demás, las relaciones entre Valencia y Castilla no eran más fuertes. Hay noticias de algunas relaciones entre comuneros y *agermanats* en Villena y en la frontera de Chinchilla. Nada consistente, coordinado y organizado. Algunos comuneros marcharon a Valencia tras el desastre de Villalar, en abril de 1521, y los agermanados prohibieron que circulara la noticia de la derrota, pero la propaganda oficial fue más fuerte que la de los valencianos. La última posibilidad de triunfo consistía en conectar con algún «grande» y eso era la que exploraron los *agermanats* de Xàtiva: que Fernando, el duque de Calabria, preso en la fortaleza valenciana desde que Fernando el Católico se hiciera con el reino de Nápoles, dirigiera el movimiento insurreccional. Fernando resignó la oferta.

La solidaridad interna de Castilla no era mucho más fuerte que la del imaginario de los reinos de la Corona de Aragón. Cuando comenzaron los movimientos antiseñoriales, los nobles que hasta el momento se habían mantenido expectantes comenzaron a alarmarse. Se recompuso un Consejo Real bajo el mando del condestable en Riofrío, y el partido de las ciudades comenzó a resquebrajarse. Las reivindicaciones urbanas dejaron ver las diferencias de intereses. Burgos comenzó a separarse del resto cuando comprendió que su lugar privilegiado como puerto seco de Castilla podía estar en peligro si el comercio de lana con Flandes se desactivaba. No veía ningún aliciente en disminuir el lote de lana dedicada al comercio a favor de la que se dedicada a la producción de paños de calidad en Béjar o en Salamanca, en Ávila o en Segovia. En suma, no ganaba nada con el aumento del comercio interior de productos artesanos. Así que rompió el frente. Sevilla la siguió por sus propios intereses de monopolio, dependiente del privilegio regio. Así que dos monopolios, dependientes del ejercicio del poder regio, fracturaron la comunidad. Toledo, encerrada en el centro de la Península, alejada del horizonte marítimo, era la que más negro futuro veía ante sí y por eso resistió hasta el final. Lo mismo sucedía con el obispo de Zamora, Acuña, cabeza visible de la reivindicación de una representación mejorada para las ciudades del antiguo reino de León. En todo caso, la capacidad de las ciudades para acordar unas reglas comunes al reino de Castilla fue insuficiente y, cuando el ejército de hidalgos avistó en Villalar la caballería nobiliaria, se diluyó en el barro. Las *Germanies* de Valencia todavía aguantaron un poco más desde las plazas de Xàtiva y de Valencia. Pero al final, la solidaridad interna del reino no pasaba más allá de la frontera de Ibi. Las tropas del marqués de Aguilar, que subían desde Murcia, recogiendo señoríos alicantinos, se lanzaron de nuevo, como lo habían hecho en la época de Pedro I, contra el imponente castillo de Xàtiva. No sería la última vez en que algo semejante ocurriera.

RECONCILIACIÓN

Cuando el emperador supo calmadas las aguas, regresó a España al frente de una numerosa guarnición de alemanes, de la que todavía se hace eco el *Lazarillo de Tormes*. Aquellos años que van desde 1521 hasta 1528 fueron de consolidación del dominio regio. Las Cortes de Toledo salvaron lo que pudieron de las viejas reivindicaciones, pero no lograron avanzar hacia un parlamento capaz de pactar con el rey una política. Poco a poco se vaciaron de contenido político y se vieron como un lugar de encuentro para definir servicios y pagos fiscales. De este modo, el camino hacia el cierre oligárquico de las ciudades se hizo expedito. Sin embargo, los castellanos impusieron una boda regia con Portugal. Sin duda, Carlos aceptó porque no había un mejor postor, pues se midieron cuidadosamente las dotes de las candidatas. En su periplo de bodas, Carlos abordó el problema de los moriscos granadinos, exigiendo la integración y la homogeneidad de costumbres, y alentó las conversiones de los moriscos valencianos. No tuvo éxito en ninguna de estas dos políticas. Por fin, en 1528, el César pudo llegar a Valencia, donde se reconcilió con el reino y organizó un virreinato dirigido por Germana de Foix, a la que casaron con el duque de Calabria, pagándole así su negativa a ponerse al frente de la rebelión *agermanada*. La nobleza valenciana comprendió que tenía que enrolarse en la corte virreinal y hacia allí se dirigieron los Borja, en decadencia tras su aventura italiana. Por doquier llovían los manuscritos de traducciones de Erasmo. El inquisidor general Manrique autorizaba e incluso animaba su publicación. Su hijo estudiaba en París y se codeaba con los humanistas como Juan Luis Vives. Fue el tiempo de libertad en que una orden del inquisidor hizo callar a los dominicos y demás frailes reunidos en Valladolid para condenar a Erasmo. Muchos conversos se hicieron erasmistas para seguir viviendo su religión cristiana. Todo parecía un milagro.

Por un tiempo, Carlos había consolidado los pactos con todos los sectores sociales y logrado un equilibrio entre nobleza, ciudades y élites. Cataluña tenía expectativas de ser el centro de las operaciones del Mediterráneo. Es verdad que pronto vería cómo Génova, su enemiga, se pasaba al bando imperial, pero Barcelona supo integrarse en el circuito imperial del comercio y de la plata. Burgos mantenía su monopolio de la lana, y Sevilla, el de América; los puertos del norte se mostraban activos; las ciudades castellanas vieron que la moneda perdía valor más rápidamente que subían sus impuestos; sus hidalgos sobrantes marchaban a América; sus nobles tenían una amplia administración europea en la que emplearse; sus letrados, humanistas y juristas ahora podían mirar a Europa y codearse con sus pares en los poderosos séquitos, y la Universidad de Alcalá de Henares surtía de licenciados a todos estos puestos, al tiempo que sus imprentas, como la de Eguía, sostenían un público lector abundante. Los hidalgos tenían en Navarra un frente al que acudir y la frontera vasca era inestable como zona de guerra con Francia. Las sociedades castellana, andaluza, gallega, vasca, catalana y valenciana, pacificadas en el interior, encontraban la manera de seguir su camino histórico sin que nadie impugnara más la legitimidad de un emperador que, en 1528, lograba imponer su coronación al rey de Francia vencido y a un Papa postrado, que había conocido un saco de Roma violento y humillante.

Solo unos actores parecían inquietos. Con Diego de Deza muerto, la débil posición de los frailes se vio cuando el emperador no pudo aguantar a su confesor, el general de los dominicos García de Loaysa, y lo envió a Roma. Por supuesto, los dominicos no se quedaron de brazos cruzados. Sabían lo que se jugaban. Así, se reforzaron en Salamanca con la llegada de Francisco de Vitoria en 1526. Demasiado conscientes de que la fama de Erasmo significaba el final de su prestigio, y viendo que el inquisidor general extendía la recepción de su obra, decidieron examinar su ortodoxia. Dado que no podían activar a la Suprema, llevaron el examen a la propia universidad. El debate fue cortado por el propio inquisidor y por orden imperial se prohibió ir contra Erasmo. Esto no quedó en el olvido. Manrique se convirtió en el enemigo jurado de las élites tradicionales castellanas y del viejo partido fernandino, que nunca dejó de tener personas bien colocadas en el Consejo Real. Uno de ellos era Pardo de Tavera, sobrino de Diego de Deza. El otro fue Francisco de los Cobos, la puerta abierta para el acceso a la corte de los viejos fernandinos. Tavera fue hecho obispo de Ciudad Rodrigo por Fernando el Católico en 1514, y había servido en las Cortes de Toledo. Amigo de Cobos, representaba el ala conservadora de la administración y su carrera siempre presionó al arzobispo de Sevilla, el inquisidor Manrique. Hacia 1531, ya era arzobispo de Santiago, pero seguía trabajando en el Consejo. Fue por esta época cuando se logró, por un desliz de la familia Manrique, indisponer al emperador con él y lanzar todas las fuerzas contra su persona. Fue rodeado en el Consejo de la Inquisición y para hostigarlo y neutralizarlo se empleó a un joven ambicioso, Fernando de Valdés, antiguo protegido de Cisneros y elevado por él a juez de la Inquisición en 1516.

LA GRAN DUALIDAD

Las diferencias entre la administración imperial, concentrada en la Cancillería, y la administración de los reinos hispánicos en Consejos, no hizo sino crecer. La contradicción entre ambas organizaciones, también. Castilla deseaba reducir la aventura europea, y la emperatriz portuguesa Isabel era la que más presionaba al respecto. El gran Mercurino de Gattinara, al frente de la Cancillería imperial, junto con los auxiliares erasmistas como Alfonso de Valdés, soñaba con un imperio europeo capaz de ordenar Italia y la Iglesia de Roma. Gattinara era consciente de que Francia solo sería vencida si se lograba anular a su principal aliado, Roma. Esta política era la amenaza más poderosa para los grupos más conservadores organizados alrededor de los dominicos castellanos encastillados en la Inquisición. Estos castellanos, para impedir que un solo ministro, y además extranjero, dirigiera la política del emperador, se hicieron fuertes en el gobierno de Consejos plurales, una fronda que ningún extranjero podría dirigir. Se creó el Consejo de Hacienda, el de Indias, el de Estado, que se unieron al de la Inquisición y al de Órdenes. Francisco de los Cobos era el hombre que sabía muñir las relaciones entre todos ellos. Pronto se construyó su palacio en Valladolid, sede principal de los Consejos, donde nacerá el infante Felipe. Los preparativos del gobierno se hicieron más intensos cuando parecía inminente la nueva marcha de Carlos por Europa a la coronación imperial, algo que se logró en Bolonia. Carlos marchó en 1529, desde Barcelona, tras serios enfrentamientos entre Alfonso Valdés y el nuncio papal Castiglione en Valencia, un año antes. La victoria de los consejeros castellanos conservadores ya estaba consumada cuando se logró que el emperador no nombrara un nuevo canciller imperial, tras la muerte de Gattinara, en 1530. García de Loaysa, nombrado cardenal por el Papa el mismo año de la coronación, nos ha dejado cartas intensas sobre el particular, que se han conservado. El emperador fue a la deriva política desde ese día, como se verá a continuación.

Tras la marcha del emperador, estas fuerzas castellanas comenzaron a organizarse alrededor de la emperatriz Isabel, la más conservadora y anclada en la visión más convencional, con el cardenal Tavera, sobrino de Deza, en la presidencia del Consejo de Castilla. Desde luego, pronto, hacia 1532, García de Loaysa, superior de los dominicos logró regresar a España. La visión de las cosas dominante en este grupo era dejar al emperador los asuntos europeos, con lo que eso implicaba. El arzobispo Alonso de Fonseca, un hombre fiel a Carlos y amigo de Erasmo, con amplios contactos humanistas, todavía moderaba las posiciones, pero no era suficiente. El viejo espíritu fernandino se hizo fuerte en el gobierno de Castilla. Desde ese momento, el imperio fue una especie de adherencia extraña del gobierno castellano, y el emperador, un fantasma que recorrería Europa sin anclaje ni rumbo. Era evidente que de aquella política europea, plagada de ambigüedades e indecisiones, no podía seguirse nada positivo. Lo único que podía lograr el emperador era no perder. Sin embargo, no podía ganar. Aunque venciera una y otra vez, la misma constelación se alzaba contra él como si nada hubiera pasado. Podía hacerse con Milán, pero no podía ganar un ápice de terreno en su lucha con los príncipes de Alemania sin una clara y firme política de reforma de la Iglesia. Lo sabía García de Loaysa cuando le recomendaba que mandase al diablo a los alemanes y que dejara que se perdieran para siempre en su herejía, los entregara a su suerte, le dejara el imperio a su hermano Fernando y se concentrara en el mundo católico y español, sellara una alianza sin fisuras ni ambigüedad con el Papa de Roma, simplificara su política sin exponerse al acuerdo de Alemania y aspirara a mantener a raya a los turcos y berberiscos que amenazaban Nápoles.

Pero, sin la ayuda y la orientación de Gattinara, que tenía un sentido de las prioridades, el emperador no supo qué hacer después de su coronación, en 1530. Creyó que la mayor fuente de ansiedad, que Fernando fuera elevado a «rey de romanos», había desaparecido cuando le llegaron noticias de su elección. Amenazó a los luteranos en la nueva Dieta de Worms de 1530, y marchó contra los turcos que amenazaban Viena, aliados de los franceses como se sospechaba, que se retiraron para no presentar batalla. Durante todo el año 1531, el emperador hizo un viaje por sus tierras patrimoniales de Bruselas y de Gante, desde donde preparó la futura Dieta de Spira, a la que al final no acudió. Sin su presencia, no se podía esperar nada relevante de aquella reunión. Las indecisiones del emperador, como se ve, fueron profundas y las resolvía dejándose llevar de su pulsión principal, siempre relacionada con su vieja cultura borgoñona. Así, se entregó a la renovación de la orden de los caballeros del Toisón de Oro y nombró a su hijo junto con otros «Grandes de Castilla». Se formaba así una verdadera nobleza europea, pero eso no era suficiente sin una dirección política adecuada.

Los preparativos para el viaje contra el Turco se nos presentan ya en 1532. Pero en lugar de una campaña fulminante desde Europa, el emperador decidió regresar a España y desembarcó en Cataluña, donde la emperatriz lo esperaba desde tiempo atrás, con la ciudad ya dispuesta. Allí le llegó la noticia del matrimonio de Enrique VIII con Ana Bolena, lo que iba a producir un giro importante en la ordenación de fuerzas europeas. Un tradicional aliado de Borgoña y de Flandes iniciaba un camino propio que nadie sabía dónde iría a conducir. Al casarse con Ana Bolena, Enrique rompía el sistema patrimonial europeo y marcaba un camino en solitario para Inglaterra. El emperador exigió a sus humanistas que escribieran contra el rey inglés, pero las medidas de la propaganda a favor de la querida Catalina no fueron eficaces.

Cuando se atiende al curso de la vida de Carlos en ese tiempo, casi siempre se halla en España, lo que tiene poco sentido una vez que había logrado la anhelada coronación imperial. Parecía como si ya no tuviera nada que hacer en el escenario europeo. Desde Barcelona, el emperador se dirigió a Monzón, donde llegó el 18 de junio para abrir al día siguiente las Cortes y regresar de nuevo a la Ciudad Condal, donde su esposa estaba enferma. Entre la actividad de la corte de ese tiempo se aprecia la insistencia continua y la atención a las Indias. Así, diversas cédulas de ese tiempo reclaman que se construyan iglesias con los impuestos de los indianos, que no se carguen a los indios con más de dos arrobas cuando hagan trabajos, que se recojad a los mestizos junto con los indios en pueblos, que no quiten indios a los encomenderos sin oírlos antes en sala, que los indios edifiquen para los sacerdotes casas contiguas a las iglesias. Desde Toledo, donde estuvo desde febrero hasta mayo de 1534, una cédula organizó los distritos de los obispados de Indias y otra impidió a los encomenderos desplazarse de una provincia a otra, prohibiendo las ejecuciones en los ingenios del azúcar. También garantizó el comercio libre entre indios y castellanos, pero prohibió que los armeros enseñasen su arte a los indios. Por estas fechas ya se autoriza que se puedan pasar esclavos por miles a las Indias, sin duda para los ingenios. Por fin se creó la Audiencia y Cancillería Real en Tierra Firme y se autorizó la fábrica de navíos en el Mar del Sur. Aunque las órdenes de preparar la campaña contra el Turco llevaban años, no parecía que hubiera prisas. El emperador, sin política europea, no sabía qué imperio prefería, si el de México o el de Alemania.

Solo en 1535, el emperador se dirigió a Barcelona para embarcarse el 30 de mayo hacia Túnez, su empresa militar más gloriosa, dejando de lugarteniente general a la emperatriz Isabel y rogando a Diego Hurtado de Mendoza que la asistiera como si fuera su propia persona. En Cagliari lo esperaron otros muchos alemanes y los ejércitos hispanos de Nápoles. Los tapices que inmortalizaron ese día victorioso son las obras de arte maestras en su género. Aunque el emperador deseaba proseguir hacia Argel, escribió a su corresponsal, Mendoza, para notificarle que decidía embarcarse hacia Italia. Luego, con el prestigio de un verdadero emperador cruzado, desembarcó en Sicilia y llegó a Palermo el viernes 1 de octubre, lo que todavía se celebra en una conocida estatua que adorna una de las plazas de la ciudad. En su pedestal se hace llamar «emperador de México». Los pactos para que Fernando heredara el imperio sin duda habían dejado una profunda impronta en su propia actuación y percepción. ¿Emperador de Alemania o de las Indias? La indecisión en esta época es clara.

El caso es que, en lugar de aprovechar la gloria de Túnez para imponer un acuerdo sobre la reforma de la Iglesia en Roma, y desactivar la Liga de Esmacalda, formada en 1531, el rey se dirigió de nuevo a España. Quizá pensó que el nuevo Papa, Pablo III, le era propicio y que la promoción de un grupo de cardenales abiertos (con el inglés Reginaldo Pole, el monedense Jacopo Sadoleto y el veneciano Gasparo Contarini) prometía un concilio adecuado —convocado para Mantua, en 1536—. Todos ellos eran partidarios de un compromiso con los luteranos. No vio las verdaderas intenciones del pontífice y no supo interpretar el nombramiento como cardenal de Gian Pietro Carafa, enemigo de España. La política imperial ya no tenía auxiliares fuertes autorizados, ni agentes perspicaces capaces de neutralizar la refinada política italiana. Solo demasiado tarde comprendió las intenciones del papa Farnese y entonces tuvo que echar mano de los Gonzaga para el golpe de Estado de Piacenza, el asesinato de Pier Luigi Farnese. El consejo de eliminar el cargo de canciller se había mostrado envenenado y aisló al emperador de todo suelo firme en Europa. El emperador parecía gobernar por sí mismo, pero no tenía política. Creyendo que la mayor parte de sus metas estaban conseguidas, se enroló en la Tregua de Niza, a la que Francia se avino porque el papa Farnesio, con los ojos puestos en Italia, se mostraba cauto entre las dos naciones al principio de su papado. Pero sus verdaderas intenciones respecto a España podían haberse identificado si se hubieran leído bien los signos de sus decisiones americanas: en una bula de 1534, nada más revestirse de las dignidades pontificales, decidió conceder títulos de ciudad a Santiago de Guatemala, y en la bula *Sublimis Deus*, de 1537, declaró a todos los indios libres y legítimos propietarios de sus bienes. Obviamente, la administración del emperador tuvo que declarar que la esclavitud estaba prohibida en las Indias e incluso prohibió a los caciques y principales que recibieran como tributos a las hijas de los indios. Por ello, en ese mismo tiempo se avanzó en la ordenación de la gobernación americana con la creación de la Audiencia y Cancillería de Panamá, integrando Veragua en la gobernación de Tierra Firme.

Durante los años siguientes a la Tregua de Niza, firmada en 1538, Carlos se quedó en España, donde lo esperaba el trago que supuso la muerte de la emperatriz Isabel, en 1539, y que transformó la vida de la corte. A este fallecimiento le seguirá poco tiempo después el del inquisidor Manrique, lo que significó la promoción de los viejos enemigos a los cargos que él dejaba vacantes: así, el sobrino de Deza, Tavera, se hizo con la presidencia de la Suprema, y el general de los dominicos, García de Loaysa, se hizo con el arzobispado de Sevilla y con la presidencia del Consejo de Indias, muy activo en la ordenación del nuevo territorio, en línea con las directrices del Papa. Así se decretó que los caciques y los principales indígenas no pudieran tener esclavos. Por lo demás, el cargo anterior de García de Loaysa, el obispado de Sigüenza, fue a parar a un verdadero halcón de la época fernandina, Fernando de Valdés, el hombre que había neutralizado al propio Manrique como inquisidor, destinado a ser el más duro de los directores de la Suprema en los momentos difíciles del cambio de soberano, como se verá. El gobierno entero se hizo reposar sobre Cobos al frente de Hacienda y se confió en la adusta forma de gobernar de Valdés para presidir el Consejo Real.

Así se observa cómo se organiza la clase dirigente en la época decisiva del emperador, cuando su política europea parece detenida, con una paz con Francia que lo aleja de los asuntos centrales del inicio de su reinado, emprendidos por la política europea de Gattinara. Los Consejos se hacen depender cada vez más de un grupo de obispos, en los que Tavera, Loaysa y Valdés son los dominantes, con la excepción del secretario Cobos y sus colaboradores más próximos, en el que pronto aparecerá su paisano Juan Vázquez de Molina. Para el séquito más cercano del emperador se reserva a la alta nobleza de los Alba, los Aguilar, y ahora al duque de Alburquerque, descendiente de Beltrán de la Cueva, con raíces en Úbeda, como Cobos y Vázquez. Junto a ellos, un grupo de secretarios personales, ajenos a los obispados, con personas como Alonso de Idiáquez, un caballero guipuzcoano que acompañó a Carlos hasta su muerte, a manos de luteranos, en 1547. Luego fue sustituido por otro personaje semejante, aunque ahora madrileño, Francisco de Eraso, parte de la nobleza hidalga local. Leales y disciplinados, estos hombres eran obedientes cumplidores de órdenes y no podían sustituir la dirección política de un Gattinara. Pero todavía hay que identificar a otros ayudantes del séquito del emperador, sin los que será imposible conocer bien su época.

OTRA ÉLITE: LA RELIGIÓN DE CARLOS

A partir de 1539, los sucesos de la política dieron un giro brusco con la rebelión de la ciudad de Gante. Este hecho, que motivó la presencia de Carlos en sus tierras borgoñonas en 1540, inició la nueva época europea del emperador. La inteligencia de la gobernadora María vio que o bien se arreglaba la reforma de la Iglesia, o Flandes se perdería. Con los príncipes reformados de enemigos, era cuestión de tiempo que todas las provincias flamencas se pasaran a la Reforma. Que el emperador se dirigía a la guerra se sabe por la ritualidad de su despedida. Dejó perfectamente organizado el gobierno en España, con virreyes y Consejos renovados. En Amberes coincidió con sus hermanos, la gobernadora María y el «rey de romanos» Fernando. Algo debió de cambiar en su percepción de los pactos elaborados diez años antes, pues manifestó su deseo de asistir a las dietas de Spira y Núremberg, mostrando una cercana convivencia con el elector del Palatinado. Sin embargo, Carlos dejó a su hermano Fernando que presidiera la Dieta de 1542, que solicitaba ayuda a los príncipes alemanes frente a la amenaza turca. En realidad, el asunto más preocupante estaba una vez más en Francia, que había visto la debilidad del rey en su violenta actuación en Gante. Así, París azuzó a su aliada Turquía para que atacara el imperio. Fernando, en apuros, se avino a pactar con los príncipes protestantes los términos de la paz religiosa establecida en el Coloquio de Ratisbona de 1541, donde los teólogos de uno y otro lado, imperiales y luteranos, habían llegado a importantes acuerdos sobre el pecado original y la justificación por la fe. Aunque el grupo imperial se aproximaba a las concepciones reformadas, no excluía las católicas, para las que reclamaba tolerancia. En realidad, el acuerdo era un simple borrador de acercamiento. El emperador permaneció en Ratisbona desde febrero, donde inauguró su conferencia el 5 de abril. Pero ya antes Lutero había conocido el acuerdo secreto y lo había rechazado, a pesar de sus concesiones. No había españoles entre los interlocutores católicos como Gropper y Eck. Los luteranos eran Bucero, Pistorius y Melanchthon. Los dos presidentes eran el conde palatino Federico, con quien el emperador había estado en convivencia estrecha en 1541, y el cardenal Granvela, que era un hombre suyo. Luego había diversos testigos. Los acuerdos, una vez más, fueron posibles en términos dogmáticos. Pero los católicos no cedieron nada en lo referente a la autoridad de la Iglesia, disciplina y sacramentos. Carlos, a pesar de los electores católicos, seguía creyendo en un acuerdo.

Era una ilusión necesaria. Sabía que Francia no deseaba mantener la Tregua de Niza por más tiempo, y que una alianza entre Francia y la Liga de Esmacalda, coincidente con otra ofensiva turca, podría dejar al partido imperial en graves apuros. Ese frente constituía una amenaza permanente, sobre la que Gattinara tenía una solución: imponer la reforma de la Iglesia en una Italia sin el dominio político de Roma, el nudo gordiano de todos los asuntos. Ahora, a la desesperada, Carlos deseaba encontrar un acuerdo doctrinal, cuando ya sabía que Pablo III le había engañado sobre su voluntad de convocar un concilio. Entonces, Carlos envió en junio una legación a Wittenberg para hablar con el mismísimo Lutero. Con una diplomacia rara en él, Lutero se avino a un acuerdo si se le daban garantías de que las condiciones acordadas serían impuestas a Roma. En realidad, no creía en la sinceridad del consistorio romano y dejó que la ruptura dependiera de la política papal, donde ya bullían los agentes de los jesuitas, contrarios a todo acuerdo. Cuando en Roma el cardenal Contarini presentó los acuerdos, la esperanza se mostró vana. El emperador quedó desautorizado. En una respuesta colérica amenazó con imponer por la fuerza los aspectos doctrinales, creyendo que esa era la piedra de toque para Roma. No sabía que el objetivo verdadero era él y su política. Pero en lugar de tomar una decisión, Carlos cometió la imprudencia de la jornada de Argel, a finales de 1541, que acabó en un desastre anunciado por todos sus colaboradores. A pesar de todo, en Alemania las negociaciones siguieron. Al final, los protestantes se dieron cuenta de que Carlos no tenía fuerza para imponer a Roma un concilio aceptable para ellos. Así que las partes avanzaron por caminos divergentes. Roma solo haría un concilio a su gusto, y los reformados estaban felices de no vincularse a un acto que consideraban una táctica política más de la inteligente Roma.

A pesar de todo, el emperador no arrojó la toalla y se dispuso a hacer concesiones a los luteranos. Los cardenales católicos Pole, Contarini y Morone tampoco vieron el acuerdo imposible y presionaron para un verdadero concilio en Trento. En este clima, que evitaba la ruptura, tuvo lugar la Dieta de Spira de 1542, dirigida por Fernando, mientras el emperador estaba en España. Fue poco tiempo, porque pronto volvía a Alemania e, incluso durante esa estancia, no dejó de mandar emisarios a Núremberg, como Juan de Navas. Por fin marchó a la Dieta de Spira de 1544, tras dejar instrucciones secretas a su hijo Felipe. En la dieta, el emperador hizo concesiones importantes a los luteranos, como fundar una corte suprema religiosa de hombres ajenos a las confesiones, devotos y entendidos. El Papa montó en cólera. Los estados alemanes católicos aceptaron a regañadientes. Frustrada en su intento de división del imperio, Francia pidió la Paz de Crépy en 1544. Entonces, ya con las hostilidades declaradas contra él y confiando en su cardenal Carafa, Pablo III comenzó a preparar bien el Concilio de Trento. El mejor medio de controlarlo era introducir en Italia un tribunal inquisitorial como el español, y el viejo cardenal dominico lo instauró. Con él depuró a todos los católicos que habían asistido a las negociaciones de las dietas alemanas. Luego, para que el tribunal pudiera funcionar con eficacia, llevó el concilio a una ciudad papal, Bolonia, donde el Papa tenía en sus manos el gobierno. Contarini, Morone y muchos otros fueron investigados; los discípulos de Juan de Valdés, perseguidos con saña.

Es sabido el final de esta situación. En un brusco giro, que testimoniaba que todos los intentos anteriores de acuerdo eran puro oportunismo, tan pronto pensó que Francia estaba neutralizada y con el Concilio de Trento ya en marcha, Carlos declaró la guerra a la Liga de Esmacalda de los príncipes luteranos. La victoria en la batalla de Mühlberg, en 1547, hizo creer en una paz duradera con los reformados alemanes. Cuando se reunió en 1548 la Dieta de Augsburgo, a pesar de tener a su disposición a los ejércitos imperiales triunfadores, no se pudo evitar hacer concesiones que iban más allá de lo que el pontífice podía aceptar. Al final, las cosas estaban donde al principio, donde las había dejado Gattinara. El *Interim de Augsburgo*, respondido por Melanchthon, pasó a ser ley imperial y permitió el matrimonio de los sacerdotes y el sacramento bajo las dos especies. El Papa no lo aceptó. Los príncipes protestantes tampoco. Se volvió a la guerra en 1552 y esa vez ganaron los reformados. Así se llegó al Tratado de Nassau de 1552 y a la Paz de Augsburgo de 1555. La unidad religiosa se mostró inviable. Se impuso el nuevo principio «cuius regio eius religio», que permitía al príncipe elegir entre catolicismo y luteranismo, dejando fuera el calvinismo. Los patrimonios de las iglesias reformadas y católicas se estabilizaron. El tratado ya no llevaba la firma de Carlos. Los asuntos alemanes eran delegados en Fernando. Ahora se debía lograr que España quedara al margen de todas esas indecisiones y concesiones, fruto de la debilidad de un emperador que no era capaz de asumir su derrota.

Los reformados no creyeron del todo en la sinceridad de Carlos en aquellos esfuerzos de mediación. Sin embargo, se hicieron por las dos partes. Melanchthon no cesó en ellos jamás. Pero hay constancia de que el propio emperador, en su etapa final, antes de la humillación de Nassau y de Augsburgo, no los vio imposibles. La religión personal del emperador es difícil de identificar. Sin duda, siempre se atuvo al tabú de no romper con la Iglesia católica romana. Sin embargo, no es seguro que no tuviera sensibilidad para una religión más abierta que la que se estaba construyendo a partir de Carafa y de Farnesio, y desde luego diferente de la de los jesuitas, todavía una incógnita para él.

De otra manera no se explica la existencia de esta élite menor que siempre va al lado del emperador, sus predicadores. El primero de ellos era Alonso Ruiz de Virués. Muy admirado por parte del emperador, este benedictino nos lleva a Bernardino Tovar, a Juan de Vergara, a Juan Luis Vives. Defensor de Erasmo en 1527, y contrario al intento de Loaysa de bloquear su presencia en España, había escrito una carta, célebre en Europa entera, en la que se expresaba a favor de la religión íntima, frente a la que atendía a las «solas ceremonias» y a la «honestidad exterior». Para este cristianismo, «los silogismos y formalidades [que] se aprenden en las escuelas aprovechan muy poco». Dada la «presunción» de las órdenes religiosas, y «este señorío que sobre todo el mundo habemos cobrado», era fácil pensar que «se comiencen las gentes a desengañar en muchas cosas para con nosotros», argumentaba este benedictino que se incluía en la crítica con plena coherencia. Como era natural, fue perseguido y Manrique hizo lo que pudo porque su proceso no se dilatara. Al final, se logró la absolución *ad cautelam* y el emperador pudo nombrarlo obispo de Canarias.

En 1541 nombró capellán al curioso autor de una *Censura de la locura humana i excelencias della...* el licenciado Hieronymo de Mondragón. La obra fue publicada en 1598, y al parecer sirvió a Miguel de Cervantes para algunas cuestiones de su *Licenciado Vidriera*, pero Mondragón también es autor de una obra que lleva por título *Admirables secretos para conservar la mocedad, retardar la vegez, ser casto*. Sin embargo, más importantes todavía serán los predicadores como el doctor Egidio y el doctor Constantino Ponce de la Fuente. El primero fue alumno de Alcalá, amigo de Juan de Ávila, traído a Sevilla por el inquisidor Manrique, que lo hizo canónigo de la catedral. Luego el emperador deseó hacerlo obispo de Tortosa en 1549, en plena época de concesiones a los reformados. La Inquisición de Fernando Valdés le echó mano e impidió el nombramiento, torturándolo en sus cárceles de Triana. La acusación procedía del representante prototípico de la cultura hidalga sevillana, Pero Mexía, y fue su fiscal Domingo Soto. Aunque fue liberado, se le prohibió predicar. Lo mismo se puede decir de otro predicador de Carlos, el preferido, Constantino Ponce de la Fuente, converso, estudiante de Alcalá, también instalado en Sevilla en 1533 de la mano de Manrique. Luego acompañó al príncipe Felipe en su viaje por toda Europa, causando admiración a su paso. Sevilla, con estos hombres procedentes del tiempo de Manrique, se convirtió en un centro de religiosidad intenso y moderno. Los pacenses Cipriano de Valera y Casiodoro de Reina, y el sevillano Antonio del Corro forjaron una intensa comunidad en el convento jerónimo de San Isidoro del Campo desde donde huyeron cuando se intensificó la persecución, como ahora se verá. Hacia 1555, cuando se firmaba la Paz de Augsburgo, el erasmismo converso había hecho su efecto, pero no solo en Sevilla, sino que se extendía por todas las tierras castellanas y por su centro, Valladolid. En el momento en que el emperador era derrotado, la élite instalada en los Consejos centrales, alarmada por la victoria de la Reforma y preocupada por las cesiones que el emperador había realizado, se mostró insegura. En esas condiciones, con un Papa enemigo, con un Flandes inquieto, el cambio de gobierno de 1555, tras la abdicación de Carlos, iba a tener una relevancia central para definir el estilo de Felipe II y la cristalización de las clases dirigentes españolas. Ahora se verá.

6

LA DECADENCIA DE LA ESPAÑA IMPERIAL

LOS HOMBRES DE FELIPE II

Cuando Carlos abdicó, en 1555, llevaba varios años sin gobernar las realidades peninsulares. Desde su marcha en 1543, dejando instrucciones secretas a su hijo, buena parte de la administración había cambiado y las tradiciones de gobierno se habían consolidado. Felipe había seguido al pie de la letra las indicaciones de su padre y sobre ellas había organizado los Consejos. La orden clave era apartar a la alta nobleza de los cargos centrales, sobre todo del Consejo Real, el verdadero órgano de gobierno. De manera incondicional debía bloquear el paso al duque de Alba.

> De ponerle a él ni a otros grandes muy adentro en la gobernación os habéis de guardar, porque por todas vías que él y ellos pudieren, os ganarán la voluntad, que después os costará caro.

Estas palabras debieron de resonar a lo largo de la vida de Felipe. Los consejeros de «mediana sangre», la mayoría, agradecían esta política y se sentían libres con ella. Los secretarios letrados como Vázquez de Molina, y antes Cobos, o como Idiáquez, Zayas, Gonzalo Pérez o Vázquez de Lecca, procedentes de la hidalguía, podían aspirar a casar con familias nobles, pero jamás gozarían de su poder militar. Los obispos tampoco. Por mucho que los consejeros se entrelazaran —los del Consejo Real con los del Consejo de Estado, por ejemplo—, jamás tendrían el sentido del mando y la fuerza de los «Grandes». Solo el Consejo de Estado, encargado de la guerra y especie de consejo privado del rey, vería la presencia de altos nobles. Para 1554 era presidido por Fonseca y el inquisidor Valdés, e incluía a la alta nobleza como Mondéjar y García de Toledo; pero el secretario, el que llevaba las consultas, era Vázquez de Molina. En particular, las indicaciones de Carlos recomendaban que se mantuviese la operatividad del Consejo de la Inquisición. No se debía consentir que sus funciones fueran asumidas por los obispos. La cuestión de la herejía debía depender del gobierno regio. Los avisos a las instancias que se injerían en sus asuntos fueron amenazantes. En 1548, Carlos había ordenado que algunos miembros del Consejo Real se sentaran en el de la Inquisición, «por los negocios que ocurren cada día, que tocan a la gobernación del reino». Era evidente que la Inquisición formaba parte de la razón de Estado y debía conectar con el órgano gubernativo. En cierto modo, era el único instituto que disponía de jurisdicción universal en los territorios hispanos y su brazo, sabiamente dirigido, podía llegar a cualquier sitio. Cuando Fernando de Valdés se hizo con la presidencia en 1546, para suceder a García de Loaysa, la interrelación de la Inquisición con el Consejo Real fue total, ya que Valdés también lo había presidido antes.

Valdés no era un inquisidor cualquiera. Era conocido por su corrupción y su vida impropia, avaricia y egoísmo. Pero era inflexible y consecuente en su función y en sus odios. Mantenía la memoria de Deza y del grupo fernandino, y cuando en 1554, víspera de la abdicación imperial, se quisieron cubrir las vacantes de jueces inquisidores, impuso su criterio con el argumento de la fidelidad a la figura fundacional del Rey Católico. Este había acordado que los jueces se nombraran entre juristas, no entre teólogos. Los últimos debían ser consultados de vez en cuando, pero la Inquisición era un tribunal civil y penal, en realidad político, no religioso. La atención al tribunal por parte de Felipe II será continua. Todavía en el testamento a su hijo Felipe III lo avisa: «en estos tiempos peligrosos» resultaba preciso favorecer al Santo Oficio. Su confianza en él fue plena. Implicado en la gobernación, el tribunal se puso en tensión en el momento más peligroso de la dinastía, en el cambio de poder con una sucesión tras la derrota del emperador en Alemania, con aquellas concesiones a los protestantes, intolerables para el grupo dominante de los gobernantes hispanos.

Para conocer el ambiente intelectual de estos grupos dominantes conviene identificar a un personaje ya citado anteriormente. Se trata de Martínez Silíceo, que había sido preceptor del príncipe Felipe en 1534, tras su paso por París y Salamanca. Elevado al arzobispado de Toledo en 1545, le faltó tiempo para proponer unos estatutos de «limpieza de sangre», con el pretexto de que los canónigos de su sede toledana estaban tramando planes secretos ¡con los turcos de Constantinopla! Ejemplo de una imaginación ardiente al servicio de la mentira, la acusación era ridícula, pero los estatutos lograron el reconocimiento de un enemigo de España como Paulo IV, el papa Carafa. Según los estatutos, promulgados en 1547, ningún descendiente de judíos se consideraba digno de ejercer cargo alguno en la iglesia ni en la *res publica* toledana. Para acceder a cualquier empleo público se debía hacer una «exactísima inquisición», de la que era fácil que nadie escapara. Los estatutos fueron imitados en muchos sitios y tuvieron una aplicación casi general, aunque fueron en parte neutralizados por las expediciones de títulos de limpieza de sangre falsificados y comprados. Las protestas contra ellos fueron amplias. Incluso un teólogo como Melchor Cano escribió en su contra y se conocen los textos de teólogos de todas las procedencias. La regresión del grupo dominante se puede apreciar aquí: lo que Alfonso de Cartagena había podido derrotar en 1449, ahora triunfaba con el apoyo papal y regio. Lo que con el tiempo se llamaron «libros verdes» comenzaron a circular en forma de genealogías de la vergüenza, especializadas en sacar manchas de impureza judía en la sangre de los enemigos. Cuando, según el estatuto, se le negó un cargo a un sobrino del cardenal Mendoza, en 1560, su tío decidió mostrar la hipocresía del poder y descubrió, cierto que de forma mítica, cómo toda la nobleza española llevaba sangre semita, en una genealogía llena de revelaciones inauditas. La consecuencia que Mendoza extraía del escrito al rey era clara: los únicos castellanos nobles de verdad eran aquellos de los que no se tenía memoria de sus abuelos. Los de Silíceo eran de esos.

Lo que se había ventilado en verdad con los estatutos de limpieza de sangre era que el arzobispo deseaba quitarse de encima a los sagaces canónicos toledanos, algunos de ellos descendientes de conversos. Su lucha real y su argumento fue este:

> Que se admitan cristianos viejos aunque no sean ilustres ni letrados es mucho mejor que admitir los que descienden de herejes quemados, reconciliados, penitenciados y abjurados, teniendo la calidad de ilustres nobles, letrados.

De los primeros no había miedo de que la Inquisición los molestase. Los segundos estaban siempre en peligro. Eso es lo que se dijo. Así que la conclusión era obvia: resultaba preferible elegir incultos de sangre limpia que letrados de sangre impura. La inteligencia fue despreciada frente a la sangre. Lo que podía aportar una novedad o una solución a los problemas del presente quedaba relegado ante lo esencial. De este modo se abrió paso una comprensión de las cosas que negaba la historia y que solo tuvo ojos para la tradición. Pero el mundo cambiaba de forma vertiginosa y solo una mirada atenta a los cambios podía gobernarlo. El grupo dominante entre los gobernantes hispanos, de este modo, se entregó de pies y manos a la pulsión de repetición. El fetichismo religioso no hizo sino garantizar casi de forma mágica las certezas que ofrecía la tradición.

En 1556, casi una década después de su aprobación por el arzobispo Silíceo, Felipe aceptaba los estatutos desde Bruselas. ¿Por qué había tardado tanto? En realidad porque ahora formaba parte de una política que necesitaba extremar las medidas de cautela en la hora de la derrota, que esa misma mentalidad había propiciado. Felipe estaba de visita de bodas en Inglaterra y de gira en Flandes, en un amago tímido de recibir la herencia imperial. España quedaba gobernada por su hermana, la princesa Juana, en relación continua con su padre refugiado en Yuste. El brazo y la inteligencia de esa nueva política era el inquisidor Valdés y no hacía sino usar todas sus armas a mano para asegurar la posición de un príncipe lejano y atender las reclamaciones cada vez más angustiadas y ansiosas de Carlos. En efecto, el miedo a contaminarse por los luteranos se había convertido en pánico. Valdés, un poco antes, se había mostrado decidido a limpiar su archidiócesis de Sevilla de la simiente de Manrique, y había encausado a más de ochocientas personas, acusadas de vínculos con las doctrinas protestantes, dirigidas por Constantino Ponce de la Fuente. Carlos, desde Yuste, clamaba contra ese destino y recordaba que si los comuneros hubieran hecho pie en una fe luterana, España se habría convertido en otra Alemania. Ahora era preciso impedirlo. Valdés extremó el cumplimiento de las órdenes del emperador.

Así se definió una política organizada. Por ejemplo, se llegó a la operación de destruir el núcleo humanista de Lovaina, se hizo desaparecer a Sebastián Fox Morcillo, se persiguió y se redujo a Frederic Furió i Ceriol y, para que no se reprodujera el mal, se lanzó la Pragmática de 1557, por la que se prohibía estudiar fuera de las universidades hispanas y de las pontificias de Roma y Bolonia, que ya habían instalado la Inquisición al modo español. De hecho, para coordinarse con las prácticas de la Inquisición romana, que había publicado en 1557 el primer *Índice* de libros prohibidos, Valdés perfeccionó listas anteriores que él mismo había impulsado, publicando la versión española del *Índice* en 1559, coincidiendo con la segunda edición romana. Otras medidas fueron el control de aduanas respecto a los libros importados, los registros sin avisar a las librerías, imprentas y puestos de venta, y las cinco visitas imprevistas a las clases de las universidades, notario en mano, para inspeccionar las doctrinas que se impartían, así como la prohibición de enseñar a los autores griegos. Con todas estas instrucciones, se impuso un sistema coactivo que desalentaba todo lo que tuviera que ver con la inteligencia y el estudio. La paranoia que buscaba identificar protestantes se extremó, y se hizo convergente con la que buscaba sangre judía. De nuevo se animó a la población a comunicar cualquier sospecha ante la Inquisición de forma anónima e impune.

Esta atmósfera llevó al clímax que prepararía los autos de fe de 1559, con un Carlos cercano a la muerte, que amenazaba con ponerse al frente del gobierno y «salir de aquí a remediar» aquella amenaza. Con intensa repugnancia, el emperador todavía tenía que recibir al arzobispo de Toledo, Carranza, que le facilitaba la absolución general de su compleja vida en una sencilla ceremonia que causó inquietud entre sus criados. En realidad, se estuvo a punto de impedir la visita, algo que desaconsejó el temor al escándalo. Posteriormente, se dejó que el inquisidor Valdés, que se entendía con el confesor del rey Felipe, Bernardo de Fresneda, aprisionara al arzobispo Carranza en un proceso vergonzoso, que el nuevo Papa de Roma, Pío V, exigió ultimar bajo amenaza de poner en entredicho a España. Que este proceso se hizo con la aquiescencia del rey parece necesario. En esos mismos días el Consejo de Estado, con Mondéjar y Toledo al frente, estaba a favor de imponer la dimisión al inquisidor Valdés y mandarlo a su diócesis, pues era obispo de Sigüenza. Valdés, en el filo de la navaja, obedeciendo las órdenes de Carlos, de forma simultánea, activó los procesos inquisitoriales de Sevilla y Valladolid, exhumó los huesos del doctor Egidio y de Ponce de la Fuente, y organizó los autos de fe de Valladolid de 1559. Se sabía que el mal alcanzaba a la nobleza, a alguno de la casa de los Rojas, vinculada a los Manrique de Lara, memoria viva del grupo que apoyó a Felipe I. Por eso, Carlos V resaltó que se debía castigar «sin excepción de persona alguna, ni admitir ruego, ni tener respecto a nadie».

En realidad, ni el rey ni el inquisidor Valdés sabían de qué hablaban. No había luteranos en sentido estricto entre los hombres de Sevilla y de Valladolid. Eran cristianos que buscaban su camino en el Evangelio, y que recibían enseñanzas del gran Juan de Valdés a través de amigos italianos, también incursos en el proceso y perseguidos de muerte en Italia. Sin embargo, estas enseñanzas religiosas eran muy convergentes con el calvinismo y un escrito de este entorno, *El beneficio de Cristo*, circuló durante un tiempo como católico, ¡hasta que se descubrió que encerraba enseñanzas calvinistas! Luego fue perseguido con furor y se quemaron todos los ejemplares. En verdad, aquella fe enraizaba en la Biblia y en san Pablo, y era de profunda raíz hispánica. Su modo de religiosidad se había formado en los salmos y en san Pablo. Muy pronto, los huidos de Sevilla conectaron con los reformados de Ginebra. Aunque no tuvieron fácil su adscripción a iglesia alguna, optaron siempre por la concordia y escribieron una bella página de la tolerancia europea.

El caso es que esta persecución, que dio lugar al espectáculo de un Felipe II jurando ante el pueblo de Valladolid las instrucciones de la Inquisición como leyes supremas del reino, en un acto que acercaba al presidente de la Suprema a soberano de España, generó un ambiente de sospecha insoportable, en el que el desprecio a la inteligencia fue la nota dominante. Una vez más, se sabe que Felipe quedó «ofendido» por el acto de Valladolid, pero entendía que no podía defender su poder sin el dispositivo inquisitorial. Con todas aquellas medidas se cegaron las posibilidades de conectar la élite dirigente española con las europeas, algo que había sido frecuente en la mejor época de Carlos. La atmósfera de impermeabilización ha sido llamada por Ricardo García Cárcel un «histerismo alucinante». Las relaciones de capilaridad entre Flandes, Italia y España, a través de los contactos de los humanistas y estudiantes, se quebraron. Con ello, las posibilidades de comprenderse se bloquearon. Trento unificó la mentalidad romana y la española sobre la base de un estrechamiento dogmático y una intensificación disciplinaria que nos aislaba del resto de la catolicidad, pues, como se sabe, Francia no aceptó ni publicó el concilio. De este modo, la razón política de la monarquía hispánica quedó atada a la suerte de Roma, la que tenía más profundo interés en neutralizar su poder sobre Italia. Este hecho resultó fatal y, aunque Felipe II lo conocía —había estado excomulgado al inicio de su reinado por Carafa—, nunca extrajo la consecuencia debida. En realidad, la monarquía hispánica creía que con la Inquisición y el patronato regio, sobre todo en las Indias, tenía la misma posición que Inglaterra. No observaba que depender en el terreno de las ideas de tu enemigo era la peor de las dependencias. Una vez más, se despreció el efecto y el alcance de la inteligencia. Catolicismo y ley del Estado se confundieron. Para 1565, una cuadrilla de bandoleros de Urgell era dirigida por Joan Forties, que se hacía llamar «lo Luterà».

¿«GRAN ESTRATEGIA»?

En el clima posterior a 1560 no hubo serenidad suficiente para tomar decisiones. Por mucho que se haya hablado de la «gran estrategia» de Felipe II, no la hubo, como se va a comprobar. Se mantuvo la no beligerancia con Inglaterra mientras se guerraba con Francia, pero la hostilidad hacia Inglaterra siguió larvada después de 1558, a la muerte de María Tudor. Cuando se logró la paz con Francia tras la batalla de San Quintín, en 1559, y de nuevo se asentó el poder en Italia, habría sido el momento de imponer una política propia. Desgraciadamente, se hizo lo peor: imponer el Concilio de Trento en los Países Bajos. El sentido reverencial del «antiguo uso de la Iglesia» dominaba por entero la mentalidad de Felipe y para él implicaba la solidez misma de su legitimidad. Una religión «pura y limpia» era el más firme talismán de sus certezas. Pero no era capaz de reconocer las consecuencias que tendría sobre la vida de Flandes aquella innovación. Con ello, la contradicción de su mentalidad se agudizó. Su mundo era el tradicional, pero Trento significaba una novedad en Flandes. Implicaba multiplicar los obispados y entregar una ingente cantidad de recursos al rey. Los flamencos, muy cercanos a los reformados, no iban a aceptar la situación. Entonces se activó el principio de repetición. La memoria de la rebelión de Gante, y la forma en que Carlos la aplacó, se mantenían en el horizonte, pero nadie se daba cuenta de que las cosas ya eran diferentes. Por lo demás, las gentes que como Furió i Ceriol entendían aquellas realidades ya estaban en el dique seco, y los que comenzaban a entenderlas, como Arias Montano, mantuvieron silencio. Así, nadie estuvo en condiciones de mediar desde 1561 hasta 1566, año en que las realidades de Flandes estallaron cuando ya todo era demasiado tarde.

Mientras, aquí se perseguía a un hombre como fray Luis de León en 1561; se mantenía prohibido al fraile Luis de Granada en Portugal; o se enrarecía el clima de sospecha sobre la nobleza por sus ideas religiosas, como en el caso de don Juan de Acuña, o de Perafán de Ribera, virrey de Cataluña, que había contratado a Constantino Ponce de la Fuente para educar a su hijo, el futuro san Juan de Ribera. Los años entre 1560 y 1568 se marcharon en intentar asentar la sucesión, jurar al príncipe Carlos y aumentar la descendencia con la nueva esposa, Isabel de Valois. Entonces se tejió el curso de acción que determinó el escándalo europeo por el que Felipe II fue incluido por el libertino Gabriel de Naudé entre los gestores de golpes de Estado tiránicos, la cuestión del príncipe Carlos. Conviene decir que no fue un curso de acción aislado. Es preciso ponerlo en relación con otras medidas que se prepararon: la semiprisión de Egmont en Madrid, el envío de Alba a Flandes, el posterior asesinato de Egmont y de Horn, la cuestión de los moriscos de Granada, la situación de Milán y el intento de asesinato de su arzobispo san Carlos Borromeo. Todo sucedió hacia 1568. Por si fuera poco, en julio de 1569 se detuvo a los diputados catalanes bajo acusación de herejía por parte de la Inquisición, lo que estuvo a punto de crear otro conflicto. La pésima estrategia de la política de los hombres de Felipe amontonaron los problemas de forma insensata. La «gran cabeza» no supo construir una agenda solvente.

No interesa a esta historia las cualidades y taras del príncipe Carlos. Apenas cabe duda de que deseaba entrar en política y de que tenía un grupo que lo apoyaba. Es la cuestión política lo que aquí importa. Este grupo era hostil al de Valdés y su sucesor Espinosa, a la saga de Deza y al siempre afín Alba, a la constelación política que regresaba a los tiempos de Fernando. Que Carlos era un joven desdichado e hipersensible apenas cabe dudarlo. Sufrió la suerte de los que padecían torturas por usar la mano izquierda, algo que deja secuelas psíquicas profundas. Que tenía más aspiraciones que presencia, parece cierto. Que desde sus tiempos de Alcalá de Henares gozaba de compañías que inspiraban temores y dudas, en el clima de ansiedad generado por las consecuencias de los autos de fe, no puede cuestionarse. Su ayo y mayordomo Antonio de Rojas era familiar de uno de los ajusticiados en Valladolid, don Luis de Rojas, y la sangre no era cualquier cosa para aquellos hombres. El criado Diego de Acuña era un cortesano díscolo, que seguía la tradición de publicar poesías satíricas y críticas, las *Coplas del provincial segundo*, sobre la gente de la corte. Se ve que su ancestro era Pulgar, Palencia o quien publicara las primeras *Coplas*. No se sabe si ese Diego de Acuña era familiar de otro investigado por afirmaciones favorables a los reformados, Juan de Acuña, pero sí que este era sobrino de Antonio de Rojas Manrique y familiar de Antonio de Rojas, mayordomo del príncipe. Los Rojas y los Acuña casaron entre sí en algunos casos y también con los Manrique, dando lugar a los marqueses de Poza, de quien Schiller hará el personaje central de la trama de su obra. Este grupo guardaba memoria de sus posicionamientos políticos, contrarios a los regentes de la Inquisición y a los dominicos. A ese grupo se unirá algún que otro personaje relevante.

Para analizar las relaciones entre el padre Felipe y el hijo Carlos es preciso invocar a Freud, pues detalles importantes de su teoría están asentados en esta compleja historia que el famoso psiquiatra austríaco conocía a través de la obra de Schiller. Isabel de Valois le tuvo sincero y confesado afecto al infante, lo que marcó la frialdad paterna de forma abismal, que se hizo tenebrosa cuando el rey se negó a casarlo con María Estuardo, otra heroína de Schiller. El fetichismo católico de la corte, que le hizo dormir con la momia de un santo para curarlo, debió de dejar huella en él. En todo caso, mucha gente perseguida lo veía como una esperanza, como el mismo fray Luis de León, que pudo escribir a su muerte que en la tierra solo quedaba «miedo en el corazón, llanto en los ojos». Con el afecto de la reina, la hostilidad recíproca del padre y del hijo se hizo insoportable. El hijo se burlaba del padre y de su miedo a la guerra, de sus «heroicos» viajes a El Pardo, a El Escorial, a Aranjuez. Se trataba de algo más que de una cuestión privada. Era un asunto de derechos. Así, la rivalidad entre los dos hombres se extremó.

Al comenzar las noticias de los sucesos de Flandes, en 1566, había dos opciones políticas sobre la mesa. Una era pacificar los Países Bajos y confiar en el liderazgo de su nobleza, en Egmont sobre todo, que había ayudado en la guerra contra Francia y que era leal en extremo. Otra opción era imitar a Carlos V cuando entró en Gante a sangre y fuego. De la sesión del Consejo de Estado donde se estaba tomando la decisión, el príncipe Carlos fue excluido, pero con la ayuda de Acuña escuchó tras la cerradura. Conviene recordar que el príncipe era consejero de Estado. Sin embargo, se le prohibió el acceso a esa sesión presidida por el rey. La decisión se tomó a favor de Alba. El príncipe montó en cólera y pronunció amenazas. La escena, que tuvo lugar el 3 de agosto de 1566, llegó al oído de los flamencos y desde luego del conde Horn. Por su parte, Egmont, que había estado en Madrid, era partidario de la paz con Inglaterra, como casi todo Flandes. Que mantuviera contactos con el príncipe Carlos durante su estancia madrileña era probable. En todo caso, en 1567 Alba llegaba a Flandes. Citaba a Egmont y a Horn para darles instrucciones, pero los apresó y los condenó a muerte. En 1568 fueron decapitados. Ese año, Felipe encerró al príncipe Carlos en el Alcázar de Madrid, de donde no saldría vivo. Fue preso cuando cenaba con el conde de Lerma y con un Mendoza, sin duda parte del grupo de la princesa de Éboli y de Ruy Gómez.

Fue fatídico que una opción política poderosa, que deseaba un arreglo pacífico en Flandes, que contaba con un grupo cortesano de prestigio y tradición, y que mantenía núcleos cercanos a una comprensión más abierta del catolicismo, se vinculara a un príncipe débil y fácil de neutralizar. El caso es que el partido de los Éboli, Rojas, Lerma, Mendoza y Acuña fue puesto en el brete de seguir a un príncipe inseguro e irascible y rebelarse contra el rey. No podían hacerlo. Su causa se perdió, aunque sobrevivió de forma sorda con un nuevo hombre, Antonio Pérez. Pero ahora conviene ver otro aspecto del asunto. La operación de Carlos se realizó bajo la dirección de un hombre excepcional, el verdadero ministro de Felipe II, su ideal, un jurista puro, don Diego de Espinosa Arévalo, que había hecho el *cursus honorum* completo, y que había sido reclamado por el rey para el Consejo de Castilla. Luego se hizo religioso y pudo ser elevado a inquisidor tras Valdés. Fue él quien comenzó a instruir el proceso al príncipe, que la muerte suspendió, y quien reclamó las actas del proceso contra Carlos de Viana impulsado por Juan II de Aragón. Y fue él, sin duda, quien escribió las cartas con las que Felipe informó sobre su actuación respecto a Carlos y el que inventó su paralelismo con Abraham: también él ofrecía un «sacrificio de mi propia carne y sangre» que estaba más allá de toda consideración humana. La reserva sobre las causas de la prisión se impuso como un tabú. «Yo no las podré referir», decía el rey. Luego, la muerte de Egmont al mismo tiempo sembró el estupor y el asombro por toda Europa. Los cronistas, como Jerónimo Quintana, no dudaron en decir que todo lo que se decía por Europa eran mentiras, pero no dejó de añadir que eran «hijas de la ignorancia del suceso». El rey no quedó tranquilo. Su cronista Cabrera de Córdoba habla de que estaba muy temeroso de «las murmuraciones del pueblo», y cualquier ruido le hacía «mirar si eran tumultos para sacar a su Alteza de su cámara». Aquel estado de agitación se serenó con la muerte del infante. «El padre se afligió, pero el rey aquietó», dice Cabrera. Viéndose morir, el príncipe solicitó ser bendecido por su padre. El rey le echó la bendición tras la puerta, para no verlo. Era un mes después de la muerte de Egmont. La reina Isabel de Valois moría tres meses más tarde. Todo ocurría en 1568.

En aquellas circunstancias, Espinosa podía ser un magnífico jurista, pero no era un político. Cuando el rey le encargó que redactase el documento sobre los moriscos de Granada, lo hizo con tal rigor que puso en pie de guerra a los granadinos. Mondéjar avisó en el Consejo de Estado. Cuando Hurtado de Mendoza escriba la crónica de aquella guerra espantosa, lo dirá claro: de haberse mantenido la gobernación en manos de los Mendoza, que habían regido Granada desde la conquista, la guerra se habría evitado. Pero en Granada mandaba entonces otro hombre. La Pragmática de 1567, escrita por Espinosa, la publicó en Granada un nombre de apellido conocido, Pedro de Deza, sobrino de Diego de Deza. Y lo hizo en el mismo año en que la prisión y la muerte de Egmont puso en pie de guerra a los flamencos y en el mismo tiempo en que el intento de asesinato de san Carlos Borromeo en Milán produjo la cólera del papado, que veía cómo el arzobispo de Milán, el arquetipo de Trento, era amenazado de muerte. Eran los frutos, dijo el pontífice, «nati della poca intelligenza». Y en efecto, era así: Felipe se ponía en guerra a la vez dentro y fuera de casa y corría riesgo de romper con la Iglesia de Roma. ¿Gran estrategia? No lo parece. Las circunstancias de la muerte de Espinosa son de lo más sorprendentes. Desde luego, estaba decaído y enfermo. En un consejo de 1572, cuando los desastrosos efectos de aquella política de jurista ya estaban visibles, al parecer le pidió permiso al rey para retirarse del despacho porque debía presidir un consejo. Con sequedad, el monarca le dijo que el Consejo lo presidiría él. Espinosa se desvaneció. Se le hizo la autopsia porque no se daba crédito a esa muerte. Y en efecto, al hincarle el bisturí se llevó las manos a la herida. Entonces murió.

PULSIÓN DE REPETICIÓN

No se trata aquí de contar lo que pasó en Flandes durante el decenio de 1566 a 1576, la política implacable del duque de Alba, los miles de ajusticiados por cuestiones de fe en el «Tribunal de los Tumultos». Tampoco la terrible guerra de Granada, que llegó hasta 1571, la fecha de la gran victoria de Lepanto. Todo eso es demasiado conocido, como lo es que la tercera guerra civil francesa, que había de durar de 1568 a 1579, salvó a Felipe. Lo importante para nosotros es que los grupos políticos no cesaron su actividad. Pero Felipe optó por el mismo tipo humano de jurista o de secretario, hombres escrupulosos pero sin convicciones ni ideas políticas, tan lejanos de los letrados castellanos del siglo XV anclados en un espíritu cívico que cantara Hurtado de Mendoza con melancolía. Tras la muerte de Espinosa, Felipe promocionó a su ayudante, Mateo Vázquez, a secretario y a capellán. Desconfiado —se atentó contra su vida al menos siete veces—, reservado, impasible, suspicaz, esforzado y dedicado al gobierno hasta la extenuación, invisible, amigo del secreto, garantizaba a cualquier súbdito la atención de sus escritos. Siempre trataba con Vázquez de los asuntos que debían ir a las Juntas de noche, la Junta de Gobierno o Grande. «Vos y yo avemos de ser como confesores» decía el rey a Vázquez. Su «profunda inseguridad», según Parker, solo disminuía ante hombres con los que podía sincerarse sin peligro.

El caso es que hacia 1574, a pesar de Lepanto, cuando ninguna medida mejoraba la situación en Flandes, Felipe pensaba que no era posible sostener la monarquía «no digo años, sino meses». La depresión de ese año y del siguiente es característica y Vázquez recibe sus quejas con sobriedad y discreción. Como todos los gobernantes desbordados, el rey deseó de forma ferviente el final de todo, o por lo menos su propio final «por no ver lo que temo». Pronto, sin embargo, dio el siguiente paso: desear que su propio tiempo de vida y el tiempo del mundo coincidieran. «¡Ojalá fuese el [fin] de todo el mundo y no el de la cristiandad». No hay duda de que los síntomas de la depresión ya no lo abandonaron. Migrañas, dolores de estómago, le hicieron decir, como si fuera un místico, «que cierto yo no sé cómo vivo». Ese fue el tiempo de la tercera bancarrota. La conquista de Portugal y la estancia del rey en su nuevo reino rompió ese clima, pero se sabe que por poco tiempo. En 1582, la crisis de subsistencia en Cataluña era tan grave que el pueblo comenzó a crear Juntas, pegar pasquines y preguntarse con qué derecho «pueden hacer lo que hacen los poderosos». La «indignación» general le hizo decir a la Real Audiencia de Barcelona que «se ve al ojo una evidencia grande de que se pierda la ciudad y se cause una guerra civil».

Sin duda, los partidos de la corte siguieron activos y se recompuso el partidario de la paz con Flandes con Antonio Pérez y la princesa de Éboli, con sus cercanos Mendoza, Manrique y Rojas. Lo decisivo es que estos grupos ya no hacían pie en movimiento urbano alguno, giraban alrededor del rey como único actor político, separado del cosmos de ciudades que antes de las comunidades había sido un factor decisivo de la política. Ahora, tras la publicación de la *Nueva Recopilación* en 1569, que se suponía cerraba la constitución de la monarquía, las Cortes pasaron a ser uno más de los agentes económicos de la Corona, un medio de financiación. Castilla se empobrecía, desde luego, pero financiaba una guerra que no estaba en sus tierras. En cierto modo, comparando su suerte con la de los Países Bajos, tenía su sentido. Los flamencos, en continua guerra, no cesaban de ser cada vez más ricos. Castilla, en paz, era cada vez más pobre. El grupo de cortesanos nobles que rodeaba a Felipe, y que el rey no podía evitar, lo sabía. Pero el soberano no podía seguir otro camino que el de repetir la pulsión de su padre. Flandes, tierra patrimonial de la familia, debía ser sometido, aunque se sabía que era imposible hacerlo ya. Cuando se reconoció que Inglaterra y los hugonotes franceses estaban con los flamencos, se pensó que solo la victoria sobre la reina inglesa Isabel podría inducirlos a la paz. Además, con Inglaterra intacta, Portugal solo podría estar bajo el poder de Felipe de forma provisional. Así fue como toda la política del rey llevaba a la guerra con Inglaterra, cuyo desastre en 1588 es conocido. Y ese fue el modo en que la presión fiscal para superar la derrota se cebó en las ciudades de nuevo, con esa negociación de los *millones*, un acuerdo fiscal que gravó a partir de 1590 todos los consumos de la población y que elevó a las ciudades a contratantes privados con el rey, algo que ya sería definitivo para fijar el estatuto del reino de los Austrias.

En este clima se regresó al ambiente de la época del príncipe Carlos. Entonces fue cuando estalló el asunto de Antonio Pérez, que no puede juzgarse al margen del grupo que había apoyado al joven príncipe Carlos. Fuera o no hijo natural de Éboli, nacido en las tierras de Guadalajara, en realidad Antonio fue educado en la tradición de los Mendoza. Todavía en una obra célebre como la del abate Lampillas, traducida al castellano en 1789, se pone a Pérez al lado de Sebastián Fox Morcillo y su grupo de Lovaina, y se recuerda su obra *Institutiones imperiales*. A la muerte de Ruy Gómez, en 1573, Pérez se mantuvo como secretario ante Felipe II, pero estaba cerca de Éboli. Todos los asuntos turbios que llevaron en 1578 a la muerte de Escobedo, el secretario de Juan de Austria, nunca podrán ser conocidos del todo. Tampoco es nuestro propósito aclararlos. Lo decisivo es que una alternativa política de paz en Flandes se mantenía en la corte. También se sabe que Mateo Vázquez instó al hijo de Escobedo a que se hiciera justicia con el culpable. Vázquez fue el asesor principal del rey hasta 1591. Pérez y Éboli fueron a prisión en 1579, de la que al tiempo logró escapar. El juicio se encargó a la Inquisición. Una vez refugiado Pérez en Aragón y tras acogerse al derecho de manifestación, el rey comenzó a personarse en el proceso que debía llevar el justicia mayor. Eso no impidió que siguiese el juicio en Madrid, cuya sentencia, de julio de 1590, fue cruel: Pérez sería arrastrado por las calles, ahorcado, y su cabeza, cortada y expuesta.

En agosto de 1590 el rey decidió no seguir con el proceso ante el justicia y retirar la causa. Es evidente que no quería un juicio paralelo en Aragón. Así reclamó que Pérez fuera juzgado por el procedimiento de *Enquesta*, reservado a los oficiales regios aragoneses que habían actuado mal. Pérez argumentó que él jamás había sido oficial aragonés. No podía ser juzgado por eso. Él invocaba un derecho como aragonés a manifestarse y a acogerse al justicia. Su punto de vista fue confirmado por el tribunal aragonés. Entonces, sin descartar otros «remedios fuertes y extraordinarios», «de manera que no se pueda errar», según dijo la Junta de Madrid presidida por Rodrigo Vázquez, se usó el largo brazo de la Inquisición, que era el medio de justificar todos los contrafueros desde los tiempos de Fernando el Católico. El confesor del rey, fray Diego de Chaves, observó que Pérez buscaba fugarse a la tierra calvinista de Bearn. La Inquisición ordenó el traslado de Pérez a su cárcel de Zaragoza y lo logró, contra la opinión de la nobleza. Sin embargo, al grito de «¡Contrafuero!» y de «¡Viva la libertad!», el pueblo, convocado por la campana de la catedral, mató al marqués de Almenara, de la Junta de Madrid. La insurrección popular en realidad se dirigía contra el tribunal de la Inquisición, odiada desde antiguo en Zaragoza. Se evitó un segundo intento de llevarlo de nuevo a la cárcel inquisitorial. Pérez fue puesto en libertad con el apoyo de la gente y se dirigió hacia Bearn, donde conectó con la familia de Enrique IV. Tras una vida errante, en 1615 fue rehabilitado a instancias de su hijo, tras una sentida carta en el lecho de muerte en la que se manifestaba leal y sincero súbdito del rey.

En 1591, bajo un clima depresivo a causa de la derrota de la Armada Invencible, tras las tormentosas Cortes de los Millones, la situación en Cataluña era también difícil por las continuas diferencias entre el virrey y la Generalidad. La Diputación de Aragón sabía de estos sucesos y había contactos entre los dos territorios formando una «común valentía y amistad». Cuando estalló el conflicto aragonés con Felipe II, la Diputación aragonesa reclamó el auxilio de la catalana e invocó la «hermandad y correspondencia» entre ambas tierras. Sin embargo, Cataluña no se movió. Mostró sensibilidad hacia la posición del rey y temió las consecuencias para sus paisanos. Se inclinó a implorar clemencia para los aragoneses, mientras todas las iglesias de Cataluña rezaban por el fin del conflicto. Las instituciones catalanas controlaron la situación con eficacia. «No som en temps d'irritar», dijeron para neutralizar cualquier atisbo de alboroto. Sin duda, se veían observados con recelo por el monarca, lo que era evidente desde la desconfianza y agresividad que se habían establecido entre los dos actores en las Corts de 1585, que habían presentado numerosos agravios contra el nuevo impuesto regio del excusado, que cobraba los décimos de todas las parroquias; contra la Inquisición, cuyo número de familiares y comisarios no paraba de crecer, algunos reclutados de antiguos bandoleros, y cuyas injerencias en campos impropios eran abrumadoras; y finalmente contra la administración que los frailes vallisoletanos llevaban del monasterio de Montserrat. Ese mismo año, el abad de Poblet se negó a recibir a Felipe como rey de España y solo lo acogió como conde de Barcelona. La situación era grave. Tensar la cuerda dando su ayuda a Aragón habría significado la invasión, como en el fondo reclamaba el conde de Chinchón, en mayo de 1591, para frenar «la desvergüenza y atrevimiento» de los catalanes. Así que Aragón fue dejado caer. Para 1592 ya estaba la cabeza de su justicia Lanuza en la pica. Poco después se proclamaba la cuarta bancarrota de la monarquía. El rey moría en 1598. Amigos de Lanuza, como Aranda, fallecerían en extrañas circunstancias. No es un azar que en el siglo XVIII, en un Aragón que guardaba la memoria de este Aranda, Pérez fuera héroe y filósofo «sublime».

EL GOBIERNO DE LERMA

A la muerte de Felipe II, solo las Corts catalanas albergaban una institución capaz de hacer política. En los demás territorios hispanos, la política había desaparecido. Las Cortes castellanas, centradas en la concesión de los millones, apenas tenían capacidad de regateo. Influir en la dirección de los asuntos públicos era inviable. Solo se podía manifestar malestar, indignación, inquietud, pegar pasquines anónimos, no un programa alternativo. Aunque la situación económica era espantosa, la política fiscal se hallaba agotada. Aumentar los impuestos era algo inviable porque, como se vio en el intento de gravar el derecho de molienda, se tendría que eliminar la inmunidad fiscal de los religiosos, algo impensable. En estas condiciones, la formación del grupo dirigente de la monarquía hispánica solo podía dirimirse en el seno de las facciones cortesanas. A la muerte de Felipe II, la voluntad de apartar a los «Grandes» de la política estaba quebrada. A eso se entregó un antiguo «menino» del príncipe Carlos, gentilhombre de cámara del príncipe Felipe desde 1592, el marqués de Denia.

Si se quiere entender la crónica política de la monarquía española de ese tiempo, conviene recordar este texto de un pensador de los asuntos políticos como Carl Schmitt. En sus respuestas al acusador del proceso de Núremberg, apuntó lo siguiente:

> Cuanto más se concentra el poder político en un solo lugar y en las manos de una sola persona, más se convierte el acceso a este lugar en un problema de importancia política organizativa y jurídico-constitu-

> cional. La lucha por acceder al monarca absoluto para su asesoramiento e informe por la transmisión inmediata y similares es, en realidad, el verdadero tema de la historia constitucional del absolutismo.

El poder absoluto lo había conquistado Felipe II hasta el punto de ser visto como modelo de las monarquías europeas. Sostenido por el sistema de Consejos que controlaba desde dentro, asistido por fieles secretarios, Felipe II gozó de poder absoluto y personal. Su poder consistía en controlar y manejar una compleja maquinaria de Consejos y una red de secretarios sumisos. Esa era su obra, fruto de su trabajo hasta la extenuación. Pero debido a su complejidad, este éxito personal resultaba intransferible.

En realidad, la acción concreta no puede ser enseñada. Solo con práctica se conquista. Pero el príncipe Felipe III vivió alejado de ese sistema de Consejos y, cuando subió al poder, no podía sino mirarlo como una máquina misteriosa, un engranaje laberíntico de relaciones personales, una tela de araña que lo expulsaba, manejada por un padre distante y misterioso, sagrado, del que solo conocía su lejanía. Para más inquietud, el padre difunto había dejado constituido un Consejo Real con su gente, una suerte de Junta de Regencia, entre los que figuraba un obispo como García de Loaysa, y los secretarios correspondientes, Vázquez de Arce, Moura, Idiáquez. Felipe II, por lo tanto, deseaba asegurar la continuidad de su administración. Sabedor de que el centro del gobierno de secretarios era la presencia de obispos en puestos clave, y sobre todo en el Consejo de la Inquisición, Lerma comenzó imponiendo el deber de residencia del obispo en su diócesis, un precepto tridentino. Así echó a Loaysa y desarticuló al inquisidor general, Portocarrero, que fue enviado a Cuenca. Luego disolvió la Junta dejada por Felipe y cambió al presidente del Consejo de Castilla, Rodrigo Vázquez, no sin resistencia. Vázquez argumentó que, según dictamen de los teólogos, no podía ser removido sin culpa. En aquel tiempo ya se sabía lo que valía el dictamen de un teólogo, y Lerma no se dejó impresionar. El equipo de gobierno fue cambiado por completo.

Se requerían virtudes especiales para controlar ese caos de papel, y un monarca como Felipe III se sentía humillado e indispuesto para intervenir en ese ingente manejo político. Por eso usó como intermediario a Lerma, que había ganado su afecto desde su infancia. Si se quiere saber cómo se fraguó esa íntima alianza y lo que significó, conviene leer a Luis Cabrera de Córdoba, quien fuera ya cronista de Felipe II, y que dejó inéditas unas *Relaciones de las cosas sucedidas en la corte de España desde 1599 hasta 1614*, consideradas como un antecedente del periodismo moderno. Allí, Lerma ya tiene todo el poder personal del joven rey desde antes de su elevación al trono y se narra entre líneas la disolución de esa especie de equipo de regencia que deseó imponer Felipe II. Allí se descubre que, a pesar de todo, una operación de ese tipo debía ser preparada ante la opinión pública. Los panfletos sobre el erróneo gobierno de Felipe II se sucedieron. Las predicaciones de los clérigos afines insinúan por doquier que el monarca anterior, a quien no se nombra, ha dejado el reino empobrecido. Lerma, sin ocupar cargo político alguno, siempre cerca del rey, lo controla todo desde el primer día. Entonces se nos dice: «Hase mandado por cédula firmada de S. M. que por su retrete no pueda entrar nadie que no tuviese llave de la Cámara». Solo Lerma y los suyos pueden ver a este soberano ceremonial, imponente pero impotente, intocable pero visible, pobre pero reverenciado, objeto de órdenes y mandatos más que actor de ellos; esa es la imagen que se va imponiendo poco a poco, mientras se leen las páginas de la *Crónica*. Este rey circula por Castilla, Valencia, Barcelona y Denia; hace Cortes; jura privilegios; baila en los saraos; mata toros; juega a lanzas; mira comedias con discreción; come carne en días prohibidos sin ser visto; asiste a discusiones de teólogos tras la celosía, siempre como un observador impasible. Nunca hace nada. Cuando se lee el testimonio de nuestro cronista, sin embargo, tampoco se constata que sea Lerma quien haga algo. La forma verbal del cronista Córdoba es «se hace», «se decide», «se piensa». Todo es aquí impersonal. El estilo político de la irresponsabilidad. El caos de los Consejos ahora es el mejor escudo para el anonimato de la acción política.

Había todavía algo más en la época de Felipe III. Entre el rey y la montaña del papeleo de los Consejos no podía situarse solo la persona del valido. Durante el tiempo de Felipe II, el monarca hispano se estaba convirtiendo en un ser misterioso, oculto, portador de una majestad inaccesible, centro de un protocolo riguroso. El ritual de la corte se realizaba con la puntualidad de lo sagrado, con ese control meticuloso de las manifestaciones que es medio superstición, medio magia. Un rey casi sagrado no podía ser tocado por un ministro entregado al frenesí de los leguleyos. Solo un «grande» podía llegar a su persona. Esto significaba que la transmisión inmediata de órdenes, informes, decisiones, medidas, se debía realizar a través de alguien que estuviera próximo a su naturaleza. Los «Grandes de España» tenían permiso para mantenerse cubiertos ante el soberano, eran llamados «primos» por él y podían entrar en sus aposentos íntimos, en el retrete. Por lo general, atendían sus deseos más personales, fortalecían sus hábitos e inclinaciones: la caza, el juego, los lances amorosos, las fiestas; así le ofrecían esa seguridad personal, una necesidad casi enfermiza de quien se halla en la cima del mundo. Por lo tanto, ese ministro, que curiosamente usaba el nombre musulmán de *walid*, «valido», tenía necesidad de una correa de transmisión adicional para controlar el complejo mecanismo de los Consejos, la maquinaria de la monarquía, la tropa de los viejos secretarios regios. Así que en la antesala del poder siempre estaba el valido, pero luego este necesitaba de otra antesala para su agente político, el verdadero controlador del expediente, y este, de otra, y así sucesivamente. Carl Schmitt se convirte en Kafka. El valido es un personaje de doble cara. Se relaciona con lo sacro y lo regio y tiene una cara ceremonial y grandiosa. Pero también se relaciona con lo profano y lo legal, y por eso debe tener otra cara mirando a la suciedad de la administración, al papeleo de los secretarios de Consejos, cada uno con sus competencias cruzadas, sin jerarquía, sin orden, sin procedimiento reglado, pudiendo revisar unos las actuaciones de los otros. Para dirigirlos, el valido tenía necesidad de más de un ayudante.

Las necesidades psíquicas del rey que tenía que atender el valido (sentimiento de seguridad, necesidad de control general, distanciamiento del mundo, ritualización de su presencia, configuración de hábitos sublimes) no se podían improvisar. Requerían un trato íntimo, antiguo, consolidado, sostenido por el afecto y la inclinación, organizado en hábitos capaces de dar confianza frente a los asaltos de la inseguridad. Esas relaciones tenían que conformarse en las etapas iniciales de la vida y, por lo general, sustituían a las relaciones paternofiliales, que en el caso de Felipe II no habían podido tejerse de una forma ordenada con su hijo. En cierto modo, el valido tenía ante todo un poder psíquico sobre el monarca que muchas veces nos parece una relación de dependencia. Se sabe que ese fue el vínculo entre el duque de Lerma y Felipe III. Pero luego estaba la cara del realismo político, el lado sucio de la corte y la necesidad de justificar ante la opinión pública expectante las decisiones emanadas del poder. Más allá del rito sagrado, se celebraba la tragedia y la comedia pública del poder. El encargado de ambas cosas era Rodrigo Calderón, por lo general, el agente de los nombramientos, las decisiones, las medidas y las agitaciones de las plazas. Hay otros ayudantes menores, como Pedro Franqueza, quien se elevará a la secretaría de diversos Consejos. Estos hombres cargaban con lo impopular de la acción de gobierno. Eso no quiere decir que Lerma no hiciera enemigos, que los hacía. Pero todos sabían que mientras tuviera el favor del rey era intocable. Así que los ataques se los llevaban Calderón y Franqueza, la faz profana del poder, mientras que la ira silenciosa e impotente se dirigía contra Lerma, cercano a la faz sagrada del monarca. Era el *déjà vu* de Juan II con Álvaro de Luna, o de Enrique IV con Pacheco, con la diferencia de que la gran nobleza ya estaba adaptada a una corte que otorgaba prestigio, visibilidad, grandeza e intriga.

Se ha dicho que durante la época de Lerma, la corte y la administración se divorciaron. Es así. Pero desde los Consejos había un cordón umbilical que partía de Franqueza y de Calderón y llegaba hasta Lerma. Este también padecía el doble contagio de lo sacro y lo profano. Del rey, acabó heredando la soledad y la melancolía, la separación del mundo; de Calderón, el fastidio de los negocios y la necesidad de atender una creciente hostilidad procedente del confesor del monarca y, lo que era una desdicha, de su propio hijo, el petulante Uceda. Aquel conjunto solo podía administrar la legión de consejeros y la expectante opinión pública con la corrupción. El beneficiario de todo este ingente sistema era Lerma. Luego, como una mancha de aceite que Calderón y Franqueza agitaban, la corrupción se extendía por el sistema cortesano. La fortuna que hizo Franqueza a base de embargos amañados fue ingente y podía equivaler al presupuesto de un año de la monarquía. En el centro, el soberano era un alimentado por los mismos que lo arruinaban. El poder regio no era sino el título que legitimaba el expolio.

UN TESTIGO

Entre la política impersonal y la economía de privatización, entre una corte en la que «se» hace todo y un Lerma y sus amigos que se apropian de todo, la aventura política del reinado de Felipe III hasta su muerte, en 1621, se expone con brevedad. Esta es la primera noticia llamativa: «Salieron proveídos cuarenta capitanes estos días, para ir a levantar gente por el reino», dice el cronista en 1599. Las levas no cesarán en años, con el trauma que ello implicaba. Ya no se puede hablar de una guerra lejana. Ahora el conflicto alcanza a los pueblos castellanos y se lleva a sus jóvenes. El malestar crece. Hacia 1604, los reinos estaban exhaustos. El de Valencia, donde se acababan de convocar Corts en junio, quedaba «escandalizado y alterado». Se temían «alteraciones como las pasadas de Aragón». El motivo: la carga fiscal, que era insoportable. Una noche, en Valencia, ahorcaron a un muñeco del rey con la complicidad armada de arcabuceros. No se pudo hallar a ningún culpable, en una *omertà* típica de una ciudad mediterránea. El cronista no puede dejar de temer cosas peores. En Flandes la situación había empeorado. Spínola había venido a España para exigir dinero con que pagar la guerra. Los galeones de las Indias no arribaban y los holandeses presionaban con una gran flota para obstaculizar su llegada. Luego tuvieron lugar los apocalípticos anuncios del predicador Castroverde, y la situación en las ciudades castellanas era tan extrema que los pasquines anónimos circulaban en Salamanca. Ante la inquietud en la capital, se pensó en el cambio de corte, lo que se aprovechó para ingentes negocios urbanísticos.

Se sabe que Madrid iba quedándose vacío, que las casas se caían en una ciudad inmanejable, en la que se intentaba limitar la presencia de «gente escandalosa y mujeres perdidas». Pero el negocio inmobiliario de Lerma no es la única razón del cambio de corte. Coincide con la fundación de «otra junta como la que se hacía en tiempo del rey pasado para las cosas de gobierno y mercedes». La copan los más cercanos a Lerma: el conde de Miranda, don Juan de Borja y el conde de Villalonga, ese Franqueza ya ennoblecido, el secretario, de quien Contarini poco antes, en su embajada de finales de 1605, había dicho que «es el primero y el todo», «hombre de baja calidad, pero de buena cabeza». Su cualidad más notable era su codicia. «No es menester buscar otro camino para poder negociar con él», asegura. En este tiempo en que la Serenísima está desafiando a Roma por la jurisdicción inquisitorial, Contarini sabe que ganarlo es ganar a Lerma. En realidad, nos dice, solo hay un hombre capaz de conspirar con ese grupo: el cardenal de Sevilla, Fernando Niño de Guevara, hombre encubierto, sagaz y mañoso, alejado. Borja, por el contrario, es más bien vulgar y «sabe hacer que no ve».

En la víspera del acuerdo de paz con Holanda, la corte era un hervidero de conspiraciones y rumores sobre la corrupción. Eso sí, la Inquisición, ese consejo que Contarini mismo llamó «absoluto», no cesa. Impide que la posición de Venecia contra el Papa se conozca y detiene a quien la defiende. Villalonga se encarga de exigir al embajador veneciano que no entre en capilla mientras esté el monarca «por el escándalo que recibiría de ello el pueblo». La corte hace aguas por todas partes y el equipo de Lerma se descompone. Sus camareros falsean sus decretos y escriben nombres para oficios a cambio de sobornos. La corrupción, como se ve, está al límite, pero nuestro sobrio cronista no deja que se le note el rubor. Al final hay que entregar una cabeza y Villalonga va a la cárcel. La cosa llega hasta el duque, que extiende por doquier el rumor de que se quiere ir a un monasterio. Es una estrategia. Pronto, Lerma reaparece y esto resulta más importante a sus ojos que la «nueva suspensión de armas» con las provincias de Flandes, que «quieren ser tratadas como república» y además quieren comerciar con las Indias, «lo que de ninguna manera se les ha de permitir».

Se le permitió. En las condiciones de la corte, ¿quién podría llevar una política seria? La situación entre octubre de 1606 y agosto de 1607 era calamitosa, y la junta de teólogos que estudiaba si se podían subir los juros del rey, rechazó el arbitrio. El monarca tuvo que ofrecer «perpetuar los oficios renunciables». Solo cobraría un porcentaje si se vendían. La sociedad castellana se estamentalizó hasta el final. Todos los oficios son ya patrimonios. Es la forma última de la sociedad nobiliaria. La nueva Junta de Hacienda, superada, persigue a los cargos dudosos, los investiga, los arresta. «Estas prisiones han causado mucha admiración en la corte [...] y así han quedado con temor otros ministros». Las presiones sobre las ciudades para que voten los millones se acrecentó. Lerma se hace elegir procurador de las Cortes para influir desde dentro en las decisiones. «Por donde guiare, caminarán los demás», dice el prudente Cabrera. Otros de su círculo y consejo se introducen en el gobierno urbano para manejar el voto. Las ciudades resisten. Entonces se echa mano del recurso último, la predicación de los padres Florencia y Gaspar Moro, «los de la Compañía», para que las ciudades voten como desea Lerma. Pronto se pagará a Florencia el favor con el nombramiento de predicador real. La Compañía obtendrá un puesto de obispo en México. Sin embargo, los franciscanos y los dominicos exigen contención crítica. No podía ser que Felipe II gastara menos de medio millón de ducados y que el nuevo rey gastara millón y medio. En medio de estas tensiones, corrupciones, escándalos, derrotas, de unas paces que implican la primera señal de que algo se acaba, «se ha dicho que el duque de Lerma compraba trece lugares cerca de los suyos, que son de 6.000 vecinos, que los llaman de behetría». La Edad Media regresa. Al final, el duque se cobra la recompensa que se le debe a su familia ¡desde los tiempos de los Reyes Católicos! Solo se tiene una noticia adicional. El único hombre sagaz según Contarini, el cardenal de Sevilla, Niño de Guevara, se muere «porque tiene grande hastío». Dejará a los jesuitas su herencia.

¿Qué sucede mientras con Villalonga? «Ha perdido el juicio» en la cárcel, se nos informa. ¿Seguro? Nada es seguro en esa corte. Unos dicen que es verdad, pero otros hablan de que «lo hace de industria», para no tener que responder cuando le instruyan el proceso. No come y no cesa de decir disparates y de estar furioso. Ya no conoce, habla en latín, blasfema de continuo, «pero nunca se le ha oído hablar del rey, ni del duque, ni de los negocios que ha tratado». Locura tan selectiva escama al cronista. Como es natural, «no falta quien diga que está espirituado». Villalonga ve alucinaciones de gatos y perros que no existen y afirma que lo visitan tres amigos que vienen de más de tres mil leguas para darle órdenes. Tan cruda realidad no obedece a nada conocido. Ante la situación, los rumores de que Lerma dimite se incrementan. Ha mandado llevar a su localidad de Lerma toda su hacienda. Novedad grande, desde luego, pero nadie cree que «vaya a tener efecto». ¿O es tan simulada esta dimisión como la locura de su secretario? Las cautelas del cronista se redoblan. «Lo que dicen que publica». La doble cláusula siembra la desconfianza. Primero dicen. Luego dicen que Lerma dice. En la confusión, el cronista se rinde: «El fin lo descubrirá el tiempo». Pero se supone que existe lo que nunca se quiere decir que existe: un secreto. De repente, el conde de Villalonga «ha vuelto en su juicio». Milagrosa cura de dos sangrías sobre el alma del enfermo, lo que no impide sugerir que es culpable. Los inquisidores no pican el anzuelo y añaden los cargos de blasfemia de cuando se fingía loco. «Débesele haber probado que no fue verdadera su locura», añade Cabrera. Al final, cuatrocientos sesenta y cuatro cargos, sin contar los de Aragón y los del Consejo de la Inquisición. El cronista no ve necesidad de referirnos ni uno solo. ¿Y la dimisión de Lerma? Solo se sabe que el cargo de general de la costa de Granada pasa a su poder. Todo vuelve a la costumbre. Lerma, enfermo de melancolía, se sangra para aligerarse. La alegría le viene. «Le han dado señores y caballeros, de joyas, más de 40.000 ducados». Una terapia infalible.

UN VISIONARIO Y UNA EXPULSIÓN

En este clima surca el cielo un cometa, y aunque existen interpretaciones diversas no se quieren publicar. Alguien publica la suya. Un clérigo llamado Escobar, «el mayor jugador de ajedrez que se sabe», asegura que en dos años morirán los reyes y sus hijos «y que no quedaría ninguno de la casa de Austria aquí ni en Alemania». ¿Qué pasará entonces? Este Escobar es un hombre de oración y de buena vida, y además ha hecho vaticinios anteriores con pleno acierto. Por ejemplo, pronosticó que la corte volvería a Madrid. Pero ¿es lo mismo un pronóstico que una profecía? No lo parece.

Sin embargo, la situación del cometa es adicionalmente alarmante. Produce «rumor y escándalo» y se debe poner remedio. «Le mandaron llevar a la Inquisición de Toledo». Es muy curiosa la forma en que el cronista da la noticia. Allí se debe esperar «el suceso de las cosas que dice». Pero ¿qué es lo que dice? Ni más ni menos «que vendría a suceder en estos reinos uno de edad de treinta y tres años descendiente de la tribu de Judá». ¿Cómo esperar a que suceda? ¿Puede ser verificación de la profecía esa lluvia de sangre que ha caído en Guadix? ¿O que se haya encontrado a un hombre de cuatrocientos años, que dice que pasó en barco al mismo san Francisco estando en Venecia y que ya ha cambiado cuatro veces de dientes?

Los pasquines de julio de 1608 no dejan dudas. Han inundado las puertas de Madrid y la zona del alcázar, y se llama a «los pueblos que despertasen porque un privado tirano que gobernaba, tenía al rey y al reino en el último punto». Los pasquines aparecen también en las villas que ha comprado Lerma, y unos sujetos ensuciaron las armas del duque sobrepuestas sobre las de la villa de Torquemada, también comprada. No se encontró al autor. Solo se sabe que Rodrigo Calderón no solo es rehabilitado, sino que se apodera de todos los negocios y lleva a Lerma a donde quiere. De guerra, ni hablar. ¿Cómo ir a la guerra, si ni siquiera la gente de la casa real puede cobrar desde hace algunos años? Al final se nos dice que la paz se firma y, solo de pasada, se nos confiesa lo fatal: se ha permitido la navegación de Holanda por las Indias portuguesas.

La paz significó la esperanza de recomponer un poco la Hacienda y de atender los pagos necesarios. Para abril de 1509, el cronista no nos da ninguna señal de alarma. Un hombre tan lúcido como Contarini recomendó a su Señoría veneciana una forma de tratar a España. Convenía tratarla bien, porque era celosa en defender lo que tenía y no convenía ponerla en peligro de forma violenta porque podría despertar, argumentó. Al proponer este consejo, su motivo profundo era mantener la hostilidad frente a ella. Por eso habló en estos términos: no despertarla era «la mejor guerra que se les puede hacer». ¿En qué consistía esta estrategia? «En dejarlos consumir y acabar con su mal gobierno». Lo que preveía Contarini era que cada uno acudiría a su bien particular y dejaría el bien público en la ruina. Dejarlos tranquilos, que ellos solos se derrotarán. Pero ¿y la plata de las Indias? Ni siquiera de esto hay que preocuparse. Dada su incapacidad de administrarse, por mucho que crezcan sus ingresos, lo harán más los gastos superfluos e impertinentes. Esta era la conclusión de un hombre que debía ser objetivo y que no podía engañar a una sabia república secular.

En este ambiente, sumido en la debilidad que había llevado a pactar con los protestantes, era preciso hacer una demostración de poder. Como siempre se acudió a la medida que inspiraba terror y reverencia, que producía un mudo consenso infalible. No fue una medida recaudatoria, como la de los judíos de 1492, sino la forma de dejar bien visible un dispositivo de poder irresistible. Desde luego, los predicadores contra los moriscos no cesaron nunca, y las decepciones de los arzobispos de Valencia eran tan antiguas como las germanías. Tulio Halperín Donghi muestra la continuidad de todo ello a lo largo de todo el siglo XVI y la existencia de proyectos de expulsión anteriores, dispuestos a «limpiar sus reynos desta mala gente». Unos piden que se los deporte a la Terranova; otros, que se los mutile para impedir la fecundación y que se acabe «de todo punto» y de una vez con ellos. El confesor del rey, Gaspar de Córdoba, propuso la deportación también en 1601. El patriarca de Valencia, san Juan de Ribera, se avino a un último intento de evangelización, aunque poco convencido de su éxito.

Solo en un clima de debilidad extrema podía ser verosímil la razón fundamental de la expulsión: que existía un complot para levantarse de forma concertada todos los moros de España. Todos callaron ante la razón de Estado. Por eso, la expulsión se consideró una hazaña y por eso gustó que a los enemigos se les causara «horror y pasmo». Era la forma de reconocer que estaban vencidos. En suma, fue una demostración de un dispositivo de poder regio que, como las levas anteriores, estuvo en condiciones de identificar, conducir, reunir y embarcar a cerca de medio millón de personas rumbo a ninguna parte. Se ha dicho que todo se hizo bajo un sentimiento de euforia del pueblo bajo. Es posible que fuera así, pensando en alcanzar alguna ventaja. Pero el estado general posterior tiene su emblema en el patriarca Ribera, de quien Escolano, un cronista de Valencia, dijo que «visto el laberinto en que quedaba el reyno [...], empeçó a sentir carcoma en su corazón». De hecho, se sabe que poco antes de que se produjese había solicitado la suspensión de la expulsión. Sin embargo, ya era demasiado tarde. La devastación asoló las tierras valencianas. Todavía hoy, en los valles del interior valenciano son visibles las huellas de esa época, del sufrimiento de una tierra que vio salir a los que más la trabajaban y amaban.

7

LA GRAN HORA DE LOS GUZMÁN

GOLPE DE ESTADO Y CAMBIO DE RÉGIMEN

Una vida como la de Felipe III no podía ser satisfactoria. Cuando el rey llegaba a su final, condenó su propio proceder, ante el escándalo de la corte. Matías de Novoa, un resabiado ayuda de cámara que apuntó sus impresiones, narró esos días. Al parecer, el soberano habría dicho: «Ah, si Dios me diera vida, yo gobernaría de forma muy diferente». Puesto que el cronista es favorable al reinado, no se puede presumir hostilidad aquí. La desolación del monarca tenía su origen en su percepción de que la suya había sido una vida baldía. Felipe III es uno más de esa lista de reyes hispanos que acabaron hundidos en la melancolía. Pero en aquellos días que rodearon su muerte, todo el sistema de poder de la monarquía se alteraba en una profunda y silenciosa revolución. Todos la esperaban. Cuando las campanas sonaron a muerto en las iglesias de Madrid, Rodrigo Calderón, el poderoso ayudante de Lerma, exclamó: «¡El rey es muerto, yo soy muerto!». Puesto que no era un «grande», preveía que la violencia contenida por los resentimientos iba a descargarse sobre él. Y así fue.

Describir las intrigas de los tres años finales de la corte de Felipe III, entre 1618 y 1621, fecha de su muerte, está más allá de este libro, pues la empresa requiere de una novela. Por lo demás, algunas de ellas las ha narrado con maestría John Elliott en su libro sobre el conde-duque de Olivares. Aquí interesa analizar el proceder del grupo dirigente en el cambio de reinado. Lo que sucedió en aquellos momentos tiene su mejor crónica en ese escrito de Francisco Quevedo, *Grandes anales de quince días*, en que el escritor, aún preso en la torre de Juan Abad, intenta disponerse con el nuevo partido en el poder, aunque escriba con «intención desinteresada y con ánimo libre». Su objetividad era la de un testigo: «escribo lo que vi», dice, pero ha visto «maravillas en quince días». Los libros de historia ofrecen un eco débil de eso que Quevedo llamó «maravillas».

Lo interesante de esta crónica política no reside tanto en describir el estado de la monarquía, que el autor deja «a las malicias de mi silencio»; ni en que confiese que la conservación de la monarquía parecía un «milagro continuado». Lo que se quiere destacar es la manera en que la corte y el nuevo rey se libran del viejo equipo de gobierno y se organiza otro régimen. Eso es lo relevante y a nosotros nos interesa la técnica del golpe de poder para eliminar al poderoso Lerma y a su grupo. Aquí Quevedo es certero, porque organiza un relato cuya fuerza reside en narrar la manera en que se logrará lo buscado: que «el valimiento *no fuese patrimonio* de la casa de Sandoval». El clima que rodea este breve escrito es tan poderoso porque en él se escuchan los rumores del pueblo y el resbalar de pasos sobre la sangre de los asesinados, las oscuras profecías sobre el fin de la monarquía y los gritos de los reunidos en la plaza Mayor de Madrid para ver morir en la horca al otrora poderoso Calderón y contemplar su cuerpo violado, desnudo y decapitado. Nada se esconde y nada se desvela, pero todo se indica, desde la sospecha de que el rey Felipe III fuese envenenado, hasta el misterio de quién asesinó al conde de Villamediana, en plena calle, a ese hombre que con sus versos sin descanso denuncia la corrupción de la corte. Y a pesar de todo algo debía quedar fuera de la pluma de Quevedo: los versos atribuidos a Luis de Góngora en memoria de su mecenas, Villamediana, en los que sutilmente dejaba caer que había sido asesinado desde el palacio: «Que el matador fue *Vellido* / y el impulso soberano». Y todavía algo más: otra muerte en la que apenas nadie repara, pero en la que hay que insistir, una que nuestro Quevedo no pudo narrar porque todavía estaba por ocurrir.

Las inquietudes que estallaron en 1621, en las fechas cercanas a la muerte de Felipe III, venían de tiempo atrás, al menos de tres años antes, cuando el fraile Juan de Santa María comenzó su ofensiva contra Lerma. Se comenzaba a preparar el final de la paz con Holanda y todo el mundo sabía que eso implicaría cambios de política, aunque Lerma no quería ni oír hablar de reanudar la guerra. Por doquier se vio como necesario que el valido abandonara el poder. Los posibles sustitutos eran varios. Estaba, ante todo, Filiberto de Saboya, que era el candidato de Santa María. Pero también jugaba Baltasar de Zúñiga, un hombre conocedor de Flandes, defensor de la reputación hispánica, pero muy prudente. En esa situación de incertidumbre, que implicaba riesgos de violencia y de sangre, con decisiones que afectaban a la conciencia de culpa, la figura del confesor se elevaba a garante de la salud del alma del rey. En los tiempos que anteceden a la caída de Lerma creció la actividad del confesor regio, el fraile Aliaga. En 1619, a la muerte de Bernardo de Sandoval y Rojas, familiar de Lerma, ejerce de inquisidor general, el verdadero puesto de control sobre la universalidad de la monarquía. Pero también actúan otros importantes clérigos, como el prior de El Escorial.

El plan que todos ellos comenzaron a tejer fue digno de una araña. Ante todo, tenían que aislar a Lerma, separar a los hombres de su círculo del acceso a la corte. Para ello se logró del monarca que prohibiese la presencia ante él de su yerno, el conde de Lemos, un hombre capaz. La excusa fue que tenía demasiada influencia en el príncipe Felipe. Luego se prescindió de quien tenía las llaves de la cámara del rey, que controlaba la puerta de acceso al poder. Así, quien ocupaba ese cargo, Fernando de Borja, fue enviado a Zaragoza como virrey. Lerma, que conocía cómo funcionaba el sistema, se sintió amenazado y reclamó el pago a Roma por sus favores: solicitó ser elevado a cardenal. Es posible que tuviera que salir del gobierno, pero nadie se atrevería a tocar a un senador de la Iglesia. Logró el nombramiento, pero tal cosa no pudo hacerse sin los oficios del confesor Aliaga, que debió de ver en esta operación una salida digna. Al final, se envió a Juan de Peralta, prior de El Escorial, para decirle al cardenal Lerma que el rey le agradecía los servicios y le daba permiso para retirarse a disfrutar «de la paz y el silencio». Este comunicado recuerda también la conversación del jurista Schmitt ante el fiscal de Núremberg: «¿Qué piensa hacer ahora?», le preguntó el fiscal. Schmitt respondió: «Protegerme con el silencio». Ahora Lerma debía saber que la paz y silencio iban juntos y que eran su única protección.

Lerma se retiró a su casa de Valladolid en 1618. Parecía ganar la partida su hijo Uceda y su socio Aliaga. Pero solo porque no veían quién trabajaba por encima de ellos. Tan pronto Lerma marchó, Calderón, la gran ayuda de Lerma, se vio incurso en el proceso criminal que temía. «En jaula está el ruiseñor / con pihuelas que le hieren», dijo la copla del incisivo Villamediana. No se debe creer que Calderón fuera un vulgar leguleyo. Era hijo de una familia ennoblecida en la época de Carlos V y se había encumbrado bajo la protección de Lerma. Góngora ya había aludido a él en una célebre copla que se había hecho popular: «Arroyo, ¿en que ha de parar / tanto arribar y subir?». Góngora lo mostraba como un trepador, «hijo de una pobre fuente / nieto de una dura peña», que ahora quería convertirse en un grande. Calderón vivió como tal. Algunas de las mejores obras del Museo del Prado proceden de él. Rubens, que ejercía de diplomático y de espía, lo pintó a lomos de un caballo blanco, de frente, dejando ver la cruz de Santiago en su pecho. Pero en el fondo era un atrevido aventurero que no se detenía ante el asesinato y el crimen, y era temido porque se le suponía un brujo peligroso. Se le acusaba del encantamiento que había matado a la «santa reina» Mariana y con ella «toda la felicidad de España». Quevedo no ignora nada y lo sugiere todo. Calderón era el más responsable de aquellos «tiempos tan violentos».

Dispuesto a usar de él como chivo expiatorio de todos los males de la monarquía, los nuevos responsables sabían que con él se irían todos los secretos del gobierno anterior. Villamediana añadió a la coplilla en que había hablado de él como un ruiseñor, que «sus amigos le quieren / antes mudo que cantor». Fue torturado hasta el límite y luego decapitado en la plaza Mayor en octubre de 1621. La dignidad de su figura en el patíbulo, inspirada de nuevo en Álvaro de Luna, le granjeó la aclamación del público, que por aquella fecha sabía lo que era un buen espectáculo. Quevedo no se ahorra la comparación del suceso con las corridas de toros que se daban en la misma plaza madrileña, con la misma gente. Extasiado en el momento de la muerte, como un torero borracho ante su propio éxito, calentado por la propia sangre que manaba de su cuerpo, exclamó: «¿Esta es la afrenta? ... ¡Esto es triunfo y gloria!».

Cuando ocurrió este drama, ya había muerto el rey. Este acto cerraba la transición. Pero si se quiere saber lo que pasó hay que remontarse un poco, a las semanas anteriores a la muerte de Felipe III, cuando ya se había sustanciado cierto relevo de gobierno, con Zúñiga al frente, pero todavía merodeaba por la corte, muy activo, todo el grupo restante de Lerma, Uceda y Aliaga. Mientras Calderón era torturado y encerrado, las consultas secretas de los viernes se repusieron y comenzaron las medidas políticas. En una de ellas, Filiberto fue enviado a Sicilia. Juan de Santa María, ya sin candidato, se alineó con Zúñiga y denunció ante el nuevo soberano a la banda de los cuatro: el presidente del Consejo de Estado, el obispo Acevedo; el confesor, Aliaga; el secretario real, Juan de Ciriza, y Uceda, el hijo de Lerma. De camino, el fraile Santa María le pasó su libro al monarca, escrito contra la institución del privado. Mientras tanto, de hecho, el nuevo equipo de Zúñiga llevaba las cosas con el ritmo de una maquinaria perfecta. El duque de Osuna pronto fue enviado a prisión, y sus hombres con él, con lo que los oficios de palacio fueron desmantelados. El presidente Acevedo fue usado para firmar las providencias y sentencias contra su propia gente, y luego expulsado sin piedad, enviado a «guardar ovejas como arzobispo». Con Luis de Aliaga, el antiguo confesor e inquisidor general, dice Quevedo, «se tuvo el propio estilo», esto es, se le trató como él trataba. Fue desterrado tras «hartarse de venganza contra él». Lerma estaba completamente acabado. Cuando el rey Felipe III se acercaba a su final, tras la enfermedad contraída en Valladolid, en marzo de ese año, Lerma decidió jugárselo todo e ir a verlo a Madrid. Todos los conspiradores se aprestaron a hacer imposible un encuentro que podría despertar las dependencias antiguas. La escena recuerda el pavor de los que acabaron con Álvaro de Luna, ante la posibilidad de que el valido pudiera ver de nuevo al débil rey Juan II. Se sabía: el monarca no puede mirar a quien estaba condenando. En Villacastín se encontraron Lerma y el correo enviado por Zúñiga. Este traía la orden de que no se acercara a la corte. El silencio se impuso finalmente cuando se le mandó a Tordesillas, donde solo pudo hacer un patético testamento. Luego vinieron los gritos de Calderón, y la sangre derramada. Eso fue lo único que se escuchó y Quevedo pudo decir que «murió por lo que los jueces callaron», de tal manera que así muchas vidas y honras quedaron a salvo.

Todo siguió su curso con inflexible determinación. Uceda, el hijo de Lerma, fue separado de todo poder y «con saña acudió el pueblo a considerar las calamidades por las que venía precipitado». Luego, un poco más tarde, en agosto de 1622, de forma misteriosa, el censor de todas esas calamidades, el conde de Villamediana, era asesinado justo en una carroza; él, que debía toda su fortuna, como Tassis que era, a la posta y al correo. Pero hay algo que no cuenta Quevedo. A comienzos de 1621 se había creado una Junta de Reformación, inspirada en un libro de Juan de Santa María, mientras Acevedo estaba en funciones. El juez de Calderón, Francisco de Contreras, formaba parte de ella. Como Acevedo no creía en esa novedad, pronto fue sustituido justo por Contreras. La medida que estudiaba causaba terror: un inventario de bienes de los cargos de la gobernación anterior. Los defensores de la nobleza, como Juan Pablo Mártir, se movilizaron. Se trataba de una medida inhumana. Al poco tiempo, Juan de Santa María, que se consideraba como el inspirador de la lucha contra Lerma, fue hallado muerto en su celda. Luego, su querida Junta de Reformación pasó a mejor vida. El equipo nuevo había atado los flecos y eliminado a sus enemigos, pero también a los amigos radicales, una práctica digna de atención. Y en el contrapunto, el pueblo aparece como un rumor sordo, un grito, un clamor, un bisbiseo, una maledicencia, un éxtasis ante la sangre del chivo expiatorio. Todas ellas, formas de la impotencia política. Sin una voz que pueda hablar, el pueblo da pábulo a todo lo anónimo, generando un espacio público sin responsabilidad, sin coherencia, sin visibilidad, sin actor.

EL NUEVO HOMBRE

El interés de contar esta historia reside en descubrir que los cambios del gobierno se hacen con una conspiración política que no evita la sangre si es necesario. Describo una práctica general de la monarquía hispánica. No hay que ser anacrónico, pero conviene ver la costumbre de los cambios de gobierno para comprender la historia y lo que sucederá posteriormente. La inquietud, el miedo, la violencia, el malestar, la conjura, el murmullo del pueblo, todo eso había emergido con el paso de Fernando a Felipe I, de Fernando a Carlos V, de Carlos V a Felipe II, de este a Felipe III y ahora sucedía con su hijo. No se preveía ninguna transmisión gloriosa de poder. Separar a alguien del poder es violencia *per se*. Y, sin embargo, se aprecia un progreso en eso que se llama «golpe de Estado». Es verdad que la violencia se reduce: se pasa de la guerra civil contra Fernando o Carlos a la intriga palaciega del golpe de Estado, como en este caso. Antes, el pueblo era actor. Aquí es solo espectador y testigo.

Ahora conviene descubrir al hombre que había dirigido toda esa operación en 1621, que dirigía incluso a quienes no se sabían dirigidos. Pues este hombre venía de fuera, aunque era un segundón de la casa de Medina Sidonia; alguien que portaba el estigma de no ser «Grande de España», aunque creyera merecerlo; un *parvenu* a la corte, aunque tuviera una percepción de la propia grandeza más intensa que los demás. Ese hombre que acababa de comprarse una casa cerca del alcázar de Madrid, en 1620, era Gaspar de Guzmán y Pimentel, y tejió todos los hilos alrededor de Aliaga y de Uceda. No venía para estar de paso y lo sabían los que ya entonces le enviaron un sicario a eliminarlo. Asociado a su familiar Baltasar Zúñiga, un experto en el sistema político español, se acercó pronto al joven príncipe. Dejó trabajar a los enemigos de Lerma y de Lemos y esperó durante tres años a que estos hombres, improductivos para todo excepto para la intriga, se estrellaran contra la maquinaria de los Consejos, que solo producían una fronda de intereses inmanejables. Cuando llegara la ocasión de dar el paso al reinado del nuevo príncipe, entonces sería la oportunidad de don Gaspar.

La forma en que se tejió el poder psíquico de Olivares sobre Felipe IV es significativa. No solo se heredó el nombre de *walid* de los musulmanes andalusíes. También se heredaron las debilidades emocionales y la escala de las valoraciones. Las crónicas musulmanas nos narran la pasión con que los califas de Córdoba observaban los requiebros de los jinetes sobre los gráciles caballos en sus patios dorados de naranjos. Eso es lo que sobre todo admiraba

Felipe IV en Olivares: su maestría en la montura. Es sabida la tristeza que produjo en Olivares cuando, en 1633, intentó montar a caballo y no pudo. Entonces comentó melancólico que «se me solían revestir espíritus y vida en poniéndome a caballo». Aquel hombre achaparrado, rocoso, torpe de andares, exuberante de espaldas, tanto que parecía deforme, de joven se transformaba a lomos de un caballo y causaba un profundo impacto en su príncipe. Así fue estrechando lazos con Felipe, mientras su pariente Zúñiga muñía las redes de la conspiración. Todo lo que se ha descrito tiene dos escenas convergentes, paralelas: una, en medio de la administración y los Consejos, que maneja Zúñiga; otra, entre caballos, cerca del rey, que maneja Olivares. Son dos ruedas de un solo reloj y funcionan al unísono. Poco antes del 31 de marzo de 1621, fecha de la muerte de Felipe III, se dio una conversación entre Olivares y Uceda, el limitado hijo de Lerma, que soñaba con heredar el puesto de valido. Uceda le comentó al futuro conde-duque que todo estaba dispuesto para la proclamación del nuevo rey. Olivares le quito de golpe todas las ilusiones al decirle: «Hasta ahora todo es mío». «¿Todo?», le preguntó Uceda, atónito. Con una puntillosa meticulosidad y una dura firmeza, que parecen una extraña mezcla de legista y de aristócrata, Olivares respondió: «Sí, todo sin faltar nada».

Y como se puede suponer, la primera medida de Olivares fue la propia de un discípulo de Carl Schmitt. Sugirió al nuevo soberano que retirara a su ayuda de cámara y que solo entrara en ella un gentilhombre y un mozo. Aislado de todos, excepto de él, Olivares era el nuevo señor del monarca. A los pocos meses escuchó de sus labios la anhelada orden: «Señor conde, cubríos». Por fin, era «grande de España» y la larga lucha de su padre por la grandeza quedaba culminada. Y sin embargo, en un golpe maestro, había rechazado el valimiento y había dejado el paso a Zúñiga, «el hombre de todo tiempo», el que había de volver a la forma de gobierno de Felipe II, con su juego de Consejos que proponen con libertad a un rey que determina sin violencia, sirviendo de mediadores los secretarios privados para facilitar el trámite.

Sin embargo, Olivares no será Lerma. Consciente de que no puede disponer de un monopolio de poder, somete a escrutinio a los colaboradores del anterior grupo y va ganando voluntades, purgando hostilidades, generando expectativas. El largo gobierno de Olivares, sin embargo, fue muy consciente de que los Consejos eran el refugio de los derrotados y resentidos y se empleó a fondo por limitar su amplitud, su independencia, su altura, disminuyendo el número y el perfil de sus cargos. Como se verá, a lo largo de toda su actividad, sus enemigos son «los ministros» del rey, los consejeros. Y esto era así porque, a diferencia de Lerma, que dejaba hacer, Olivares quería cambiar cosas. Su política consistió en retirar sus competencias, en la medida de lo posible, en favor de Juntas especiales nombradas *ex profeso* sobre temas concretos donde tenía mano libre para imponer sus candidatos. El resultado fue una disminución de la complejidad de la administración en favor de su sencillez y eficacia. Pero aun y con eso, no pudo lograr apenas nada.

Olivares canalizó su poder a través de Juntas y en la lucha continua por la domesticación de los Consejos, que al final quedaron muy reducidos. Con ello, la articulación interna del gobierno disminuyó y la base de su poder se hizo cada vez más estrecha. Así comenzó su evolución hacia la soledad final. En este sentido, Olivares siempre se vio, al modo barroco, como un crucificado en el altar del poder, que no servía a interés privado, porque no tenía hijos. Este hecho le sirvió para demostrar que solo se mantenía por el amor a la monarquía. En el fondo, resultó una pesada carga personal, pues la realidad cada vez más compleja y hostil tenía que ser abordada desde una base familiar cada vez más reducida. Así, del grupo inicial de apoyo, lleno de familiares, con Mostesclaros, Monterrey, Hinojosa, Spínola, Pedro de Toledo, Gondomar, Aytona, Diego y Agustín Mexía, Francisco Dávila, poco a poco, Olivares se fue quedando solo. Punto de unión de la vieja generación gloriosa —como la de Álamos de Barrientos, heredero de Antonio Pérez— con la nueva —la de Jerónimo Villanueva—, Olivares mantuvo la tensión todo lo que pudo renovando una élite que tuvo que luchar en la peor situación. Pero al final, su figura colgó sobre el vacío.

OLIVARES Y LAS REFORMAS

Por grande que fuera el poder del valido, la realidad social castellana sabía cómo defenderse de sus reformas y lo hacía ante todo en la trinchera laberíntica de los Consejos. Esta división de poderes mediante Consejos hacía inevitable el valimiento y todo el mundo lo sabía, pero también lo hacía más bien estéril e impotente. Los Consejos eran tan numerosos, diversos, plurales, contrarios y caóticos, sin delimitación de competencias y sin acceso discrecional al nombramiento (los consejeros seguían un *cursus honorum* muy rígido), que no había modo de que sus propuestas fueran ordenadas y coherentes sin alguien que pudiera jerarquizarlas y regularlas para la firma del rey. Pero esta conducta describía el orden convencional. Otra cosa era si alguien quería cambiar las cosas. Cuando Zúñiga moría en octubre de 1622, Olivares estaba dispuesto a heredar la presidencia del Consejo de Estado. Zúñiga era experto y respetado, mientras que Olivares era un novato. De él se conocía su brío, así que todos se aprestaron a reducirlo a la impotencia. Bastaba con dejar que la realidad siguiera su curso, como había pronosticado Contarini. Pronto las cosas volvieron a donde siempre: Cortes para extraer servicios, resistencia de los representantes urbanos, chantajes y compras de votos, búsqueda afanosa de dinero para enviar al ejército de Flandes, al emperador, a Baviera; discusiones apasionadas sobre si guerra o paz, reputación o cesión, guerra sobre tierra o sobre mar, guerras de distracción o de invasión con los protestantes.

Mientras se discutía con ardor, se seguían las mismas medidas reales de la época de Lerma: acuñación masiva de moneda de vellón de cobre, devaluada, para la economía doméstica, y, en caso de apuro, confiscación al viejo estilo de la plata de los barcos de Sevilla y devaluación fulminante del tipo de interés de la deuda pública. Tras la fiebre de la conspiración y el cambio de régimen, que tanto entusiasmo e indignación levantó entre las gentes populares, el monarca se aburrió. Luego vinieron las sesiones de caza. El escándalo estalló cuando se conoció que Olivares acompañaba al joven rey en sus aventuras nocturnas. Crear vicios en el soberano: de eso se trataba. Esto se despreciaba no por la dimensión moral.

Se murmuraba que Olivares enviciaba al rey para poder tenerlo en sus manos. Lo que se detestaba era esa promiscuidad de lo sagrado con lo profano, esa comunidad de un rey con quien no lo era. Desde el principio, en aquel clima de expectativas puritanas que había sembrado Santa María, Olivares fue visto como odioso y sospechoso. Comenzaron las averiguaciones y las hablillas. Al final salió la verdad, la que no podía dejar de brillar: ¡Olivares tenía sangre judía!

La realidad a la que se enfrentaba Olivares no estaba controlada. Cuando en febrero de 1623 se nombró elector a Maximiliano de Baviera, o cuando se quitó el poder al protestante elector del palatinado, Federico, se vio la operación que estaba en el fondo de la política europea: se aspiraba a hacer del imperio una institución católica. En esto coincidían Viena y Múnich. Entonces alguien con sereno juicio habría visto que los holandeses no eran el problema principal para la monarquía. El asunto estaba donde al principio: en la fractura del mundo católico y protestante. Pero la expectativa fundamental ya no era hispánica. Se buscaba un imperio católico, pero con la voluntad defensiva de que no cayera en manos de las potencias protestantes del norte, Dinamarca o Suecia, o lo que andando el tiempo sería Prusia. Hacia 1623, ya no se podía ocultar el estancamiento del país castellano, pero tampoco se podía evitar su participación en el juego. Así que España era un invitado necesario, pero molesto para la lógica del asunto. En realidad, se suponía que pronto se hundiría. Solo la peste de 1596-1602 se había llevado más de medio millón de vidas, el 10 por ciento de la población. Su monarquía no estaba menos en la ruina. La venta de bienes públicos, privatizaciones de impuestos y vasallos fue general desde 1580. Se sabe que los oficiales de corte y los patricios urbanos se enriquecieron con estas privatizaciones. El campo sufría y la dependencia comercial del exterior arruinaba cada vez más las artesanías. Todavía en 1621, en uno de sus primeros actos ya como pastor de su grey, en Burgos, el expresidente Acevedo mandaba al rey un informe sobre qué hacer con los moriscos expulsados, quienes, tras más de una década, seguían regresando a sus viejos hogares. ¿Tratarlos como cristianos o como contumaces? ¿Disimular o castigar? De nuevo, las preguntas de 1492, siglo tras siglo, y al fondo la misma extrañeza, la misma interrogación siniestra: ¿qué hacer con este pueblo que no es «nuestro» pueblo, pero que ama esta tierra, ya casi desértica, con un amor obstinado, porque vuelven para sacar esparto del suelo reseco y frutales de una gota de agua de los angostos valles norteños?

La imagen permite comprender que Europa estaba en otro sitio. Y sin embargo, Olivares fue consciente de que su fracaso implicaba también el triunfo del inmovilismo. Su conciencia identifica su éxito con el de la monarquía, y su hundimiento con el del final del poder hispano. No es que todos los que se opusieran a él carecieran de ideas sobre las reformas necesarias. Se conoce lo obstinada que fue la resistencia de algunos líderes de ciudades, como el vocal de Granada, Lisón y Biedma, o Luis Gálvez. Lo que causa simpatía en este hombre rocoso, duro como un chaparro, es la conciencia clara de que nada puede seguir igual. Ahí lo vemos, perdiendo la salud, en un esfuerzo titánico, en sesiones infinitas, despachando en su carruaje insonorizado, en los jardines, en los rincones, como un gigante solitario, mientras a su alrededor se aprecia una maquinaria inmensa que le sirve de lastre, que lo arrastra con su inercia, al frente de la cual no hay sino voluntades decididas a llevarlo al fracaso, aprovechando todos los resquicios legales que permite el caótico sistema de los Consejos, invencible si juega a la contra.

Esa tarea sorda de retrasar, de cuestionar, de ralentizar, se observa por doquier, desde el principio, aunque sin franqueza, porque quien quede descubierto y hostil recibirá la ira del rey. Se verá cuando proponga la reforma de la deuda pública, impagable, con el intento de fundar los erarios, los montes de piedad que debían recoger los censos, rebajar el interés de los juros y disminuir el valor del vellón de cobre. Esa reforma implicaba, a su vez, eliminar el sistema de los millones, el contrato privado por el que las ciudades en Cortes recaudaban los impuestos o sisas para el rey, y que había fortalecido a las élites de las ciudades representadas en Cortes. «Sisar», en lugar de cobrar los impuestos, ha quedado en el idioma como sinónimo de «robar». Olivares extremará su ira contra este sistema injusto, y aludirá a los administradores del mismo como refinados ladrones. En realidad, los millones lograron el viejo sueño de recaudar en nombre del rey y repartir lo recaudado entre los grupos privilegiados. De diez millones de ducados que se recaudaban con el sistema, ocho se sisaban, se iban por el camino. Era un sistema fiscal que alimentaba a las oligarquías urbanas y que extraía los recursos de los campesinos en nombre del rey. Desde luego, los nobles y los religiosos estaban exentos. La misma oligarquía que controlaba el fisco por este medio —que representaba el 30 por ciento de los ingresos del monarca— era la que controlaba los censos de la deuda pública. En los pagos de sus intereses se iba ya un cuarto de los gastos de la Corona. Luego, estaba el diferencial en plata que tenían que añadirse en los pagos de vellón, para compensar sus continuas devaluaciones, porcentaje cada vez mayor y que en 1626 podía llegar al 75 por ciento.

Así que el dinero situado en juros servía para extraer todavía más dinero del fisco regio en forma de intereses. Lo que era del rey se le prestaba al rey. Del dinero del monarca que se extraía cada año, cada vez más iría destinado a pagar los intereses de esos préstamos. En lugar de ponerse en manos del soberano como ingreso, se ponía en sus manos como préstamo. Por no hablar de lo que todavía el mundo sabía: cargamentos de plata que en origen declaraban ocho millones de ducados, y que al llegar a Sevilla, milagrosamente, solo aparecían dos o tres.

Al querer transformar ambas cosas, el sistema de millones y la deuda pública, Olivares tocaba el núcleo de poder de las oligarquías urbanas castellanas. Esa oligarquía, con su método de extracción de recursos, había hecho de Castilla una sociedad de rentistas. De una forma estable, esos intereses eran muy bien defendidos por los juristas y letrados de los Consejos, sobre todo los del Consejo de Castilla, y en los concejos urbanos de las capitales de distrito fiscal. Así que la hostilidad hacia Olivares creció de forma muy orgánica, desde los concejos urbanos hasta las Cortes y a los Consejos del gobierno. No cesaría a lo largo de todo su mandato. Tanto que, a veces, no se sabe si Olivares está en la oposición o en el gobierno. Su mayor queja es la desobediencia, al rey o a él, cosa que él suele confundir, pero nadie más, pues la diferencia entre el rey y el gobierno ya es legítima para todos. Jamás puede entenderse la hostilidad al gobierno de Olivares como rebelión al monarca.

Esto se vio cuando, en su intento de cambiar el sistema de millones —ya que no lograba realmente eliminarlo—, Olivares apostó por el sistema de arrendarlo, en lugar de entregarlo a la administración de las propias ciudades. Esto solo podían hacerlo los judíos portugueses. El rey siempre fue hostil a esta idea. Las ciudades también. Ya se sabía: Olivares tenía sangre judía y ahora llamaba a los suyos.

Pero el fracaso de las reformas se aprecia una y otra vez en el intento de formar un ejército propio de cada reino, lo que luego fue el proyecto de Unión de Armas, mientras las Cortes piden regresar al sistema de milicias urbanas, en el que las ciudades habían fundado su autonomía política en el pasado. Entonces comenzó a verse de verdad la constitución política de la monarquía: en la resistencia feroz de las ciudades a toda política unitaria. Al percibir la índole de las resistencias a su gestión, Olivares reaccionó, como solía, con una gran energía y una cierta grandiosidad. Fruto de esa reacción fue el *Gran Memorial* del día de Navidad de 1624, que pretendía resucitar la monarquía tras el abatimiento de Felipe III, justo cuando Richelieu se hacía cargo de Francia. No fue un buen presagio, pero el conde de Olivares se lanzó solo contra el mundo a la reforma de Castilla. La crítica a la Iglesia en este *Memorial* es muy dura: ese estamento era «el más poderoso en riqueza, rentas y posesiones», y Olivares anunciaba que «lleva camino de ser dueño de todo». Era una voz popular, desde luego, como las medidas que se proponía para corregir la situación; a saber, reducir el número de clérigos, obligar a la Iglesia a pagar impuestos y desamortizar sus bienes. Los obispos castellanos eran necesarios para la administración interna, pero no podían ser privilegiados hasta el extremo de romper los equilibrios con la nobleza. La alta nobleza, a quien Olivares veía como una fuente perpetua de conspiración, era necesaria para la administración exterior, porque esos cargos eran un medio de extraerles las riquezas y recuperar, en parte, los impuestos que no pagaban. Además, la acción exterior tenía otra virtud: lograr que ningún noble elevado se pusiera al frente de un motín popular en el interior. Los obispos, por el contrario, solo acumulaban. Por eso debían pagar. Sin embargo, los adjetivos más duros se los lleva siempre la oligarquía urbana de regidores, a la que tacha de grupo de usurpadores, ladrones y despiadadas sanguijuelas, con un poder tan amplio que habían dejado desvalido al rey.

Una y otra vez, desde el *Gran Memorial*, Olivares insiste en la necesidad de reeducar a los portadores de la cultura hidalga para convertirlos en una pequeña nobleza administrativa, diligente y sobria. Ahora no eran sino ociosos pícaros, inútiles para el rey. Para canalizar los planes de educación, se volvió a la Junta de Reformación y se prohibieron los libros de comedias y novelas. Tirso de Molina fue desterrado y hasta 1635 no publicaría obras semejantes. En esta línea reformista y un poco puritana iba la utilización del Colegio Imperial de los jesuitas como «Estudios reales», una especie de universidad del Estado, con veintitrés cátedras en las que se atenderían diversas disciplinas, coronadas por la ciencia política. Se inauguró en 1629, pero con la hostilidad de las universidades clásicas y de sus regentes, los dominicos. Olivares tampoco ahí pudo quebrar la poderosa alianza de aristocracia, oligarquías urbanas y colegios tradicionales. Hacia 1634, el Colegio Imperial no llegaba a cien alumnos, con lo que la Cámara de Castilla, el fortín de la tradición y de la oligarquía, no dudó en cuestionar su existencia. Si Olivares quería hacer del Colegio Imperial el vivero de las élites de una nueva administración, pronto vería que nadie estaba interesado en ello.

Solo el grupo de los cristianos nuevos se habría asomado a esta institución como vía de promoción y por eso Olivares no cesó de reclamar el olvido de esta discriminación de limpieza de sangre. Su obstinación causó escándalo hasta en el rey y se contempló casi como una confesión de su propio origen judío. La tradición universitaria, por lo general un mero barniz para cubrir la ignorancia, se impuso y con ella se congeló la movilidad social. La monarquía no se dotó de una clase letrada capaz y cercana a la europea, algo que había logrado en la primera época de Carlos V. Una y otra vez, Olivares se quejará de que no dispone de «cabezas», gente preparada y capaz de ocupar los cargos de los Consejos y de las Audiencias. El intento de 1626 de resucitar la Orden de la Banda mostraba que veía el problema en la formación de una milicia administrativa fiel al rey. Las órdenes militares, sobre todo la de Santiago, fortín de la oligarquía urbana y escrupulosa defensora de la pureza de sangre, se opuso con saña. La previsión era que la nueva orden se llenara de marranos. Como cuando luchó por hacer patrona de España a santa Teresa, de cuya sangre judía participaba, con insólita ofensa del patrón Santiago, algo que Quevedo no pasaría por alto.

Aunque Olivares tenía momentos de debilidad, como cuando presentó su dimisión al rey, con un largo discurso en el que se remontó al origen de la casa Guzmán en 1015, en realidad, sus altos y bajos emocionales le garantizaban la grandiosidad y la intensidad existencial sin la que no sabía vivir. Podía mantener ese estado de ánimo porque su realización, mantener la monarquía, era portentosa. En este sentido ha sido llamado, con razón, «maquiavélico y quimérico», aunque fue demasiado locuaz y bravucón para ser lo primero con estilo y para mantener en secreto lo segundo. Aunque cada año debía comenzar de cero a la búsqueda de recursos, siempre lo lograba. En este sentido, su megalomanía no se ahorraba descender a los detalles. Los proyectos de retirar la moneda de vellón, creando un banco malo en cada una de las diez ciudades principales de Castilla, gestionado por una diputación general, o su intento de financiarlo mediante una lotería o una imposición general del 2 por ciento sobre rentas de capital, eran sorprendentemente modernos. Pero no merecieron sino hostilidad renovada. Se veía a este hombre luchar solo contra los holandeses, pero también contra los castellanos. No se sabía bien quién era más obstinado. Pero él resistía, frente a todo pronóstico.

POLÍTICA INTERNACIONAL

Y sin embargo, en un esfuerzo titánico que él gustaba representarse como propio de un atlas que soporta el orbe, Olivares pone en pie dinero, ejércitos, escuadras, con una energía que impresiona, siempre bailando al borde mismo del abismo, en la última oportunidad, en el año en que por fin se juega todo. No obstante, cuando se contempla el gobierno de Olivares desde arriba, se descubre que nada se mueve. Ese contraste entre una agitación al borde del paroxismo y del colapso, y esa inmovilidad de la realidad, produce una impresión amarga y dominante. En ella se distingue una lucha contra la realidad que jamás cede porque no es capaz de contemplar una alternativa. Esta es la convicción básica de Olivares: si se abandona, la ruina será total, no se podrá detener la caída y el efecto dominó lo hundirá todo. Así se extremó la retórica y las fuerzas. Cualquiera podía ser la batalla definitiva. Este estilo mental, aunque parece pesimista, no lo es. Constituye la traducción psíquica de la idea de providencia, tan dominante en Olivares y en Felipe IV, y en tantos escritores. Es preciso vivir cada batalla con la idea de que todo está en juego, extremando la furia y los recursos. Pero es preciso vivir cada chispazo de victoria como si fuera la señal esperada del cielo para ajustar las cosas con reputación y conveniencia. Al final, mientras hay vida hay esperanza de que la providencia irrumpa. Por eso la época del gobierno de Olivares da la impresión de una lucha contra los elementos, como una continuación de la actitud de la Armada Invencible.

Puesto que Olivares buscaba una monarquía unida, sus territorios debían ser contiguos. Para ello, tierra y mar debían configurar una unidad muy compleja. Durante todo su mandato, Olivares buscó la paz y la amistad con Inglaterra para garantizar el canal de la Mancha, que unía los puertos atlánticos hispánicos con Flandes. Lo hizo con Jacobo I y luego con Carlos, con el ensayo de un matrimonio que uniera las dos casas. Ahí dominaba el interés estratégico del pasillo del mar, que era tanto más preciso cuanto más hostil era Francia. Cuando La Rochelle se rebeló, la junta de teólogos defendió que se apoyara a los herejes hugonotes porque se privaba a Francia de un puerto muy importante. Sin embargo, nunca se logró una verdadera inteligencia con Inglaterra porque la necesidad de mantener unidos Milán y Flandes por tierra presionó en una dirección contraria a esa alianza. Cuando Spínola tomó en 1620 el palatinado, le quitó el poder al elector Federico, familiar de Jacobo I.

Estos intereses contrarios podrían haberse resuelto, pues la monarquía tenía una ruta alternativa al palatinado: el vado de Breisach sobre el Rin, Lorena, el Luxemburgo hispano y desde ahí a Flandes. Así que Olivares podía prescindir del palatinado. Pero Spínola no podía ser desautorizado. En cierto modo, la diferencia de criterio entre Spínola y Olivares resultó fatal. Pero en verdad, la complicación mayor venía de Maximiliano de Baviera, quien quería el puesto de elector del palatinado. El emperador Fernando II era consciente de que no podía prescindir del aliado bávaro ni de su general Tilly. Madrid, por su parte, no podía oponerse a la indicación imperial. Así que se cedió el palatinado a Maximiliano, y se clavó como una espina en el seno de las relaciones entre Inglaterra y Olivares. Las relaciones de 1623, con Buckingham en Madrid, no llegaron a nada y la boda hispanoinglesa, autorizada por los obsequiosos teólogos, no se llevó a cabo. De ahí que no hubiera una política clara con Inglaterra, que miró a Madrid según la fuerza de París. Cuando Richelieu tomó La Rochelle y se fortaleció, Inglaterra se vio más dispuesta a apoyar a España. Con ello, mejoró la seguridad del comercio. Sin Inglaterra, las campañas de Flandes tras 1635 no podrían haberse llevado a cabo.

Pero si Olivares cedió ante Maximiliano fue porque pensaba lograr una gran alianza católica con Baviera y el imperio, capaz de aislar a Francia, sostener Lorena, mantener el Franco-Condado, y poder atacar por oriente a los Países Bajos. Sacrificó el Palatinado a esa estrategia. Sin embargo, Olivares no consiguió que Baviera atacara a Holanda por el este. Ni el emperador ni Baviera jamás cedieron a la política de Olivares de forjar una alianza permanente ni se logró que se plegaran a las directrices de la política de Madrid. Las cosas llegaron al extremo cuando Wallenstein mantenía la hegemonía militar, tras la muerte de Gustavo Adolfo. Se ayudó al emperador a deshacerse de su general, en un golpe en que la intervención del embajador hispano Aytona resultó crucial. Pero ni siquiera entonces se consiguió nada. Al final del proceso, Olivares comprendió que todo el dinero que se había entregado al imperio se había perdido, porque no se había encontrado un aliado firme cuando era más decisivo.

Esto nos lleva a la línea roja fundamental de Olivares: la unidad de acción de la casa de Austria de Viena con la de Madrid. Este fundamento de la política del conde-duque alberga un sentido reverencial respecto al emperador, pero también quizá jurídico, pues el ducado hereditario de Milán recaía sobre Madrid solo porque el emperador no lo reclamaba. En todo caso, Olivares asumía que la casa de Austria se mantendría o caería de forma conjunta; una idea absurda, como se demostraría. Esta no era la idea de Viena. Su lógica no era hegemónica, sino de supervivencia. Era una gran diferencia. Olivares sabía que si la monarquía hispánica no era hegemónica, desaparecería. Pero Viena estaba interesada en consolidar la base monárquica del imperio, rehaciendo las relaciones con Bohemia y las tierras moravas, las checas y las húngaras. Esa era la base para la posesión patrimonial del cargo imperial. El sucesor del emperador, en tanto rey de Hungría, se coronaba «rey de romanos». Por lo tanto, para Viena la clave era mantener esas posesiones para no dejar escapar el cargo imperial. Para ello necesitaba garantizar el equilibrio con los príncipes protestantes y no ceder ante la casa rival, Baviera y la Liga Católica de príncipes, que deseaban hacer un imperio solo católico para disputar la elección a la casa de Austria. Pero todos deseaban limitar tanto como fuera posible la influencia de Madrid, pues la veían como opuesta a las libertades alemanas. Esta convicción era algo más que una presunción y dejó al régimen de Madrid sin verdaderos amigos. Aquí, Olivares y los reyes hispanos habían olvidado la lógica esencial de la abdicación de Carlos I. La lógica de Olivares de atacar a Holanda desde tierras imperiales habría levantado a los príncipes luteranos y habría roto el equilibrio que necesitaba Austria. Así que la línea roja de Olivares servía a Viena, pero no a Madrid. El dinero que se gastaba allí estabilizaba un poder imperial que deseaba regular las relaciones con los príncipes al margen de los intereses de los españoles.

La otra línea roja de Olivares fue no aceptar la tesis de Spínola de que era imposible ganar la guerra de Holanda. Es posible discernir que, con el tiempo, Olivares llegó a creerlo y es posible que antes de introducirse en la dinámica infernal acariciara la idea de abandonar los Países Bajos a cambio de la aceptación de una soberanía nominal. En todo caso, su creencia más constante era que se podía aspirar a una paz con reputación y conveniencia y, tras los triunfos de 1625, pensó que lo tenía al alcance de la mano. Esta paz implicaría, desde luego, la salida de Holanda de las Indias, una soberanía nominal hispana sobre las Provincias Unidas, la tolerancia para los católicos en sus tierras y la consistencia política de las provincias del sur, las católicas, con protección hispana, aunque con un gobierno autónomo. Todo lo que hizo Olivares estaba destinado a apretar lo suficiente a los holandeses para imponer esa paz. El conde-duque sabía que mientras Francia apoyara a los protestantes, sería muy difícil lograrlo. Por eso, tarde o temprano comprendió que tendría que ir a la guerra con Francia. Esto también lo sabían Baviera y el imperio, y Roma hacía algo más que saberlo. Por eso no estaban dispuestos a enrolarse en una campaña contra Holanda que sería una guerra abierta con Francia y que incendiaría todo el centro de Europa.

En el fondo, nadie quería una hegemonía de la monarquía hispánica en esos territorios. Esto se vio cuando fracasaron sus diversos proyectos de construir una alianza naval capaz de bloquear el comercio de los holandeses. Así forzaría a los protestantes neerlandeses a avenirse a una paz para no morir estrangulados. Pero eran sueños e ilusiones que se hacían en un gabinete de mapas, y que no podían mover intereses muy concretos y reales de cada uno de los actores.

Aquí, como en otras ocasiones, los proyectos de un gobernante, insomne, escondido en la sombra de su gabinete, rodeado de mapas y de espías, no podían confundirse con la realidad. Era un problema de conocimiento de la realidad y de repliegue ante la pulsión de obstinación. Al final de todo, Olivares no pudo descubrir, porque era un tabú que no se podía atravesar, que quien no deseaba una presencia importante en el centro de Europa era Roma, la misma Roma a cuya defensa se había vinculado, la Roma que tenía una mejor memoria y archivo. Las misas que se dijeron por el luterano Gustavo Adolfo en el Vaticano fueron bien expresivas. El papado de Urbano VIII se sentía confortado con la proclamación de Olivares en defensa de la religión católica. Sabía que esto impedía ver a los españoles con la claridad necesaria que requería la situación política internacional. Roma tenía una política que jugaba a desgastar España y había encontrado el modo de hacerlo. Mientras Olivares se viera enredado en esas líneas rojas, no obtendría éxito alguno. Pero si rompía abiertamente con ellos, tampoco. Así que todos, las fuerzas imperiales, Baviera, los príncipes protestantes, Inglaterra, apostaron por aquel equilibrio que implicaba una destrucción lenta. Lo único que no lograron medir bien fue la posición de Francia. Pensaban que las dos potencias, España y Francia, acabarían desangradas en la lucha y que tampoco París saldría triunfante de la contienda. En suma, confiaron en que se repetiría la situación desde Pavía. Nadie pensó que Richelieu neutralizara al partido *devot*, el de los admiradores de España. Sin embargo, logró hacerlo porque luchó con furia contra los hugonotes, como querían los devotos, y contra España, como querían los hugonotes. Al hacerlo, Francia asumió que luchaba por el destino de su hegemonía política. Francia se alió con desenvoltura con los protestantes europeos, pero atacó a muerte a los protestantes franceses. Richelieu personificó un Estado que no se plegaría ante ningún tabú. Dotado de una lógica propia, no aceptaría líneas rojas llenas de prejuicios, como Olivares. Al hacerlo, Francia lanzaba su primera revolución verdadera. Si pudo lograrlo, desde luego, fue porque la revolución inglesa, con Oliver Cromwell, compartía la premisa de que el enemigo verdadero era España. Con Inglaterra beligerante, Portugal no podía ser mantenido en la órbita de la monarquía.

IMPOSIBLE LEVIATÁN

Desde el *Gran Memorial*, Olivares era consciente de que la monarquía hispánica no se ajustaba a lo que por aquel entonces se llamaba «Estado»», lo que pronto Thomas Hobbes denominaría «el Leviatán». Olivares no era tan moderno. Lo que realmente pensaba era que la hispánica no era una «monarquía». Su percepción era que la fachada de la monarquía ocultaba una realidad aristocrática. Si hubiera sido riguroso habría hablado de oclocracia, un gobierno de pocos, no de los mejores. Había un criterio infalible para saber si se trataba de gobierno de los buenos o de los malos. El primero, a pesar del número, producía unidad porque los buenos pueden vivir juntos. Pero la aristocracia hispana no sabía vivir sin la división. Todo el combate de Olivares en favor de la unidad legal, fiscal y comercial, y después la unidad militar, fue ante todo un combate por la monarquía. Al darse cuenta de que el poder hispano no era lo que había dicho la propaganda de los cancilleres desde Fernando el Católico, una monarquía, Olivares intentó hacer realidad esa ilusión. No se trataba de la monarquía autoritaria o absoluta. Felipe II había sido un rey autoritario, y Olivares lo criticaba por haber mantenido sus reinos como territorios estancos. Esto significaba que no había generado una clase política dirigente unitaria, polivalente, plural, capaz de emplear en un mismo proyecto a los mejores de cada reino y de dar ejemplo de confianza recíproca. Poner en práctica esta idea en la realidad política más compleja implicaba un reto extremo. La mentalidad indigenista —que un reino solo podía soportar oficiales nacidos en su seno— se había formado desde siglos y su violación producía tanto escándalo como el reconocimiento de las virtudes de los cristianos nuevos, que lo seguían siendo dos siglos y medio después de su conversión. Así que el conde-duque chocaba con una poderosa historia, de la que él era consciente.

Monarquía implicaba unidad del grupo dirigente. Pero ahí se jugaba con una ambigüedad que nadie quería romper. La monarquía hispánica constituía una comunidad internacional, por una parte, y una comunidad hispánica, por otra. Sin embargo, nada presagiaba una hispanización de Sicilia, Nápoles, Milán o Flandes. Más bien, la forma de defender la monarquía ponía las bases para un alejamiento creciente de Cataluña, Portugal o las Indias. Cuando Gregorio López Madera publicó en 1625, coincidiendo con el *Gran Memorial*, sus *Excelencias de la Monarquía de España*, hablaba de la tierra de Hispania. Eso no tenía nada que ver con lo que oficialmente era la monarquía hispánica. López Madera aclaraba que, desde los visigodos, el reino de Hispania era uno y la diversidad de reinos era una huella de la progresión de la toma de tierras en la Reconquista, una «señal de las victorias de sus reyes». No obstante, invocaba el reinado de Alfonso VI para mostrar la superioridad imperial de Castilla y de León sobre los demás reinos hispánicos. El argumento no valía para Flandes, Sicilia o Milán. Se trataba de dos realidades imperiales: la Península y Europa. Ponerlas en relación unívoca era imposible. Todos eran homogéneos en una actitud: en su indigenismo, en su indiferencia recíproca, en su larvada hostilidad, en su particularismo, en la voluntad de sus respectivas oligarquías de mantener el control radical del territorio. Sin embargo, los castellanos, que compartían estos valores y puntos de vista, manifestaban con cada vez más intensidad que las libertades de los otros reinos —que organizaban a las oligarquías propias— eran obstáculos y estorbos a esa unidad. Sin una clase dirigente unitaria, esas exigencias de los castellanos solo podían ser entendidas como amenazas por parte de las otras oligarquías. Desde luego, Castilla tenía conciencia de socorrer más intensamente a la monarquía. Se sabe que ese socorro correspondía sobre todo a las capas campesinas y que de él habían sabido hacer las oligarquías urbanas castellanas su mayor fuente de riqueza. Por su parte, los otros reinos peninsulares compensaban en su fuero interno el hecho de que contribuían menos que Castilla con las evidencias de que se beneficiaban menos que Castilla de la dimensión imperial de la monarquía. Como ha dicho Elliott,

> Castilla exigía paridad a la hora de los sacrificios, mientras que los reinos no castellanos exigían igualdad en los beneficios.

Así que los lazos de colaboración fueron imposibles de tejer. Los vascos estuvieron más presentes en la administración central, pero portugueses, catalanes e indianos estuvieron casi ausentes. Así que cada uno ajustaba sus cuentas y legitimaba su posición, sin necesidad de comunicar ni comprender a los otros. La indiferencia creció. El argumento del agravio a Castilla unió a Olivares con sus enemigos internos y, de hecho, fue la trampa en la que se hundió.

El *Gran Memorial* no da señales claras de buscar la relación recíproca y cooperativa entre los territorios. Tras quejarse de la costumbre que ata a la monarquía, Olivares propone al rey romper el hielo, como había sugerido Campanella en su libro famoso *Monarquía hispánica*. Por una parte, se debían llevar a cabo matrimonios mixtos entre las aristocracias de los reinos. Al sentirse naturalizados, se trataba de introducir a forasteros en la administración central, aunque la finalidad última era introducir castellanos en los otros reinos. Al final, la técnica era el golpe de Estado. Recomendaba al rey que «trabaje y piense con consejo maduro y secreto por reducir estos reinos de que se compone España al estilo y leyes de Castilla». El *Memorial* daba indicaciones pormenorizadas de cómo llevar a cabo ese plan «secreto». La técnica podía ser incruenta o cruenta. La primera recordaba a Fernando de Antequera, lo que traía muy mala memoria a los catalanes. Con un ejército en la frontera, el monarca podría negociar una transformación constitucional favorable. La otra era preparar un motín popular en Cataluña y, con la excusa de neutralizarlo, usar la fuerza armada para imponer la ley castellana.

En la «gran estrategia» de Felipe II contra Inglaterra, todas las potencias europeas tuvieron conocimiento de los planes «secretos» de la monarquía. Aquí, de nuevo, el proyecto más vital de Olivares fue público. En realidad, cuando estos planes se conocieron, alteraron la comprensión del famoso proyecto de Unión de Armas, expuesto en una carta a Fernando de Borja, virrey de Aragón. En principio, la Unión, se decía, no alteraba las instituciones de los reinos. Pero en realidad sí había una alteración constitucional. Una junta de diputados de los reinos (dos de cada uno) debía reunirse y decidir el número de soldados que podía aportar cada territorio. Los soldados servirían en todos los reinos en misiones defensivas y ofensivas. Eso implicaba que la defensa de cualquier territorio de la monarquía se convertía en asunto de todos los demás, al modo del Reich alemán. En realidad, la propuesta procedía de un libro del jesuita flamenco Carlos Scribani, *Politico-Christianus*, publicado en 1624. Se sospecha que la idea procedía de Spínola. La Unión no era solo de los territorios ibéricos de la monarquía. Se trataba de forjar un ejército de ciento cuarenta mil hombres, pero nadie se ocultaba que estaba diseñado para defender Flandes. Cuando el proyecto tocó la realidad de cada territorio, se exigieron Cortes con la plenitud de forma jurídica, en presencia del rey. Todos comprendieron que se aplicaban los memoriales «secretos» de Olivares: «Una corona, una ley, una moneda». Esto significaba el vellón castellano circulando por toda la monarquía, pagando soldados por doquier, extendiendo la inflación. En suma: se repartía el daño, no el beneficio. Las Cortes por territorios se convocaron en 1626, pero los pasquines y los carteles contra Olivares volaron por doquier. Valencia cedió, pero rebajó mucho la cuota y entregó dineros, no hombres. Cataluña remozó los conflictos de los Cardona con los Cabrera, dos casas ya completamente castellanizadas, y llevaron las Corts a un callejón sin salida. Olivares había entrado en Barcelona sin las previsiones amenazadoras que él mismo se había encargado de difundir. Ahora tenía que marchar con las manos vacías. En Castilla, las Cortes se abrieron en julio, pero el rey, deseoso de que acabaran bien, propuso pagar de sus rentas el ejército castellano. Flandes, en un momento de éxitos, decidió participar.

El abc de la técnica del golpe de Estado era que el brazo apareciera antes que la idea. Al escribir este memorial, Olivares mostró la idea con mucha antelación. Si lo hizo fue porque sabía que tenía que captar fuerzas para realizar su plan. Por mucho que el conde-duque pensara que de este modo unificaba la monarquía en favor del soberano, era evidente que esa unificación tenía una base cada vez más castellana, menos internacional. Este punto era el decisivo. El estrechamiento de las élites dirigentes fue quizá la forma más clamorosa de la decadencia española y la consecuencia más fatal del agotamiento hispano. La otra cara de la moneda era la hostilidad cada vez mayor a lo que él hacía en la corte. Olivares se quejaba con amargura de que no tenía más cabezas disponibles, pero en el fondo lo que no tenía era confianza suficiente para reponerlas, integrarlas, reclutarlas. Se vio en Portugal. Cuando los esfuerzos se intensificaron por la entrada de Francia en la guerra, en 1535, la unidad de Olivares con Portugal pasaba apenas por dos oficiales odiados por todos. Cuando quiso sustituirlos, tuvo que recurrir a nobles como Linhares, de los que desconfiaba. Fue la estrechez de los lazos personales y clientelares que unían el territorio portugués con la corte lo que determinó que Braganza pudiera maniobrar a sus anchas. El ejemplo contrario fueron las Provincias Vascongadas. Cuando se rebelaron contra el impuesto de la sal —modo en que pagaran impuestos las tierras que estaban exentas de los millones—, se preparó la solución violenta y la solución diplomática, usándose a nobles vascos. Como había suficientes informantes vascos, se pudo identificar la medida a la que no podrían resistirse: confiscar todos los bienes del comercio vasco en Santo Domingo de la Calzada o en Burgos. Ante el bloqueo económico, los vascos cedieron, pero como contrapartida usaron a esos mismos agentes para bajar el precio de la sal y luego para anular el impuesto. Así, se puede decir que el estrechamiento de la administración fomentó el desconocimiento de las realidades que se debían administrar. Pero el esfuerzo de Olivares ya era ingente, y la administración que habría tenido que forjar para obtener una mejor información habría sido inmanejable. En realidad, se puede afirmar que la monarquía hispánica acumuló un poder para el que no había ni bases técnicas adecuadas ni bases humanas y políticas. De ahí que estuviera condenada al fracaso. Causa asombro que durara tanto y tuviera en jaque a toda Europa.

Sin embargo, no hay que olvidar que la consecuencia fue que se puso en jaque a sí misma. Y esto resulta especialmente claro en Cataluña, que no había dado señales de disgusto o de incomodidad hasta ese momento. Olivares sabía que Cataluña era una república, y que el virrey no lograba echar raíces en la tierra. Todos los cronistas y escritores de dietarios lo dicen y no es posible que gentes diversas, caracteres personales diferentes, personalidades distintas, todos concuerden en un estado de ánimo depresivo cuando hablan de los sufrimientos de los catalanes desde 1635 hasta finales de la centuria. Aunque Castilla no haya conocido la violencia formal en su tierra, cuando sus escritores hacen balance, como ese Juan Baños de Velasco que escribe desde Madrid hacia 1623 una *Historia pontifical y católica*, son tan negativos como los escritores catalanes. «No ay provincia que se haya librado de padecer sin esperanza de concordia», nos dice al principio mismo de su obra. Lo más triste, sin embargo, se sabe de forma inmediata: «Lo que más debe llorarse, que siendo su duración de tantos años, no se ha visto aún el fin». Para entender el estado de ánimo de Cataluña conviene recordar que este texto se escribe en 1623, cuando la parte dura de la guerra no había comenzado. Luego, cuando las operaciones se intensificaron hacia 1635, sería violencia sobre violencia, destrucción sobre destrucción, tierra quemada sobre tierra quemada, asalto sobre asalto, deshonra sobre deshonra. Nada quedó en pie. Los estados de ánimo expresan un rechazo de la guerra venga de donde venga, un odio a la gente de armas de un bando o de otro. Los lamentos alcanzaron una intensidad escatológica y popular, sobrepasando con mucho el marco oligárquico. Era el final de todo lo que se veía ante los ojos de los supervivientes.

> Y axí advertesch tots los descendents meus que, sempre y quant hoiran mormon de guerra, que se'n vayen ab hora de la present vila y en part molt lluny y apartada, per rahó de las vesations tant grants fan los soldats a les personas de la present vila

dice uno de esos escrupulosos anotadores de diarios, Pere Pasqual, allá por 1639. El soldado como el enemigo del pueblo, esto es lo nuevo. Los avisos se dirigen a las generaciones del futuro y se les quiere transmitir una experiencia intensa, apocalíptica, radical. Los soldados son peores que herejes, dice otro texto en 1640, que confiesa que tiene que comerse los pergaminos y los zapatos y vivir de hierbas.

Esta experiencia de Cataluña se parece y no se parece a la del resto de España. Los demás padecen la guerra en tanto tienen que enrolarse o pagarla. Pero no la tienen dentro de casa. Cuando vienen las levas, los jóvenes castellanos se lanzan a la sierra, a los lugares remotos, para no ser secuestrados por los jefes de partidas. En Castilla la leva despuebla, empobrece, desarraiga, pero no se ve la guerra en el propio suelo. Cataluña sufre un frente móvil, inestable, de ida y vuelta, y ve cómo cada vez que hay ocupación se multiplica la exigencia y la ruina. Y esto es lo nuevo. Tras la entrada en la guerra de Francia, las tierras catalanas se convirtieron en la misma condición que había tenido el Flandes católico desde hacía casi un siglo: una tierra de frontera en la que se instalaba el frente mismo de las operaciones. Antes, la guerra con Francia se dirimía en Salces, en la frontera del Rosellón. Ahora, sobrepasadas las fortificaciones de la parte francesa de Cataluña, el teatro de operaciones pasó a ser la Cataluña peninsular. Pero no se entenderá por qué la nueva forma de guerra alteró tanto los ánimos, y provocó un sufrimiento mucho más intenso que la violencia anterior a 1635, si no se advierte que la guerra había cambiado en su dinámica. Tras esa fecha fue a la desesperada. Y esto no solo porque la monarquía hispánica ya no tenía recursos para una victoria clara. Era porque las levas se hacían tan intensas, tan a disgusto, tan forzadas, que el estado de ánimo de los soldados no tenía moral, ni orden, ni concierto. Una tropa sin disciplina generó una forma de hacer la guerra radical, total, sin espíritu de ningún tipo, anhelante de cualquier botín o compensación. La población civil era el enemigo y eso es lo que testimonian todos los que escriben durante el período.

La diferencia no estuvo en que, al padecer como pueblo, en Cataluña se superó el marco de las oligarquías nobiliarias. Tampoco en la indiferencia general con la que se miraba el destino europeo de la monarquía. La diferencia radicó en que las instituciones catalanas eran las únicas que canalizaban ese sufrimiento. Castilla no las tenía y la voz del sufrimiento castellano no se pudo oír salvo en las formas conocidas de los pasquines, los anónimos, las conjuras. Lo decisivo no fue la tensión entre los síndicos de la Generalidad, Claris y Tamarit, con el virrey. Esas tensiones eran proverbiales y continuas. Lo decisivo fue que Cataluña dio un contenido popular a la Diputación de la Generalidad, a las Corts, y proclamó la república que ya era. Pero la proclamación era un acto de política internacional y no se podía llevar a cabo sin contar con Francia. Todo lo demás ha sido contado muchas veces. La independencia es un acto de política internacional y en estas pésimas circunstancias, sin preparación, sin una clase dirigente adecuada, Cataluña fue un juguete de los actores principales. Luego, ya todo fue el caos incluso después de la Paz de Westfalia de 1648.

En 1655, los informes relatan la toma de Solsona y describen el horror de la violación en masa de sus mujeres. Aunque se declara la Paz de los Pirineos en 1659, nadie se alegra. Los soldados siguen allí y hay que alimentarlos. Entre 1687 y 1689, las bandas de «barretines» y de «somatens» arrasaron el territorio sin hacer demasiadas distinciones. En 1694, de nuevo los franceses toman el campo de Tordera y siembran tal ruina que «casi totom era fugit ab los bestiars y moblas que podían, que eran gran llastima i terror». Hay que decirlo pronto, la violencia de la guerra contra Francia iniciada en 1635 no cesó en Cataluña hasta 1707, con la toma de Lleida por Felipe V, y luego en 1714 con la de Barcelona. Se trata de una continuidad. Otro cronista, Aleix Ribalta, escribe: «Se despoblà tota esta terra». Él mismo, en 1708, y ante las tropas de Carlos, se pregunta «quina revolucio havia de haver per est pahís» y denuncia a los Miquelets «qui pararen en lladres y estos eran los que feian més mal en lo pahís». Todavía en el mes de septiembre de 1714 la gente se queja de comer «lo pa tant negra com un barret».

No hay duda. La violencia es general, venga del ejército hispano, supuestamente amigo, o del francés, unas veces amigo y otras enemigo, del somatén o de los *miquelets*, de los austracistas, o de los borbones. Es una guerra larga, ininterrumpida, que hace exclamar a un *pagès* amigo de llevar diarios a sus descendientes: «si mas veus guerra, no's pot fiar cas de ningú». No hay discriminación. Es la gente de armas la que destruye la tierra, gente que va y que viene, con una bandera u otra, siempre con la misma exigencia: alimentación, albergue, contribución, pero que siempre acaba generando abusos, robo, extorsión, violaciones, deshonra.

¿Cómo se puede hablar entonces de un segundo *redreç*, de una Cataluña ave fénix tras 1660? ¿Cómo la Cataluña que se rebela contra Felipe IV puede mostrar tal fidelidad a la causa de los Austrias en el cambio de siglo? ¿Cómo Narcís Feliu de la Penya podrá hablar en 1683 de una Cataluña floreciente con proyectos económicos, que resucita como la mítica ave? ¿Cómo podrá dirigir esa loa a Carlos II, el «mejor rey que ha tenido España», hasta declarar que «no sin causa fue amado y venerado de la nación catalana». ¿Cómo se restañó la herida que había producido el conde-duque de Olivares? ¿Qué pasó entre 1660 y 1700 para que Cataluña, con la muerte de Carlos II, no deseara aprovechar la ocasión y renovar sus reivindicaciones políticas de la década de 1640, sino que se enrolara de nuevo en una guerra contra el pretendiente francés? Los historiadores han comparado a menudo dos frases: una la del conde-duque que señalaba que los catalanes «han menester ver más mundo que Cataluña»; la otra, la pronunciada por los *concellers* de la ciudad de Barcelona en 1684 que dice: «es força haber de dir que exos Señors crehen que no ni ha més món que Madrid». Son frases simétricas pero antitéticas. El conde-duque se muestra convencido de que los catalanes no son capaces de hacerse cargo de la lógica de la dominación imperial hispánica. Pero ¿qué reclaman los *consellers* catalanes al decir que los de Madrid no pueden ver más allá de sus narices? ¿Qué hay detrás de este cambio de papeles? ¿Quieren decir los catalanes *ahora* que los de Madrid han perdido todo sentido de la amplitud de la monarquía hispánica? Es posible que fuera así. En todo caso, lo verdadero es que no se había logrado generar un grupo dirigente político común, un tejido que uniera los intereses de las ciudades catalanas con el sistema de Consejos de la monarquía. Al no conceder la insaculación —la autonomía de elegir a los consejeros—, la oligarquía de cargos nombrados en Madrid no hizo pie en la realidad catalana. Y al no lograr una representación política propia, Cataluña no podía hacer llegar sus intereses ni formar parte de las decisiones que se tomaban en Madrid. La incomprensión fue algo más que la indiferencia. Así se rompió el estatuto anterior y crecieron los «desafectos». Dos actores lejanos que hasta entonces se habían dado la espalda comenzaron a percibirse y a observarse, pero no podían sino hacerlo con la desconfianza propia de los que saben que van a padecer decisiones en las que no pueden participar. Cuando Juan José de Austria dio su fracasado golpe de Estado, en 1668, su partido catalán demostró que Cataluña tenía algo que decir sobre el futuro de la monarquía. Con soldados catalanes atravesó Aragón y llegó hasta Madrid, logrando algo que era temido por la monarquía desde antiguo: la unión de un grande con el pueblo. El fracaso del golpe, sin embargo, no impidió un segundo que produjo entusiasmo al elevar a Juan José a primer ministro. Pero se sabe que Cataluña quedaría decepcionada y que no recuperaría el estatuto de 1640. Las realidades populares, entonces, ofrecen la voz más fuerte y nítida, más allá de los puntos de vistas de las élites. Y esa voz dice que la tierra de Cataluña, que tanto había sufrido desde 1640, iba a continuar su sufrimiento con una nueva guerra, el anuncio de una nueva dinastía, de una nueva constelación internacional en la que la monarquía hispánica no podía dirigir su propia suerte y destino.

8

FELIPE V: CAMBIOS, TRAUMAS, CONTINUIDADES

SE PREPARA LA GUERRA DE SUCESIÓN

Con Felipe V (1683-1746) se encara un momento decisivo en la historia de las élites políticas marcado por un cambio de dinastía. Sin embargo, la estabilidad de la sociedad estamental hispana era sólida y sus posiciones institucionales en defensa de sus privilegios resultaron eficaces. De la lucha de estos dos principios (monarquía y sociedad estamental privilegiada) se deriva la trama política del siglo XVIII que ahora comienza. En el inicio de esa centuria, la situación era clara: la forma monárquica había llegado a su máxima impotencia, y la sociedad privilegiada, a su máximo poder. Tanto fue así que la corte de Madrid no pudo pensar en una solución política propia para renovar la monarquía. La apreciación más precisa sobre los hechos de la guerra de Sucesión (1700-1714), que estalló a la muerte sin descendencia de Carlos II, fue la que pronunció el filósofo Giambattista Vico. En un breve escrito sobre ese conflicto, Vico dijo que España era un país demasiado orgulloso de su historia como para ser troceado, pero demasiado débil como para ordenarse a sí mismo. Ni consentiría fragmentarse ni lograría organizarse.

De ahí que las potencias europeas decidieran mantener su unidad política, pero se disputaran su capacidad de control. España se mantuvo íntegra por la razón de Estado que regía el equilibrio europeo. Fragmentar los territorios peninsulares y americanos de la monarquía hispánica solo podía hacer más peligrosa a Francia. Esta era la principal ansiedad de Inglaterra. Por lo demás, tanto Inglaterra como Holanda sabían que Madrid ya no era un poderoso enemigo y comprendían que el poder hispano sobre las Indias era más bien nominal. Preferían al viejo enemigo vencido, antes que vérselas con una potencia expansiva y organizada como la monarquía de Luis XIV. Por supuesto, la mirada de Francia era diferente. Ella había sido el enemigo más constante de la monarquía hispánica desde la época de Fernando el Católico y mantenía con Aragón la hostilidad por Sicilia desde tiempos remotos. Ahora los Borbones aspiraban a extender sus lazos familiares a Madrid. Su unión *de facto* con el Imperio hispánico era un peligro para todos. Y lo era hasta el punto de que a Inglaterra y a Holanda no les importaba que siguiera la unión de Viena y Madrid, un muro de contención frente a las aspiraciones francesas. Con una alianza adecuada, Holanda podría obtener la unidad de los Países Bajos y Austria hacerse con los territorios italianos hispánicos. Europa se reequilibraría sin que Francia obtuviera ventajas.

Esta fue la lógica de la guerra de Sucesión, aunque las hostilidades tardaron en manifestarse. A la postre, Felipe V entró aclamado en Madrid en febrero de 1701 y se comportó como un rey al viejo estilo, convocando Cortes en los territorios de la monarquía. Austria no lo aceptó, pero estaba sola. Fueron los errores de Luis XIV los que alarmaron a Inglaterra y a Holanda. Así se fue formando la coalición contra Felipe, que en el fondo era contra Francia. Y así se fue preparando la guerra que permitiría hallar una salida para una España peninsular. En todo caso, no fue una guerra decidida o impulsada por españoles. La actitud más extendida entre la población fue la indiferencia. Bien lo supo Jean Orry, el ministro francés encargado de la movilización y de la recluta de «tercios» a favor de Felipe. Las gentes escaparon como pudieron a las partidas de reclutamiento.

Aquellos años finales de Carlos II habían fortalecido a las ciudades, sobre todo las del litoral, que se habían entregado a un comercio creciente. Todas fomentaron su espíritu de autonomía, casi libres de la intervención de la corte. Fue entonces cuando cada urbe celebró su pasado, escribió su propia historia, asentó sus estratos dirigentes y los ritualizó con la pompa del Barroco tardío, siempre vinculada a las celebraciones religiosas relacionadas con los sagrados patronos de la ciudad. Durante los años de la paz se celebró la memoria de la guerra mediante alardes y fiestas que simulaban aquello de lo que se había huido. Esas celebraciones permitían a las élites urbanas brillar y dejar claras las jerarquías sociales y estamentales. Fue entonces, en esas décadas anteriores a 1700, cuando las costumbres y los trajes locales, las fiestas y las prácticas de las tierras españolas se estilizaron en sus peculiaridades, se consolidaron, se ritualizaron. Era una pulsión de diferenciación que alentaba en cada cabildo, en cada ayuntamiento, en cada república urbana, como se decía por entonces. Ese anclaje en lo propio generó indiferencia respecto al destino de lo que se jugaba en la guerra, que para la mayoría concernía solo al rey que se sentase en Madrid.

En la guerra, la defensa de Felipe V tendría que hacerse con fuerzas francesas. Como dijo un embajador de Venecia de ese tiempo, «el antiguo valor de los españoles ha desaparecido». No es que la sociedad hispana fuera pacífica. Como escribió el general francés Tessé a su ministro Amelot, embajador de Luis XIV y consejero de Felipe V, los duelos eran frecuentes. Lo difícil de imaginar era que lucharan «juntos y por su país». Así, tuvieron que entrar en 1704 los veinte batallones franceses al mando del duque de Berwick, capitán general francés con mando en toda la Península. Pero este ejército resbalaba por una realidad replegada sobre sí misma, en la que la corte de Madrid apenas tenía influencia. Fuera cual fuera la potencia homogeneizadora de la nueva dinastía, fue más fuerte la pulsión de lo propio y lo diferente. Esta fuerza homogeneizadora de la dinastía Borbón será un mito que conviene precisar. Ya cruzada la mitad de siglo, el famoso literato José Cadalso pudo confirmar «la variedad increíble en el carácter de sus provincias [de España]». Con plena conciencia, Cadalso sabía que de esta forma se proyectaba el sencillo hecho de que la Península había estado «dividida tantos siglos en diferentes reinos». En lugar de una entrega ferviente a lo moderno, esos territorios afirmaban la veneración de lo propio. Lo moderno ya vendría por su propia cuenta, si es que venía.

Hasta 1705 no había guerra en España y la monarquía de Felipe V había logrado asentarse con la ayuda del partido francés de Madrid, dirigido por el cardenal Portocarrero. Este hecho fue decisivo, pues permitió a Felipe V jugar con la ventaja de ser rey jurado, incluso en Cataluña. Orry y su secretario José de Grimaldo eran ministros eficientes y manejaban bien los asuntos de un rey joven e inseguro; Amelot, el embajador francés, ejercía como primer ministro. Cuando se agravaron las hostilidades en 1705, con la ocupación de Barcelona por parte del último virrey de Carlos II, el príncipe de Hesse-Darmstadt —el que tomó Gibraltar—, cada uno de los territorios y de los estamentos sociales se vio coaccionado por la naturaleza de las cosas a tomar una posición en medio de la confusión general. Un plan claro de alineamiento, un movimiento popular homogéneo y una dirección clara de élites no lo hubo excepto en algunos sitios, como en Navarra y Cataluña, y esto en direcciones contrarias.

En una sociedad inercial, la ventaja de haber sido jurado rey benefició a Felipe V. Pero no fue suficiente en Cataluña, a pesar de que había jurado al monarca sin más problemas en 1700. Sin embargo, se decidió a dar un giro en su política y sumarse al desembarco de los imperiales de Hesse-Darmstadt en Barcelona, en 1705. Es necesario explicar este giro, pues la inquietud respecto a un soberano Borbón estaba ya presente en 1700. No es un azar que Pau Ignasi Dalmases, uno de los líderes de la causa austracista, fuera miembro fundador de la Academia de los Desconfiados, creada justo en 1700. Era un nombre expresivo de sus ansiedades. Quizás entonces no había alternativa alguna y Cataluña aceptó el destino de Felipe V, con la idea de que al menos traería la paz. Pero cuando vio que habría guerra internacional, se entregó con fuerza a la baza austracista. Y lo hizo porque era convincente la constelación económica y política que esa causa representaba. Cataluña, con su agricultura rehecha, con excedentes importantes que exportar, se podía vincular al comercio holandés y portugués. Lisboa era el principal destino de sus aguardientes y el proveedor de tabaco y azúcar de la Compañía de Gibraltar, la sociedad comercial catalana de la época. Por lo demás, los tejidos franceses amenazaban la industria de la trapería catalana y el trabajo de las clases menestrales. Por último, estaba el espíritu antifrancés de los hombres vinculados al gobierno catalán. Esto parece suficiente para explicar su apuesta por las potencias aliadas. Pero existía también la percepción de los hombres de negocios de que la paz contraía el comercio y que solo la guerra lo animaría. De «mantenintse la pau (que Deu conserve), encara se aniran disminuhint mes los negocis», dijo un preclaro comerciante.

El caso es que, cuando la ciudad de Barcelona aceptó sumarse a Hesse-Darmstadt, desde Vic hasta Tarragona, y de Urgell a Salou, muchos catalanes de toda condición se movilizaron a favor del archiduque. En realidad, ya antes, sectores catalanes habían participado en la conjura de 1704 y en el pacto anglocatalán que preparó la invasión austracista de 1705. Que Narcís Feliu de la Penya participó en la conspiración de 1705 está constatado. Quien había celebrado a Carlos II era lógico que se atuviera al espíritu de la dinastía. Cuando el virrey de Felipe V comenzó la represión de los austracistas, esta causa recibió el apoyo decidido de la inmensa mayoría de la población. No fue una vana esperanza política. En las Corts de Barcelona de 1706 se logró la plenitud del pacto constitucional entre Cataluña y el pretendiente Carlos, y en su primer punto declaró excluida a la casa de Borbón del gobierno regio de Cataluña. Luego, se apostaba por la superioridad del canciller eclesiástico como órgano que sustanciaba la constitucionalidad de las órdenes del virrey. Se mantenía el cargo de vicecanciller de la Corona de Aragón y se exigía que este fuese el presidente del Consejo de Aragón en Madrid. Se creaba un Tribunal de Contrafacciones para limitar el poder de los oficiales regios, de composición paritaria, regia y estamental. Finalmente, disueltas las Corts, se creaban los Comunes de Cataluña, la institución compuesta por la Junta del Brazo militar, la Diputación del General y los hombres del Concejo de Ciudad de Barcelona, que representaban la tierra catalana ante el rey y podían enviarle embajadores y propuestas. Se dijo que esta era una de *nostras majors soberanias*. De haber vencido su causa, Cataluña habría superado la crisis del sistema foral de la segunda mitad del siglo XVII y habría proyectado sus instituciones forales a la modernidad de la monarquía hispánica, como sin duda hizo el otro caso que conviene analizar, Navarra. Se habría mantenido así como una república coronada e integrada en el cuerpo político de la monarquía.

Muy diferente, pero simétrico, fue el caso de Navarra, el lugar de paso de las tropas francesas. Estas tierras se dispusieron desde el primer momento a la colaboración con la administración borbón, una casa dinástica de Navarra. Todas las instancias del gobierno del reino pirenaico se fortalecieron con los preparativos de la guerra. Se rehicieron caminos, se repararon fortalezas, se talaron bosques, se activaron fundiciones, se dinamizaron las fábricas de pólvora, se reclutaron tropas. La Diputación del reino se fortaleció con todo ello. No tenía dinero, pero las relaciones entre los diputados y los hombres de negocios permitieron la obtención de adelantos, créditos y donativos. La relación entre élites políticas aristocráticas y las nuevas élites económicas que se forjaron con el aprovisionamiento de la guerra fue de intensa desconfianza. Sin embargo, los hombres de negocios eran protegidos por el poder de los ministros de la corte y, aunque a regañadientes, los dirigentes políticos navarros se prestaron a colaborar con ellos. Proveedores de tropas y asentistas, hombres nuevos, hicieron negocios y anticiparon gastos a Madrid; dirigentes aristocráticos, como el virrey Solera, o cargos institucionales como los justicias y los diputados, no se indispusieron con ellos. El Bidasoa era el paso preferente de las tropas francesas, y Navarra, el mejor punto para atacar al hostil Aragón.

Este hecho decidió que Navarra mantuviera sus fueros. Y no solo eso. Pronto, estos hombres de negocios, elevados a tesoreros, tendrán un objetivo: recuperar para la Corona el patrimonio enajenado y vendido, no solo de montes y baldíos, sino de cargos públicos. La Cámara de Contos, hacienda del reino navarro, se intenta fortalecer no tanto para mantener los bienes públicos, sino para volver a venderlos por un precio justo, con lo que estos asentistas puedan cobrar lo que se les debe. Para ellos, los fiscales deben ser navarros y conocer las cosas de la tierra. Así, en este ambiente de cooperación de las instancias institucionales del reino, Navarra se consolida en sus fueros con la dinastía de los Borbones y se alza como cordón umbilical insustituible con Francia, por donde transita tanto la impedimenta como el ejército. En ese tiempo, Navarra practica casi un libre comercio con Francia, permitiendo el contrabando que luego se ha de regular por «vía de indulto». De esta forma Navarra asentará las bases de su crecimiento en el siglo XVIII y sus prácticas fiscales. Lo mismo puede decirse de Vizcaya, que también alcanza la plenitud de su foralidad por las mismas razones.

TIERRA Y MAR: LA LÓGICA DE LA GUERRA

También Cataluña alcanzaba el cenit de su foralidad en las Corts de 1706, pero, al apostar por una dinastía distinta, no se podía contemplar una solución foral común para toda la monarquía. Este hecho determinó la lógica de la guerra de Sucesión y por eso es tan central la cuestión catalana en ella. Frente a la indiferencia de los demás pueblos de la monarquía, que se aprestaban a reconocer al vencedor sin resistencia, Cataluña fue la única tierra volcada en el partido de los aliados imperiales, y la más confiada en la ayuda política británica, pues se subrayaron las semejanzas constitucionales entre la libertad catalana y la inglesa. Los imperiales, resguardados en Lisboa, decidieron apoyar a Cataluña desde el mar. La lógica de la guerra se impuso desde Barcelona. Eso significó la ocupación de toda la costa valenciana hasta Altea. Desde allí, un agente muy activo, Juan Bautista Basset, marchó a Valencia con la intención de ganarla para la causa del archiduque Carlos. Si el 9 de octubre de 1705 Barcelona era plenamente aliada, en diciembre ya lo era Valencia. Los intentos de los franceses de recuperar la Ciudad Condal por tierra y por mar fracasaron. Al tener que concentrarse las fuerzas francesas en el asalto a Cataluña, desprotegieron el centro y los ingleses invadieron la Meseta desde Portugal. Madrid se rindió a los aliados en junio de 1706. Luego lo hizo Zaragoza. Entonces Navarra fue más importante que nunca y permitió el paso de un nuevo ejército francés.

La guerra pronto se organizó sobre la diferencia entre el dominio de la tierra y del mar que representaban Francia e Inglaterra. El archiduque Carlos se refugió en los lugares cercanos al dominio marítimo inglés, como Cádiz y Málaga. Eso concedía al Mediterráneo oriental su centralidad. Cartagena, Alicante, Denia y Valencia no tenían apenas defensas y en sus castillos se asentaron las tropas imperiales. Hacia allí se dirigió el archiduque Carlos. El apoyo popular a la causa de los Austrias se extendió con la predicación de frailes, el odio a los comerciantes franceses y, sobre todo, con las promesas de mejorar la situación de los siervos y labradores. No había en Valencia, como en Cataluña, una reivindicación política precisa dirigida por los oficiales de la Generalitat capaz de liderar a la sociedad estamental entera. Los estamentos dirigentes valencianos, por lo general, se mostraban fieles a los Borbones y solicitaron ser defendidos de los *maulets*, los campesinos más activos. Sencillamente no lo lograron y mientras unos huían, otros procuraban escapar del caos, dejando entrar en la capital a las escasas tropas imperiales apoyadas por los *maulets*.

El problema de la guerra para los aliados era el dominio de la tierra, porque el mar lo controlaban. Aquí, la idea era aislar Madrid. Portugal era una base apropiada para amenazar el centro desde Lisboa. Para ampliar el control del traspaís de los puertos del este peninsular, los aliados dirigieron sus tropas hacia el interior de Valencia. Era un intento de fortalecer el frente oriental con algo parecido a lo que ya se tenía en Portugal y en Aragón. Allí ya dominaban los grandes puertos (Lisboa y Barcelona) con suficiente tierra de despliegue (Portugal y Aragón). Si lograban establecer la misma estructura desde Valencia y Cartagena hasta Requena y Almansa, la Meseta sería cogida en una tenaza. Por eso, estabilizada Cataluña y Extremadura, la batalla decisiva se dio en Almansa, pues los aliados venían desde Alicante dispuestos a fortalecer a Requena para cortar las comunicaciones entre el Mediterráneo y el centro peninsular. Francia, que era consciente de la gravedad de la situación, envió refuerzos al mando del duque de Orleans. Los aliados comprendieron que tenían que decidir la lucha antes de que llegaran dichos refuerzos. Por eso, subiendo desde Villena, forzaron la batalla en el puerto de Almansa. De haberla ganado, habrían asentado el dominio de Requena y la Meseta sería una isla, unida a Francia solo por las tierras vascas y navarras. Pero los aliados perdieron en Almansa. Fue algo definitivo para su causa.

Toda la propaganda borbónica pasó a la ofensiva. Entre las tropas aliadas ya no había valencianos de ley, sino solo *maulets*, rústicos, aquellos que tocaban el «tambor villano». En verdad eran portugueses, ingleses, hugonotes, alemanes y holandeses, pero para los folletos eran luteranos, calvinistas, arrianos y apóstatas. El ejército de Felipe V, a decir verdad, tampoco incorporaba muchos castellanos. Eran sobre todo franceses e irlandeses. La señal de la ambigüedad de la ciudad de Valencia respecto a la guerra es que, si la batalla de Almansa se libró el 25 de abril, Valencia abría sus puertas a los realistas el 8 de mayo de 1707 sin guerra. Unos cientos de austracistas se refugiaron en Sagunto y luego huyeron a Cataluña. Sin embargo, la lucha en los castillos costeros, guardados por ingleses y alemanes, fue intensa y costosa, pues su pérdida hacía irreversible la suerte de la guerra. También lo fue la lucha en los pueblos valencianos, donde resistían los campesinos, pendientes de mejorar su servidumbre. Elche se defendió con ingleses y campesinos, lo mismo que Xàtiva, aunque ahí la tropa inglesa capituló y salvó la vida. La ciudad ardió durante días, lo que provocó un escándalo general, incluso entre los partidarios de Felipe V. Uno de ellos, López de Mendoza, dijo que el incendio «se aprobó en la corte, de donde salió decreto». El general francés D'Asfeld mostró una despiadada crueldad que asombró a los testigos, pues hacía a los pueblos enemigos de la dinastía y dejaba dispuestos los ánimos para una «mayor solevación». La guerra de Sucesión acababa para los valencianos hacia el mes de diciembre, cuando se tomaron los castillos de Denia y de Alicante. El 26 de mayo de 1707 cayó Zaragoza. Cataluña quedaba aislada, pero firmemente protegida por la movilización de voluntarios, resistió todavía durante 1708 y 1709, bien organizada por las tres instituciones del Común de Cataluña.

Fue entonces cuando Luis XIV, angustiado por la crisis de su propio reino, intentó alcanzar un acuerdo con Felipe V y con Austria. Sugirió a su nieto que se partiera España y se conformara con lo que ya tenía. Felipe se negó y Austria exigió la retirada completa de España e incluso el compromiso de Luis XIV de ayudar a destronar a Felipe. Era un coste excesivo, pero el Rey Sol pidió el regreso de su embajador Amelot. Luego retiró a su ejército de España, salvo el que mantenía las comunicaciones directas por Fuenterrabía, Navarra y los puertos de Vizcaya. El efecto se vio de inmediato. El ejército de españoles de Felipe V fracasó en el río Noguera en su intento de iniciar la toma de Cataluña. Las tropas borbónicas se replegaron hacia Zaragoza. Los aliados, con tropas alemanas y catalanas, la tomaron. En septiembre de 1710, Carlos III entraba triunfante de nuevo en Madrid, que le abrió las puertas. Había bastado dejar sola a Castilla para que la causa aliada llegara a la capital.

París comprendió su error. No le importaba que Cataluña fuera una piedra para la Corona de Castilla. Esperaba que Madrid se estrellara frente a la resistencia catalana, pero no imaginaba que la debilidad del ejército castellano llegara al extremo de perder Madrid. Un nuevo contingente francés se organizó para retomarlo. Los aliados, alejados de sus bases marítimas, regresaron a Cataluña, el único sitio donde contaban con la confianza de la tierra, lo que desde la propaganda borbónica se explicaba porque los catalanes eran «más peritos en sublevaciones». No intentaron retomar Valencia, porque, aunque se movilizaron los austracistas, no contaban con los mismos apoyos populares. La posibilidad de organizar una defensa en Aragón tampoco pareció elevada. Con base popular en la tierra solo quedaba Cataluña, que sería asaltada desde el norte por el Rosellón francés y desde el este aragonés. Los franceses entraron en Girona en enero de 1710 y llegaron a Cervera. Los aliados resistían en Igualada, Tarragona y Barcelona. Cuando el emperador José I falleció, en abril de 1711, y Carlos VI se sentaba en su trono, la guerra para los ingleses había acabado, pero no para los austríacos. Carlos se titulaba «rey de las Españas» a pesar de ser ya «rey de romanos» electo. En suma, no renunciaba al trono español y dejó a su esposa como lugarteniente en Barcelona. Es fácil pensar que se preparaba para recibir compensaciones en la futura paz, lo que al final sucedió al tomar todos los territorios italianos del norte y los Países Bajos católicos bajo control hispano. Desde luego, en esas negociaciones de paz, Carlos comprometió su honor de defender los privilegios y libertades de Cataluña.

Pero los hechos sucedieron de otra forma. Para esas fechas, Francia e Inglaterra en solitario tenían muy avanzadas las negociaciones de paz y, cuando Felipe V renunció al trono de Francia —que podía haber ocupado por muerte de los hijos de Luis XIV—, lo principal estaba resuelto. La Conferencia de Paz de Utrecht empezó en febrero de 1712 y terminó en agosto con fuertes concesiones por parte de los franceses a los ingleses. Los embajadores españoles, retenidos en París, no participaron. Al final, Inglaterra obtuvo zonas de Canadá, de Gibraltar, de Menorca así como el derecho de asiento de esclavos en América en monopolio (aunque con la participación de la Corona española en un 25 por ciento). De ahí el deber de presentar las cuentas al rey Felipe por parte de la compañía del Mar del Sur, encargada del tráfico, lo que sería motivo de importantes conflictos hacia 1739.

En realidad, de las exigencias que mantenían los embajadores españoles solo se atendió la de que «de ninguna manera se den oído a propósito de pacto que mire a que los catalanes se les conserven sus pretendidos fueros». Por supuesto, mientras se llevaban a cabo las negociaciones, Barcelona resistía a las tropas de Felipe V. Las presiones de Inglaterra para que se atendiera una amnistía general a los catalanes y a los austracistas no tuvieron éxito. Es curioso que el destino de Cataluña se concretase en una negociación entre la reina Ana de Inglaterra y Felipe V. El emperador Carlos consideró el pacto vergonzoso e innoble. Los embajadores de Madrid aseguraron que no tratarían a los catalanes como a un pueblo vencido, sino que les otorgarían los privilegios de los que gozaban los súbditos de las Castillas. Esto es: no habría confiscaciones de haciendas privadas, pero desaparecerían los derechos políticos. Cuando en el Tratado de Rastatt (1714) el emperador exigió la cláusula de mantenimiento de las libertades catalanas, solo consiguió que España no reconociera dicho acuerdo. La entente entre la Diputación, la ciudad de Barcelona y el brazo militar de Cataluña recurrió entonces a que Inglaterra tomara la tierra catalana bajo su protectorado. No se aceptó. Los panfletos lamentaron la traición de los ingleses a sus fieles aliados. Mientras el nuevo rey inglés de la casa de Hannover, que debía el trono a la guerra internacional, recibía al embajador catalán, llegaba la noticia de que Barcelona, bombardeada y sitiada, cedía en 1714. Con ello, la pérdida de su constitución política estaba decidida.

TRAUMAS: NUEVA PLANTA EN VALENCIA Y ARAGÓN

No puede afirmarse que la causa de Cataluña y la de Valencia fuera la misma. Los informes de los coetáneos, cuando escriben sobre la guerra valenciana, la titulan «guerra de los campesinos». Es decir: hubo guerra popular, pero no contra el rey borbón, sino contra los señores valencianos, que eran en realidad quienes dominaban el fisco. Desde la expulsión de los moriscos, los señores gozaban del régimen de servidumbre más feroz. Muchos de ellos eran nobles de las casas de Castilla, por lo que la implicación en las libertades políticas valencianas no era intensa ni sentida. En estas condiciones, la posición de la nobleza fue mayoritaria a favor de Felipe V y es un mito la idea de una aristocracia austracista en Valencia. Por supuesto que había odio popular al francés, hostilidad a los mercaderes franceses instalados en el reino, y los frailes y el bajo clero predicaron a favor de los austracistas y en defensa de los siervos; pero el valenciano fue un movimiento antiseñorial y su inspiración fueron las *Germanies*, no la guerra internacional y la política institucional de Estado, lo decisivo en Cataluña. Desde luego, los aliados se vincularon a los líderes antiseñoriales como Basset, el *general* de los *maulets*, y extendieron la promesa de mejorar las condiciones de los siervos. Esta fue la esperanza popular en la guerra y los campesinos fueron los auxiliares de los aliados por doquier. Esta ayuda fue suficiente para controlar de forma rápida el reino de Valencia y defenderlo. Las ciudades, como Valencia, cayeron en manos austracistas por la indefensión en que estaban, no por una clara complicidad. Sin soldados profesionales, la resistencia de la capital fue inútil, pues el pueblo bajo era partidario de los aliados. Estos, para rechazar la acusación de la propaganda borbón que denunciaba la presencia masiva de luteranos en las tropas, tuvieron necesidad de proclamar su apoyo a la Inquisición, celebrando autos en Valencia, en los que, para tranquilidad de todos, ningún «valenciano, catalán o aragonés ha salido por luterano o calvinista».

A pesar de la ambigüedad de la vinculación de la población valenciana a la causa imperial, el reino fue proclamado rebelde, cosa que no se pudo demostrar. Una de las paradojas de esta medida fue que Felipe V defendió a los señores frente a las reclamaciones campesinas. El Consejo de Aragón, todavía operativo y enfrentado a Amelot, apostó por una depuración del régimen foral, pero deseó su mantenimiento. Como demostraban los oficiales forales exiliados, las instituciones habían permanecido fieles a Felipe casi en su integridad. En todo caso, en la administración de Amelot, en continua relación epistolar con Luis XIV, la decisión de eliminar los fueros era firme. Como defendió Henry Kamen, esta decisión contaba con el apoyo de los cortesanos y de los consejeros de Madrid, que ya la reivindicaban desde los tiempos del conde-duque de Olivares. La defendían los altos prelados, quienes no necesitaban de los privilegios forales para mantener su poder. Muy conocida fue la solicitud del arzobispo de Zaragoza, un castellano, Ibáñez de la Riva, luego inquisidor, por su petición de que se hiciera un «cambio completo del gobierno político». Todos los viejos estereotipos vigentes desde Olivares volvieron a inundar los informes y las coplas populares. Así se cantó: «Aora, que ya en Valencia / sin atender a los Fueros / les ponen unos Gayteros / ajustados de conciencia. / Aora, que a competencia / pagarán sin cortapisa / millón, alcabala y sisa como Castilla paga». Foralidad y deslealtad, mala intención, espíritu rebelde, insolidaridad fiscal, «corazones cortos y arrugados», todo se identificó en los súbditos. Un país que juzgaba en términos de sangre, consideró que los fueros la habían «infectado» de malignidad. Así se expresaba el intendente Rodrigo Caballero sobre los catalanes: era imposible «limpiar enteramente su sangre» de aquella malignidad foral, pero al menos se debía purgar para que, en el curso del largo tiempo, se pudiera renovar.

Amelot, el padre jesuita Robinet (confesor de Felipe V) y Orry estaban decididos a eliminar los fueros valencianos y aragoneses en 1707. Ahora bien, el más radical partidario de la abolición foral era un oscuro secretario del Consejo de Castilla, Felipe Melchor de Macanaz, quien deseaba convencer al monarca de que tenía un poder absoluto de confiscación sobre bienes de seglares y eclesiásticos de aquellos reinos. El decreto de abolición de los fueros no llegó a tanto. Pero el 29 de junio de 1707 se dejó claro que al rey le competía «el dominio absoluto» siempre y en circunstancias normales, pero, tras una rebelión, también lo podía afirmar por «justo derecho de conquista». En realidad, el decreto afirmaba el derecho regio de soberanía en general. Este derecho bastaba para la «imposición y mudanza de costumbres», aun sin tener en cuenta la rebelión y la infidelidad. Estas podían ser importantes para decidir las confiscaciones. En suma, se lograba lo que había deseado Olivares: unas leyes únicas para todos los reinos.

En realidad, no era así. La Nueva Planta no fue la extensión de la constitución de Castilla a las tierras aragonesas y valencianas. Nadie sabía lo que era la constitución de Castilla. Lo que se hizo fue algo nuevo. Se crearon capitanes generales o gobernadores militares que sustituyeron a los virreyes y se les dio el poder político supremo, por encima del jurisdiccional. Se creó una sede judicial en Valencia y en Zaragoza para juzgar según las Cancillerías de Granada y de Valladolid, pero presidida por el capitán general, lo que se llamó el «real acuerdo». Por supuesto se rompería el indigenismo de cargos. Los valencianos y aragoneses podrían desempeñar puestos en la administración regia de cualquiera de los reinos. De hecho, los castellanos inundaron la administración de las nuevas instituciones aragonesas. Es notable que Felipe no hable del reino de España, sino de «todos mis reynos de España». Esto es: los reinos no desaparecían como sujetos jurídicos y fiscales, pero sí desaparecían los fueros, privilegios, exenciones y libertades que hacían de ellos sujetos políticos. Ahora el dominio absoluto en ellos recaía sobre el rey y perdían sus constituciones propias. El decreto dejaba abierta la puerta a extraer consecuencias de los actos de rebelión e infidelidad.

El Consejo de Aragón protestó contra esta medida. La victoria ulterior de Macanaz fue eliminar este Consejo, que había apostado por una depuración foral y defendido una supremacía de la Audiencia sobre la autoridad militar. Las protestas crecieron y el rey prescindió pronto de la causa de rebelión. De forma expresa, el 29 de julio de 1707, reconoció por decreto que la mayoría de las ciudades, villas y lugares, así como nobles, ciudadanos y eclesiásticos, «han sido muy finos y leales» y habían conservado «pura e indemne su fidelidad». Si habían estado en poder de los imperiales era porque así lo exigía «la fuerza incontrastable de los enemigos», no por una positiva rebelión. Nada varió. La consecuencia fue que perdían los fueros por la soberanía y dominio regio absoluto, pero nadie confiscaría sus propiedades más que en los casos especiales y demostrados. La confiscación general, que habría permitido la recomposición del patrimonio real, no se impondría puesto que no había rebelión general. Macanaz perdía su batalla. Sin embargo, no cedió frente a la Iglesia. A su pesar, frente a las evidencias de que los miembros del clero habían sido los más firmes aliados del archiduque Carlos, se impuso la tesis de que «la Iglesia no se considera incursa en el delito de rebelión» por mucho que fuera grande «el delito en que han incurrido sus individuos». Al distinguir entre los particulares rebeldes y la institución, no se podía castigar a esta por la rebelión de aquellos. Así, la pretensión confiscatoria de Macanaz quedó sin efecto. A partir de aquí se sucedieron los decretos que declaraban leales a las ciudades. Con esto quedó claro que el rey se mostraba dispuesto a pactar con los estamentos directivos locales, pero no a concederles el poder representativo y el gobierno del reino, que ahora reclamaba exclusivo de su dominio absoluto. A pesar de todo, Macanaz dirigió tal hostilidad hacia la Iglesia que el arzobispo de Valencia, Folch de Cardona, acabó por pasarse a los austracistas en 1710.

Aunque la propuesta explícita era gobernar según las leyes de Castilla, esta expresión ocultaba la verdadera aspiración de los agentes de la monarquía, que era gobernar España con un nuevo esquema. Cuando Macanaz explicó el plan de Amelot dijo que se trataba de una nueva idea de gobierno político del reino de Valencia, que luego se extendería a Aragón y a Cataluña y que «saliendo bien se pondría la misma planta en los reinos y provincias de Castilla». Como ha indicado muy acertadamente H. Kamen, se trataba por lo tanto de una «reorganización de toda España». Así se ordenó la capital valentina donde Macanaz aplicó el regimiento municipal de Sevilla. Sin embargo, la cuestión delicada era la Audiencia o Cancillería de una Valencia sometida a la ocupación militar del general D'Asfeld, que ejercía de gobernador. Cuando este nombró a corregidores, el presidente de la Cancillería valenciana protestó, pues en Castilla esta era una competencia jurisdiccional suya. La instrucción real zanjó la cuestión afirmando que el gobierno militar era el gobierno político y que los gobernadores militares de partido eran los corregidores. La Audiencia era un mero tribunal penal, criminal y civil, que debía «abstenerse en todo el gobierno y manejo político y gubernativo». Este había de estar a cargo del comandante general y de sus subordinados. Por primera vez se asiste al cambio más profundo de los que trajo la nueva dinastía: la militarización de la gobernación por nombramiento real. Una nueva élite dirigente se formaba y tenía como condición de posibilidad la guerra civil y la formación de un ejército victorioso. Valencia fue la primera tierra que lo apreció. Esto no era la Planta de Castilla. Ni siquiera era el modelo francés. Era la nueva idea de un poder sostenido por una victoria militar.

Se ha hablado de este personaje central, Felipe Melchor de Macanaz, que era un «manteísta» (un estudiante pobre ajeno a las élites de los colegios mayores de los nobles y oficiales ennoblecidos). Oscuro secretario del Consejo de Castilla, atrajo la atención de Amelot por la radicalidad de sus posiciones contra el clero y las órdenes religiosas, por su entusiasmo y por su capacidad de trabajo. Ahí estaba en línea con el jesuita Robinet, confesor del rey, que recomendaba no dejar entrar a las órdenes en Xàtiva. Cuando la ciudad tuvo que ser reconstruida, Macanaz confiscó los bienes de los clérigos rebeldes. El cabildo de la catedral protestó y Roma se quejó de esta intromisión en la inmunidad eclesiástica. Macanaz fue por ello excomulgado. D'Asfeld lo apoyó. Las instrucciones que siguieron del secretario del Consejo de Estado, Grimaldo, eran claras: el dominio absoluto del rey llegaba hasta juzgar la propiedad de la tierra de la Iglesia, aunque las personas fueran eclesiásticas. Si el arzobispo interfería, estaba oponiéndose a la jurisdicción real. Así que Macanaz se atrevió a proclamar la superioridad de la autoridad civil sobre la religiosa. La primera desamortización la llevó a cabo sobre las órdenes religiosas de Xàtiva, a las que no se les permitió regresar a la ciudad y recuperar sus bienes confiscados. Sin embargo, su causa era civil y criminal y debía ser vista por la Cancillería. Allí se le retiró el expediente y pronto se vio una alianza entre el arzobispado y los juristas de la Cancillería. De nuevo fue excomulgado y dejado sin poder ejercer su oficio. Lo que él defendía se escuchará a lo largo de todo el siglo XVIII: se luchaba por restituir a su integridad el fisco regio, eliminando las usurpaciones que ejercían los clérigos y nobles desde tiempos lejanos. En suma, defendía las regalías de la Corona, los derechos regios, el fisco inalienable contra la Iglesia.

Curiosamente, Robinet logró que el inquisidor general apoyara este punto de vista. La Cancillería fue apercibida de que facilitase las tareas a Macanaz. El arzobispo valenciano comenzó a cartearse en secreto con Barcelona, pero Macanaz interceptó las cartas y las mandó a Madrid. El arzobispo fue declarado rebelde y sus propiedades confiscadas. La biblioteca fue enviada a Madrid y sirvió de base a la fundada Biblioteca Real que organizaba Robinet. Macanaz había ganado por el momento la batalla.

Por aquel entonces, Macanaz era un personaje imprescindible. Cuando se consideró que había acabado su tarea en Valencia y en Xàtiva, fue enviado a Aragón, donde se debían poner en marcha las mismas medidas en el ayuntamiento zaragozano y en el reino. En efecto, como Felipe no estabilizaría su dominio sobre Aragón hasta finales de 1710, las reformas allí tardaron más en llegar. Macanaz se instaló en Aragón en febrero de 1711 como intendente general. Su tarea era organizar las rentas del reino, lo que significaba lograr financiación para pagar el ejército acuartelado. Como en Valencia, el decreto de Nueva Planta y la reforma de la administración daban el mando supremo a un comandante general, que dirigía el gobierno militar, político, económico. La Audiencia se organizó en dos salas, la civil y la criminal. Sin embargo, aquí hubo una diferencia. En los pleitos civiles («entre particular y particular») se mantuvieron las leyes municipales aragonesas. Las leyes de Castilla se aplicarían cuando los pleitos fueran entre el rey y los aragoneses. En estos casos, la Audiencia también la presidiría el comandante general. Sin embargo, Macanaz quedó decepcionado porque, como administrador de rentas regias, tuvo que limitarse a operar en el seno de un Tribunal del Real Erario. La composición de este tribunal mostró cómo los viejos poderes estamentales pactaban con tanta intensidad como antes, bajo las salvaguardas forales. Así, en el Tribunal del Real Erario se instalaron los estamentos que controlaban la Diputación, dos altos eclesiásticos, dos altos nobles, dos hijosdalgos y dos ciudadanos. Por supuesto, el reino quedó dividido, como en Valencia, en distritos o partidos, con un gobernador militar al frente, aunque no en todos los casos. Aquí se suavizó la militarización de los cargos de corregidores. Los cargos de los ayuntamientos, en todo caso, eran nombrados por el rey. Todas las competencias del viejo y honorable justicia quedaban transferidas a la Audiencia.

Como era de esperar, Macanaz operó sin cuidado del Tribunal del Real Erario, pues sabía bien que en él se habían instalado los enemigos del fisco regio y los defensores de usurpaciones e inmunidades. En su comprensión de las cosas, su tarea como intendente debía ser autónoma, y a los representantes estamentales de aquel tribunal solo tocaba fijar los «repartimentos» de los impuestos fijados. El tribunal pensaba de otro modo y creía disponer de la jurisdicción completa. El conflicto de Xàtiva se reprodujo. Cuando la autoridad de Macanaz fue refrendada, los representantes del tribunal adoptaron la decisión de disolverse. Con las manos libres, Macanaz impuso su criterio amplio de regalías, que incluía diezmos, primicias y rentas eclesiásticas, porque «son del patrimonio real y no de la Iglesia». El rey solo tenía obligación de pagar el mantenimiento de los templos y la manutención de los eclesiásticos. De nuevo había triunfado, pero al no disponer del apoyo del tribunal, se quedó solo y los estamentos mantuvieron las manos libres para operar en la sombra. Una vez que la intendencia quedó establecida, Macanaz fue llamado a Madrid como fiscal general del Consejo de Castilla. Como intendente le sustituyó Baltasar Patiño, que siguió su política. Primero, intentó aplicar los impuestos castellanos, como la alcabala, lo que resultó un desastre. Luego impuso una tasa directa como equivalente o única contribución de los impuestos castellanos. La ventaja de este equivalente es que se tasaba en una cantidad fija y que además solo tenía que atender a las necesidades militares de acuartelamiento. Pero excepto Zaragoza, los ayuntamientos aragoneses siguieron con sus viejas leyes, y pronto la presión de los estamentos se hizo notar. De hecho, Grimaldo ya tuvo que ceder en su punto central. Siguió reclamando las rentas eclesiásticas, pero no por derecho de regalía, sino solo como administrador temporal excepcional de las mismas.

REFORMAS EN MADRID

Macanaz, ya como fiscal de la monarquía, podría realizar su tarea solo con el apoyo más decidido de la Corona y con el equipo cohesionado que formaban Orry, de regreso a España en 1713, Robinet y la princesa de Ursinos, que controlaban la voluntad de los reyes. Solo si se configuraba un núcleo muy sólido capaz de imponer una política coherente a los reyes, podrían defender su criterio contra los elementos privilegiados, que comenzaban a organizarse alarmados por el cariz que tomaban las cosas. La eficacia de las reformas en Castilla dependería de la obstinación y de la firmeza de ese grupo, pero todo el equipo sabía de la hostilidad general a su tarea. En nada mejoraba las cosas el hecho de que se tratara de ministros franceses auxiliados por un manteísta como Macanaz y protegidos por la extranjera Ursinos. No se debe pensar que los gobernadores militares apoyaron a estos agentes regios. En realidad, aristócratas de distinto grado, su forma de operar era más bien personalista y autoritaria, pendientes de su propio poder más que de un plan coherente. Los reformadores eran conscientes, sin embargo, de que la mayor hostilidad procedía de los Consejos, dominados por los colegiales de Salamanca y Alcalá, ciegos a todo lo que no fuera la defensa jurisdiccional de sus privilegios. Macanaz se dispuso a dar la batalla contra este sistema. Sería su batalla definitiva. Y la perdió.

Pero durante un tiempo parecía ganarla, como cuando Felipe V se negó a recibir al nuncio y abrir el tribunal de la Nunciatura, sede papal que juzgaba en España los intereses de la Iglesia. Resultaba evidente que Robinet, Ursinos y Macanaz deseaban imitar la constitución galicana del clero, la capacidad regia de organizar la institución de la Iglesia con sus nombramientos y rentas. Roma, que luchaba por imponer su bula *Constitutio Unigenitus* contra las libertades galicanas, se alarmó, porque significaba perder todas las rentas de España. Era la respuesta al reconocimiento por parte del papa Clemente XI del archiduque Carlos. Entonces se dio un paso en falso que iba a costar caro a los reformistas. Francesco del Giudice, que había sido consejero de Carlos II, virrey de Sicilia, cardenal romano, y amigo del Papa, regresaba a España en febrero de 1712. ¿Quién podía oponerse? Era un partidario borbón convencido. El puesto de inquisidor general estaba vacante desde la muerte de Ibáñez de la Riva, en 1710. Roma abrió los ojos. No tenía nuncio, pero tendría inquisidor general. Los acuerdos entre Clemente XI y su cardenal elector fueron firmes y se llevaron a cabo con meticulosa consecuencia. Macanaz lo sabía y se opuso a que Del Giudice fuera arzobispo de Toledo. Con todo el equipo central de gobierno a su lado, no se sentía amenazado.

Sin embargo, las alianzas empezaron a tejerse con urgencia cuando Macanaz fue nombrado fiscal general de la monarquía, con la idea de servir de «correctivo y freno de la corte romana». Por supuesto, Macanaz sabía que, si quería vencer en su batalla de recomponer el fisco regio, tenía que desarticular el sistema de Consejos y ante todo el Consejo de Castilla. Para ello tenía que imponer su interpretación de que él era fiscal general, superior a todos los Consejos, que pasaban a ser meros órganos deliberativos suyos. No podían operar como parlamentos franceses, esto es, tribunales superiores jurisdiccionales competentes para sentenciar y establecer derecho. De hacerlo, «pasaban a determinar en cosas propísimas e inseparables de la soberanía». Era preciso impedirlo. Con ello, se hacía eco de tratados teóricos de la época de Carlos II, como el *De Lege Politica*, de Pedro González de Salcedo. El decreto de nombramiento era claro: el fiscal debía controlar al presidente del Consejo de Castilla de tal manera que se asegurara la defensa de los intereses del rey. Orry y Robinet sabían que allí estaban los principales defensores de las inmunidades y privilegios, pues su misión fundamental era —según su reglamento vigente— que «se observe puntualmente lo establecido por el concilio de Trento». Ahora se debía defender ante todo al rey y al patronato real, y Macanaz debía ser el garante de que se realizasen las instrucciones regias con capacidad de voto y de bloqueo. Estaba por encima de todo el Consejo de Castilla y de toda la estructura de Consejos. Entonces se vio que la abolición del Consejo de Aragón era el primer paso para abolir también el de Castilla, hasta confundirlo con el Consejo de Estado, el único que debía sobrevivir. El presidente de la Cámara castellana, Francisco Ronquillo, un colegial típico, dimitió, pero no fue sustituido. El fiscal Luis Curiel vio toda la operación y forjó la alianza con el bastión fundamental del sistema, el Consejo de la Inquisición, dirigido por Del Giudice.

Entonces quedó claro que la unidad del Consejo de Castilla y el Consejo de la Inquisición era la clave del sistema de inmunidades y privilegios comunes a la nobleza y la Iglesia. La organización internacional de Roma se tensó. De forma curiosa, Luis XIV había cambiado de política. En su vejez deseaba disponerse a bien con Roma y no apoyó la política de Madrid. Dos jesuitas, Tellier y Daubenton, aconsejaron al monarca que aceptara la bula *Unigenitus* y que la impusiera al Parlamento y al Consejo de Estado francés, sin lograrlo. En medio de esta fronda, Macanaz no se impresionó e impuso una medida decisiva: que los confesores no pudieran aceptar ni persuadir a firmar testamentos *in causa mortis*. Los escribanos no podían registrarlos. Serían nulos. La mejor herramienta de la Iglesia para hacerse con las propiedades de los fieles quedaba cuestionada. Luego, Macanaz denunció a la mafia de los colegiales, sus prácticas de secreto, de reparto de plazas, de ocupación de los obispados y, sobre todo, del Consejo de la Inquisición. Para ello comenzó a preparar una reforma de los estudios universitarios, imponiendo el estudio del derecho hispano, y no el canónico, lo que permitiría medir las competencias de los jueces y no promover la ignorancia. Su experiencia de manteísta debía dar a este asunto un matiz de resentimiento.

Cuando el equipo de Orry y Macanaz se atrevió a imponer un impuesto sobre la sal que pagaran todos, eclesiásticos y nobles, los enemigos crecieron. El obispo Belluga, que había dirigido las tropas desde Murcia hasta Valencia, escribió un memorial contra Macanaz. Robinet aguantó el golpe y permitió que Macanaz le contestara con suficiencia al obispo. Este, buen general con la espada, debía leer los concilios generales, los hechos apostólicos y la doctrina de la Iglesia de los catorce primeros siglos, le dijo. En sus escritos, Macanaz no solo defendía el fisco regio. También recordaba que la práctica de la limosna hacía pobre al reino, y que la Iglesia había abandonado sus tareas espirituales y la educación de las almas. Con ello, el frente se fue haciendo más amplio y todavía se extendió más cuando Luis XIV retiró a Amelot y envió como embajador al marqués de Brancas, un firme defensor de Clemente XI. Los primeros pasquines contra los administradores franceses y sus esbirros manteístas comenzaron a circular a finales de 1713 y enero de 1714. Se exigía la eliminación de los impuestos que gravaban a nobles y a eclesiásticos. Varios ciudadanos franceses fueron apuñalados. Cuando los nobles comprendieron que

Brancas estaba de su parte, escribieron un memorial a Luis XIV para que interviniera en España. La fuente de los males era Ursinos y Orry. Si el rey francés no tomaba medidas, las tomarían ellos «para liberarnos de este desgraciado que no tiene consideración ni miramientos con nadie y que ha llevado a nuestros nobles más fieles a tomar el partido de abandonar el cuidado de los negocios del rey nuestro amo y de no volver a mezclarse en nada».

LA DERROTA

La publicística de la época inició por ese tiempo una batalla en la que, por una parte, se afirmaba como indiscutible la soberanía de rey para intervenir en la Corona de Aragón, pero por otra se denunciaba que los intentos de aumentar su fiscalidad y regalías en Castilla era la obra de consejeros franceses. En la *Respuesta y glosa a una representación, que el marqués de Manqera hizo al Duque de Anjou*, se constata una muestra de esta resistencia ante las reformas fiscales de los hombres cercanos a la corte:

> [¡] Y digan todos los Grandes [...] verse mandados por el silvo de los franceses, despojados de sus rentas [¡]

exclamaba Mancera. Era demasiado ser víctima de «las insolencias francesas». Los españoles debían mostrar su universal rechazo. Resultaba insoportable que en nombre del rey se intentara «hacer pecheros tus antiquísimos mayorazgos» y era intolerable que los ministros del rey tuvieran tal poder exclusivamente porque un «vil galopín francés te permita entrar a hacer bulto en la antecámara de Orry». Este escrito va contra Macanaz y contra el equipo entero de reformistas y es muy significativo no solo porque mostraba cómo los grandes no estaban dispuestos a consentir en Castilla lo que habían exigido en Aragón, sino porque eran muy conscientes de que debían hacer frente común con la Iglesia. Al unir ambas fuerzas se oponían a los nuevos personajes auxiliares del rey, los fiscales, los togados, los defensores estrictos de sus regalías, los que exigían monopolios estancos del tabaco y de la sal.

> Con su pretexto se amontonan las contribuciones, se violentan los paisanos y se saquean los pueblos con tránsitos y alojamientos de tropas

se quejaba Mancera. Pero estas medidas eran exactamente las que se hacían cargar sobre la Corona de Aragón. No contento con ello, Mancera ponía un dedo en la llaga principal. Los ministros franceses, que inspiraban a los agentes españoles del rey, no eran en verdad católicos. Disputaban las inmunidades y privilegios de las iglesias.

> Y lo que es más, en estas mismas se introducen los dogmas de Calvino, que vomitados de la Francia, hacen justo a los antes religiosos ojos castellanos el despojo de los templos, la profanación de los altares y el pisar al más soberano sacramento.

La propaganda que se había lanzado contra los imperiales, ahora se dirigía contra los ministros franceses del monarca, a los que se acusaba de hugonotes y calvinistas. Y la finalidad última era clara: el rey de España estaba secuestrado, cautivo de la voluntad de Orry, de Robinet, de Grimaldo. En realidad, no era rey de España. El rey era Orry.

Todo se aceleró cuando se comprendió, a principios de 1714, que la reina moría y que el rey se hundía en la melancolía. El partido reformista pasó a la ofensiva con urgencia. Exilió a Ronquillo, Brancas fue devuelto a París, y se tenía que eliminar a Del Giudice. Para ello era preciso reformar o eliminar el tribunal de la Inquisición hasta hacerlo completamente adicto a las órdenes del soberano. Del Giudice vio que no podía hacer nada por el momento y acompañó a Brancas a París, donde llegó tres días después del embajador. Todos se unieron a Le Tellier, consejero de Luis XIV. Entonces se produjo el órdago más fuerte. Del Giudice se llevó de forma ilegal, sin duda facilitado por Luis Curiel, el texto del famoso *Pedimento fiscal*, el memorial de Macanaz que trataba de impedir que Roma se llevase el dinero español y de lograr que la Iglesia devolviera al fisco regio todos los privilegios, reconociera el patronato regio y disminuyera el número de clérigos, monasterios y órdenes. Aquí, como en otros casos, también se recogían los viejos proyectos de Juan Chamucero y Domingo Pimentel de 1633.

El *Pedimento* era un borrador y tenía que lograr la aprobación regia. Era difícil que la obtuviera del Consejo de Castilla, que lo vio contrario al espíritu de Trento y propio de la Iglesia galicana. Curiel dijo que los privilegios de Francia no tenían que ser propios de España. Francia no había aprobado el Concilio de Trento, pero España había sido la gran artífice del concilio. Esa era la «leche pura con que nos hemos alimentado», con esa y «con el Santo Tribunal de la Inquisición, con la suma reverencia al Papa». Con todo ello, se «conservará España pura, limpia, sin ruga y sin mácula la fe y religión cristiana». Pues bien, tan pronto Del Giudice mostró este *Pedimento* a sus amigos de París, estos tomaron la decisión de que el inquisidor general publicase un edicto condenatorio, en el que se repudiaban también a los teóricos regalistas franceses. El inquisidor español condenaba el regalismo español y el francés. Madrid contraatacó y, tras desacreditar la condena como impropia, ilegal, extraña en la forma, dictada por Roma y publicada fuera de España, exigió la revocación bajo amenaza de privar a Del Giudice del cargo. De aceptarse la condena, el reino de España quedaría feudatario de Roma, se dijo, «a la discreción de los tribunales de Roma». No sería un reino soberano. Pero el Consejo de la Inquisición se mantuvo en la obediencia del inquisidor. Por las iglesias se mandó prohibir el *Pedimento*, un mero borrador, una propuesta que no debió salir del Consejo.

Pero como sabía Macanaz, entre los consejeros de Castilla y de la Inquisición «ya es liga conocida, trama entre los Inquisidores y Ministros del Consejo». El jefe de la trama era Curiel, así que fue exiliado. Belluga tuvo que volver a intervenir para denunciar «la invención de esta nueva planta» que en su opinión implicaba suprimir el Consejo de Castilla y acabar con la preclara universidad española. Puesto que todo dependía del confesor Robinet, pedía a Luis XIV que lo reclamase, enviase un nuevo confesor y que mirase «por la Inquisición y tribunales de la fe de este reino y por la religión en que nos hemos conservado tantos siglos». A pesar de todo, se mantuvo la propuesta de Orry y de Macanaz, y se exigió a Del Giudice que se acercara a Bayona, donde recibiría el ultimátum de Felipe V de revocar la condena o de exponerse a la ira del rey. No solo no se logró la revocación, sino que Del Giudice escribió a sus consejeros ordenando que todo quedara como estaba. Él estaría de vuelta muy pronto.

La investigación de los hechos que hizo Carmen Martín Gayte nos permite iluminar este momento crucial de la historia de España. ¿Por qué estaba tan seguro Del Giudice en Bayona? ¿Qué pasaba en Bayona el 24 de septiembre de 1714 que le daba tal seguridad de ganador? Pues en efecto, para esa fecha el inquisidor ya se sabía vencedor, a pesar de que en Madrid Orry y Macanaz seguían en el poder. La lucha se resolvió, sin embargo, por otro actor. Un abate parmesano de oscuro linaje y capacidad diplomática suma, capaz de esconder en una bonhomía gentil su profunda ambición, había ido estrechando contactos con París y con Del Giudice de forma muy discreta. Finalmente, había logrado que se aceptara su propuesta de casar al rey viudo con su duquesa Isabel de Farnesio, a la que presentó como una princesa feúcha e ignorante, glotona y manejable. Era evidente que mentía, pues no carecía de atractivo ni de voluntad. París y Clemente XI estaban de acuerdo en esa elección, pues Alberoni estaba en contacto directo con ellos. Cuando se supo este hecho, todos se movilizaron hacia la prometida y sus amistades. Una de ellas vivía en Bayona. Era la reina viuda de Carlos II, Mariana de Neoburgo. Se sabían varias cosas de Mariana. La primera, que era tía de la prometida Farnesio. La segunda, que guardaba con ella un gran parecido físico. La tercera, que odiaba a la princesa de Ursinos, a la que culpaba de su separación de la corte y exilio a Francia. El 18 de septiembre de 1714, Del Giudice y ella habían hablado en Bayona. El 24 de ese mes el inquisidor estaba seguro de la victoria. Y era así.

A finales de ese mes, Isabel de Farnesio salía de Parma rumbo a Madrid. Tenía que embarcarse en Génova hacia Alicante, pero cambió de criterio y decidió hacer el viaje por tierra. Hay que recordar que la guerra de Barcelona estaba abierta todavía y los gastos de ese viaje se vieron como improcedentes. El motivo era muy significativo: Isabel había prometido visitar a su tía Mariana en Bayona. Y la visitó, para consternación de Ursinos, Orry y Macanaz. Del Giudice escribió a Alberoni el 8 de noviembre de ese año mostrándose orgulloso de haber cargado con toda la responsabilidad en la crisis y de haber protegido a todos los inquisidores en la lucha con Robinet y Ursinos. Ya sabía que tendría que contar con Alberoni. Apurando los días, Robinet se atrevió a elevar al rey un papel en el que sugería que la censura de libros dejara de estar en manos de la Inquisición. Comenzó a correr el rumor de que Orry quería acabar con el tribunal. Los dominicos predicaron que era preciso rezar por el tribunal y oponerse a las «presentes novedades» que pretendían «reformar de cabo a rabo esta monarquía». Se intensificó la propaganda contra los «franceses», porque se sabía que la nueva reina iba a pasar por Bayona, donde recibiría «instrucciones contra el gobierno [por parte] de su tía la reina viuda antes de pisar aquí».

Y las recibió. Se concretaban en que cortase con Ursinos lo antes posible. La reina viuda fue a recibir a su sobrina en Pau el 18 de diciembre y viajaron juntas en la misma litera. Llegaron hasta dormir juntas. En Bayona, Del Giudice ofició una misa con ambas en la que se hicieron plegarias por la Inquisición. Las dos reinas asintieron. El 9 de diciembre se separaron. Cuando Isabel llegó a Pamplona, la esperaba Alberoni que llevaba el *Pedimento fiscal* de Macanaz para comentarlo con el confesor de Farnesio, el padre Velati. El 19 de diciembre salió de Madrid la princesa de Ursinos con un regalo formidable para la nueva reina. Cuatro días después las dos mujeres se vieron en Jadraque. La entrevista duró tres horas. Tras ella, la princesa de Ursinos partía hacia el exilio. Debía viajar sin parar, noche y día, hasta salir de España, sin equipaje, sin dinero. Cuando la comitiva de la nueva reina llegó a Guadalajara, donde esperaba el rey, se ratificó la boda «expeditivamente». Un testigo dice que «se metieron en la cama antes de las seis de la tarde para no levantarse más que para la misa del gallo». Era el día de Navidad. De Ursinos no se volvió a hablar. «Superioridad y desprecio» se demostraba con el silencio. En una carta, la princesa de Ursinos dijo que «había perdido el camino». No fue la única. El 29 de enero el rey llamaba de nuevo a Del Giudice. Orry y Macanaz fueron depuestos el 7 de febrero. El confesor Robinet, un mes después. Todos escaparon a Francia. Sabían que la «reina va a precipitar a España en el estado de aniquilamiento de tiempos de Carlos II».

El 17 de febrero llegaba Del Giudice victorioso, como había anticipado, y se convertía en ministro de Estado para asuntos eclesiásticos. Curiel sustituía a Macanaz. El 28 de marzo el rey escribía a Del Giudice que había estado «influido y siniestramente aconsejado», pero que una vez informado bien se retractaba de todo. «Jamás ha sido ni será mi real ánimo entrar en el Santuario». En suma, había padecido un «engaño». Clemente XI, triunfal, escribió de forma amenazante: «Absténgase sobre todo su majestad de la continuación de semejantes actos en el futuro». Macanaz fue incurso en un proceso inquisitorial. Pronto se reveló la verdad. Procedía de Hellín, «villa la más notada de infección de judíos que hay en todo aquel reino [de Murcia]» y Macanaz no era una excepción. La investigación dejó claro que era «moralmente cierta la descendencia de infectos de dicho don Melchor».

NUEVA PLANTA EN CATALUÑA

Mientras todo esto ocurría, Cataluña se había rendido, pero nada se había decidido sobre ella. El partido de las reformas había sido derrotado. Los autores de los decretos de Nueva Planta estaban en el exilio. Además, el grupo conservador había atacado a Orry con el argumento de que mantenía de forma artificial la guerra en Cataluña para tener la excusa de impulsar así las reformas exageradas que pretendía. ¿Escaparía por ello Cataluña a la Nueva Planta? No. Castilla no se reformaría, pero Cataluña sería obligada a ello. Así se conoció el decreto de Nueva Planta de la Real Audiencia del principado el 16 de enero de 1716. Ya desde su entrada en la ciudad, Berwick consideró nulos todos los oficios e instituciones de gobierno, reguladas por las Cortes de 1706. Los nuevos ministros se aprestaron a redactar la nueva forma de gobierno con el ánimo de «allanar» a los que tienen humos de repúblicas. Su decreto, más tardío, aplicó las mejoras que ya venían funcionando durante casi una década en Valencia y en Aragón (aunque también se aprovechó para rebajar la Cancillería de Valencia al nivel de Audiencia) y fue muy meditado por el Consejo de Castilla, que emitió un dictamen en 1715 sobre la manera de aplicar las leyes de Castilla en tierras catalanas. En él no se hizo mención al derecho de conquista. Solo se hizo referencia a la soberanía regia, a la que correspondía «establecer gobierno» en el principado con la finalidad de impedir las turbaciones pasadas.

Por lo tanto, el decreto se justificaba porque la anterior forma de gobierno había oprimido a los buenos. En suma, ahora se traían «saludables providencias». Ante todo, el capitán general con poderes judiciales (presidía la Audiencia, que formaban así el Real Acuerdo) sería el mejor medio de depurar aquella «sangre infectada», que decía la publicística. No hay que olvidar que los despachos del capitán general debían «comenzar con mi dictado», según afirmaba el rey. La militarización fue vista como el mejor remedio médico contra «las esperanzas malignas de estos naturales» de recuperar sus libertades, como decían los defensores de esta política. No es un azar este lenguaje, que recordaba el tratamiento de los cristianos nuevos, también ellos enfermos de una sangre mala. Castelrodrigo, el capitán general, propuso al rey una ceremonia pública, con motivo de la introducción de la nueva Audiencia, en la que se quemaran los libros de las constituciones catalanas. La finalidad era que «no quede memoria de ellos». La propuesta en verdad se parecía a un auto de fe.

Al final, el gobernador capitán general —aunque en la previsión del decreto compartía poderes con la Audiencia—, pronto operó según el imaginario de un virrey, sin las limitaciones forales y sin los poderes alternativos de las constituciones políticas tradicionales. Esto se vio en Zaragoza, cuyo capitán general había sido virrey de Navarra. Pero también en Barcelona, donde se reclamó el mayor decoro para el mando supremo del principado. Aquí se eliminaba el gobierno político representativo de los reinos, pero no el sujeto jurídico propiamente dicho. En Cataluña, como en los demás territorios, las viejas veguerías fueron transformadas en gobiernos militares y sus mandos recibieron también el cargo de corregidores. La militarización se mantuvo en toda su intensidad, además, como consecuencia de la guerra de 1718, que levantó nuevas expectativas austracistas y foralistas, amenazando de nuevo la alianza internacional con una invasión de España por Navarra y Rosellón. Entonces, los mandos militares presionaron para que toda Castilla conociera la misma lógica de gobernación, que situaba al mando militar por encima de los mandos civiles. La lucha entre los togados y civiles, jueces y fiscales, frente a los militares, no hacía sino comenzar e iba a atravesar también el siglo.

En todo caso, como en Valencia, los poderes jurisdiccionales de la Diputación pasaron a la Audiencia, que se reunía en las casas de la vieja institución para las vistas, cuyos procesos debían ir en castellano. Todos los poderes fiscales de la Diputación, el baile y el maestre racional recayeron en el superintendente, que se encargó del fisco catalán, ahora regularizado en el catastro. Los corregidores y regidores de las capitales de veguerías serían de nombramiento real, mientras que en los demás lugares dependerían de la Audiencia. El viejo municipio foral desapareció y se pasó al castellano. Los regidores no podrían reunirse sin presencia del corregidor y los menestrales, que habían sido el alma del Consejo de las ciudades catalanas, no podrían reunirse en sus gremios sin el permiso del corregidor, sin su asistencia o la de persona delegada. Todos los demás oficios públicos desaparecían. El somatén fue prohibido bajo amenaza de sedición, y el indigenismo de los cargos y la prohibición de extranjería se rechazaron. Las constituciones catalanas no quedaban derogadas en su totalidad, sino que pasaban a ser derecho subsidiario. El Consolat de Mar se mantuvo.

No se puede minusvalorar el trauma que significó la Nueva Planta. Sin embargo, la sociedad catalana conoció la rápida conversión de austracistas en borbónicos de importantes hombres de negocios, como la familia Duran. Como otros grandes empresarios, permaneció en Barcelona hasta el final del asedio y caída en 1714. Sin embargo, pronto, a pesar de las muertes y denuncias, recuperó la actividad como asentista de víveres del ejército invasor y como colaborador y prestamista de la Intendencia General de Patiño, logrando el título de Caballero del Principado en 1727. Luego, al vincularse a otros *botiflers*, logró una regiduría perpetua en la ciudad de Barcelona. Los Duran no son una excepción. Se podrían citar otras familias, como los Milans, los Dalmau, los Mascaró, los Colomer, los Pujol, que organizarían la Junta de Comercio en 1732, germen de la Junta de Barcelona. Se puede afirmar cierta continuidad con la expansión de finales de siglo XVII, lo que permitió una transición fácil de las familias austracistas hacia la siguiente centuria. Esa continuidad económica, facilitada por el nuevo impuesto que se pagaba *in situ* para mantener el ejército real, permitió que, tras 1717, se produjesen muestras de alivio en el principado. Con ello, la relación de los estamentos catalanes mejor situados con la casa de Borbón comenzó a tejer un destino histórico complejo y lleno de peripecias y variaciones.

9

LA SEGUNDA MITAD DEL SIGLO XVIII: DEL MOTÍN A LA REVOLUCIÓN

CAJA ÚNICA

¿Qué quedó del primer gobierno de Felipe V? Permaneció el secretario Grimaldo, del Consejo de Estado, hijo de secretarios, hombre de conocimiento de las prácticas de poder de la monarquía, servicial, discreto, afable, cómodo para todos, insustituible. Sobrevivió a Del Giudice, que cayó ante Alberoni, quien a su vez fue cesado por su política incompetente en Hacienda y en Relaciones Internacionales. Cuando el fruto de aquella componenda de la Farnesio se vino abajo, las cosas volvieron a su lugar: a las ideas de Orry, y de forma sólida se afirmó de nuevo que la Hacienda es el gobierno, que el gobierno es el rey asesorado por su ministro, y que este ejerce el control de las cuentas y sobre todo de la caja del ejército. En suma, como dice Anne Dubet: «España [fue] el reflejo de la Francia de antaño». Esta falta de sincronía entre la política de los dos reinos traería importantes consecuencias, cuando los Pactos de Familia conecten las dos monarquías. Pero también quedó el programa de Macanaz, la voluntad de recuperación del patrimonio regio y del patronato de la Iglesia. Quedó, por lo tanto, la lucha entre los defensores de los Consejos, «el gobierno colegial» y los secretarios y fiscales, el «ministeriado»; unos, procedentes de la nobleza, partidarios de recurrir a los Consejos para paralizar o retrasar la acción reformadora del gobierno; y otros, los golillas y manteístas, universitarios procedentes de estratos sociales inferiores, dispuestos a aumentar las competencias del poder ejecutivo del rey.

Como ya se apuntó, la aspiración del primer gobierno de Felipe V (Orry, Amelot, Robinet, Macanaz) no fue solo imponer la

Nueva Planta en los territorios forales vencidos de la Corona de Aragón —Navarra, Vizcaya y Guipúzcoa no fueron tocadas en sus fueros—; su aspiración más sutil consistía en imponer en Castilla la administración y la forma de gobierno que ya funcionaba en Valencia, Aragón y Cataluña. Era una paradoja. En la Corona de Aragón se imponía un régimen porque era igual al de Castilla; ese régimen luego se intentaba imponer en Castilla. Es obvio que las autoridades del primer gobierno del rey tenían una idea de lo que debía ser Castilla y a ello se aplicaron. Vencieron en la Corona de Aragón porque las élites más tradicionales castellanas estaban de acuerdo en destruir la constitución política de aquellos territorios. Pero cuando quisieron imponer esas mismas reformas en Castilla, fracasaron de plano. Así que los mismos ministros que eran alabados porque definían la Nueva Planta en Aragón, eran vilipendiados en Castilla porque querían arruinar privilegios sagrados e introducir peligrosas novedades. La sociedad privilegiada castellana, con su forma política de Consejos, mostró escasa fuerza evolutiva, una capacidad de integración reducida y una intensa voluntad de resistencia.

Solo con José Patiño, formado en la cultura contable del ducado de Milán, tras los desastres de Alberoni, las cosas comenzaron a asentarse en Madrid. Hacia 1726, de nuevo brilló la obsesión por la «exacta cuenta y razón de la entrada como de la salida», el gobierno general de la Hacienda. La clave estaba en el control por parte del tesorero central de la caja de los tesoreros de los ejércitos, así como el control contable de los asientos, los monopolios regios, como el de tabaco o la participación en la venta de esclavos. Para ello era necesario concentrar en un solo individuo el gobierno de la Hacienda, reuniendo en sus manos la presidencia del Consejo, la Superintendencia y la Secretaría del Despacho. Tal cosa fue posible porque se formalizó la vía reservada; esto es, el acceso al rey franco para quien tenía en sus manos la Hacienda, que convertía al tesorero en un mero agente pagador. A través de este ministro de Hacienda, el rey establecía el «páguese», y por él se dictaban las órdenes a los tesoreros de los ejércitos. De esta manera se consiguió una cuenta única. Pero sobre todo se logró que el acto de llevar los libros de contabilidad, el cual bajo los Austrias se dejaba en manos de los subalternos, ahora caracterizase al ministro más importante del rey. Si en la época de Olivares se pudo decir «todo es mío, sin falta de nada», ahora Patiño podía decir a Ireberri, un tesorero, «todo ha de pasar por mi mano [...]. Solo podrá ejecutarlo con acuerdo mío!».

Este cambio no es menor. Impone un control sobre los demás ministros, y ante todo sobre el ministro de la Guerra. Hacienda hereda así la función del *Contrôleur général* de Francia, pero su principal objetivo es mantener el ejército, que es la columna vertebral del gobierno de la monarquía. Frente a la fronda de los Consejos y aunque esta sobreviva como aparato jurisdiccional, se crea una administración ejecutiva vertical, con claras funciones, vinculando de forma nítida Hacienda y Guerra, llegando hasta los intendentes y gobernadores, que unen en su mano justicia y policía, gasto, cargos y milicia. Con Patiño, una vez más, el camino hacia arriba y hacia abajo solo pasa por uno, y ahí, en ese paso, en ese umbral, en la antecámara del despacho con el rey, en la reserva, se regula el tiempo de todo y se hace unívoca la jerarquía. Pagos que no pasen por su canal, que no estén escritos en sus libros, son responsabilidad personal del que los ejecuta. Pero más importante todavía que la decisión de la orden de pago es la gestión del tiempo, lo que revela un saber que apunta, más allá de los libros de contabilidad, a la administración política de los compromisos. Único interlocutor entre el rey, la caja de Hacienda y los acreedores, garante de los pagos, Patiño jerarquiza las obligaciones, las amistades, los favores, los plazos. Él tiene que manejar a los banqueros, como la red navarra de los Goyeneche, cuyas relaciones personales debe cuidar concediendo puestos claves a sus allegados en la administración. Así cumple con las deudas, sin poner en peligro el sistema con la bancarrota.

Para que este sistema funcione se requiere un control del centro sobre las redes de clientelas que se tejen en las periferias. Ante todo, los ingresos se deben establecer con fidelidad y puntualidad. Por eso Patiño tiene que poner en los puestos claves de ingresos a los amigos. Sobre todo en las intendencias importantes, como la de Cataluña, donde ejerce Antonio de Sartine, para controlar los asientos decisivos como el del tabaco, y para asumir la dirección de las rentas generales. Con todo ello, se transformó el sistema financiero de la monarquía española bajo los Borbones. Así se forjó una red pública de mando muy definida que descansaba sobre una red privada de amigos, acreedores, proveedores y beneficiarios mucho más extensa, difusa y discreta, en la que se mezclaban los intereses públicos y privados. Eran prestamistas que fiaban capitales o anticipaban provisiones a cambio de confianza y de cercanía en las decisiones sobre cargos públicos, ahora en manos de los capitanes generales, nombrados por el gobierno central. Así, las élites gubernativas, al disponer del acceso reservado al monarca, estaban en condiciones de captar y distribuir recursos que circulaban en todas las direcciones, desde las redes privadas a las públicas y viceversa, negociando créditos y devoluciones, cargos y encargos, siempre bajo el compromiso de atender el interés superior de la monarquía, el interés del sistema completo.

La clave de estas prácticas no es la asimetría de una jerarquía vertical férrea de gasto y una expansión horizontal de influencias, recursos, redes y clientelas. La clave real es que todos los formalismos se pueden esquivar desde la vía reservada: la firma del rey organiza las prioridades. Un pago solo se somete al soberano según la razón y orden general del sistema que tiene en su mente Patiño, que se hace cargo del juego de presiones de toda la tela de araña que él, y solo él, conoce en su totalidad. Por eso, como sugirió Canga Argüelles a principios del siglo XIX, todo consistía en saber quién podía esperar todavía un poco más para cobrar. Ahí, la rígida pulcritud del contable desaparece ante la flexible comprensión del político, que sabe que tiene la clave del poder. Esta doble dimensión pública y personal, que intercambia concesiones y cargos a cambio de créditos y ayudas, determina el juego de la política de Patiño y de toda la dinastía. Sin ocuparse de los juegos de las Cortes de los Millones, ahora las ciudades son unos prestamistas más, como otros. El juego de la política no pasa por el escenario de unas Cortes, por muy disminuidas que se hallen. Es algo que un ministro principal guarda en su saber, que los interesados en el juego penetran, pero no existe lugar alguno en el que se pueda aprender. Es un saber privado que el ministro se llevará a la tumba y que heredará su sucesor solo si tiene el suficiente poder para ello.

Patiño no inventó nada. A su manera, seguía la práctica de Orry. Buscaba configurar un grupo de hombres fiables, cercanos, que hacían negocios con una administración ejecutiva, a cambio de ayudarla con parte de los beneficios obtenidos en esos negocios. Todo dependía de que el Estado tuviera la contabilidad de una buena administración. El sistema de Patiño será el que se imponga definitivamente cuando el marqués de la Ensenada estabilice el método de tesoreros dobles en alternancia. Un año para ejecutar y otro año para rendir cuentas, de tal manera que ninguno le deje al siguiente la carga de su ineficacia sin que pueda ser examinado y castigado.

CIUDADES Y NOBLES

Este cambio político fue posible porque las Cortes castellanas cambiaron de sentido y porque la ciudad castellana salía transformada de la época de Carlos II. Estas transformaciones tuvieron una lógica política clara. Las ciudades habían conocido en la época de Carlos II una feroz lucha por la apropiación patrimonial de los cargos públicos y la privatización creciente de los baldíos y propios. Ahora el rey intentaba controlar sus cargos, sus recursos y su jurisdicción. Así se comenzó a sentir la necesidad de un catastro general de la monarquía, la obra iniciada por Ensenada en 1749, bajo el reinado de Fernando VI, que deseaba obtener información fiable de las ciudades y ultimar el proceso de control regio. El catastro deseaba ser un índice de la realidad, pero también un factor de intervención en la misma. Por ejemplo, deseaba saber cuántos puestos públicos financiaba la ciudad y cómo eran; si estaban ocupados o si servían solo como pago de juros, esto es, como renta, el primer paso de la apropiación. En todo caso, el catastro debía ser una radiografía del proceso de cierre oligárquico de la ciudad, y mostró la desidia política urbana bajo los Borbones, que creció de forma intensa, pues el poder del intendente o del gobernador provincial, con el corregidor a veces militar, anulaba a los regidores o concejales. A la postre, el corregidor era un delegado urbano del gobernador, con lo que se convirtió en un puesto burocrático nacional. De este modo, los regidores del nuevo ayuntamiento carecieron del prestigio de los del antiguo régimen y se vieron como meros subordinados a poderes militares, sin el prestigio de los viejos ciudadanos honrados. Esto alejó a los notables de la política urbana. En Castilla el proceso fue letal, pues dejó sin representatividad a los órganos de poder local. Como se verá, esto determinó la expansión del Motín de Esquilache en 1766 y el cambio de régimen local. Por ahora, los caballeros y ciudadanos honrados deberían encontrar otro camino a sus apetencias de visibilidad, que pasaban más por el ejército. Sin duda, esto acabó favoreciendo la centralidad de la actividad económica, no menos promovida desde la corte.

Pero el malestar de los ayuntamientos no cesó de crecer a lo largo del reinado de Fernando VI, resistiendo las operaciones del catastro de Ensenada. Solo con Carlos III se dictó el auto acordado en 1766, por el cual se creaban los cuatro diputados del común implicados en los abastos, elegidos por sufragio entre los contribuyentes en segundo grado, a partir de unidades urbanas que ya no eran las colaciones o las parroquias, sino los cuarteles. Solo entonces el ayuntamiento alcanzó una representatividad electiva para cooperar con la gubernativa. El síndico personero del común tuvo una cierta presencia, sobre todo en las carestías y en las crisis, y mantuvo abierta la llama de la política. Toda actividad insurreccional procederá de la vida local y los ecos del Motín de Esquilache lo demostrarán. Pero no conviene anticipar acontecimientos. Hasta ese momento, a mediados de la centuria, el ayuntamiento no tiene fiscalidad propia, ni milicia, ni justicia. Es puro gobierno económico.

La filosofía que se adhería a esta evolución era sencilla. La ciudad dejaba de ser un organismo político, una comunidad foral. Solo tenía el derecho natural a una administración económica y de ahí que los regidores debieran velar ante todo por el abastecimiento de los vecinos, y los recursos económicos, así como por las escuelas, hospitales, caminos y la promoción de la industria y el comercio. El jefe político, el primer alcalde, era el cargo de corregidor en ella, o de intendente y gobernador, y este lo nombraba el rey y el capitán general, y su finalidad oficial era no permitir los abusos de la oligarquía. En suma, el Consejo del ayuntamiento se encargó de lo que se llamará la «Policía», en todas sus acepciones, más de diez. Los gobernadores se encargaban de la política. Pero cuando aquella entraba en crisis y la administración estaba colapsada, solo quedaba una salida, la desesperación y el motín.

El proceso descrito tiene otra cara en la política de élites: la formación de nobleza. Aquí de nuevo se pueden ver las continuidades, indecisiones, vacilaciones, acomodaciones, retrocesos, la tortuosa marcha desde lo viejo hacia lo nuevo. La guerra de Sucesión pronto quedó atrás. Sin embargo, no se debe olvidar que significó una innovación muy fuerte. Salvo Cataluña, era la primera vez desde la época de Carlos I que se padecía la violencia en el suelo de la monarquía. En ese momento la guerra no podía ser controlada por la antigua aristocracia cortesana de los Austrias, especializada en dirigir un ejército mercenario en tierra ajena. Entonces, ante la necesidad de controlar el terreno en una guerra de larga duración, emergió una legión de leales procedente de las pequeñas aristocracias locales que se incorporaron al ejército. Esto no quiere decir que la vieja aristocracia desapareciera, como a veces se ha dicho. Desde luego, la nobleza desleal a la causa de los Borbones marchó al exilio, sobre todo entre la de Aragón, Valencia y Cataluña. Pero la que sobrevivió tomó rumbos diversos.

Nunca como entonces se insistió tanto en el valor de los «Grandes de España», cuyo rango fue buscado con la misma intensidad que en la época anterior. Dada la penuria de la Hacienda del rey, los cargos de la alta nobleza se siguieron ofreciendo a cambio de donativos y ayudas. Tanto fue así que, para reservar la identidad cortesana a las viejas familias, se llegó a una diferenciación entre la grandeza de España de primera clase y la de segunda. Como se ve, el hambre de títulos no cedió en nada a lo largo de la primera mitad del siglo XVIII.

La obsesión de demostrar antigua nobleza se impuso. La nobleza de continuidad se reservó para la vida cortesana. La nueva, hasta bien entrada la época de Fernando VI, siguió las mismas pautas de la época de Felipe V, cuando todo fue venalidad. Se sabe que para financiar la boda de Carlos II, en 1679, se vendieron treinta y cinco títulos de Castilla. Durante la contienda, los donativos en dinero se compensaron con títulos de forma frecuente. Durante el reinado de Felipe V se pusieron en circulación trescientos dieciocho títulos nuevos. Era más fácil conseguir un título que un hábito de Santiago, porque este privilegio todavía estaba sometido a un cierto escrutinio de hidalguía y antigüedad. La concesión de un título se hacía por vía ejecutiva, sin intervención del Consejo de Castilla, sin diligencias ni informes. A esta almoneda acudían hombres de negocios, comerciantes, financieros, esclavistas, contrabandistas, que exigían que en la concesión del título no figurara la palabra «dinero», sino la expresión «por antiguos servicios contraídos».

La tendencia se mantuvo hasta pasada la mitad de la centuria. Fernando VI solo concedió tres títulos de media por año, en total unos cuarenta y dos. Era la nueva política del marqués de la Ensenada, que entendía que esta venalidad era idéntica a la de vender cargos y contraria a los derechos de regalía. Ensenada no tuvo tanta necesidad de vender títulos, pero a pesar de todo se vendieron. El camino, por lo general, era bastante claro. A veces, el rey entregaba donativos a las iglesias con títulos en blanco, para que ellas los pudieran vender y así ejecutarlos en dinero, por lo que se hacía con discreción y silencio. La misma forma de financiación se les daba a los virreyes americanos. Otras veces, los antiguos nobles estaban arruinados y obtenían el permiso del monarca de vender sus títulos. Los que entraban en esta subasta eran oligarquías urbanas y élites del mundo indiano, quienes mostraron un hambre de nobleza mayor todavía que entre los peninsulares, que por lo general aludían a su servicio en milicias. Tal obsesión no pasó desapercibida a los testigos de la época.

Esto no quiere decir que no existiera un camino del mérito para llegar al título. Pero este pasaba casi de forma inexcusable por un puesto de alta graduación militar o era concedido cuando se tenía que realizar con la debida dignidad el cargo de virrey de Perú o de México. Así, a la carrera militar, la base esencial del currículo, se añadía el prestigio del título. Como es natural, si alguien ocupaba el cargo de ministro de Gracia y Justicia, del que dependían las concesiones, era probable que se concediera un título a sí mismo.

BREVE ACELERACIÓN

Cuando hacia la mitad de siglo moría Felipe V (1746) y se llamaba como rey a su hijo, el monarca de Sicilia y Nápoles, Fernando VI, el tiempo histórico de la gran política no había dado casi un paso respecto a las primeras décadas del reinado, pero el tiempo anónimo de la sociedad seguía su curso, estabilizando ciertas evidencias. Las grandes reformas seguían pendientes, como así lo atestiguan los programas de José del Campillo publicados en 1741, *Lo que hay de más y de menos en España, para que sea lo que debe ser y no lo que es*, y en 1742, en su *España despierta*. De forma coherente, la primera medida del nuevo soberano fue comprender que la implicación española en la gran política europea no fortalecía a la monarquía. El Tratado de Aquisgrán, firmado en 1748, así lo demostraba. La reina viuda Isabel de Farnesio fue apartada de la política. La influencia inglesa y francesa se equilibró. España no podía tener una política propia, pero podía no entregarse de pies y manos a una ajena. Zenón de Somodevilla, el marqués de la Ensenada (1702-1781), ministro de Hacienda, Marina y Guerra, representó los intereses francófilos, mientras que José de Carvajal y Lancaster (1698-1754) representaba los de Gran Bretaña. Los intereses de los jesuitas y los de Roma pasaban por el poderoso confesor Francisco de Rávago (1685-1763), quien impulsaba la obra de Enrique Flórez de Setién, *España sagrada*. Ricardo Wall (1694-1777), cuando llegue a ser el nuevo hombre fuerte de la monarquía, aunque muy probritánico, no podrá escapar a esta política de equilibrios. Las élites de Madrid veían claro que su estabilidad dependía de que las potencias extranjeras percibieran su influencia como equilibrada. El principio fue muy eficaz, como se verá.

Las consecuencias de este reinado fueron claras. En el fondo se llegaba a una visión de las cosas que, por primera vez, aunque de forma tímida, puede llamarse «nacional». La Hacienda se intentó regular con el nuevo catastro, que intentaba aplicar por fin a Castilla lo que funcionaba desde la Nueva Planta en la Corona de Aragón. Como es sabido, la reforma fracasó, pero el esfuerzo de conocimiento de la realidad de los pueblos españoles fue importante.

Lo decisivo es que el esfuerzo de Hacienda, dirigido por el profrancés Ensenada, tenía como finalidad principal la mejora de la Marina y del Ejército. Inglaterra no lo miró con buenos ojos. La política de paz comenzó a dejarse sentir, los intercambios de todo tipo crecieron, el comercio ultramarino aumentó y las necesidades de ciencias y técnicas de marinos, artesanos y comerciantes fueron más sentidas y atendidas. Se comenzó a replantear la relación con la América española y se comenzó a percibir la *ratio* económica que podía regirla, convirtiendo *de facto* la Nueva España en una colonia, lo que chocaría con las élites criollas. Este desencuentro sentó las bases de las distancias culturales y políticas entre los territorios atlánticos y los peninsulares. Los viajes científicos y las descripciones geográficas y cosmográficas se aprovecharon para dotar a la Marina de una base más técnica

El impulso del reinado de Fernando VI asentó las bases para la imagen del XVIII como siglo de progreso, y generó las condiciones de posibilidad para el prestigio de lo que Julián Marías ha llamado «la España posible» de Carlos III. Sin embargo, los poderes privilegiados que se oponían al crecimiento de esta oleada progresiva eran muy fuertes y, ante la primera dificultad, habrían de mostrar la fragilidad del potencial de modernización y crecimiento español.

En efecto, cuando se mira la política española de la época se comprende la debilidad de su construcción nacional moderna. La corte de Madrid no había sido capaz de neutralizar los hábitos y los estilos de poder de la sociedad privilegiada que procedían del siglo XVII. Por mucho que se hubiera simplificado el organigrama del gobierno, dando lugar a las Secretarías del Despacho, el sistema plural, complejo y caótico de los Consejos, con el de la Inquisición al frente, seguía en pie. Cualquier medida innovadora chocaba con la necesidad de atender las reclamaciones particulares de los afectados que sabían aprovechar el caos de competencias del sistema de Consejos para eternizar las vistas y los procedimientos. Lo más decisivo, sin embargo, era que este sistema jurisdiccional de canalización de conflictos e intereses no permitía una ordenación representativa y pública de los mismos. La política española adquirió este aspecto de fronda cortesana y judicial en la que las situaciones de reforma se respondían con crisis mediante intrigas palaciegas y procesos discretos del Santo Oficio. Por lo general, estos acabaron con éxito y así mostraban al sucesor que debía ser más tímido en las propuestas de reforma. Entre los agentes más dinámicos y la corte siempre se alzaba una fortaleza de intereses nobiliarios privilegiados, que muchas veces se alineaban con intereses de las potencias extranjeras, una base más sólida de poder que la del propio rey, epicentro de todas las presiones. Así, las posibilidades de una lógica «nacional» eran muy limitadas. Por lo demás, con la firma del Concordato de 1753, los intereses de la Iglesia católica quedaban perfectamente protegidos desde un punto de vista jurídico, y la Nunciatura volvió a ser un poder activo en Madrid.

De este modo, la corte se veía obligada a una política exterior regida por la idea de mediar entre Roma, Francia e Inglaterra. Las medidas que podían conectar con los ámbitos más dinámicos de la vida urbana (sobre todo en los puertos) no avanzaban al ritmo necesario, también condicionados por el mercantilismo, las aduanas y los monopolios regios. Así se llegó a la época de Carlos III. Cuando este, todavía en Nápoles, pidió a Miguel Antonio de la Gándara que le escribiera un informe sobre España, sus conocidos *Apuntes sobre el bien y el mal de España*, firmado el 5 de julio de 1759, le sorprendió con un prólogo dirigido a «la nación española». «No tengo más patria ni más partido, más paisanaje ni más sangre que España, España, España», decía, y reclamaba quince años de paz como condición del cumplimiento de su programa, que curaría los males de dos siglos. La cura era fácil: con vasallos pobres nunca hubo reyes ricos. Bastaba mirar a Inglaterra y a Holanda. Ahora se comprendía el descarrío de dos siglos, que nos había puesto del lado equivocado en la guerra contra Europa.

El nuevo espíritu era claro: cuantos más arbitrios, contribuciones, estancos, monopolios se hicieran, menos rentas llegarían al rey. La circulación interior del dinero era la mejor fuente de riqueza. «La falta de libertad y el estanco de las cosas y de los géneros [...] es la falta de sol en la república de los vegetales», dijo, con un símil bastante chusco. Por supuesto, asumió que los tributos que «aniquilan a la nación» eran extraños al rey. Pero, por encima de eso, era preciso construir la nación económica, producir, distribuir y consumir dentro. Para ello había que destruir todas las murallas internas y Gándara daba decenas de ejemplos, pero se demoraba en las murallas que levantaban las inmunidades religiosas. «Por cuatro ochavos perdemos treinta millones y lo que es más, estamos miserables». Gándara proponía un programa de fábricas reales, a sabiendas de que era inicialmente costoso y reclamaba cuidar dos cosas: nuestra viveza, que nos pierde por la impaciencia, y nuestra lentitud, que nos pierde por la desidia. Luego reclamaba que se debían abrir las puertas del comercio americano, para lo que se requerían astilleros. España ya no podía ser el país de labradores y ganaderos al servicio de los grandes propietarios. Pequeños labradores libres acomodados serían la base del país. Los tiempos de la Mesta se habían terminado. No es un azar que Gándara fuera reeditado en 1813 y en 1820.

Este vademécum de reformas es ingente y debió ser leído por los agentes de Carlos, vísperas de su llegada a España. Por supuesto, incluía una profunda reforma de la Iglesia hispana, algo que fue leído con atención. Iba más allá de Macanaz, y ya nos pone en la pista de las ideas de Campomanes y Jovellanos, pero sobre todo fundamenta el programa de la nobleza arraigada en sus tierras, mejorándolas y fundando industrias en ellas. El libro, que es muy completo, hacía un llamamiento a generar un traje español característico, digno y capaz de diferenciar a los ciudadanos honrados, «índices de caballerías diversas». Con este libro se sabe que el motivo inmediato del Motín del Esquilache era un paquete de «reformas necesarias, que son infinitas en diferentes líneas», muy imperativo y pormenorizado, que debía ser conocido por el Consejo de Castilla, que ya estaría en guardia por la alabanza del poder único del rey, por la hostil crítica a los mayorazgos, la clave de «la vanidad, lujo y desidia» de los españoles, y por la crítica a la universidad de donde procedían los colegiales. En suma, era una nueva ofensiva del viejo fantasma de Macanaz, que regresaba con sus ideales de «una moneda, una ley, un peso, una medida, una lengua y una religión», muy beligerante contra «el espíritu faccionario de las diferentes nacionalidades» propio de los principados.

Gándara no era muy optimista. Sabía que ese recetario lo habían establecido «en todos estos tiempos y reinados varios españoles». Él era el último de una larga lista. Sin embargo, toda la solución la cifró en un rey absoluto y en un ministro dotado, para el que poco a poco va ofreciendo su propio perfil. De forma que no pasaría desapercibida, se preguntó qué era Prusia antes de que un Federico la hubiera elevado al estatus de gran nación. De reforma política, desde luego, no dijo una palabra. No estaba en el espíritu de la época. Sin embargo, Gándara, al dirigir su libro al Consejo de Castilla, presentaba un plan al enemigo, algo que debía de haber previsto contando con las herramientas mentales de la época. No fue capaz de cambiar su percepción y de comprender que el Consejo de Castilla y la nación española no eran agentes convergentes.

Sin embargo, al menos algo de ese programa prendió. A pesar de todas las dificultades, una mirada imparcial puede ver que la larga costa de España comienza su destino de despegue económico. Aunque la corte seguía siendo el único foco de poder, no era ya un centro absorbente de vida histórica, sino el germen de un difícil plan de homogeneidad nacional y el centro de una red de poderes. De hecho, en la corte residían los mayores estímulos y los mayores obstáculos. En efecto, la nobleza cortesana tenía suficiente poder para obstaculizar o debilitar las reformas políticas y hacendísticas, pero no para detener la vida social y económica del país. Ese movimiento revitalizador, iniciado en los puertos, en las fronteras, comenzó a cristalizar, ya en el reinado de Carlos III, en las Sociedades Económicas de Amigos del País. En todos los sitios clave de la costa se optó por un modelo económico que se puede llamar «inglés», aunque aplicado a países católicos y atrasados. Su inspiración lejana fue la formación de una *gentry*, aquellos nobles rurales ingleses que empezaban a aplicar su ideología en Irlanda, donde se fundó la primera sociedad económica en 1762. Las tierras vascas los imitaron en 1765, y así se creó la Real Sociedad Bascongada de Amigos del País. Su ideario pasaba por perfeccionar la explotación de tierras, conectar la agricultura y la ganadería con la transformación de productos, producir para el mercado internacional incipiente. El modelo aquí fue el campo catalán, que ofrecía productos para el comercio de licores y frutos. Cartagena, Valencia, Sevilla y muchos otros sitios comenzaron esta mímesis de pequeñas academias, cada una de ellas capaz de canalizar los intereses económicos y los avances técnicos locales. Las principales ciudades de América importaron el fenómeno. No deseaban impugnar la corte y su monopolio de producción de ideología y de política, pero estos centros disponían de conceptos políticos clásicos acerca del bien común, y sus líderes se presentaron a sí mismos como «repúblicos».

Sin duda, de estas sociedades brotó una actitud más desinhibida frente a la religión clásica barroca, anclada en el sacrificio ascético, en la mortificación del deseo, en la muerte de la sensibilidad. Nada en ese imaginario, que en ese momento parecía patético y tenebroso, favorecía el consumo refinado ni la amplitud de bienes, que una artesanía y un comercio adecuados debía satisfacer. Nadie quería romper con la fe católica, el elemento identitario más básico, pero sus aspectos ascéticos ya no fueron dominantes hasta la asfixia. Más allá de las capas populares, que identificaban elementos centrales de la tradición y un incipiente folclore, comenzó a cristalizar la diferenciación social interna de capas más civilizadas, burguesas, dotadas de un gusto más refinado, de un sentido del confort y de una nueva comprensión de la dignidad civil. Antonio Capmany, el patriota catalán, aunque con seudónimo, pronto hizo una alabanza del trabajo y de la menestralía, la clave de la fuerza tradicional de Cataluña. Todo esto se configuró de la manera nítida en el reinado de Carlos III. Pero la sociedad privilegiada seguía siendo dominante y, desde los Consejos, controlaba los resortes del poder.

EL MOTÍN DE ESQUILACHE Y LA PRÁCTICA DE LA VERDAD

Los libros programáticos son una cosa y realizar una política otra muy diferente. Carlos III entró en Madrid en 1759 con una gran fiesta que salió del dinero del ayuntamiento. Su ministro, el italiano marqués de Esquilache, comenzó a liberalizar el comercio de granos y los precios de los productos básicos. También su política de embellecer Madrid generó una carestía de aceite y de velas, pues plantó más de cinco mil farolas. Las mejoras del alcantarillado y empedrado aumentaron los precios de los alquileres. Al no proceder de un incremento de la riqueza, la liberalización devino especulación y generó alza de precios por doquier. La modernización como motor implicaba carestía, cuando debía ser consecuencia de la riqueza. Este era el clima que José Miguel López García, el autor de una monografía sobre el Motín de Esquilache, ha descrito como asfixiante entre los madrileños en los primeros tiempos de la década de 1760. Sin embargo, el programa de reformas de Gándara no era iluso. Había establecido perfectamente que se necesitaban quince años de paz para impulsarlo. El ministro Esquilache había olvidado esta sencilla cláusula de Gándara. Las reformas encarecerían la vida. Si, además, se implantaban en tiempos de guerra, el aumento fiscal sería insoportable y el fracaso estaba asegurado. Desgraciadamente, al inicio del reinado de Carlos III, en la política exterior las cosas no volvieron a la situación de equilibrio y de paz. En el fondo, se siguió con la política de Ensenada, francesa, aunque sin el marqués. España se inclinó hacia Francia, firmando el Tercer Pacto de Familia en 1761, lo que abocó al país a las grandes crisis políticas que jalonarían el final del siglo XVIII y, de entrada, a la guerra de los Siete Años. En buena medida, la lucha contra Inglaterra y su aliado Portugal se convirtió en el centro de la política exterior, cuyo objetivo central era detener la expansión de Gran Bretaña en América, bien por Quebec, bien por La Florida o por Luisiana.

Mientras, en Madrid, en 1762 se elevaba a fiscal del Consejo de Castilla a Pedro Rodríguez de Campomanes, pero sin los poderes ejecutivos de Macanaz. El fiscal podía elaborar informes acerca de los intereses de la monarquía, de las usurpaciones padecidas por el real patrimonio, de las alienaciones fraudulentas de bienes inalienables del fisco a manos de la nobleza y de la Iglesia. Sin embargo, estos informes, como los que realizó Campomanes, no tenían efectos vinculantes salvo que mediara sentencia de los Consejos, en los que estaban muy bien representados los mismos estamentos privilegiados que debían defender sus propios intereses. Tal camino era inviable. Por lo demás, este primer Compomanes se revelará tímido y se implicará en informes sobre los gitanos, «para ocuparles en los exercicios de la vida civil del resto de la nación» y sobre vagos y maleantes, para ocuparlos en la Marina. No es todavía un fiscal con un perfil alineado con la política de reformas.

Solo con la llamada del marqués de la Ensenada por Carlos III, y su rehabilitación política —había sido víctima de una conspiración de la embajada inglesa, fue enviado al destierro y se bloqueó la implantación del catastro—, todos los planes de reforma se pusieron en marcha de nuevo, si bien no con plena confianza. Ensenada escribió una *Instrucción reservada a la Junta de Estado* en la que se volvía al plan de implantar el catastro, recogiendo sus viejos proyectos de 1747. La idea era reducir por fin todos los impuestos para fijar uno solo por el que «pague cada vasallo a proporción de lo que tiene». El libro de Gándara ya había recogido estas medidas. Pero ahora se había vuelto a configurar algo parecido a un equipo. Con un Esquilache y un Grimaldi angustiados por la necesidad de mejorar el fisco, en la situación compleja de guerra —con tensiones crecientes entre el rey y Esquilache, por el asalto en 1765 al carruaje de la reina por parte de una multitud madrileña hambrienta—, con un Ensenada de nuevo dispuesto a la batalla, Campomanes, el nuevo fiscal del Consejo de Castilla, asumió su idea y aceptó la tesis de «proporcionar el tributo a los bienes e industria de cada uno». Sin duda, esto se debía imponer «indistintamente, sin excepción ni privilegios». El objetivo fundamental de estos ministros era la Iglesia, más incluso que la nobleza, que para ellos seguía cumpliendo una función en la monarquía. En 1765, Campomanes establecía estos proyectos en su *Tratado de la regalía de amortización*. Puesto que los bienes amortizados de las iglesias procedían de una concesión regia, la voluntad del monarca podía igualmente desamortizarlas si el estado de la Hacienda lo requería. En realidad, no se quería llegar a esto. Bastaba con impedir que se siguieran amortizando tierras.

Cuando este proyecto fue sometido al Consejo de Castilla, su dictamen del 8 de julio de 1766 era previsible. El argumento de que era preciso equilibrar las rentas de la Iglesia con las de los vasallos no fue atendido. Se asumió que los pobres eran necesarios para el buen gobierno y que la Iglesia era necesaria para atenderlos. Pero se sugirió que

> la buena armonía y el gobierno del reino es necesario se componga de vasallos de todas clases, de poderosos, de ricos, de mediana y baja fortuna y de gente necesitada.

Cuando en Gran Bretaña Adam Smith escribía *La riqueza de las naciones*, aquí se seguía pensando que la existencia de pobres era parte necesaria del buen gobierno. ¿Qué había pasado para que de nuevo el fiscal de Castilla perdiera de forma tan contundente su batalla?

Sencillamente, habían pasado apenas tres meses del Motín de Esquilache, que durante tres días, entre el 23 y el 26 de marzo, había sumido a la capital en el caos. Este fue el momento de la verdad del reinado de Carlos III. ¿Había razones objetivas para el malestar popular? Sin duda que sí. Los años de malas cosechas se habían sucedido. La carestía era intensa, y algunos ayuntamientos habían decretado la bajada de precios. Se conoce el encarecimiento de la vida por las medidas del ministerio de Esquilache y el aumento de la presión fiscal por la guerra. También, que el motivo de las capas y los sombreros fue una parte más de las reformas, destinadas a diferenciar en el seno de la sociedad a los diferentes estratos y oficios. Y, asimismo, que los más interesados en esta dignificación del traje de calle eran los golillas y es sabido que un personaje de influencia creciente, un manteísta con aspiraciones, el jefe de la recién creada Academia de Jurisprudencia, el futuro Floridablanca, ya había logrado reconocer un nuevo traje que impidiera que los candidatos a togados fueran confundidos con el pueblo, embutido en sus capas y sombreros. Como es natural, estas medidas implicaban una carestía adicional de la vida y, sobre todo, una distinción que molestaba por igual a los estamentos nobiliarios, exclusivos en sus refinados trajes, y a los populares, acostumbrados a este sentimiento democrático de igualdad, tan barato, ofrecido por la capa, que permitía ocultar las ajadas ropas habituales.

Así que era toda una concepción social lo que operaba tras el decreto de las capas y sombreros, que solo era bien visto por la minoría de abogados y servidores legales, los cuales deseaban hacer visible su desclasamiento con un uniforme nuevo. Todo ello permite explicar el doble frente que se unió al motín: la sociedad privilegiada nobiliaria, los colegiales y los religiosos, que no deseaban dar paso a la visibilidad social de un nuevo grupo social, cuyos intereses objetivos detestaban tanto como su espíritu de reforma, y la sociedad popular, que no deseaba hacer visible que estaba en el escalón más bajo y quería seguir disfrutando de ese sentimiento de igualdad con las capas que, en el fondo, cubrían una general pobreza. El historiador Pedro Ruiz, al explicar el motín de Elche, hizo referencia a «complejas motivaciones psicosociales». Esta era la causa fundamental. Lo dijo el mismo informe del Consejo de Castilla, el 24 de febrero, a un mes del motín. Allí se aprecia que el decreto que se preparaba no era universal. Debía vincular a «la gente civil y de alguna clase y distinción». Estaba en el espíritu de identificar una clase media, de la que el rey pudiera echar mano con dignidad para los puestos de la administración. La respuesta del Consejo fue que

> todos en su concepto se atribuyen este dictado y es una fortuna de la república que cualquiera se halle bien con su condición y la tenga por distinguida. El calificar a las gentes que comprende esta clase primera es asunto capaz de perturbar todo el reino.

¿Profecía basada en el conocimiento de su propio pueblo? Sí. Pero también algo más.

El malestar popular no se concentró en una acción masiva indiscriminada. Grupos bien organizados se dispersaron el 23 de marzo por los barrios e imponían a los vecinos la desobediencia de la orden dada por el ministro Esquilache de reducir capas y sombreros. Luego, más de seis mil madrileños se reunieron en la Puerta del Sol y se dirigieron a casa del ministro, y después al propio Palacio Real al grito de «¡Viva el rey, viva España, muera Esquilache!». Al día siguiente la masa creció. Cerca de treinta mil fueron a la Puerta del Sol y de allí se dirigieron al palacio con la exigencia de que se marchara de Madrid la guardia valona del monarca. Tras algunos intentos de calmar a la gente, con predicadores franciscanos incluidos, los ánimos seguían tensos. Hubo amenazas de cambiar la capital, pero no surtieron efecto. Al final, desde el balcón de palacio, el rey, humillado y asustado, carente de tropas, pero también sin voluntad de usarlas, tuvo que leer una retractación en la que se comprometía a expulsar a Esquilache y sustituirlo como ministro de Hacienda, retirar a los valones de Madrid, bajar precios, acabar con las Juntas de Abastos. Los ecos del motín se dispersaron por media geografía española, desde Andalucía hasta Cataluña, pasando por Zaragoza.

Tras conocer el anuncio de la destitución del ministro, la multitud se dispersó. Como dice el embajador francés Ossun, «los sacerdotes, monjes y gentes distinguidas entre la burguesía que habían sostenido la sedición no se hicieron visibles». Como es natural, cuando se restableció la calma,

> apareció una procesión rezando el rosario conducido por dominicos con un total de más de cuatro mil personas. Llevaban una gran estatua de la Virgen. Este rosario se colocó bajo las ventanas del palacio, se cantaron oraciones y se gritaron vivas al rey alternativamente. Esto duró hasta la entrada de la noche. El pueblo se retiró poco a poco y a las diez de la noche todo estaba tranquilo.

No duró mucho la paz. Cuando el rey marchó a Aranjuez, el pueblo volvió a tomar la Puerta del Sol, se hizo con armas y controló algunos caminos de salida de Madrid. Al final se leyó que el soberano había concedido la expulsión de Esquilache. Todo se calmó.

Hondamente impresionado por la revuelta, el rey concedió los diputados y síndico personero del común, que en los ayuntamientos debían ocuparse de regular los abastos y controlar los precios. Los jurados tradicionales protestaron, sin duda porque el negocio de la especulación se les iba de las manos. En vano dijeron que las funciones que se daban a los diputados y síndico eran las propias de los regidores. En realidad, la atención a los abastos no era el principal de sus intereses. Asustado por la inseguridad en que se había visto, el rey renovó el reglamento de milicias provinciales, con la idea de crear un ejército capaz de controlar el orden interno. Para financiarlo se recordó el impuesto de la sal, que ya Macanaz había intentado fijar. No se debe creer que sea un antecedente de las milicias urbanas. Se trataba de un verdadero ejército de reclutamiento forzoso con diez años de permanencia, con sus cuarteles y regimientos. Con esta línea de militarización, esencial para gobierno de la dinastía desde 1700, coincide el hecho de que el rey nombrara presidente del Consejo de Castilla al conde de Aranda, gobernador de Valencia en ese momento, a quien daba el mando de todas las tropas de Madrid y de Castilla la Nueva. Con él llevaba el diploma por el que se comunicaba al obispo de Cartagena su cese como presidente. El caso no tenía precedentes y constituyó la unificación del poder militar y jurisdiccional bajo la misma persona, el «real acuerdo» que se había impuesto al principio de siglo en la Nueva Planta. Su primer objetivo fue instaurar un sistema eficaz de policía. Sin embargo, quedaba el asunto Grimaldi, artífice de los Pactos de Familia, y seguían apareciendo pasquines atizados por «personas por encima de la hez del pueblo». El embajador francés nunca llega a citar a Inglaterra, decisiva en la primera derrota de Ensenada, pero está preocupado por perder a Grimaldi, el valedor de Francia. Era evidente ante todos que al margen del estallido popular, había alguna «cabala particular», como dice el embajador, dispuesta a aprovechar la circunstancia.

El informe del embajador de Francia en Madrid (rescatado por Ferrer Benimeli), enviado a París a los escasos días tras los hechos, resulta decisivo para entender la evolución del asunto. Aunque el motín era del «pueblo más bajo», había detrás gente «de una especie más considerable». El embajador se refería a «los sacerdotes, [...] los frailes» y a otras gentes que no concreta. En otro lugar habla de «sacerdotes, frailes y gentes distinguidas entre la burguesía». En efecto, su escrito involucra al arzobispo de Toledo. Por lo tanto, ahí está de nuevo el «odio del clero» como la base de la hostilidad a un ministro reformista. Respecto a que se había salvado al rey de la maldad de un ministro extranjero y que el motín había sido dictado por fidelidad, como empezaban a decir los anónimos, el embajador francés afirmaba: «Creeréis, señor, que es imposible que un francés sea persuadido de la solidez de este razonamiento». Las presiones con amenazas contra Grimaldi continuaron. «El fusil que debía matarte estaba ya cargado», se llegó a decir. Así se expresaba la feroz defensa del indigenismo de cargos.

No era de extrañar que en Zaragoza el mismo pueblo se rebelara contra el intendente justo por el mismo motivo. Pero el informe que se nos da de este hecho es de extrema importancia. «La nobleza, el capítulo y los burgueses han tomado las armas», nos dice el embajador. Cuando el capitán general iba a intervenir con sus tropas, le han pedido que «no se mezclara en este asunto; ellos han caído sobre los amotinados y han matado un número considerable». Es evidente que en Zaragoza seguía funcionando de forma subterránea el eco del sistema de liderazgo propio del orden foral y que bastaba para mantener la paz. El embajador concluye: «Es así, señor, como habría tenido que comportarse Madrid». Si no lo había hecho era porque «la parte sana de los habitantes» se veía segura en medio del motín. A los ojos del embajador, eso «prueba bastante claramente que allí había un complot unánimemente formado para expulsar al marqués de Esquilache».

En Barcelona, donde comenzaron a aparecer pasquines, se hizo algo semejante: allí fueron los colegios y gremios de artesanos y menestrales los que bloquearon el tumulto, organizando una campaña de censura y de información sobre los culpables de lo que, a la vista de todos, era una provocación, fruto de la miseria y la pobreza del bajo pueblo manipulado. Enterados de que el rey necesitaba tropas para sentirse seguro, cuatro diputados del principado llegaron a Madrid con una oferta: que el monarca retirase al ejército de Cataluña para emplearlo donde fuera preciso, a cambio de la formación de uno catalán que «la provincia reclutaría y mantendría a sus expensas [...] para defenderse durante todo el tiempo que agrade al rey de España».

Pero en medio de estas cuestiones, dirigidas contra los extranjeros, el embajador francés Ossun deja caer otra noticia de mucho interés. Sorprendentemente, anuncia que «el marqués de la Ensenada, señor, ha dejado la capital el 18 del corriente». El autor del ensayo de catastro, ya liquidado por una conspiración en 1747, salía de nuevo desterrado a Medina del Campo. Era un reformista y en modo alguno podía ser acusado de participar en el motín. Este se había dirigido contra él y lo que él representaba. El éxito del motín era su fracaso. El embajador, sin duda atento al detalle, pero ignorante del largo plazo de las cosas, confiesa: «Ignoro el verdadero motivo de su exilio». Podía habernos dado otra noticia igualmente importante: Gándara, el autor del libro que antes se ha comentado, *Apuntes sobre el bien y el mal de España*, en el que se recogían todas las reformas, también fue enviado a presidio en Pamplona, donde murió. No pudo participar en el motín, puesto que defendía las reformas de Esquilache. Sin embargo, fue acusado de participar en él. Pero en el fondo el embajador francés no ignoraba los motivos. Hablando de la situación económica de miseria en la que vive el bajo pueblo, condenado a la limosna por carecer de tierras, reconoce que la otra fuente de pobreza son los impuestos al consumo, tan plurales, generales e indiscriminados que perjudicaban a los más pobres. El embajador sabía que esos «derechos suplen al tributo real que no existe en España». Pero debía de saber que Ensenada y Gándara, como antes Macanaz, querían cambiarlo por ese mismo impuesto real, que en España se llamó el «catastro». Ante la posibilidad de que se pudiera introducir, la furia contra Esquilache había encubierto la hostilidad contra Ensenada y todas las reformas. Ahora los dos marchaban al exilio, y Gándara a la cárcel.

Fue la defensa de la inmunidad eclesiástica y la ruptura de la hegemonía nobiliaria lo que motivó todos los acontecimientos. Al final, el sistema de poder que había funcionado desde hacía siglos se había vuelto a activar en el asunto de Esquilache. El veredicto de este testigo de los hechos es contundente y en su informe de mayo de 1766 escribe:

> Y al presente se sabe bien que el pueblo fue solo el instrumento de que los sacerdotes y frailes se han servido, bajo el manto de la religión y con la ayuda del fanatismo, ignorancia y superstición. Pero tampoco hay que creer, señor, que el espíritu de sedición sea general entre los sacerdotes y frailes; son personajes principales del clero los que han puesto un cierto número de sus subalternos en movimiento.

Si no hubiera habido altas jerarquías, ¿a qué venía retirar al obispo de Cartagena de la presidencia del Consejo de Castilla? ¿A qué reclamar al arzobispo de Toledo su lealtad? El porqué de la hostilidad del alto clero se conoce bien: Esquilache, con el apoyo de Ensenada y de Campomanes, deseaba acabar con el excusado, el pago de los diezmos de los particulares a la Iglesia, e imponer una tasa por las tierras de regadío de la Iglesia. Y quiso hacerlo por la vía ejecutiva. Frente a esta pretensión se activó la vía jurisdiccional de consultas, y así «resultó una hidra de verificaciones y procesos, nombrándose una junta para informar sobre el tema», dice el embajador. Ahí quedó todo.

Cuando el rey quiso saber lo ocurrido, nadie señaló a los autores, sino al pueblo. «Los que podrían y deberían descubrir a estos autores no se prestan a los deseos del soberano», dice nuestro informado embajador. Aranda solo garantizó que no se repetirían. Ya constituido el nuevo gobierno Aranda, comenzaron a salir los papeles como *Causa del motín de Madrid*, en los que se justificó al pueblo en su rebelión contra los malos ministros y se vio con toda claridad el dispositivo político que había funcionado: la alianza entre los grandes nobles y obispos con la plebe y los frailes, el esquema que para la preceptiva política del siglo XVII significaba la condena del rey a la impotencia. No en vano se alabó el sistema de gobierno de Consejos de Carlos II, tal y como era representado en la *Cartilla política* de Diego Felipe de Albornoz, como el mejor antídoto contra el motín y los malos ministros. Sin embargo, en este dispositivo siempre ganaba la nobleza y los estamentos privilegiados. Que este era el ideario se vio en la obra *Raquel*, una tragedia neoclásica de Vicente García de la Huerta, en la que Esquilache era denunciado tras el símbolo de la judía de Toledo, amante de Alfonso VIII y hurtadora de su corazón y de su voluntad para el gobierno, asesinada por un complot de nobles y pueblos, todos deseosos de reinstaurar el sistema tradicional de gobierno. García de la Huerta era el bibliotecario del duque de Alba, pero en una correspondencia indiscreta con este habló mal de Aranda y fue traicionado. Tuvo que cargar con su participación en el motín y fue desterrado a Orán.

LA REFORMA PAUSADA

A pesar de todo, en el reajuste algo se movió. Aranda, que tenía cierta relación con Voltaire, filoprusiano, aprovechó para alterar el equilibrio internacional de influencia por el eslabón más débil, Roma y los jesuitas, algunos de cuyos miembros, como el marqués de Valdeflores, fueron acusados de participar en el motín. Así se entendió que uno de los elementos centrales que ataba las manos de la corte y le impedía diseñar una política nítida era la Compañía. Además estaban sus molestos intereses en Paraguay, o su dependencia de Roma. Aprovechando el Motín de Esquilache, comenzó una ofensiva instigada por el propio rey. En realidad, el asalto a los jesuitas significó la ruptura con la tradición barroca y aspiraba a la configuración de un nuevo sentido de cultura popular y de élites. Con los jesuitas debía cesar, por ejemplo, el gusto de los autos sacramentales y su pedagogía arcaica, pero también el Colegio Imperial de Madrid, con su pretensión de formación de élites, tan lejana de la moderna exigencia de fiscales, pero molesta para las universidades.

La reforma continuó con otros tiempos y ritmos. Se sentía por doquier la necesidad de reformar la enseñanza. Los mismos fiscales que escribieron informes contra los jesuitas y contra las usurpaciones del fisco regio comenzaron a defender los oficios, la industria, los artesanos, algo que Gándara ya había recomendado. En su conjunto, la disolución de los jesuitas significó la renovación del proyecto cultural de Gregorio Mayans, que fue rehabilitado como alcalde de villa y corte. Aquí la nueva figura del gobierno, el conde de Aranda, fue muy dinámico. También lo fue el embajador de España en Roma, don José Moñino (1728-1808), el futuro conde de Floridablanca. Aunque enemigos, representaban las dos élites que se enfrentaban por el control de la administración, y juntos lograron el breve papal por el cual los jesuitas fueron disueltos. El 27 de febrero de 1767 fueron expulsados de España.

Era el momento de impulsar reformas de los planes de estudios en las universidades, de construir nuevas instituciones y de acelerar los trabajos de las academias, en las que gentes como el jesuita Rávago ya no serían un obstáculo. Entonces se descubrió otra de las limitaciones internas de la capacidad evolutiva hispana. La resistencia a los cambios en las instituciones universitarias, sobre todo en Salamanca, fue tan intensa que hizo fracasar los esfuerzos de reforma del gobierno central. Los ilustrados que en cada universidad se encargaban de ofrecer planes renovados, no tuvieron en parte alguna la mayoría suficiente. Los intereses oligárquicos y corporativos y la mentalidad inercial anclada en un férreo sentido de la tradición fueron más fuertes. Ni tan siquiera el Colegio de San Isidro, fundado en 1770, logró generar una dinámica radicalmente nueva. Una vez más, las cosas quedaron entregadas al voluntarismo de individuos bien intencionados y dotados de una intensa fuerza de servicio. Los estratos de las oligarquías urbanas, posicionadas en las escasas instituciones públicas, lastraron todo el proceso.

A pesar de todo, las medidas de una administración central se dejaron sentir. Repoblaciones, caminos reales, canales, puertos, liberalizaciones de precios y comercio, estímulos al trabajo, reformas militares, instituciones científico-técnicas, todo ello contribuyó a dotar al reino de España de un perfil cada vez más nítido. La construcción de una sociedad nacional se fortaleció con determinados símbolos. Una bandera, un himno —una marcha prusiana regalada por Federico II a Carlos III—, un ejército con sus reglamentos, la configuración de una identidad, avanzó junto con la consolidación del castellano en territorios que nunca lo habían tenido como idioma propio. Todo esto se impulsó con fuerza y desde la corte se vinculó España con la tradición castellana y con su cima mítica, la época de Fernando III y Alfonso X el Sabio. Las *Partidas* fueron estudiadas como derecho real vigente y hubo intentos de recuperar el rito mozárabe. Sin embargo, la sociedad estamental europea se resistía a disolverse en todos los sitios donde se había establecido, y en España este fenómeno se dio con más fuerza. La política de la monarquía consistió en acelerar la influencia cultural y la defensa de un nuevo gusto. Con todo ello se reforzaba la construcción de una sociedad nacional, mediante la interiorización por parte de una minoría de la población de una idea de prestigio patrio, de orgullo identitario, de sentido de lo honesto y decoroso. El teatro cambió y, aunque se siguieron escribiendo comedias al viejo estilo, en ese momento los problemas que se llevaron a escena solo podían resolverse mediante un desmontaje de los viejos arquetipos populares, rígidos y estereotipados en el sentido de la casta y del honor. Nuevas revistas, algunas de ellas editadas en ciudades portuarias, iluminaban a las nuevas élites en gustos europeos. Los roles sociales de las mujeres se ampliaron y la aspiración a la moda y a los gustos literarios nuevos, expresiones de una vida interior más reflexiva, se desplegaron en sitios como Málaga, Cádiz o los puertos. La poesía anacreóntica comenzó a circular en España de la mano de Juan Meléndez Valdés (1754-1817), un poeta humanista que no podía dejar de aspirar al prestigioso cargo de fiscal.

Otros fenómenos aparecieron. Por un lado, el *ethos* profesional comenzó a valorarse, reivindicado por Campomanes y por Antonio Capmany según el viejo sentido de la artesanía y el comercio catalanes; y por otro, una serie de literatos, apoyados y animados por la corte, hacían el trabajo de instaurar un nuevo gusto capaz de sostenerse sobre los propios avances de un siglo que entonces se veía muy constructivo. Juan Sempere y Guarinos (1754-1830), autor del *Ensayo de una biblioteca española de los mejores escritores del reinado de Carlos III* (1785), pudo mostrar al público que ya se podía hacer pie en la producción española para desplegar una cultura propia en todos los campos del saber.

Sin duda, las resistencias menudeaban por doquier. La monarquía de Carlos III, donde encontraba una vía para actuar, allí lo hacía. Pero no existía un proyecto de transformación social integral. Sin duda, se deseaba avanzar hacia una sociedad nacional, pero por doquier se hacía necesaria la cesión. Nadie deseaba eliminar el catolicismo como elemento básico de esa identidad nacional incipiente, ni la sociedad señorial. Sin embargo, el equilibrio resultante no había sido dibujado ni pensado. Para 1780 comenzaron a dejarse sentir las actitudes reactivas y de resistencia más nítidas por parte de los sectores católicos más beligerantes, y se comenzó a recibir el pensamiento reaccionario francés, excitado por el clima prerrevolucionario. La batalla había empezado antes en Francia, pero se dio en España con fuerza. Por ejemplo, en la polémica acerca del teatro. Cuando se dijo que «las buenas comedias son mejor escuela de moral que los sermones», los carmelitas reaccionaron llevando los nuevos reglamentos de teatro y de bailes al tribunal de la Inquisición de Sevilla. Los apologetas de la ortodoxia contra las corrientes materialistas y los librepensadores franceses no se hicieron esperar, como ya mostró la obra de Javier Herrero. La batalla luego continuaría reforzada contra la Revolución francesa.

Por esta época de 1780 se aceleraron los fenómenos identitarios de una manera intensa. Cuando Nicolas Masson de Morvilliers en la *Encyclopédie méthodique* (1782) publicó su artículo «¿Qué se debe a España?» y valoró muy negativamente su contribución para la causa del progreso, su autor no pensó que ya se dieran en el país elementos firmes que pudieran soportar la causa de las Luces. España seguía siendo para los europeos la más firme aliada de ese catolicismo atrasado que los materialistas franceses entendían como la fuente de la superstición y el oscurantismo. El artículo hirió la incipiente conciencia nacional española y mereció airadas respuestas. La de Juan Pablo Forner (1756-1797), titulada *Oración apologética por la España y su mérito literario* (1786), fue la más conocida e importante por estar encargada desde el poder y por el mismo Floridablanca.

Las posiciones de las élites entonces comenzaron a perfilarse en sus diferencias. Unos creyeron que solo una aceleración de las reformas, capaces de desmontar la sociedad privilegiada, podría restituir íntegramente su poder a la monarquía española. Juan Sempere y Guarinos fue uno de esos hombres y su obra histórica, influida por Adam Smith, iba destinada a desmantelar las propiedades en «manos muertas», los mayorazgos, las tierras vinculadas, todo lo que impedía la circulación y la actividad económica, la causa final de la decadencia española. Pablo de Olavide (1725-1803), quien tanto contribuyó con sus traducciones a la introducción del teatro francés una vez prohibidos los autos sacramentales, también aspiraba a una España cercana a la mirada de Voltaire; tras ellos aparecería la generación más joven de Blanco White (1775-1841), José Marchena (1768-1821) y León de Arroyal (1755-1813), que ya reflejaba la necesidad de una constitución nueva para España tanto política como social. Este último contestó a Forner con su obra *Pan y toros*, realmente titulada, no sin cierta ironía, *Oración apologética en defensa del estado floreciente de España.*

Esta era la punta de lanza de una nueva élite que transitaba desde la Ilustración hacia el incipiente liberalismo de la primera parte del siglo XIX. Otros vieron en este escenario la formación de un poder político tiránico que no garantizaba la libertad de la Iglesia católica. En las nuevas ideas políticas contractualistas se apreciaba una nueva oleada de las ideas de reforma de la Iglesia de la primera modernidad. Así se configuró el grupo de Francisco Alvarado, conocido bajo el seudónimo del «Filósofo Rancio» (1756-1814); fray Diego José de Cádiz (1743-1801); Pedro de Castro; el padre Fernando Ceballos (1732-1802), autor de críticas de los pensadores ilustrados en múltiples opúsculos; y en la generación más joven, el decisivo Rafael de Vélez (1777-1850). Muchos de ellos ya serían muy activos en la época de las Cortes de Cádiz e intentarían resistir la idea de soberanía nacional. Las novedades políticas implicaban diferencias religiosas, y los amigos de cierto contractualismo volvían a defender las ideas cercanas al jansenismo y la comprensión de una Iglesia nacional. Quizá se pueda ver un síntoma central en el hecho de que Arroyal pretendiese la traducción al castellano de los oficios latinos religiosos, sin duda una idea paralela a la necesidad de intervenir en la ordenación secular del clero. Como se puede suponer, aquí las diferencias personales fueron ingentes, y cualquier intento de tipificación naufraga por necesidad. Pero solo este detalle testimonia que a finales de siglo XVIII existía en España una complejidad cultural normal si se mide con los parámetros europeos, a pesar de la limitada universidad y de la censura inquisitorial. La forma política, sin embargo, seguía tan reducida y estrecha como siempre.

En medio de todas estas posiciones encontradas se destacan aquellos talentos que se inclinaban por el largo plazo evolutivo, y que en cada presente defendían una política de compromiso, siempre sobre la idea básica de mantener el prestigio nacional. Ahí se puede colocar a Forner, a quien hoy no se le valora tan negativamente como lo hizo en su día José Antonio Maravall, junto a Meléndez Valdés, Gaspar Melchor de Jovellanos (1744-1811), Cándido María Trigueros (1736-1798), Alberto Lista (1775-1848) y tantos otros. Quizás en este sentido, Jovellanos sea el talento más característico por su aspiración a organizar el tiempo lento de las reformas, la rehabilitación de un buen equilibrio entre la agricultura y la artesanía como base de la riqueza de las naciones, la reforma agraria, la reforma de los institutos politécnicos, a la que luego habría que añadir el equilibrio entre aristocracia y estado llano en una constitución bicameral con un ejecutivo fuerte y un rey dotado de capacidad de arbitraje, al estilo inglés. Solo sobre esta transformación básica de la sociedad se podrían estabilizar las reformas y mantenerlas abiertas y progresivas.

LA CRISIS DE CARLOS IV

La fisonomía de la lucha cultural, política y religiosa en la época final de Carlos III anticipó los posicionamientos políticos generales posteriores, que dominaron la escena bajo el reinado de Carlos IV (rey desde diciembre de 1788). Desde luego, justo tras la muerte de Carlos III, todos los espíritus quedaron dominados por las noticias de la Revolución francesa y fue muy difícil mantener el esquema de una política reformista. Los ánimos se inclinaron más hacia la defensa numantina de la tradición o hacia la renovación radical. A la pregunta de quién debía impulsar esta renovación no se respondía de manera unívoca. Para Sempere y Guarinos se debía apelar a la soberanía del rey con su dominio absoluto, capaz de derogar la constitución histórica de España, un laberinto de privilegios, vínculos, mayorazgos, manos muertas y usurpaciones eclesiásticas y nobiliarias que habían conducido al país a la decadencia. Otros, como Arroyal, pensaron que era precisa una nueva constitución al margen de ese imaginario de las *Siete Partidas* tan celebrado por Carlos III, y ese fue el sentido evolutivo de su serie de *Cartas político-económicas al Conde de Lerena*, finalizadas en 1795, donde se recogen las ideas de Montesquieu, se funda la soberanía en la nación y se introduce la idea de un pacto natural entre los ciudadanos.

Frente a estos esquemas encontrados, decisiva fue la inseguridad que demostró el poder político. Sorprendido en medio de un proceso de reformas, en esa tierra de nadie que molesta a los viejos aliados y no ha conformado ni fortalecido los nuevos, el gobierno de la monarquía, todavía dirigido por Floridablanca, reaccionó a las noticias de la Revolución francesa dando signos de inequívoca debilidad. Separó a sus reformistas más notorios, a los que encausó ante la Inquisición, como Francisco Cabarrús (1752-1810) o Jovellanos; cerró las fronteras con Francia; paralizó la política de reformas e, incapaz de vincularse a Inglaterra, se entregó a un aislacionismo que no presagiaba nada bueno. En realidad, la presión de la corte apostaba por la intervención militar contra los revolucionarios franceses. Floridablanca, consciente de la incapacidad del ejército español, contuvo esas presiones. Su caída ante el conde de Aranda era solo un paso intermedio. En realidad, el rey y la corte ya solo confiaban en el ejército, exactamente como casi un siglo antes. Al mostrar una adecuada capacidad de mediar entre el Estado Mayor y los monarcas, Manuel Godoy (1767-1851) se convirtió en el hombre imprescindible. Sin embargo, incapaz de resistir la voluntad regia de intervenir en Francia, se dejó arrastrar a una guerra que no podía sino acabar en el desastre. Cuando los franceses entraron en Miranda de Ebro, todo el mundo comprendió que se debía firmar la paz. Se formalizó en Basilea, en el año 1795. Desde ese mismo instante, el destino de España no estaba en las manos de la corte ni del gobierno regio. Por mucho que Godoy siguiera al frente del despacho hasta 1797, y por mucho que en la maraña política de la época fuera un hombre capaz de mover ciertos hilos, la política española estaba de nuevo en manos de las grandes potencias, casi como al principio de la centuria.

Sin embargo, era evidente que la élite de intelectuales españoles, hacia 1800, no era comparable a la que había contemplado con pasividad, indiferencia y resignación las idas y venidas de los ejércitos austríacos, ingleses, escoceses y franceses, allá por 1700. Ahora, el rico humus cultural que se había configurado en las ciudades dotadas de una cierta administración, como Granada, Valladolid, incluso Salamanca o Cuenca, o sobre todo en los puertos como Valencia, Gijón, Barcelona, Sevilla o Cádiz, mantuvo el tono histórico de la vida española, al margen de la completa decepción que representaba para muchos el gobierno central de Madrid. Es en esa vida social donde empiezan a surgir los intelectuales que determinarán el destino del liberalismo español del siglo XIX, la aventura histórica llena de energía y de decepciones que se iniciará en las Cortes de Cádiz.

Un observador distante podrá darse cuenta de que la mayor debilidad de la monarquía española de Carlos III fue no haber sido capaz de organizar todo aquel talento en una institución pública representativa. Las Cortes de 1789 fueron la última oportunidad perdida. Si España hubiera sido sorprendida por la Revolución francesa con instituciones políticas más solventes, quizás habría resistido mejor, porque la ruina de su Hacienda no era comparable a la de Francia, ni la beligerancia de sus élites a la de los clubes parisinos. Pero organizar de forma política la complejidad social no estaba en el horizonte general, aunque era acariciado por algunos intelectuales, como Jovellanos, bajo la influencia del británico lord Holland. Su capacidad de análisis se pondrá de manifiesto en informes en los que dará muestra de su buen sentido. Pero al carecer de esta forma parlamentaria representativa, la influencia de las élites se dispersó. El destino del siglo XVIII se cerraba, pero solo para una mirada externa. En realidad, la vida histórica seguía presionando alrededor de un problema que ya no podía olvidarse: el de construir una forma nacional para la monarquía española y el de las diversas maneras en que se comprendió este proyecto constitucional.

TERCERA PARTE

CONSTITUCIONES (1808-1978)

I

CÁDIZ

MITO Y REALIDAD

Conviene preguntarse qué hay de verdad en el primer mito constitucional de la nación española: el mito de Cádiz. Respecto a este punto me interesa decir con toda claridad que España fue entre 1808 y 1812 existencialmente una nación política. Reunió todos los caracteres de esta idea moderna. Cádiz demostró, sin embargo, que esa nación existencial tenía un problema con su constitución política. O lo que es lo mismo: la nación existencial careció de un poder constituyente fuerte. No basta ser una nación para contar con un poder constituyente. Para que una nación disponga de él, debe tener la capacidad de conocer su verdad y fundar un bloque hegemónico capaz de imponer con eficacia proyectos percibidos por una amplia mayoría como de utilidad general. Solo con un mito no se alcanza un poder constituyente. Se necesitan poderosos elementos procedentes de una reflexión epistemológica, moral y política adecuada para fundar una hegemonía. Y España no los logró; en lugar de fundar una hegemonía, forjó una división.

¿Cuál es la verdad básica en la España de 1808? Hay que decir que es una verdad muy parecida a la de casi toda Europa. En ese año ya estaba lejos la Revolución francesa de 1789 y se había entrado en la época de la «revolución sin revolución». ¿Cómo lograr las ventajas de la Revolución francesa sin revolución? Ese es el espíritu mayoritario de aquel tiempo. Era así desde España hasta Rusia. Sin esta mentalidad no se entenderá el juego de las fuerzas políticas que se inaugura en 1808.

Este hecho está relacionado con los agentes que toman la iniciativa a partir de 1795 en París, con el abate Emmanuel-Joseph Sieyès a la cabeza. Ya no son abogados plebeyos y carismáticos, activos bajo el manto del secreto en los clubes y acreditados ante una gran masa popular de una ciudad como París. Ahora han tomado el mando otros actores que están dotados de otra forma de inteligencia condicionada por las realidades de la tradición. Son juristas, fiscales, catedráticos, filósofos, aristócratas ilustrados, militares conscientes, pero también comerciantes y burgueses leídos, clérigos jansenistas, todos ellos decididos a implicarse en el gobierno civil y eclesiástico.

La diferencia entre España y la Europa de su época reside en el grado de intensidad y de conciencia política que han alcanzado estos estratos. En España no se conoce el carisma de los abogados organizados políticamente en clubes secretos. El carisma personal sigue conectado a otros actores populares, a los frailes predicadores, un carisma siempre menor y funcional respecto del prestigio sacro de la jerarquía católica y las instancias nobiliarias dirigentes del Antiguo Régimen. Puede resumirse en una palabra: el futuro depende del grado en que se hayan impuesto los ideales de sociedad civil ilustrada o su contraparte, los estratos más arcaicos y privilegiados de la sociedad estamental. Europa se halla atravesada por realidades graduales, pero se puede definir España como un caso intenso en la escala de arcaísmo. El proceso, en lugar de acercar posiciones e integrarlas en una formación hegemónica, extremó las posiciones y desgarró hacia la dualidad. Estratos de élites muy conscientes supieron diagnosticar el propio atraso y ensayar reformas, pero no tuvieron la fuerza hegemónica suficiente para llevarlas a cabo. Nadie creía que la Iglesia y la nobleza privilegiada representaran el interés colectivo. Pero nadie pudo —o supo— agrupar sus puntos de vista en un programa integrador. En este sentido, la «época de las constituciones» comenzaba sin hegemonía y sin poder constituyente.

EL CONTEXTO DE LAS CORTES DE CÁDIZ

La época de las Cortes de Cádiz es de una gran relevancia histórica porque surge de un vacío de poder de las instituciones tradicionales. Este hecho generó un escenario en el que, por decirlo con Maquiavelo, los humores brotaron con la libertad. No hubo una fuerza política que no se manifestara, porque cada una de ellas tuvo que luchar por su presencia histórica. No lograron visibilidad por igual, pero todas actuaron. En este sentido, la doble abdicación de Carlos IV y Fernando VII ante Napoleón, en Bayona, con la posterior entrega de los derechos patrimoniales de mando político a José I, movilizó a todos los agentes. Los intereses no fueron convergentes ni ordenados. Los humores brotaron a raudales por doquier. Pero no acabaron produciendo un organismo político e institucional capaz de sobrevivir.

La Junta Gubernativa que dejara Fernando, junto con el Consejo de Castilla, pusieron obstáculos legales al duque de Berg, el mariscal francés Joachim Murat, pero no una desobediencia frontal. El ejemplo fue imitado por Cancillerías, Audiencias y Capitanías Generales. Las instancias oficiales lastraron el poder francés todo cuanto pudieron sin declarar hostilidades. Esta actitud generalizada entre la hostilidad y la resistencia llevó a la destitución de las instancias gubernativas españolas, con la consiguiente ocupación extranjera. Por el contrario, entre el pueblo sin cargos públicos la reacción fue nítida y la sensación de unanimidad del movimiento insurreccional determinó su éxito. Ahí se manifestó una nación existencial. Pronto surgieron dieciocho Juntas supremas que se declararon soberanas en sus territorios. La Junta Superior de Cataluña se organizó con pretensión de mando sobre todo el territorio catalán.

Entonces comenzaron los primeros síntomas del divorcio entre la nación existencial y el poder constituyente. Muchos se aprestaron a defender el estatuto y la situación de poder político y social anterior, mientras que otros se decidían por explorar las posibilidades de realizar cambios anhelados. Las percepciones más diversas se activaron. De entrada, conviene eliminar una confusión básica sobre la cual se basa el mito de Cádiz: el proceso de formación de las Cortes es completamente diferente del de resistencia popular frente a las tropas de Napoleón. Se puede decir que la nación que busca una Constitución no es la misma que defiende su independencia con las armas en la mano. Nación existencial y poder constituyente no estuvieron, pues, en armonía. No son incompatibles, pero tampoco convergentes. Pudieron serlo. Pero no lo fueron. Ni siquiera se puede decir que fueran afines. Para observarlo, existen tres posiciones políticas que miden la división de los proyectos.

Primero, los afrancesados. Muchos entendieron con plena convicción que los cambios que harían de España una sociedad civil moderna serían más fáciles de introducir desde el poder constituyente de José I. Son la legión de afrancesados, una élite de más de cuatro mil individuos que no solo no toma las armas contra los franceses, sino que ve en quienes las empuñan un síntoma de arcaísmo y de dominio de los viejos poderes, de los que tiran los hilos fanatizadores de los frailes. Los afrancesados son reformistas, creen que no hay una efectiva Constitución vigente en España, y que solo con un cambio drástico del poder regio se logrará una Carta Magna operativa. Aquí están los que de forma consciente, como Juan Sempere y Guarinos, quieren todas las ventajas de la Revolución francesa sin revolución, impulsadas desde el poder constituyente de un rey liberal. Gente de orden, los afrancesados creen que Napoleón impondrá una ruptura con el estatuto de las élites privilegiadas y generará una sociedad civil liberal, un Estado administrativo y de garantías, un orden burocrático adecuado, un dinamismo económico basado en la eliminación de vínculos y mayorazgos, y una menor dependencia respecto de la Iglesia y de la nobleza. En suma, que se avanzará hacia un Estado administrativo más moderno, capaz de eliminar los fundamentos de la decadencia española, bien estudiada por ellos.

Segundo, están los patriotas. Estos entienden que es un deber tomar las armas y defenderse. Aquí, sin embargo, se trata de un complejo sector desde el punto de vista social. En todo caso, las capas populares nunca arriesgan la vida para conservar el *statu quo*. Quienes combaten con las armas en la mano quieren siempre mejorar sus derechos. Todos comprenden que el poder militar que se forje tendrá una traducción en el poder político. La autodefensa ha de tener implicaciones institucionales relacionadas con la economía, la dirección política de la misma y las posibilidades de promoción social. Así, durante las primeras semanas de guerra, la resistencia fue popular, difusa y anárquica, y en muchos casos como eco de la manifestación de hostilidad hacia el gobierno de Manuel Godoy y continuación de los sucesos de Aranjuez de marzo de 1808. La búsqueda de la independencia frente al francés siguió las consignas de restaurar la legalidad que Godoy había roto de forma extrema. Pero con el paso de las primeras semanas, los notables fueron elevándose al control de las Juntas, con cierto consenso popular. Entonces, la dirección de la guerra se hizo consciente. Así, el conflicto armado generó el escenario en el que todos los actores tuvieron que jugar, pero con aspiraciones diferentes.

Ante todo se aprecia una dualidad en el grupo de los patriotas con dos actitudes básicas: los que se enrolaron en los movimientos junteros para no perder las oportunidades de poder político, social e institucional propias de las élites locales, y los que se lanzaron a explorar en el nuevo escenario la forma de acelerar la conquista de las viejas aspiraciones de formación de una sociedad ilustrada y civil. Muchos de esos actores compartían las aspiraciones de los afrancesados, pero no veían posible dirigir el proceso bajo una dinastía extranjera. No todos eran constitucionalistas, pero nadie quería quedar al margen por dos razones: primero, porque retirarse de un proceso quitaba oportunidades de visibilidad; segundo, porque la euforia de la unidad presionaba con fuerza al grupo patriota. Esta euforia constituye la base del sentimiento nacional que entonces se experimentó; sin embargo, poco a poco, daría paso a que el colectivo de los patriotas presentara un cosmos político complejo, atravesado por todo tipo de enfrentamientos, como se verá.

Las dos ideas básicas que se enfrentaron fueron: primera, que España tenía una Constitución operativa que permitía regular el estado de excepción en que se encontraba; segunda, que el país no tenía Constitución alguna y que era preciso forjarla, y hacerlo con tanta más urgencia en el estado de excepción. Nadie ponía en duda que España existía, pero unos creían que ya tenía Constitución política y otros —y en esto coincidían con los afrancesados— que carecía de ella, por lo que era necesario dotarla de una. Ahora bien, se puede todavía hallar otro punto de diferencia. Era imposible que en España hubiera un rey sin Constitución. Así, unos no daban crédito a que Fernando hubiera abdicado y lo tenían por monarca;

pero otros se preguntaban si acaso él no había entregado a los españoles a un poder extranjero. Al concluir que ese acto era imposible jurídicamente, defendían que era necesario constituir a la nación de nuevo.

En los primeros días todos estaban juntos, los que creían que el soberano no había abdicado y los que pensaban que, aunque lo hubiera hecho, la nación tenía deberes ineludibles que cumplir. Ello lo muestra la Junta de Murcia, que expresa en un comunicado inicial lo siguiente:

> Una misma religión, uno mismo el monarca grande y deseado, que esperamos ver en su trono a costa de nuestros esfuerzos y nuestra lealtad; y unos mismos los intereses propios de no sujetarnos al yugo de un tirano. [...] ¿Las abdicaciones han sido voluntarias? Y aun cuando lo fueran, ¿los reinos son acaso fincas libres que se dispone de ellos sin la voluntad general legítimamente congregada? Sepa el mundo que los murcianos conocen sus deberes y obran según ellos hasta derramar su sangre, por la Religión, por su soberano, por su conservación y la de sus amados hermanos todos los españoles.

Se hace aquí expresa mención de una voluntad general legítimamente congregada. Se sabe que el rey Fernando había impuesto reunir Cortes como condición de traspaso de la dirección política a José I. También que al mismo tiempo dio orden secreta de que se rechazara esa transferencia. Pero al margen de ese doble juego ya se interpreta esa convocatoria de Cortes como expresión de la voluntad general. Expresarla es un deber, haya abdicado el rey o no. Sin embargo, las Cortes se reúnen en su nombre y para defenderlo. Como se observa, hay ambivalencias desde el principio, que muestran con claridad la perplejidad de una población bien dispuesta a un monarca, pero también alerta acerca de la posibilidad de que su conducta no sea del todo legítima. Así, la gente no se levantó por una idea revolucionaria, pero tampoco se excluye bajo ciertos supuestos. Al final, la idea de que los reinos tienen voluntad general subyace a toda la cuestión, aunque para muchos esa voluntad ya se ha expresado a favor de Fernando. Sin embargo, todo depende de la manera en que se valore la actuación del soberano.

No obstante, hay un tercer grupo que en modo alguno puede perderse de vista. Se trata de los actores bien instalados en las instituciones centrales, esto es, en los Consejos, así como los que conforman los estamentos privilegiados, como obispos, abades de órdenes religiosas, nobles, caballeros de hábitos de las órdenes religiosas. Estos no podían romper la euforia de la unidad de los patriotas, entre otras cosas porque no se podía perder la guerra contra Napoleón; ello hubiera significado «una revolución sin revolución», letal para sus intereses. Pero tampoco estaban dispuestos a que el conflicto armado trajera nuevas instituciones que los desalojara de sus centros de poder. Afirmados en una legalidad que conocían muy bien, reclamaron dirigir el proceso en tanto que delegados del rey y gestores de las leyes. Como se verá, jugaron sus cartas con inteligencia y astucia. No habían resistido las reformas a lo largo del siglo para que ahora la guerra los derrotara. En un momento excepcional, exigieron dirigir el país. Y cuando lo dieron todo por perdido, todavía les quedaba un punto: el rey. Sin mezclarse en todo el proceso, el monarca podría regresar tras la victoria sin compromiso alguno. Así que el soberano fue el actor central y, a pesar de su ausencia, nadie podía prescindir de él. Sin el rey no se podía forjar una hegemonía política operativa, porque a los ojos de muchos representaba de verdad el interés general.

Estos tres grupos se observaban mutuamente y no podían prescindir unos de otros. Esto se vio claro con el problema de América. Allí se había impuesto desde el inicio la vieja doctrina eclesiástica de la sociedad natural y del pacto político. Toda sociedad perfecta tiene por naturaleza un poder político soberano, y la sociedad americana había entregado por pacto ese poder al monarca español. En realidad, el estatuto de las colonias no se había impuesto en el imaginario de las Indias. Como había defendido Francisco de Vitoria para los indios, y Francisco Suárez para la sociedad criolla, las ciudades americanas tenían todos los rasgos de una sociedad natural y podían definir sus magistrados. Este era su derecho natural, el que corresponde a toda *civitas*. En la plenitud de su derecho, sin embargo, podían vincularse a un magistrado al que obedecer bajo ciertos pactos. Las provincias de América estaban unidas a los territorios de la Península mediante su pacto con el monarca.

Pero si el rey cambiaba sin su consentimiento, nada los mantenía unidos con la Península. Este era otro síntoma del divorcio entre la nación existencial y la constitucional. Solo el soberano mantenía unidos a los españoles de los dos hemisferios y, en este sentido, la nación existía a través de la persona del monarca y sin él se disolvía.

En uno y otro caso se otorgaba a Fernando una posición insustituible. Sin él, América estaba fuera de España. Pero en modo alguno se prejuzgaba que ese pacto con el rey fuera inmutable y no se pudiera revisar en una Constitución. La pregunta era si el reino podía hacerlo sin contar con uno de los elementos, el monarca. Esta es la matriz de todas las diferencias: si España tiene rey, tiene Constitución. Cambiarla sin él, no podía forjar un consenso. Pero cambiarla con él resultaba incierto. Por eso, quizá, los afrancesados eran más coherentes: ellos tenían la certeza de un soberano que quería cambiar la Constitución. De Fernando no se sabía nada a ciencia cierta.

¿QUIÉN ES EL SOBERANO?

Lo primero en el tiempo fue la rebelión popular. Es la insurrección del 2 y 3 de mayo. Conviene recordar que Fernando VII, rey desde la abdicación de su padre el 19 de marzo, ya estaba en Bayona, donde recibió a Evaristo Pérez de Castro, que venía de la Junta Suprema de Madrid. Todo comenzó con la actitud doble por parte del monarca. Por una parte, cedió sus derechos a Napoleón. Al hacerlo, recordó que, en todo caso, era costumbre del reino jurar obediencia al nuevo rey en las Cortes. Fernando había renunciado a sus derechos, pero todavía el pueblo debía aceptar aquella renuncia y jurar al nuevo soberano. Cuando salió de España, al parecer Fernando dio la orden verbal de que se organizase la desobediencia y se formaran Cortes para declarar la guerra. A Napoleón le dijo que era preciso convocar Cortes para jurar a José, porque mientras esto no sucediera el pacto de cesión de derechos no era pleno. Este doble juego del monarca resulta decisivo para entender el curso de los acontecimientos.

En la previsión originaria, una cosa es el proceso hacia las Cortes y otra el proceso hacia la Constitución. Las Cortes que, por orden verbal, debían celebrarse convocadas en el nombre del rey por las autoridades que Fernando había dejado al frente del país (Junta Gubernativa y Consejo de Castilla), tenían como misión fundamental no jurar a José, defender el juramento entregado a Fernando, declarar la guerra y organizar la defensa y la lucha contra el invasor. Todo esto se debía hacer mediante las viejas previsiones institucionales. Fernando no dio orden jamás de celebrar Cortes constituyentes. Si esas Cortes se hubieran convocado según esa previsión fernandina, habrían tenido razón los que defendían que España era una nación constituida. El rey Fernando jugaba con que lo era, desde luego. En el estado de excepción se ponían en marcha los mecanismos propios previstos por el derecho. En este caso, un Consejo de Regencia que debía asumir las funciones soberanas, representar al rey, convocar Cortes según el modelo de las de 1789 para jurar a Carlos IV, presidirlas y proponerle el orden del día que ya estaba definido por el soberano. Pero que la realidad institucional no era la propia de una nación constituida se refleja en que esas instituciones delegadas no resistieron, se desobedeció la orden del monarca y aquellas Cortes ordenadas por él no fueron finalmente convocadas.

En todo caso, las Cortes previstas no tenían aspiraciones constituyentes. Y sin embargo, la orden de celebrarlas estaba dada. El proceso que llevó a las Cortes de Cádiz no se inició para generar el constitucionalismo moderno español. Debía llevar a ordenar una nación en armas. El proceso constitucional se inició exclusivamente como una estrategia de José I, que sin duda tenía en cuenta las ambiciones y los anhelos de los afrancesados y de muchos españoles más. Puesto que el movimiento del Dos de Mayo había demostrado a los franceses que era necesario que se convocaran Cortes tarde o temprano si se quería asentar la legitimidad de la nueva dinastía, Napoleón ideó la estrategia de ofrecer un nuevo pacto y generar un proceso típico de «Constitución otorgada». Suponía que esto sería algo que las élites españoles podrían llevarse a la boca como ventaja clara de la nueva dinastía. Sobre la oferta de una nueva Constitución se convocarían aquellas Cortes en las que

José sería jurado. Habría un pacto de transferencia de un reino, pero se haría coincidir con un nuevo reino. En este contexto se produce la famosa proclama de Napoleón de 31 de mayo, en la cual manifiesta su propósito de regenerar España.

No se puede considerar la Asamblea de Bayona de julio de 1808 como unas Cortes genuinas. Una de las condiciones de las Cortes era la de celebrarse en suelo español. Y Bayona no lo era. Como acto regio de otorgamiento, sí podía hacerse fuera de España, pero no podía ser aquel acto de aceptación y juramento que, según las prácticas del reino, se debía realizar para entronizar la nueva dinastía. José suponía que su jefatura se juraría más fácilmente si ofrecía una Constitución moderna como contraprestación jurídica del pacto de reconocimiento de su autoridad regia. Para preparar ese proceso se convocó la Asamblea de Bayona. Acudieron allí noventa y un representantes, la mitad de los convocados, los cuales conocieron la Carta ya preparada. No se sometió a debate. Se debía aceptar o rechazar. La idea era que la Asamblea prejuzgara el juramento de las Cortes posteriores. Sin embargo, la ambigüedad de los representantes no satisfizó a José I. La guerra no se detendría con ello.

Aunque fuera una Carta otorgada, la de Bayona era una Constitución y pretendía regular y ordenar las dimensiones existenciales de la nación española. Por ejemplo, reconocía la religión católica, consciente de que no había otra forma de pensar la realidad española. Así se expresaba:

> La religión católica, apostólica y romana, en España y en todas las posesiones españolas, será la religión del Rey y de la Nación, y no se permitirá ninguna otra.

Su noción de monarquía era la de una jefatura política de la nación (tanto del poder legislativo como del ejecutivo), pero no se pretendía identificar la nación con el rey. La nación existía como algo propio: tenía su tesoro público, completamente diferente del Tesoro de la Corona decidido por las Cortes, lo que hacía de los reyes unas figuras pensionadas con sueldo por su función como jefes del ejecutivo y el legislativo. El viejo orden francés se ultimaba ahora.

Frente al imaginario de los viejos reinos, se imponían los departamentos provinciales, cuarenta en la Península y veintidós en las Indias, y esa era la base de la representación de las futuras Cortes. Estas tenían una estructura bicameral: habría un Senado de nombramiento regio, pero tendría una dimensión nacional en el orden de la justicia, pues sería el órgano de garantías judiciales y liberales (defendería la propiedad y la libertad de prensa). Desde luego, se unificaba el código de justicia al modo francés, lo cual significaba el final de los privilegios jurisdiccionales, los señoríos y las inmunidades de la Iglesia. Se ofrecía a la aristocracia y a la Iglesia la compensación de regular el proceso de liberalización desde el Senado; se supone que también con ello el control de la censura. Por supuesto, se mantenía la libertad de comercio de las colonias con la metrópolis y de ellas entre sí. Para favorecer la liberalización que condujera a una sociedad civil moderna, se eliminaban los mayorazgos menores de cinco mil pesos y mayores de veinte mil. Los demás, que no afectaban a la incipiente clase media, así protegida, se liberalizaban. Este hecho estaba compensado por una imposición fiscal universal que incluía a la nobleza. Acerca de los fueros vascos, no se tomó ninguna decisión, pero se declaró que se examinarían en lo sucesivo.

Estas medidas no impresionaron a los españoles, que siguieron su combate en los primeros meses de la insurrección. Allí donde había estructuras de poder social o político solventes, por regla general ayuntamientos y centros urbanos, se formaron Juntas que ordenaron la situación desde las ciudades importantes. Eran las Juntas provinciales, cuyos elementos populares entregaban la dirección a las llamadas «fuerzas vivas», por lo general de mentalidad tradicional y moderada. En muchos sitios se entregaron a una represión de los viejos partidarios de Godoy. Por supuesto, en Madrid seguía funcionando el Consejo de Castilla. Las relaciones entre las Juntas y el Consejo de Castilla fueron de competencia, distancia, desconfianza y desobediencia. Pero también entre las Juntas hubo competencia. Así, Sevilla deseaba la supremacía y se proclamó «Suprema Junta de Gobierno de España e Indias establecida en Sevilla». La *Gazeta Militar y Política del Principado de Cataluña* proclamaba que

> impedida de oír su voz [de Fernando] y conocer por ella su voluntad soberana, y todo mando y gobierno, le ha sido preciso elegir una autoridad que ejerciese las funciones de la soberanía en su real nombre

la que solo tiene resuelto ejercer «en la precisa parte que conviene para salvar a la patria». Pero dentro de esta precisa parte estaba convocar Cortes propias por la Junta General del Principado, porque, aseguraba,

> la soberanía reside siempre en el pueblo, principalmente cuando no existe la persona en quien la haya cedido, y el consentimiento unánime de una nación autoriza todas las funciones que quiera ejercer.

Así que las Juntas albergaban elementos que respondían al doble juego del monarca con un doble juego de respuestas ambivalentes. Ninguna de ellas excluía ni afirmaba que el pacto entre rey y reino se hubiera roto, pero asumían que la voluntad general o la soberanía residían en el reino, pues nadie conocía a ciencia cierta la voluntad del soberano.

El Consejo de Castilla era para las Juntas el símbolo de las viejas instituciones, de su ineptitud y su incapacidad. Fortín último de la sociedad privilegiada, nadie creía en su buena fe. En todo caso, el 11 de agosto, la Junta Gubernativa de Regencia invalidó las abdicaciones de Bayona y el día 24 proclamó a Fernando «Deseado rey». Por lo tanto, son la Junta y el Consejo de Castilla los órganos que se niegan a aceptar los Pactos de Valençay entre Fernando y Napoleón, aludiendo a coacciones ilegítimas, tan distantes de la vida cotidiana de aquel. El Consejo de Castilla habla en nombre del rey y proclama obedecer sus decretos verbales. Su legitimidad es dar voz al monarca. No genera derecho, pero tampoco tiene capacidad para imponer obediencia a las Juntas provinciales. No logra así ser un Consejo de Regencia ni dirigir la guerra. Lo decisivo es que su impotencia política hace más complejo el juego político y permite la acción de las Juntas provinciales.

Fue así como el 25 de septiembre de 1808 se constituyó la Junta Central Suprema que debía coordinar las Juntas provinciales. Por lo tanto, la Junta Central es el órgano ejecutivo de dirección de la guerra. Esto no estaba previsto por el rey ni por las instituciones. Tampoco estaba previsto por las Juntas provinciales, que habían enviado un voto delegado y que, para constituirla, tuvieron que disponer de un voto libre. Presidida por Floridablanca, no en tanto viejo fiscal sino como delegado de la Junta de Murcia, reúne a diputados de las Juntas provinciales identificadas por los antiguos reinos. Así pues, disputa al Consejo de Castilla la representación del rey Fernando. Así se declara «Junta General Gubernativa, como depositaria de la autoridad Soberana de nuestro amado Rey Fernando VII». Deja en pie el Consejo de Castilla, pero lo somete a su dirección. Sin embargo, esta Junta Central tampoco prevé configurar derecho. Jovellanos la justifica desde una previsión de las *Partidas*, derivada del levantamiento legítimo del pueblo en ausencia del rey. En todo caso, la Central asume que su función es la defensa

> de la conservación de nuestros derechos, fueros, leyes y costumbres, y especialmente los de sucesión en la Familia reinante, y las demás señaladas en las mismas leyes.

Por lo tanto, para este órgano España era una nación constituida, pero no se podía confundir del todo con la existencia del rey, una más de las dimensiones constitucionales que había que proteger.

LA JUNTA CENTRAL

A todos los efectos, la Junta Central es el verdadero Consejo de Regencia y la instancia soberana, solo que no es nombrada por el rey sino por el pueblo, aunque en el imaginario de muchos tiene plena base legal y constitucional. Se rige según la ley, usos, costumbres y fueros, no por la propia ley emanada de ella misma. Sin embargo, está conformada por los delegados de las Juntas provinciales, unas realidades que no están descritas en ley alguna y que configuran un organismo, la Junta Central, que tampoco aparece mencionado en ninguna ley. Así se da la paradoja de que una institución ilegal específicamente nueva e imprevista se comprende como destinada a velar por el cumplimiento de la ley antigua. La Central no pretende ser revolucionaria, sino protectora del antiguo derecho. En realidad, no se sabe muy bien lo que pretende. Ganar la guerra, desde luego, pero no solo esto. Dicha paradoja no hará sino profundizarse. La Central es así el escenario de luchas y encuentros, sin ser ella misma cuestionada. Es, sencillamente. Su base es aquello que se ha llamado «voluntad general» y «pueblo». En ella mandan Floridablanca, Jovellanos y Calvo de Rozas, junto con algunos condes y duques. Pero conviene fijarse en ellos porque son principales y característicos. Uno aspiraba a la reforma administrativa fracasada con la muerte de Carlos III; otro defendía la Junta como mal menor —hubiera preferido una regencia— frente a las Juntas locales, pero la consideraba operativa siempre bajo el ordenamiento de *las Partidas*, y el tercero veía la Junta como un camino hacia un nuevo orden. Estas posiciones estarán enfrentadas hasta el final, aunque los protagonistas no siempre sean los mismos.

¿Quién exige la formación de la Junta Central? Se sabe que su formación la había solicitado sobre todo la Junta de Valencia. Lo hizo el 16 de julio de 1808, mucho antes de que el Consejo de Castilla se decidiera a actuar contra los Acuerdos de Valençay (el 11 de agosto). Esta novedad desde abajo es la decisiva y la que impulsa los hechos, la que garantiza la obediencia en los pueblos a una instancia central y nacional, la Junta Central, aunque desobedezca al Consejo de Castilla. Es la instancia de garantía de orden. Los términos en que se expresa la Junta de Valencia no dejan lugar a dudas; son claramente institucionales y aspiran a eliminar el doble peligro del enemigo exterior, pero también las «convulsiones y desórdenes que trae consigo la influencia popular». Sin embargo, hay una voluntad de verdad: su percepción de la realidad es que parece más fácil que haya división que unión entre las provincias. Esta es una «verdad que no se puede ocultar a ninguno de nuestros nacionales». Se afirma la existencia de los nacionales, pero también el peligro de desorden y división. Nación, pero sin constituir; euforia de la unidad, pero necesidad de instancia central para preservarla.

Valencia no hacía otra cosa que adherirse a las Juntas supremas de Sevilla y Granada en los puntos en que están de acuerdo: con ellas proclama «que en rigor se constituyen federativos hasta que sea restituido al trono nuestro Rey». El soberano aquí es todo lo que hay. Si falta, solo hay provincias (antiguos reinos) y para actuar deben federarse. Ese mismo pensamiento lo tienen las demás provincias. Hay conciencia de nación, desde luego, pero si falta el monarca, la voluntad de la nación se forja mediante la federación de las provincias. Lo más sorprendente es que todos son conscientes de que la realidad de la nación es ante todo de derecho internacional. Y esto es importante porque «las potencias extranjeras ninguna de ellas hará tratados formales con una provincia». Un pacto con cualquiera de ellas no ofrecerá garantías. Esto es también necesario para la dirección unitaria del ejército y, desde luego, para las relaciones diplomáticas con Roma. Pero, sobre todo, lo que hace necesaria la unidad es la dimensión imperial de España y el gobierno de América. «¿Cuál de las provincias dirigiría a aquellos países las órdenes?». «La natural inclinación a la independencia las podrían conducir a ella».

La Junta Suprema es así un órgano federativo de representación nacional, coordina los gobiernos provinciales, y atiende

> todos los puntos a los que no puede extenderse la autoridad e influencia de cada Junta Suprema provincial aislada y en aquellos que el interés general exige que se desprenda cada una, para ganar en su totalidad lo que a primera vista parece que pierden al renunciar a alguna fracción de la soberanía, que siempre será precaria si no se consolida y concierta.

Se trata, por lo tanto, de un «Cuerpo Supremo del Estado», que forja su soberanía por la concesión recibida de fragmentos de soberanía de los cuerpos provinciales. Como tal, decide en todo lo que afecta al «alto gobierno, paz y guerra, en la dirección de las fuerzas combinadas navales y terrestres», Ejército y Marina, y a todas las cuestiones de las Indias. En la Junta Central no hay previsión constituyente, sino ejecutiva y soberana. Sin embargo, el cuerpo que tiene que defenderla posee una estructura federativa y solo por decisiones soberanas de las partes se genera esa instancia central.

¿Qué pensaba el conde de Floridablanca de todo esto? El 19 de agosto escribe a su Junta de Murcia y expone que la Junta Central Suprema es la continuidad de la Junta Gubernativa que dejó el rey Fernando VII, ahora constituida por el propio reino. En este sentido, es el sustituto del monarca y su portavoz. La consecuencia que extrae de ello Floridablanca es contraria a toda previsión constituyente y a toda primacía de las Cortes.

> La Junta Central ha de ser de mayor autoridad que las Cortes, porque estas solo tenían el derecho de acordar para proponer al Soberano y esperar su resolución y la Central ha de tener facultades para decidir en mucha parte de los negocios de la gobernación general del Reino.

Su relación con las Juntas provinciales es de «compañeras», y su obligación, de «informar». Así que su base en las provinciales es más fuerte que la representación de las Cortes —que en verdad tenían atribuciones legales muy escasas—. Las Juntas provinciales —y sus delegados en la Central— son más fuertes que los representantes de ciudades de Cortes. Por eso, la Central heredará la potestad del rey de convocar Cortes e incluso en esos momentos cunde la idea de que hereda la potestad de otorgar constituciones. En este sentido, el 26 de octubre de 1808 se manifiestan ciertos propósitos legislativos de la Junta Central, que «sabrá sin trastornar el Estado mejorar sus instituciones y consolidar su libertad». Entonces se avanza la idea de una «consulta de sabios» en dos aspectos: «la investigación de los principios sociales» y el «conocimiento y dilucidación de nuestras antiguas leyes constitutivas». Como se ve, los sabios eran de una doble naturaleza y la aspiración era de «revolución sin revolución». Lo decisivo en este paso es que las Cortes que puede convocar la Junta Suprema son diferentes de las que mandó ordenar Fernando VII, aunque la justificación sea la misma: la Junta es el sustituto del rey. Solo que, como se sabe, la Central era una institución nueva, no prevista ni mandada por el monarca; no era una institución de la legalidad constituida, sino forjada por la soberanía cedida de las Juntas provinciales federadas y, desde ese momento, legítimas por su base popular.

Las consecuencias fueron revolucionarias. Conformada la Junta Central, el Consejo de Castilla le pide que se nombre una regencia integrada por cinco miembros, y que se convoquen Cortes, en cumplimiento del decreto verbal de 5 de mayo del rey Fernando. La Central se niega a ello porque la regencia le retiraría la capacidad gubernativa y las Cortes serían difíciles y carentes de poder. Este era el sentir de Floridablanca. Así que los intereses de las fuerzas políticas reales con base provincial en los reinos eran sustituir la capacidad gubernativa del rey por la Junta Central y usar su soberanía ejecutiva en toda su expresión.

Cuando Napoleón entró en Madrid, la Junta Central marchó a Sevilla. A ojos vista, la guerra se iba perdiendo, y la Central, debilitando. Y en Sevilla, Lorenzo Calvo de Rozas, con la ayuda de Manuel José Quintana, representante del ala liberal, lanzó una propuesta el 15 de abril de 1809. Esta fue aceptada por la Central. Ahí se dice por primera vez que no se puede gobernar bien sin «una constitución bien ordenada». Es la primera señal de la necesidad de interpretar la Junta Central no como una mera sustitución ejecutiva del rey, sino como una instancia con iniciativa ordenadora y constituyente.

> Los sensatos y la clase ilustrada han dirigido continuamente sus deseos al establecimiento de la [Constitución] que se acomodase mejor a nuestro carácter, a nuestros usos y a nuestras necesidades.

Es curioso que no se mencione aquí a la nación o al pueblo, sino a los «sensatos» y a la clase ilustrada, la parte más preparada y consciente del pueblo. Ellos son los que tienen deseos de una Constitución. Sin embargo, tampoco se quiere instaurar algo nuevo. Solo unas nuevas leyes adaptadas a la constitución existencial, a los hábitos, carácter y necesidades del pueblo. En esos momentos se habla de «creación de una Constitución», y de «reformas», así como de ajustarse a «la convicción universal de nuestros conciudadanos».

Y ahora resulta clara la finalidad de la nueva Constitución respecto del rey Fernando, algo que no se había pronunciado de forma clara con anterioridad. Se debe descubrir la verdad de los hechos respecto al monarca e interpretar de forma adecuada lo que ha venido pasando desde 1808.

> Debe saber el español desde ahora que no lucha tan gloriosamente con el invasor de la Patria para volver a poner su independencia, tan caramente rescatada, a la libre disposición de una Corte caprichosa, de un favorito ambicioso o de las cualidades personales de un soberano.

Bajo esta condición —que hace de forma sucinta memoria de los reyes anteriores—, la Constitución no respondía a los deseos del soberano. Los deseos de los sensatos y de la parte ilustrada de la población estaban por encima de aquello. Entonces se justificó el nuevo rumbo de conducta por el antecedente de José I. La propuesta constituyente de Napoleón se considera así como una prueba de que no pueden los españoles ser menos que un tirano:

> Si el opresor de nuestra libertad ha creído conveniente el halagarnos al echar sus cadenas con las promesas de un régimen constitucional reformativo de los males que habíamos padecido, opongámosle un sistema para el mismo fin, trabajando con mayor fe y con carácter de más legalidad.

Ahora, por fin, se trata de afirmar la «felicidad política con buenas leyes». Por fin se dice que se acerque a toda la nación para robustecer «la autoridad de la Junta Central, trayendo a su apoyo todas las clases del Estado y la voluntad general». Aquí se define un movimiento hegemónico constituyente. Por lo tanto, es la Junta Central la que convocará Cortes constituyentes y lo hará para que puedan ofrecer una Constitución que sea sancionada por la nación «debidamente representada» y así se refuerce la autoridad de la propia Central. En esos momentos, la Central hizo de España una república, y convocó representantes para ejercer como poder constituyente. A este fin, desde luego, se debía contar con los sensatos y por eso se convocan «proyectos». Luego, con los mejores, se formarán comisiones presididas por miembros de la Junta Central. Esto es: por ahora la Central es la encargada de redactar la nueva Constitución, el verdadero soberano legislativo. Cuando el texto esté redactado, se mandará para la sanción de la representación nacional. Por lo tanto, la Junta de Legislación de la Junta debe redactar una Constitución que ofrecerá a unas Cortes para que la sancionen. La Central es la verdadera constituyente y los representantes nacionales en Cortes serán actores sancionadores.

A pesar de los trabajos obstruccionistas por parte de Jovellanos y de Antonio Valdés, el 22 de mayo de 1809 la Junta Central elaboró el decreto sobre convocatoria de Cortes. Aquí la moción de Calvo de Rozas fue alterada y sometida a un proceso dilatorio por aquella parte de la Central que no deseaba asumir estas funciones, sino atenerse a la idea de sustituir al rey en caso de necesidad. Al final se llegó a una cesión. La ambivalencia se hizo notar desde el principio. El decreto, que firma el marqués de Astorga, habla curiosamente de «restablecimiento y convocatoria de Cortes». Ahí aparece el mecanismo en el que se han replegado las fuerzas conservadoras de la Junta. Los males no proceden de no disponer de una Constitución, sino que son los derivados de «haber caído en el olvido aquellas saludables instituciones que en tiempos más felices hicieron la prosperidad y la fuerza del Estado». La Central tiene la obligación de restablecerlas. El decreto dice expresamente que «se restablezca la representación legal y conocida de la Monarquía en sus antiguas Cortes». Su acción debe conducir a «reformas [...] en nuestra administración, asegurándolas en las leyes fundamentales de la Monarquía y [...] oyendo a los sabios». Esto es: las leyes fundamentales existen y no se quieren cambiar.

Ahora se trata de impulsar meras reformas en la administración y esto deben hacerlo los sabios. Pero no cabe duda de que, al final, se estará ante «la nación junta en Cortes», aunque su obra sea «mejorar nuestra legislación, desterrando los abusos introducidos y facilitando su perfección». Para ello se oirá a todo el mundo: Consejos, Juntas, tribunales, ayuntamientos, cabildos, obispos, universidades, sabios y personas ilustradas. En el fondo, esta audiencia universal era un mecanismo de dilación. De forma coherente se otorgó a Quintana y a Rozas una parte de su argumento y se introdujo un párrafo contra Fernando, no se sabe si con la finalidad de hacerle ver que se estaba al tanto de su doblez o meramente para contentar a los liberales. Se indicó:

> Sepan que no queréis depender en delante de la voluntad incierta o del temperamento alterable de un hombre solo, que no queréis seguir

> siempre siendo juguetes de una corte sin justicia, de un insolente privado, o de una hembra caprichosa.

Es evidente la línea de continuidad entre Carlos IV, Godoy y Fernando VII, pero la gravedad de las acusaciones es diferente. De Fernando solo se dice que tiene voluntad incierta y un temperamento alterable.

Nadie pensaba que las Cortes hicieran la Constitución, sino que la refrendaran. La iniciativa quedaba en manos de la Junta Central. Así se nombró una Comisión de Cortes presidida por el arzobispo de Laodicea, con Caro, Castanedo, Riquelme y Jovellanos. Se creó el 8 de junio de 1809. El día 24 de ese mismo mes se planteó una consulta acerca de la forma de convocatoria y celebración de Cortes. Como estaba previsto, el material que llegó fue tan variado y confuso que era inutilizable. En ete proceso se perdieron seis meses. Para ordenar aquel material se crearon Juntas auxiliares de la Comisión de Cortes de la Junta. Ahí los elementos más liberales (Caro) fueron poco a poco desplazados por Jovellanos, y se utilizó la reestructuración de la Junta para llevarlos a la Comisión Ejecutiva. Pero Riquelme, otro liberal, siguió en la Junta de Legislación y fue decisivo para el futuro. Al final, Jovellanos interpretó la tarea de la Comisión de Cortes como puramente meliorativa de la legislación vigente, reuniendo y ordenando las leyes fundamentales. No se trataba de crear leyes fundamentales nuevas. Al contrario, toda innovación debía hacerse sobre el espíritu de estas. Ese trabajo de recopilación se le encargó a Antonio Ranz Romanillos, uno de los que había estado en Bayona. Pero la Junta de Legislación, con Argüelles y Riquelme, siguió su camino hacia la formación de unas Cortes con dimensión de asamblea parlamentaria capaz de intervenir en el gobierno y no solo de sancionar la Constitución. Su posición era que las Cortes debían asumir la soberanía, generar la regencia, y llevar adelante la Constitución. Respecto de ella, negó la convocatoria por estamentos, avanzó hacia la reunión automática fijada, estableció una Comisión Permanente, le concedió la iniciativa legislativa, defendió el veto real suspensivo, fijó las atribuciones del poder ejecutivo, reguló el poder judicial, etcétera. Estos agentes tenían su base en las reclamaciones de las Juntas provinciales. El 15 de septiembre de 1809 la Junta de Valencia se expresaba así:

> El pueblo se ha conquistado a sí mismo, nada debe a las autoridades antiguas y tiene acción para pedir que se constituyan bajo la forma más conforme a su misma libertad y derechos.

Así que las Juntas provinciales fueron el origen de reivindicaciones políticas avanzadas. Ellas hablaban en nombre del pueblo y deseaban que este constituyese su libertad. Aunque la Junta Central convocaba, las Cortes harían algo más que sancionar. Y así, el 28 de octubre se anunciaba por fin la convocatoria de Cortes para el 1 de enero de 1810, y su primera reunión para el 1 de marzo.

Aunque se convocaban Cortes para enero, no se sabía si serían bicamerales o unicamerales, estamentales o nacionales. Antonio de Capmany, el tribuno catalán, apoyó la opción por estamentos con este argumento:

> Se debe suponer que todas las innovaciones y reformas que se propongan y ventilen en las Cortes habrán de recaer en mayor parte sobre clero y nobleza, porque, en cualquiera de ellas, el pueblo solo va a ganar y no a perder. No se puede dar un paso en la nueva Constitución que no sea pisando derechos y privilegios de aquellas dos clases, y también prerrogativas de la dignidad real.

Estos estamentos debían tener su propia Cámara. Era una posición realista y consecuente. La Junta Central votó que sería una Cámara única. La Comisión de Cortes, que se veía como el poder legislativo, protestó porque eso llevaría a unas Cortes constituyentes. El 20 de enero se votó dos cámaras. Como no se tenía censo de nobleza, no se supo a quién conceder el derecho. Se asumió que el Tercer Estado tendría el voto de las ciudades de Cortes de 1789, más los diputados de las Juntas provinciales, que así se establecían como instituciones constituyentes.

La entrada de los franceses en Andalucía hizo insostenible la posición de la Central, muy desprestigiada. El 29 de enero de 1810 se disolvió la Junta Central Gubernativa, se creó finalmente la regencia y esta se concentró no en las tareas propias del ejecutivo, sino en la de «congregar la nación española en Cortes generales y extraordinarias». Se supone que su tarea sería sancionar los trabajos de la Comisión de Cortes y de la Junta de Legislación, que sin embargo no habían concluido. Entonces se improvisó un modo de representación de los naturales de las Indias y de las provincias ocupadas entre todos los patriotas que estaban en Cádiz. De este modo, las Cortes se entenderían como si estuvieran «legítimamente convocadas». No dejó de ser una especie de ficción jurídica.

Pero he aquí que, de forma sorprendente, se perdió el decreto de 29 de enero, con todas las indicaciones concretas sobre la convocatoria. Que hayan sido acusados de su pérdida los liberales y los conservadores demuestra que, en el fondo, nadie estaba contento. La situación fue tan confusa que todavía no se sabe lo que pasó. Los liberales con Manuel José Quintana veían en la regencia un enemigo de las Cortes. Los conservadores consideraban que el peligro eran las Cortes constituyentes en ciernes. La regencia no tenía criterio. Los diputados de las Juntas provinciales y, sobre todo, los de Cádiz, que eran quienes mantenían la Hacienda, presionaban a favor de su convocatoria. Los diputados americanos publicaron su *Manifiesto de los españoles americanos*, donde se avisaba acerca de las tensiones emancipatorias en caso de no convocarse Cortes. El 14 de junio se llamó a Martín de Garay, quien había ejercido como secretario general de la Junta Central. Este expuso que la decisión de convocar Cortes ya estaba tomada por la Central, y que se había decidido hacerlo por estamentos, pero que dada la dificultad se había llegado a la conclusión de que debía hacerse «concurriendo promiscuamente los individuos de todos los Estados», algo que parecía autorizado por las antiguas leyes. Se perdieron más de seis meses con esto y, todavía el 17 de junio, la regencia se negaba a convocar Cortes.

Las Juntas provinciales protestaron. La de Cádiz más. Pero el decreto de 29 de enero, el único con fuerza legal, seguía sin aparecer y la instancia de la que emanaba ya había desaparecido. La regencia, que se negaba a secundar el viejo curso de acción, quería iniciar todo el proceso desde el principio. Las presiones de las Juntas se hicieron en el sentido de los liberales y Nicolás Sierra mostró que «la revolución ha sido del pueblo y este tiene su mérito en nuestra causa». El gobierno de la Junta Central había fortalecido su propia representación desde el pueblo soberano. Entonces, identificando en la regencia un poder de obstrucción, Sierra, frente a la convocatoria por estamentos, dijo que

> las Castillas destruyeron las Constituciones libres de Aragón y Navarra, que lloran aquellos naturales, y que sería muy impolítico citar ahora los brazos, que han tenido la menor parte de estos hechos.

En suma: quien había mantenido la guerra tenía derecho al poder constituyente. Quienes lo negaban, en el fondo eran las mismas fuerzas históricas que habían destruido las constituciones de los pueblos y reinos que venían combatiendo contra el francés. Benito Ramón Hermida lo dijo más claro todavía:

> La esencialísima diferencia de las Cortes pasadas y las presentes [es que] aquellas [estaban] limitadas a la esfera de un congreso nacional del soberano, y estas elevadas a las de un soberano congreso, cuyo nombre es el que legítimamente le corresponde, más bien que el equívoco de Cortes.

CORTES CONSTITUYENTES GUBERNATIVAS

Cuando se inician las Cortes, para mostrar su desacuerdo, el Consejo de Regencia presentó su renuncia. Las Cortes no la aceptaron, al menos «hasta que las Cortes elijan el gobierno que más convenga». Sin duda, se proclamaba así el principio del control completo del ejecutivo por parte del legislativo, y el principio de soberanía nacional en las nuevas Cortes. El obispo de Orense se negó a jurar estos principios y al final lo hizo con todo tipo de cautelas. Mientras las Cortes estaban reunidas, y el Consejo de Regencia disuelto, se decretó la libertad de imprenta, se desterró a la antigua Junta de Regencia y se decretó la nulidad de los actos del rey. Todo esto tuvo lugar entre septiembre y octubre de 1810. A lo largo de 1811 se llevaron a cabo los debates constitucionales con rumores de conspiración contra las Cortes y se decretó la extinción del régimen señorial.

En enero de 1812 se disolvió la segunda regencia y se le impuso un nuevo estatuto. Finalmente, se suprimieron los Consejos, fortín en el que se había defendido la sociedad privilegiada durante todo el siglo XVIII. Luego se creó el Tribunal Supremo y se organizaron por decreto ayuntamientos y diputaciones. En marzo de 1813 se destituyó la tercera regencia cuando se negó a firmar el decreto por el cual se debía leer en las iglesias el decreto de abolición de la Inquisición. Así pues, se considera la regencia como un poder ejecutivo que debe cumplir las órdenes derivadas del cuerpo legislativo representativo. En suma, se trata al ejecutivo como una comisión delegada de las Cortes. Se genera también una práctica en la que los secretarios del Despacho dan cuenta a las Cortes y dejan a la regencia en un limbo que prejuzga el papel futuro del rey. En mayo de 1813 se convocan nuevas Cortes normales para octubre, mientras se desamortizan las tierras de la Iglesia y se suprime el tribunal de la Inquisición. Por fin se crea un nuevo Reglamento de Regencia. El 14 de septiembre de 1813 se disuelven las Cortes constituyentes para poder conformar las normales ya previstas.

Lo más importante del proceso es que las Cortes de Cádiz operaron como órgano legislativo y gubernativo soberano, que podía condicionar el funcionamiento de la regencia o del poder ejecutivo, con el rey o sin él. De ser un órgano constituyente pasó a ser también un órgano constituido que intentó crear un poder ejecutivo para impulsar el viejo sueño: una «revolución sin revolución». Cuando se reunieron las Cortes normales de 1813, siguieron siendo el órgano tutor del poder ejecutivo, controlaron el Consejo de Regencia y fueron la única instancia ante la cual los secretarios de Estado daban cuenta de sus actos. Cuando se conoce el Tratado de Valençay, firmado el 11 de diciembre, en virtud del cual se declara libre al rey, las Cortes, de forma coherente, dicen que no se prestará obediencia al nuevo poder ejecutivo, hasta que el monarca no jure la Constitución en el Congreso Nacional, según el artículo 173. Esta orden no fue obedecida y el presidente del Consejo de Regencia marchará a Valencia a besar la mano del soberano. El apoyo del general Francisco Javier de Elío al monarca y la firma del *Manifiesto de los Persas* por parte de sesenta y nueve diputados de esas mismas Cortes disolvieron todas las apariencias que, bajo el tabú de la unidad, se habían logrado con un inmenso gasto de tiempo, energía y poder. Se había reconocido un poder constituyente a las Cortes por mor de esa unidad, pero en el fondo la revolución sin revolución apareció de pronto como lo que en el fondo era: la inexistencia de revolución. Jamás se había acordado nada con el rey. Eso le permitió decir al monarca:

> Declaro que mi leal ánimo es, no solamente no jurar ni acceder a dicha Constitución, ni a decreto alguno de las Cortes Generales y Extraordinarias actualmente abiertas, a saber: los que sean depresivos de los derechos y prerrogativas de mi Real soberanía establecidas por la constitución y las leyes en que de largo tiempo la nación ha vivido, sino el de declarar aquella constitución y aquellos decretos nulos y de ningún valor ni efecto, ahora ni en tiempo alguno, como si no hubiesen pasado jamás tales actos y se quitasen de en medio del tiempo, y sin obligación en mis pueblos y súbditos de cualquiera clase y condición de cumplirlos y guardarlos.

No solo no deseaba aceptar lo que le concernía como rey, sino que se negó a transigir en nada. No solo se defendió a sí mismo, sino que defendió todo el viejo orden privilegiado. Entonces se descubrió que la euforia de la unidad era una apariencia que encubría la dualidad más extrema.

Frente al proceso político, el texto de la Constitución de Cádiz apenas tiene relevancia. Lo importante es que aquella Carta Magna fue rechazada, retrasada, obstaculizada, y finalmente anulada. Cuanto más se demoraba, más radical se volvía, pero cuanto más radical, más débil aparecía ante todos, y menos capaz de conservar los consensos que la habían llevado hasta allí. Así perdió su fuerza hegemónica. Fue un lento proceso de canalizar la energía poderosa de un pueblo en armas hasta que sus aguas mansamente se estancaron por cansancio, por desconcierto, por alejamiento y por aburrimiento de un juego político confuso que pocos entendían. Bastó la alegría de vencer al francés para que «los sensatos» se disolvieran en una sociedad que todavía depositaba en el rey la idea de estabilidad y legitimidad.

Mas lo decisivo es que el texto de la Constitución, que ahora se eliminaba, había recogido los pactos entre las diferentes partes que actuaban bajo el tabú del consenso y de la unidad. Todo ese esfuerzo fue tachado de un borrón, aunque supuso un trabajo de síntesis respecto a todas las posiciones. Una Constitución que unificaba posiciones contrarias, fruto del intento de mantener una apariencia de acuerdo nacional —pero que no incluía el acuerdo del rey—, se radicalizó de forma proporcional a la soledad de un Cádiz en estado de guerra. Eso llevó a un texto plagado de contradicciones. Por una parte, era un texto constituyente y, por otra, una elaboración del material histórico ya constituido; de un lado, era un texto legislativo positivo y, del otro, reconocía la dimensión existencial de España; asimismo, se apelaba a la legitimidad de la soberanía nacional, pero al mismo tiempo a que esa soberanía no estaba desvinculada de las viejas leyes, sino que solo expresaba su voluntad de organizarlas y sistematizarlas.

Así, asumía el catolicismo como condición existencial de España, un elemento no sometido a la voluntad de la nación, que no podía querer otra cosa que ser católica; pero ese catolicismo quedaba sometido al poder legislador de la nación. Se anunciaba así la posibilidad de una constitución civil del clero, de naturaleza positivista, que iba en contra de la condición ortodoxa y romana del catolicismo español que todos decían aceptar. Se afirmaba la posibilidad de aceptar las exigencias doctrinales de la Iglesia católica, pero se ignoraba que esta institución, reunidos sus obispos en Mallorca, consideraba completamente heterodoxa esta doctrina de la constitución civil del clero. Se asumía que la educación era un asunto nacional, pero se le entregaba a la Iglesia en tanto que solo a ella correspondía la enseñanza de la religión católica fundamental para ser ciudadanos españoles. Sin embargo, todos se tapaban los ojos ante el hecho de que la Iglesia consideraba la misma Constitución como herética en tanto que no respetaba su independencia como sociedad perfecta y se atrevía a regular su existencia. De ahí procedían otras tantas contradicciones. Por ejemplo, se mantenía la libertad de prensa y de expresión, pero en modo alguno la libertad de cultos, y a pesar de todo se mantuvo en la Constitución el tribunal de la Inquisición, que desaparecería posteriormente por decreto gubernativo. Se llamaba «Constitución liberal», pero se negaba la tolerancia de otros cultos. Lo mismo se puede decir respecto del rey. Por una parte, se mantenía la soberanía de la nación en Cortes y, por otra, se vinculaba a la propia historia monárquica, en la que la soberanía no había residido nunca en aquellas. Se ejercía la soberanía, pero también se dejaba en pie la interpretación realista de que esa soberanía de las Cortes tenía su origen en la delegación del monarca ausente. Se mantenía al rey, pero se condicionaba de forma extrema su actuación sin pactar con él.

No cesaban ahí las contradicciones. Se hablaba de «españoles de ambos hemisferios», pero se establecía una desproporción radical entre la representación de la provincias americanas y españolas, lo que reflejaba una discriminación entre ambos territorios. Las leyes de liberalización del comercio no eran de aplicación homogénea para los dos ámbitos geográficos. En el interior, se partía de una representación de ciudades y Juntas provinciales y, sin embargo, se mantenía la previsión de hacer una nueva división provincial que iba justo en contra de esa base de representación. Se amenazaba así con generar provincias nuevas por ley positiva que iban en contra de amplios componentes existenciales de vínculos e historia común de unas provincias que se veían como los antiguos reinos. El capítulo I del proyecto de la Constitución hablaba de «El Territorio de las Españas». En este sentido se tenía una base de representación federal, con Juntas que en sus propios territorios se habían llamado «soberanas», pero se avanzaba hacia un Estado unitario. Esto permitió que unos hablaran de «reinos y estados que componen la monarquía». El representante de Molina dijo que «este rango de Estado independiente lo ha sostenido siempre el señorío de Molina, y aún en el día mantiene su diputación como antes». A la hora de hacer el listado de elementos territoriales, se quería que fuera por intendencias, pero se dijo que era más conforme el de reinos y Estados que han sido soberanos, «pues la agregación de estos forma una monarquía». El diputado Aner se opuso a desmembrar Cataluña, dada la existencia de «mismas costumbres y un idioma». Y añadió: «nadie es capaz de hacer que los catalanes se olviden de que son catalanes. Ahora menos que nunca debe pensarse en desmembrar la provincia de Cataluña, porque tiene derecho a que se conserve con su nombre e integridad». El valenciano

F. X. Borrull afirmó que debía conservar «cada reino su nombre, y los pueblos que le pertenecen, para que conste siempre cuál ha sido el modo de pensar de la Nación». Frente a ello, Muñoz Torrero dijo: «Estamos hablando como si la Nación española no fuese una, sino que tuviera reinos y estados diferentes. Es menester que nos hagamos cargo de que todas estas divisiones de provincias deben desaparecer y que en la Constitución actual deben refundirse todas las leyes fundamentales de las demás provincias de la Monarquía [...] Yo quiero que nos acordemos que formamos una sola nación y no un agregado de naciones». Con ello se descartó «el peligro del federalismo», «la federación de provincias», sobre todo en ultramar, pues acabarían siendo «estados separados».

Lo mismo sucedía con el asunto de los gobiernos económico y político de diputaciones y ayuntamientos. Por una parte, se consideraban cuerpos representativos y políticos, porque eran electivos. Sin embargo, solo tenían en su poder las cuestiones administrativas y el gobierno económico. Por otra parte, se reconocían jefes políticos provinciales, nombrados por el poder ejecutivo —los alcaldes los elegía el pueblo—, a los que se sometía el gobierno de policía, orden público y administración de la ciudad y la provincia. Y esto se hacía justo «porque es el remedio que la Constitución piensa establecer para apartar el federalismo, puesto que no hemos tratado de formar sino una nación sola y única». Para eso Argüelles no consideró los ayuntamientos como cuerpos representativos. Toreno, al final, quiso limitar el número de individuos electos de la Diputación porque «la comisión no ha intentado formar un federalismo». Pero al mismo tiempo, la milicia urbana era parte de ese gobierno de los municipios porque nadie se fiaba del ejército del rey.

Tales decisiones se tomaron con una base mínima popular, que no permitía vencer a la nobleza ni al clero, y que no tenía una relación representativa con las clases medias y burguesas. La Constitución fue obra de juristas, abogados, fiscales, clérigos y catedráticos, intelectuales en suma, que no representaban claros intereses de parte, sino que obedecían a un diseño intelectual de naturaleza teórica que no estaba experimentado, aunque brotaba de las condiciones existenciales de los pueblos. Conscientes de su debilidad política, esos grupos intelectuales utilizaron el consenso como arma e intentaron con cesiones hacer irreversible su revolución pacífica sin proceso revolucionario. Esto era contradictorio. Las fuerzas conservadoras aceptaron el juego de los pactos, porque sabían que el tiempo jugaba a su favor. Tan pronto regresó Fernando VII, setenta y nueve diputados le pidieron que restaurase el Antiguo Régimen, lo que se concretó en 1814. Los obispos reunidos en Mallorca también rechazaron la legitimidad de la Constitución. Las órdenes religiosas se negaron a acatarla. Los frailes que predicaron la resistencia a los franceses, y que se habían batido con saña contra el proyecto constitucional, al mismo tiempo crearon entre sus fieles el movimiento de apoyo a Fernando. Todos esos grupos intelectuales, que fueron el Estado durante la guerra, y que lograron pactar con Inglaterra, no podían pactar con las potencias extranjeras resultantes de la victoria sobre Napoleón. Al retraerse Inglaterra del nuevo orden europeo, los hombres de Cádiz no tuvieron aliados con los que asentar sus puntos de vista. Creyeron que, a pesar de todo, Inglaterra presionaría al nuevo rey y le obligaría a comportarse como el monarca británico. En todo caso, los constitucionales necesitaban la figura del soberano, pues las realidades verdaderas eran las duras relaciones internacionales y estas solo se avendrían a tratar con una monarquía. Para desgracia de los hombres de Cádiz, Inglaterra estaba más interesada en una España atrasada incapaz de mantener el Imperio americano, que en una España liberal e integradora. Así, la Constitución de Cádiz quedó abandonada por sus inspiradores internacionales y España quedó bajo la influencia de la Santa Alianza, que al final sería la base de legitimidad y determinaría el destino de la política española. Por mucho que en ese momento España dispusiera de una intelectualidad capaz de organizarla, no disponía de poder para imponerse a la constelación internacional. La situación tampoco era la propia de una nación soberana capaz de hacer su propio camino histórico.

2

JUNTAS Y CARLISMO

LA FORJA DE UN ANHELO

En el texto anónimo *Observaciones sobre la historia moderna del siglo XIX*, publicado en Castellón en 1835, se describe con crudeza, pero también con elegancia, el gobierno de Fernando VII entre 1814 y 1820. Tras narrar el carácter general de las pesquisas y prisiones, emerge la expresión más llamativa: «Así el terror sucedió en España». Se persiguió el obrar y el omitir, el hablar y el callar: todos se sintieron víctimas de la represión de Fernando y nadie estuvo a salvo de la proscripción. Al autor de estos ensayos le faltaba un poco de perspectiva histórica. Así, dijo que, como novedad de los tiempos, se usaba para esta tarea persecutoria la Inquisición, «cuyos calabozos consagrados antes a delitos religiosos, sirvieron entonces para los políticos». Nunca fue así. Desde su origen, la Inquisición fue un tribunal de Estado y siempre sirvió también para fines políticos. Sin embargo, el autor no carecía de sentido común y se extrañaba de que «se inundase la nación de misiones y exhortos, como si la amenazase una época de impiedad», cuando se podía comprobar que la fidelidad al catolicismo no había sufrido merma alguna. Ese rigor del celo religioso, protagonizado por las órdenes religiosas, cuando nadie cuestionaba la presencia del catolicismo, está en el origen del moderno anticlericalismo. El gobierno regio, con un ejército sin sueldo y unos empleados públicos en la miseria, solo confiaba en lo que había confiado el cardenal Cisneros: en el ejército autónomo de frailes y predicadores, dirigido por «aquella camarilla, o sea gobierno secreto», que convirtió a España en «un campo de delaciones». El dispositivo plebeyo de gobierno inquisitorial («aventureros codiciosos y enredadores» o «mozos de retrete», los llamó Mesonero Romanos) era lo único que seguía operativo en manos del poder regio.

Frente a ese estado de cosas, en ese preciso instante, surgió lo inevitable. «Entonces», subraya el autor de estas memorias, ocurrió lo decisivo. En efecto, pocos lucharon en 1814 por la Constitución de Cádiz. Nadie la había hecho bandera de su causa. Fue entonces, ante la actuación de Fernando, que «revivió en sus corazones el amor a la Constitución». Lo que se nos dice es que estuvo en manos del monarca lograr que los pueblos y las élites olvidaran la Constitución gaditana. Si su comportamiento hubiera unido a la nación en «reformas moderadas», se habría olvidado la obra de Cádiz. Sin embargo, en lugar de ser punto de unión de un programa positivo, Cádiz devino «la bandera natural de los infinitos descontentos». Entonces fue el emblema de la nación, porque el rey lo era de un partido propio. Con realismo, el autor de este librito apostilla que una cosa es formar deseos y otra «sostenerlos con las armas en la mano». Para este segundo paso, el obstáculo fundamental era la propia corrupción política del pueblo, el efecto tiránico del dispositivo inquisitorial de la delación secreta: «el espíritu de desconfianza y de desaliento», los frutos del despotismo.

En este sentido, el mayor obstáculo para el movimiento renovado en pro de la Constitución de Cádiz fue la debilidad del régimen del monarca. Esto es paradójico, pero es así. Un enemigo débil hace débil. El acreditado historiador Josep Fontana describió los problemas iniciales de la España contemporánea, la que se inaugura en 1814, de esta forma: el Estado que deseaban forjar los Borbones, con ejército profesional, administración eficiente y amplia burocracia, costaba mucho dinero. Para hacer frente a estos gastos, el Estado tenía dos caminos: aumentar la presión fiscal o echar mano del crédito. Hasta 1814 cubría el déficit endémico con los ingresos de América y con una deuda pública inmensa, que sostenía a la legión de rentistas españoles. Las fuentes americanas de riqueza en 1814 dejaron de llegar. La deuda pública tras la guerra de la Independencia no podía crecer más, porque durante la guerra casi se había duplicado y porque nadie tenía ahorro para invertir en ella. La actividad agraria, comercial y artesanal se contrajo al desaparecer el mercado americano. Los ingresos por aduanas se hundieron. Los precios bajaron y el consumo se deprimió. Así que los ingresos fiscales cayeron a la mitad en esos años.

Ante esta situación había dos salidas. Una revolucionaria y otra reformista. La reformista consistió en recuperar los planes del equipo de Carlos III, reformar la administración y racionalizar el sistema fiscal recogiendo las aspiraciones del catastro del marqués de la Ensenada. Con su miopía característica, los mismos actores privilegiados que habían rechazado en su tiempo estas reformas, acudían a ellas como una tabla de salvación medio siglo después. Se trataba de lograr una imposición universal, de tal modo que contribuyesen los nobles y la Iglesia. Aumentar la presión fiscal sobre un país deprimido era una receta política peligrosa, sobre todo cuando el poder regio dependía de la cooperación de sus más firmes aliados, la nobleza señorial y la Iglesia. Esta tarea de reforma fiscal fue la que se encargó a diversos gabinetes de Fernando VII y sobre todo al ministro más conocido de ellos, Martín de Garay. Su reforma consistió en imponer una contribución única que reeditaba la reforma de Ensenada, pero sin un censo de riqueza adecuado. Los agentes debían ser las Juntas locales, las de partido y las provinciales, que, sin coordinación, provocaron con su actuación la confusión total. El círculo vicioso era evidente: para lograr una contribución eficaz se necesitaba ya una administración suficiente, pero eso era justo lo que el Estado quería crear y formar con esa mejor contribución. La resistencia popular fue intensa. Las coplas, que citan a los economistas clásicos Adam Smith y Jean-Baptiste Say, testimonian que los autores eran gente culta. Su conclusión era que «el que ha de cobrar no cobra / y el que ha de pagar se arruina». Era el viejo problema del fisco castellano: el dinero cobrado se iba entre las manos y no llegaba al Estado. Sin embargo, ahora se presentaba como una reivindicación burguesa. «Usted nos está engañando / usted nos está quitando / el poco dinero que hay», se le decía a Garay. Al final se encargó al ejército que recaudara por apremio. Así se confesó que lo único que tenía Fernando era eso: un mínimo ejército. Cuando Garay dimitió, el caos era tan grande que ni siquiera a punta de bayoneta se extraía dinero. La solución no era mantener un simulacro de Estado haciendo cada vez más pobre a la gente.

La otra solución era aumentar la actividad económica y la riqueza y mejorar la base impositiva de la monarquía. Esta solución procedía también del esfuerzo reformista del siglo XVIII. Ahora, sin embargo, quedaba claro ante todos que solo podría dinamizarse la economía y aumentar la productividad de la tierra si se llevaba a cabo una transformación de la agricultura. Pero eso implicaba eliminar el mayorazgo, mejorar las tierras en manos de la Iglesia, disminuir los baldíos y ejidos, y aprovechar mejor las tierras comunales. El siglo XVIII intentó mejorar la producción mediante reformas técnicas. Media centuria más tarde se tenía por cierto que esa mejora, condición de un Estado más eficaz, implicaba un cambio de propiedad. Esto significa que, para mejorar la economía, se hacía necesaria una revolución. La salida era percibida por los burgueses que se habían arruinado en su comercio incipiente, por los nobles más conscientes, por los juristas y administradores y por los soldados que veían comprometidas sus pagas. Sin esa revolución no habría suficiente fisco para mantener a los soldados, juristas, fiscales, administradores y burócratas. Se empezó a ver que sin revolución no había riqueza y que sin riqueza no habría Estado. Así *revolución* y *Estado* pasaron a ser conceptos sinónimos y Cádiz significó las dos cosas a la vez.

Eso es lo que se vio con la revuelta de Rafael del Riego. El ejército que estaba instalado en Cádiz para preparar su partida hacia América, a fin de impulsar la gran ofensiva realista, esperaba la llegada de recursos para ultimar el equipamiento y las pagas. Sin embargo, el sistema fiscal se colapsó. Cuando se quiso corregir con una nueva Junta de Hacienda que estudiase las modificaciones, el ejército, desanimado y cansado, se sublevó. Como dice Fontana, se trataba de un episodio «intrascendente en sí mismo». Pero, como se ha visto, la apariencia de un ejército era todo lo que la monarquía tenía. Al caer este único soporte, el rey claudicó. Nadie pensó que fuera necesario nada más. La revolución se presentó bajo la forma minimalista de la insurrección militar, que cortaba la base que sostenía al poder regio. No se hizo necesario un movimiento popular y un plan organizado. De este modo, la monarquía de los Borbones cumplía su destino. Había confiado de verdad solo en el ejército. Ahora le fallaba esa pieza, a la que se hacía una demanda inviable: recaudar en España el dinero con el que guerrear en América. El sistema era primitivo y por eso, ante la menor resistencia, se hundió.

Es triste que un episodio intrascendente, fruto de la debilidad, se haya convertido en el fundamento de la idea revolucionaria española. Este hecho ya dice bastante del estilo político y de la articulación mental de la tradición emancipatoria española, que puede más bien llamarse una «revolución pasiva». Su mecanismo es que jamás se cambia el centro de decisión, con lo que este se ve obligado a realizar concesiones, pero reversibles, que dependen de la presión y de la relación de fuerzas. Cuando se analiza la proclama de Riego, se comprende su facilidad para el autoengaño. Desde luego, sus soldados se iban a embarcar en buques podridos. Desde luego, el rey expropiaba al país del último recurso que le quedaba, sus hijos. Pero Riego afirmaba que la guerra contra las colonias era inútil porque «podría fácilmente terminarse con solo reintegrar en sus derechos a la nación española». En su opinión, bastaba la Constitución de Cádiz para «apaciguar a nuestros hermanos de América». La proclama incluía elementos burgueses y protestas contra la presión fiscal, pero la guerra no se iba a acabar con el regreso de «la Pepa». La proclama solo tiene sentido si se acepta la independencia de las repúblicas americanas como irreversible y se pasa la página de la guerra para emprender de nuevo la vida libre entre los pueblos, basada en el comercio.

A partir de 1820 emergió la realidad reprimida. Por doquier se fundaron sociedades patrióticas, se redactaron catecismos constitucionalistas, se movilizaron las gentes al ritmo de canciones populares. En uno de esos catecismos, publicado en Barcelona en 1820, se seguía hablando de «la reunió de tots los espanyols, no sols del continent, si que també de las Américas». La cultura política cambió. Ante la arbitrariedad de Fernando VII, los ánimos se exacerbaron. Entonces se escuchó aquello de «trágala, perro», para referirse a la Constitución. Con esa expresión se pensaba identificar al núcleo último del gobierno regio, el dispositivo de la camarilla y sus aliados represores, los frailes. Frente al dispositivo fernandino, como si se tratara de la guerra de la Independencia, emergieron las Juntas locales, ahora organizadas en la milicia nacional, la reedición de la autonomía urbana con su orden militar. A partir de los dieciocho años podían apuntarse voluntarios los que desearan sostener con las armas en mano la Constitución política de Cádiz. La milicia estaría a la orden de la «autoridad superior política local». El dispositivo inquisitorial, con la camarilla y los frailes, era respondido por su par originario ya desde el siglo XV, el poder miliciano local.

Las fuerzas que entonces se pusieron en movimiento no supieron percibirse como fuerzas revolucionarias. Habían vencido de forma tan sencilla que asumieron que ya eran todas las fuerzas existentes. Bajo este supuesto, en las Cortes del Trienio Constitucional, la familia liberal se escindió en moderados y exaltados. Los moderados eran los puros defensores de Cádiz, los que daban por realizada la revolución española en los términos contenidos en las Cortes de 1812. La España de la reacción estaba fuera de las Cortes y por eso creció como un peligro externo e invisible, insurreccional y conspirativo. El autor de las *Observaciones* informa pronto de «principios de reacción a favor del antiguo despotismo» en Madrid y en Burgos. La división en el seno de los liberales resultó letal. La moderación fue vista como el primer paso hacia el triunfo de un enemigo invisible: la reacción. El cristalizado político, la diferencia clara y tajante entre amigo y enemigo, no había surgido para los liberales. Así que se impuso la continuidad entre moderados y grupos tradicionales, con sus negociaciones y pactos. Cuando se recibió en Cortes la disolución del ejército de Cádiz, Riego protestó. La milicia nacional no estaba todavía operativa y las reformas que se tenían que abordar (sobre todo la del fisco y la de la propiedad) necesitaban un brazo armado. Riego hablaba de «el castigo de la justicia nacional» que debía caer sobre los actores de la reacción de 1814. Si la revolución se desarmaba, entonces podrían ser víctimas de la conspiración. El enemigo invisible se mostró disolvente y preparó el triunfo de la reacción.

El autor de las *Observaciones* da una clave de cómo se vieron los actores en su lucha. Los defensores del despotismo, ante aquella revolución de 1820, «debieron sin duda contar con su ruina total, con el fin de su existencia pública». Para su sorpresa, comprendieron que era solo un susto y que los liberales divididos no serían ni rigurosos ni consecuentes en su victoria. La inclinación liberal a resaltar con la generosidad la justicia de su causa hizo que los defensores del despotismo les perdieran el respeto político. Consecuentes, rigurosos, con ese punto de fanatismo que implica constancia e inflexibilidad, método y sistema, eso no lo fueron los liberales. No al nivel en que lo eran frailes y obispos. La facilidad de su victoria nubló a los liberales. Trataron con fraternidad y concordia a quien esperaba el momento para derramar sangre. «Los rivales quedaron agradablemente sorprendidos de tanta lenidad», dice nuestro observador. El viejo espíritu de la guerra y de la violencia estaba en el dispositivo inquisitorial del poder hispano. Nuestro escritor habla de «inmunidad» para referirse a esos conspiradores, protegidos por la misma ley que ellos pensaban destruir. Se sabe a quiénes se refieren. Pero el punto que muestra que se trataba de una revolución pasiva es que los liberales no tocaron al monarca, ni se atrevieron a elegir uno apropiado. Para ellos, era la clave de normalidad para la «generalidad» del país. Nadie quería llevar las cosas más allá por temor a que esa «generalidad» se pusiera en contra. Pero con el monarca intacto, los conspiradores sabían que tenían el partido ganado, tarde o temprano. Unos y otros querían tiempo. Pero ese tiempo erosionó el poder de los liberales y amplió el de sus rivales.

Los liberales se escindieron respecto al trato a dar al enemigo. Unos querían radicalizar la Constitución de Cádiz, y no le temían a la reacción porque era el momento oportuno para enfrentarse a ella. Otros creían que el dispositivo inquisitorial de poder poco a poco moderaría su estructura. Los exaltados respondieron que la jugada era de vida o muerte, y que el partido rival no podía moderarse sin desaparecer. El viejo dispositivo de poder se aprovechó de esta división liberal. No había duda de que sus intereses estaban tocados de muerte tan pronto se comenzaron a llevar a efecto las medidas de Cádiz. En septiembre quedaron suprimidos los mayorazgos, fideicomisos, patronatos y todos los vínculos. En octubre se suprimieron todos los monasterios de las órdenes y sus beneficios pasaron a los donantes primitivos, al fisco regio o a los particulares. En 1822 se comenzaron a repartir las tierras de baldíos, realengos, propios y arbitrios, y solo se exceptuaban los ejidos de los pueblos. La mitad de la tierra se usaba para pagar el principal de la deuda pública, sobre todo la deuda patriótica de la guerra, con preferencia de «los vecinos y comuneros». La otra mitad se repartiría entre campesinos en lotes suficientes para alimentar a una familia de cinco miembros o, si no hubiese bastante tierra, de dos. Se haría por sorteo y los primeros serían los soldados de la guerra, como «premio patriótico». Las demás tierras se sortearían entre los vecinos. El rey se negó a promulgar aquellas leyes. Solo se fiaba de su dispositivo servil. Tras firmarlas abandonó Madrid.

Pronto se supo que el monarca había nombrado un nuevo capitán general de Madrid sin el refrendo del gobierno. El pueblo se impacientó y exigió el regreso del monarca a la capital. Con vítores y aclamaciones fue recibido en su entrada. El antiguo capitán general fue repuesto. Cuando se inauguraron las Cortes en la segunda legislatura, los liberales asistieron estupefactos a una crítica del propio soberano contra su gobierno. «Espantados», como dijo el autor de las *Observaciones*, los ministros dimitieron. Cuando el monarca animó a las Cortes a que presentaran nuevos ministros, estas se negaron. El rey comprendió que, entre los diputados, no tenía a nadie con el suficiente coraje para hacerle frente. Nadie quiso correr riesgos. Al final, la situación estalló el 7 de julio de 1821, día que Benito Pérez Galdós relataría en sus *Episodios Nacionales*. Entonces la guardia real se enfrentó a la milicia nacional. Pero en lugar de establecer los hechos y definir una justicia, el gobierno de las Cortes protegió al monarca. «Fueron los mismos hombres que Fernando envió a la muerte unos años después, los que le garantizaron de todo ultraje en la jornada del 7 de julio», dijo Giuseppe Mazzini en su *De l'Espagne en 1829 considérée par rapport à la France*. Era un espectáculo único ver «a un pueblo armado para la defensa de los mismos que le traicionaban». A eso le llamó Manuel José Quintana «revolución tan completa» porque no produjo «millares de víctimas», a pesar de que sabía que el enemigo «disponía de negras tramas que se fueron viendo después». Con ello, el orgullo de la «alegría que gobernaba el Estado» se impuso sobre cualquier otra consideración. Pero todos sabían que el nuevo sistema era incompatible con las personas que lo traicionaban. El paso a una revolución política activa, que decide sobre el soberano y sus clases auxiliares, ese no se dio.

¿Qué había por debajo de todo eso? ¿Pura lenidad? ¿Inconsciencia? Los líderes liberales no eran tan ingenuos. Existía la convicción de que solo una revolución de tono bajo, que no afectara al principio monárquico, sería permitida por Europa. En suma, los liberales tenían conciencia de que no se podían considerar de verdad un país soberano. Solo bajo ciertos límites no se provocaría la intervención extranjera. El margen de maniobra del gobierno liberal era, por lo tanto, muy estrecho. Tenía que evitar la condena de la Santa Alianza y al mismo tiempo impedir que el dispositivo inquisitorial se hiciera con el poder. Los liberales tenían que mostrar a las monarquías moderadas de Europa que ellos eran sus afines, no los raídos conspiradores fanáticos del servilismo. Y estuvieron a punto de conseguirlo. Solo falló algo que no estaba previsto ni se podía prever. La revolución de Nápoles de 1820 proclamó la Constitución de Cádiz. Lo que no se podía consentir era un movimiento europeo afín al liberalismo de Cádiz. El Congreso de Troppau, celebrado por la Santa Alianza, condenó la revolución napolitana e invadió el reino en 1821. La noticia fue recibida con dicha por el «partido servil», que se atrevió a salir a la calle en Castilla la Vieja. El clima fue calificado por el autor de las *Observaciones* como de «guerra civil», cuya divisa ya era «trono y altar». Se comenzó a hablar de «facciosos». Se sabe la medida: se creó un cinturón sanitario en los Pirineos, con la excusa de una peste en Barcelona. Se acumularon tropas en la frontera que se pusieron en contacto con los grupos reaccionarios. «Se caminaba bajo un volcán» y se esperaba la explosión de un momento a otro.

Los movimientos absolutistas de Valencia, de Aranjuez y del 7 de julio habían intentado dar la impresión de que no era necesario un ejército invasor. Pero habían fracasado ante la superioridad de la milicia nacional y la movilización de la gente popular. Y sin embargo, no hubo «ni verdadera revolución ni verdaderos revolucionarios». Tras el 7 de julio, la impresión era que «los liberales no estaban a la altura de las circunstancias», porque no pasaban jamás al ataque. Ese ataque habría pasado por la república o por un rey cercano a Inglaterra, ambas soluciones suficientes para una invasión de la Santa Alianza. Pero al menos se habría contado con aliados. Al final, la invasión se impuso porque la milicia era suficiente para vencer la insurrección interior, pero no para avanzar hacia un programa revolucionario asociado a una guerra internacional. Cabe decir que los primeros intentos de invasión fueron detenidos en Cataluña y en las Provincias Vascongadas. Sin embargo, cuando a principios de 1823 se proclamó de forma oficial la invasión, no se logró la misma respuesta que en 1808. Ahora los ánimos estaban escindidos en una guerra civil latente y no hubo euforia de la unidad. Esa división desmoralizó a los constitucionalistas, a pesar de que el ejército francés era bisoño y poco experto. Así que causó sensación la falta de resistencia contra los Cien Mil Hijos de San Luis, el ejército francés invasor. En el fondo se pensó que, al no plantar batalla, las represalias de Fernando serían mínimas. Todos hicieron ese cálculo. Para dividir a los liberales, se ofreció a los moderados diversas reformas de la Constitución, y se les mostró que no podían seguir la suerte de los exaltados. En suma, los liberales fueron vencidos en su moral de combate. Así se sufrió una derrota sin haber tenido posibilidad de vencer. Luego, la represión fue todo lo rigurosa y sistemática que el poder sabía y podía, como si la resistencia hubiera sido extrema.

GÉNESIS DEL CARLISMO

Es muy probable que el ejército francés deseara imponer un régimen moderado y es seguro que, sin la influencia de Francia, el proceder de Fernando VII hubiera sido más radical. Las tropas francesas se quedaron hasta 1829, pero amenazaron con retirarse si no se producía una amnistía. Cuando esta llegó, no satisfizo a los ultraabsolutistas, quienes eran contrarios a toda moderación. Su espíritu se ve muy bien en las medidas que decretaron los gobernadores militares, como el marqués de Zambrano, en Málaga. Dividía la ciudad en barrios o «cuarteles», que permitieran al alcalde de cada uno de ellos controlar el número de vecinos y elevar sus informes al alcalde general. Cada cuartel tendría un alcalde de barrio que estaría al tanto de todo lo que ocurriera, desde la presencia de ladrones y contrabandistas hasta de conspiradores y prostitutas, o vagos y blasfemos. Nadie podría mudarse sin el permiso del alcalde de barrio. Cuando se diera el traslado, el expediente del vecino debía pasar al nuevo alcalde de barrio con «las notas de su conducta, método de vida», etcétera. La finalidad la dejó muy clara Zambrano, lo que testimonia que funcionaba todavía el dispositivo inquisitorial: «Para que así no haya jamás un solo hombre que deje de estar conocido y observado». Este fue el sistema que sirvió para el proceso de depuraciones. Los exiliados salieron por miles y la mitad fueron militares. Las coplas populares de los derrotados ya mostraban que, por la parte liberal, se había acabado el tabú de la violencia civil. «Por fin han de morir / Fernando, nobleza y curas», se cantaba en los papeles anónimos. Era evidente que la nueva mudanza, que ya se preparaba para el futuro, se habría de hacer «con muerte, guerra y venganza».

Al final se formó gobierno con el antiguo embajador de Rusia, Francisco Cea Bermúdez, y el general José Aymerich, jefe de los Voluntarios Realistas, que amenazaban de forma continua con revueltas y asonadas si no se iba más lejos en las represalias contra los liberales. Una tropa exaltada sostuvo la reacción desde 1825. Para canalizar las diferencias en el campo fernandino se reabrió el Consejo de Estado, dirigido por el duque del Infantado, y se le otorgó más poder que al Consejo de Ministros. Por esa época en la que Fernando no tenía heredero, el infante Carlos María Isidro ya preparaba su propio reinado, y se negó a moderar el régimen. Así, mantuvo su relación con los Voluntarios Realistas, que exigieron su ingreso en el ejército, sobre todo los catalanes, entre quienes los panfletos en contra de la Constitución fueron numerosos. El movimiento de los *agraviats* de 1827 fue convocado al grito de lo que podría llamarse la primera «revolución pendiente» de la reacción. Habían vencido, pero era como si hubieran sido derrotados. El enemigo, que había generado una guerra civil e intentado «arrebatarnos el precioso don de la santa religión y del rey absoluto», no había sido derrotado, a pesar de que el rey estaba en Madrid y la religión no había sido rozada. El manifiesto de Reus estableció la palabra de orden así: «¡Viva la santa religión, viva el Rey nuestro señor y el tribunal de la Inquisición!», nombres que fueron calificados como «dulces y sagrados». Ahora debían movilizarse para «exterminar» a los «masones, carbonarios, comuneros y demás nombres inventados por los maquiavelistas». El motivo de estas protestas es que se había ofrecido un indulto. El monarca habló de sedición propia de un «celo poco ilustrado». Al final, el rey tuvo que marchar a Barcelona para sofocar el movimiento «realista», y de camino concedió a la ciudad el puerto franco y la prohibición de importar algodón extranjero. Allí dejó como gobernador al conde de España, un personaje pintoresco, satélite del ministro Francisco Tadeo Calomarde (jefe de la Policía), que cuando se cruzaba por la calle con alguien le exigía que mostrase su rosario, so pena de ir a la cárcel.

En ese clima, trufado de rumores de conspiraciones y de insumisiones liberales, como la de los hermanos Bazán, de 1826, que hablaba de «tres siglos de infames cadenas», tuvo lugar la publicación de la Pragmática Sanción, que solo podía significar la exclusión de Carlos María Isidro de la sucesión al trono. Por lo demás, en 1830 París se agitaba de nuevo. Todos vieron que se podía llegar a una nueva guerra civil entre milicianos y Voluntarios Realistas, y que era preciso buscar un punto de encuentro entre los moderados de 1820 y los defensores flexibles de la dinastía. Esa tercera vía pasaba por la exclusión del pretendiente Carlos. Con un Fernando moribundo, se entregó el despacho a su esposa María Cristina. El marqués de Miraflores y conde consorte de Floridablanca le dijo a la reina gobernadora lo que debía hacer, en octubre de 1833, unos días después de la muerte del rey. «El partido que únicamente puede ser funesto es el llamado carlista». La buena opción era apoyar al viejo partido moderado liberal, el que representaba «la masa nacional». ¿Quiénes eran a esas alturas los liberales moderados? Floridablanca lo decía así: «Los ricos propietarios de todo el comercio, gran número de individuos ilustrados, del clero, del ejército en su gran mayoría y en fin de todo hombre que vale algo en el orden social».

Con el desparpajo de quien maneja estos asuntos generación tras generación, afirmó que esa masa nacional no era «ni liberal, ni carlista, no es revolucionaria». No debía temérsela. Lo que en verdad era podía resumirse así: «La reunión de los intereses esenciales del país». Lo que deseaba: ser bien gobernada. Le importaba un bledo la Constitución y las innovaciones legislativas. Solo deseaba «seguridad individual, mejoras reclamadas por las necesidades primarias de los pueblos, reformas en la Administración, orden, justicia y economía». En fin, nada de lo que había sucedido en 1820. Se trataba de un «prudente y suave gobierno paternal», dijo el marqués de Miraflores en su *España antes y después de 1833*. Él sabía que la guerra se avecinaba con seguridad y que venía de lejos. Como dijo en ese libro, esos poderosos elementos políticos reactivos «venían elaborándose desde 1814», y los había contenido solo la «inmensa fuerza moral y material del Monarca». Ahora estallaban. Pero también lo hacían los elementos liberales radicales, que en sus octavillas pedían la muerte del «visir» Cea «y todos los demás serviles» y que ahora se declaraban «cristinos» a condición de que la regente María Cristina trajese la Constitución. Esa era la alternativa: «Constitución o República». La coplilla acababa con un «a las armas». Era el 3 de noviembre de 1833. De nuevo, la revolución se organizaba como una solicitud al soberano, y este respondería con un nuevo paso de revolución pasiva, de concesiones.

Si se atiende a los textos de las proclamas carlistas, lo primero que se descubre es la continuidad entre sus reclamaciones y las luchas de los Voluntarios Realistas de 1823. Lo que se combatía era la revolución liberal y se le acusaba de destruir las leyes viejas y el orden social. Por eso el carlismo no hacía otra cosa que renovar las luchas de 1821 y 1823. Todos eran conscientes de que ya no vendrían los Hijos de San Luis a defender su causa. Ellos eran los «buenos españoles», como dijo la Diputación de Vizcaya en su proclama de octubre de 1833. La exhortación de Agustín Saperes, dirigida a «Catalanes, aragoneses, españoles todos», defendía «el precioso don de nuestra santa religión y del rey absoluto». Sería inútil recorrer los manifiestos que se publicaron en los más diversos lugares tras 1833, pero es preciso recordar que el de Reus incluía vivas a la Inquisición. Lo decisivo fue que el movimiento carlista hacía hincapié en la política absolutista de Fernando VII y que el pretendiente Carlos representaba la continuidad de esta fase dura del mandato fernandino, personificada en el *Manifiesto de los Persas* de 1814, el verdadero punto de partida del carlismo para muchos de sus partidarios. Por eso el pretendiente don Carlos pudo decir, en Elorrio, en 1836, que «nada os pido que no hayáis hecho ya muchas veces». Esa continuidad tradicional era la base legítima para convertirse en el «conservador de vuestros fueros y exenciones».

Hoy se sabe que detrás de todos esos manifiestos y proclamas estaba el clero regular y secular. Su dispositivo de poder era el arcaico gobierno pastoral de las gentes de comunidades rurales y de pequeñas poblaciones. De ahí su estructura dispersa y apegada a la tierra, su disposición a la obediencia y su capacidad de resistencia. Cuando Jaime Balmes, en 1840, publique sus *Consideraciones políticas sobre la situación de España*, con toda la benevolencia de su juicio —«extraño a todos los partidos y exento de odios y de rencores», dijo de sí mismo, sin una palabra que excitara la discordia—, hará un elogio de los hombres que habían seguido a los carlistas en las montañas de Cataluña. Eran humildes trabajadores, caracterizados por su honradez y por su amor por el orden. Por eso luchaban, por un imaginario de estabilidad, de orden, de antigüedad y de tradición. Su mayor enemigo, también para Balmes, era la revolución que mataba las instituciones antiguas. Y esta es la clave del movimiento carlista.

Aunque se podía decir que España no conocía una revolución activa, capaz de transformar el orden social, ellos sabían con intuición preclara que se estaba dando una revolución pasiva. Cuando Balmes dijo que incluso el Estatuto Real de 1834 venía de abajo, no de arriba, en cierto modo estaba identificando el problema. También el Estatuto Real partía del pueblo, cuya exigencia arrastraba al poder establecido a hacer concesiones. «El gobierno fue arrastrado a publicarlo», dijo Balmes. Por eso, lo único que sucedió en los años siguientes fue que la revolución pasiva aceleró el curso de sus demandas. Para los carlistas se trataba del mismo sujeto activo, insistente, capaz de múltiples metamorfosis, pero siempre dirigido contra lo mismo: la lucha contra la tradición, las leyes antiguas, el estatuto social, las viejas estructuras comunales, las prácticas enfitéuticas, todo el orden agrario de las Provincias Vascas, el reino de Navarra y la Corona de Aragón, que iban a sufrir con el nuevo sistema de propiedad y de fiscalidad. Ese poder social, basado en un orden existencial que ofrecía a sus hombres estabilidad y suficiencia, era el que se ponía en peligro con la revolución burguesa, que tampoco quería ya una revolución activa. Lo más difícil de apreciar era lo más determinante: el tiempo histórico de las sociedades norteñas agrarias, tan diferente del tiempo histórico de las sociedades urbanas, sobre todo las de los puertos. La revolución burguesa, incapaz de ofrecer soluciones integradoras, no pudo sino producir una reacción fulminante. Para vencer esa resistencia necesitaba al rey. Por eso jamás pudo ser una revolución hegemónica. Pues con el monarca se debilitaba la fuerza de reacción porque con él estaban por doquier las fuerzas simpatizantes y cercanas a las de los enemigos carlistas.

REVOLUCION PASIVA

Bajo este clima se ensayó la tercera vía con grupos de absolutistas reformistas y de liberales moderados. Así se llegó al Estatuto Real de 1834, el momento estelar de Francisco Martínez de la Rosa, «Rosita la pastelera» en los decires populares, que se hacían eco de su particular capacidad para la negociación, entre otras cosas. En tanto que Carta otorgada, el Estatuto era el fruto de la revolución pasiva e incorporaba un argumento de Cádiz: que ya existía una Constitución legal de la monarquía española y que solo había que ejecutarla. Así se convocaron las Cortes, pero se legalizaron desde sendos artículos de las *Partidas* y de la *Nueva Recopilación*. En realidad se deseaba «restablecer en su fuerza y vigor las leyes fundamentales de la Monarquía» y se ofrecía «el Estatuto Real para la convocación de las Cortes Generales del Reino». No era una Constitución sino un reglamento de convocatoria de Cortes. De forma tradicional, el Senado se llamó «estamento de próceres», y el Congreso, «estamento de los procuradores». Así se definió la clase dirigente con la que la regente deseaba hacer frente a su largo gobierno. Los próceres eran sobre todo los obispos, los «Grandes de España» y los «Títulos de Castilla», y estos por naturaleza propia y de forma obligada; pero también el rey o la regente podrían ya elegirlos entre los propietarios de tierras, de fábricas y de establecimientos mercantiles; de entre los grandes funcionarios y literatos, hombres de cultura y educación, siempre que se hubieran enriquecido lo suficiente para disponer de una renta de setenta mil reales. Esta elección los convertía en próceres vitalicios. Los procuradores podían ser menos ricos y bastaba con una renta de doce mil reales. Tenían poderes durante tres años. Lo más relevante es que las Cortes podían ser convocadas ante negocios arduos, pero no podrían tratar temas que no fueran previamente permitidos mediante decreto real. A lo sumo, podrían hacer peticiones, según la tradición. Cuando se les pidiera que elaboraran leyes, debían estar de acuerdo los dos estamentos antes de que el rey sancionara. Las Cortes tenían el privilegio de votar los impuestos y contribuciones que no podrían estar en vigor más de dos años. Para prorrogarlos se deberían volver a votar. En todo caso, el Ministerio de Hacienda se comprometía a dar cuenta del presupuesto y de las previsiones de gastos e ingresos. El jefe del gabinete debía refrendar la orden de disolución de las Cortes.

La realidad del Estatuto era el compromiso de que no se votarían impuestos sin el previo refrendo de las fortunas medias y altas. Se trataba del liberalismo doctrinario de propietarios que gobernaba Francia, y el gobierno de la regente se apresuró a firmar una alianza con Francia, Inglaterra y Portugal, con lo que España escapaba así al control de la Santa Alianza. El pacto de Javier de Burgos, ministro de Fomento, con Martínez de la Rosa, presidente del Consejo, garantizaba el acuerdo entre absolutistas reformados y liberales moderados. Las reformas se concederían bajo el control de los absolutistas. Los liberales no quedaron satisfechos, desde luego. Exigían un listado de derechos políticos que no podían extraerse de los textos legales tradicionales. Sobre todo, se exigía el derecho de igual acceso a los cargos públicos civiles y militares en atención al mérito y la capacidad, sin el filtro de la renta; también se reclamaba la contribución proporcional a los haberes y se exigía libertad de opinión y prensa sin censura. Frente al dispositivo inquisitorial, se reclamaban garantías de inviolabilidad del hogar, positividad de los delitos según leyes sin efecto retroactivo. De forma muy expresa se decía que «ningún español será juzgado por comisiones, sino por tribunales establecidos por la ley antes de la perpetración del delito». Por supuesto, se exigía que se repusiera la milicia urbana. Era el programa de máximos del liberalismo, que deseaba impedir la reversibilidad de las reformas.

Ni en su aspecto de máximos ni de mínimos, el programa podía ser aceptado por los Voluntarios Realistas y por Carlos María Isidro, quienes iniciaron la primera guerra carlista. Los poderes implicados en el momento más duro de Fernando VII quedaron obligados a operar a la luz del día. El modo en que se percibían las cosas quedó claro el 18 de julio de 1834. Se extendió por Madrid el rumor de que los frailes estaban envenenando las aguas. La consecuencia fue que una turba se dirigió al Colegio Imperial de los Jesuitas y a los conventos de los franciscanos, de los dominicos y de los mercedarios, y les prendieron fuego, asaltaron y robaron. Cerca de un centenar de frailes murió aquel día en lo que se llamó «el pecado de sangre». La justificación que dio el periódico *Eco del Comercio* fue muy clara: el clero regular estaba contra «la libertad nacional». El programa del partido carlista era descrito de forma nítida: quería «entronizar un rey inquisitorial» contrario a los «intereses de la masa general». Al editor del periódico le parecía que eso suponía separarse del espíritu del siglo y de las «asociaciones políticas de Europa». Pero si habían sido posibles los desafueros, era porque la milicia urbana no se había regulado bien y se había admitido a sujetos sin garantías. Era necesario resolver este asunto con una ley orgánica, pero más todavía avanzar hacia una reforma de las órdenes regulares, pues eran el nido de tres problemas fatales para la nación: la amortización en la economía, el celibato en la población y el fanatismo en la cultura.

De este modo, la causa de Isabel y la regente se vio idéntica a la causa nacional y a los intereses generales de los españoles. La causa carlista fue vista como la defensa del viejo sistema de gobierno que nadie dudaba en calificar como «inquisitorial». En un folleto de apenas cuarenta páginas publicado en 1835, *Consideraciones sobre el estado actual de España*, se da cuenta de que los conventos ardían en Zaragoza, Reus, Tarragona, el principado, Sevilla, en toda España. Allí se decía que «el carro de la revolución» había echado a andar porque el pueblo había perdido la esperanza de conseguir su derecho. Nadie confundía la causa de la religión con la defensa de las órdenes religiosas. Esta identificación se rechazaba con furia. Como dice este anónimo escritor, la «nación española quiere, sí, conservar intacta la religión», pero no entiende que sea «venerar la religión» sostener a millares de parásitos que solo producen «escándalo con su hipocresía, con su egoísmo y vicios». Por ser enemigos encarnizados de toda reforma se los perseguía, por eso y por su voluntad de mantener al pueblo en «la estupidez y el vasallaje», por ser contrarios al «honor, la gloria y la prosperidad nacional», y por ser soldados de Roma. No eran cuatro malvados los que quemaban conventos, viene a decirnos, y desde luego ni eran ladrones ni asesinos. Eran actores políticos que representaban a la nación, porque esta «quiere reformas precisas» y desde luego «no quiere frailes». Su solución era que marchasen a «los Estados Pontificios», su patria.

Todo pasaba por la creación de una milicia urbana capaz de garantizar el orden liberal y de ganar una guerra al carlismo. Así, la regente concedió un nuevo reglamento a la milicia, que la hacía depender del Ministerio del Interior y del gobernador civil y del alcalde, aunque si intervenían en operaciones con el ejército pasarían a depender del mando militar. En ese caso, se trataría de un servicio extraordinario que sería voluntario. Se exigía el pago de alguna contribución y costearse el uniforme, aunque el armamento y municiones irían a cargo del Estado. Lo decisivo es que la facultad ordenadora recaía en el rey, quien podía suspender la milicia de cualquier pueblo o provincia por un año. Pero la milicia no era la única exigencia de los grupos populares más conscientes de los núcleos urbanos. De nuevo, tal y como había ocurrido en 1808 y en 1820, comenzaron a formarse Juntas locales y provinciales. El 10 de agosto de 1835 se formó la Junta Auxiliar Consultiva de Barcelona, en un clima de calma. Pero antes, el día 5, se había extendido una proclama inequívoca, «¡que no vuelvan los frailes!», fruto de la desesperación ante un principado convertido en una nueva Navarra en manos de líderes como Manuel Llauder y Pere Nolasc de Bassa. Con realismo se decía: «Tras de Llauder y Bassa vienen los cadalsos, la esclavitud, Carlos V y la Inquisición». La Junta Auxiliar se alegraba de que la situación estuviera controlada y de que Barcelona pasara a ser el «baluarte más firme de la lealtad española». Era un órgano creado por el ayuntamiento y se expresaba con el objetivo de «salvar el trono de Isabel II, la libertad y gloria de la nación española», aunque anunciaba que su mandato se «concretaba a su solo país». Pronto, en la vieja tradición de los *greuges*, elevó su reivindicación a la regente. Su petición era sencilla: libertad a la altura de las naciones europeas. Para ello no bastaba el Estatuto Real. Eran precisas unas Cortes extraordinarias capaces de lograr una «ley fundamental» para atender las necesidades del tiempo presente. Solo así se podría fundar la «unidad para la nación». Las viejas leyes eran una excusa para el despotismo. Los barceloneses lo anunciaban: un obstáculo se había interpuesto entre el trono y el pueblo, y las reformas no avanzaban. Ahora el vínculo debía ser regenerado.

Barcelona no estaba sola. La siguieron Málaga, Granada, Cádiz, Madrid y Zaragoza. Al igual que la Ciudad Condal, estas otras mostraron que el Estatuto Real no era suficiente y anunciaban que si era preciso comenzarían los combates por un «código liberal y bien redactado», porque con la milicia «la Península toda se ha convertido en un grande ejército». No iban a tolerar «torpes transacciones» con el pretendiente carlista, que «intenta restablecer la Inquisición y todos los horrores del despotismo». Frente al Estatuto Real, las Cortes extraordinarias debían convocarse como las constituyentes de Cádiz. La reacción de la regente, justo cuando Roma rompía relaciones con su gobierno, fue declarar ilegales las Juntas porque atentaban contra las leyes fundamentales de la monarquía y usurpaban las funciones de la Corona. Formar parte de ellas significaba rebelión. La Junta de Andújar hizo un llamamiento a una Junta Central para que asumira el poder y diera fuerza al «alzamiento». El liberalismo se radicalizó y no se contentó con Cádiz. Entonces se reclamaron de forma expresa los «derechos imprescriptibles de nuestra nación». La previsión del gobierno fue organizar los ayuntamientos mediante un decreto de julio de 1835 por el cual se otorgaba el control del municipio a una oligarquía, garantizando la posibilidad de pacto e intervención desde el gobierno y manteniendo el corregidor y el procurador del común. Así se ha podido decir que en 1835 se vio que la intervención gubernativa en provincias estabilizaría las oligarquías.

Un atento observador de la época, Pedro Méndez Vigo, futuro fundador del Partido Demócrata, al valorar la situación de España, pudo ver que las Juntas locales no podían vencer a estas oligarquías. «Ninguno de los que poseen medios y autoridad se pone al frente, nada se organiza», y todos contaban con el pronto cansancio de los organizados. Bastaba con aprovechar algún exceso cometido para infundir miedo por doquier y erosionar la unidad. Entonces «cada uno empieza a escabullirse». Así, concluía que el gobierno no había podido encontrar mejor medio de «desacreditar las revoluciones» que estas oscilaciones periódicas «que siempre acaban en una parada mortal». Era la definición de revolución pasiva. La solución era pasar a la revolución activa: «el primer acto de cualquier revolución» era fundar un gobierno provisional con hombres enérgicos, organizar un partido político que le diera base, una «sociedad patriótica» y una milicia dispuesta a luchar. El problema era que el punto de partida únicamente podía recaer en las Juntas provinciales, el único lugar donde emergía el entusiasmo del pueblo. El dilema solo se resolvería si las Juntas provinciales creaban una Central de forma inmediata como gobierno provisional. La dificultad de coordinación lo hacía difícil, si no imposible.

La regente, ante una situación grave, aislada de Roma, impugnada por las Juntas, con una guerra carlista que no cedía, llamó al conde de Toreno, quien nombró al liberal exaltado Juan Álvarez Mendizábal como ministro de Hacienda, pues había conseguido un crédito de los banqueros ingleses para pagar el ejército isabelino. Mendizábal asumió la dictadura de gobierno, eliminó a Toreno y reclamó el apoyo de la representación nacional con la cual impulsar la reforma de las órdenes religiosas, fundar un régimen representativo y generar un fisco público. Su modelo era la monarquía constitucional de Gran Bretraña, pero para canalizarla tenía que ordenar las Juntas y reorganizar la milicia, ahora Guardia Nacional. «Solo de este modo, señora, puedo arrojarme al arduo desempeño de la inmensa obligación que he contraído», dijo en septiembre de 1835. Para tener las manos libres, Mendizábal exigió convocatorias de Cortes en febrero de 1836. Entonces se pudo ver la facilidad con que un gobierno podía lograr una mayoría desde el poder. Mariano José de Larra ironizaría acerca de ello. Escribió una lista de todas las provincias y distritos electorales, pero el elegido siempre era el mismo, Mendizábal. «Si oyes decir que se abre el Estamento, di que es broma; que quien se abre es don Juan Álvarez Mendizábal». Con plena coherencia, Larra dijo que más que un gobierno representativo se trataba de un «hombre representativo». El artículo se titulaba «Dios nos asista». Treinta mil frailes fueron separados de sus dos mil conventos. Sus bienes fueron puestos a subasta. Se podía pagar con títulos de deuda pública por su valor nominal. Los censos y obligaciones en posesión de las órdenes se daban por redimidos. Los grandes lotes subastados hicieron inviable el acceso a la propiedad de los pequeños labradores. Terratenientes se hicieron más terratenientes, y abogados, militares, empleados y burgueses pasaron a serlo.

En fin, la revolución burguesa perdía toda oportunidad de presentarse como una revolución hegemónica convergente con el interés general y dejó ver que solo atendía a intereses particulares. La retirada de Mendizábal del poder, a pesar de la mayoría de los procuradores, agudizó el movimiento juntero en toda España, que dejó en la impotencia al gobierno de Madrid. Ahora se vio una novedad que no podía pasar desapercibida a los actores. Si el gran escritor Larra se había preguntado un poco antes cuál sería el rumbo que la revolución iba a tomar, en ese momento quedaba claro: aliarse con los militares liberales, forjados en la guerra carlista. El 12 y 13 de agosto de 1837 se produjo el motín de los sargentos de La Granja, que al grito de «¡Muerte a la camarilla!» y bajo amenazas, obligaron a promulgar la Constitución de 1812 y a llamar a Mendizábal al ejecutivo. Las Juntas locales imitaron el gesto con euforia y luego se disolvieron confiadas en el nuevo gobierno. Su programa era claro: se convocarían nuevas Cortes con un sufragio más amplio y, mientras, estaría en vigor la Constitución de Cádiz. La idea era mejorar el texto constitucional con «los inmensos progresos que las ciencias morales y políticas han hecho», pero en continuidad con la época del Trienio Liberal. Para ello se afirmó que las Cortes, que se reunirían en octubre, afirmarían la soberanía de la nación, por lo que esta podría darse «las leyes fundamentales que más le convengan». Así surgió la Constitución de 1837, técnicamente una revisión de la Carta de 1812, complementada por la ley electoral de julio de ese año, con un censo mucho más amplio, pues reclamaba mucho menos patrimonio y renta para ser representante.

La Constitución de 1837 asentó los principios moderados del Estatuto Real, mejoró el listado de derechos y aceptó la capacidad legislativa de las Cortes con el rey. Si el monarca las disolvía, tenía tres meses para restablecerlas. Afirmó la autonomía de las Cámaras, que podían hacer sus reglamentos para definir su funcionamiento. Se reconoció la necesidad de un doble turno en la aprobación de leyes y la superioridad del Congreso sobre el Senado, pues el soberano debía promulgar la decisión definitiva del Congreso. Para ejercer la responsabilidad ministerial también se dividían las Cámaras: el Congreso acusaría, pero el Senado juzgaría, al estilo de la Cámara de los Lores británica. Con ello, la responsabilidad política se percibió como si fuera un asunto forense o judicial. Por supuesto que el monarca era el jefe del poder ejecutivo, aunque debía firmar sus decretos bajo responsabilidad ministerial. Las dos grandes reclamaciones liberales se incluyeron en el texto y se dio valor constitucional a la milicia nacional, que estaba a las órdenes del rey. Se ordenó el territorio en diputaciones provinciales, cada una con su milicia y sus ayuntamientos. De este modo, se puede decir que la de 1837 fue una Constitución de las fuerzas liberales progresistas conciliatorias con los moderados. Así, la revolución pasiva española iba regulando el ritmo de sus avances y concesiones.

LA CUESTIÓN PROVINCIAL Y LOCAL

Aunque los progresistas habían logrado crear diputaciones y ayuntamientos en el texto de la Constitución de 1837, las espadas seguían en lo alto respecto a la manera de ordenarlos. Los moderados aspiraban a mantener el antiguo régimen municipal y provincial con intervención regia, en tanto que los progresistas deseaban más autonomía y libertad para la ordenación de la milicia. El líder de los moderados, Andrés Borrego, lo dejó claro en 1838. Los progresistas habían obrado como un ariete para abrir la brecha de la fortaleza de la tradición; ahora debían dejar el poder en unas manos capaces de armonizar los intereses sociales. La revolución había cumplido su tarea. Nuevas fuerzas debían comenzar el proyecto de organizar un nuevo orden. Este debía basarse en fortalecer la idea de gobierno, subordinación y obediencia, la defensa de la propiedad y la influencia de la clase media. Se trataba de dotar al poder de una base social suficiente, pero de «prescindir de la universalidad de los individuos». Por eso, los moderados no asumían las teorías del gobierno del pueblo y sí la dimensión partidista, incluso clasista, de su gobierno moderado. Erigido sobre «una parte de estas mismas clases, las llama a confederarse para su particular y parcial defensa, pero no se preocupa sobre la suerte de los demás y prescinde de las masas en sus planes de organización».

Aquí está la desnuda confesión de que la burguesía ya no era la clase nacional. Apegada a sus propios intereses, solo desea dar por concluido el movimiento revolucionario y, para ello, asume que está satisfecha y que defenderá lo conquistado. Frente a las masas y la «escuela revolucionaria», el Partido Moderado se muestra dispuesto a hacer frente común con las partes más razonables del movimiento carlista, cuya derrota se percibe ahora cercana. En efecto, poco después, en septiembre de 1839, el Convenio de Vergara pondrá punto y final a la guerra carlista, con el acuerdo de que el general Baldomero Espartero recomendaría al gobierno que propusiera a las Cortes la modificación de los fueros, cosa que ocurrió en la ley Paccionada de octubre de ese mismo año, con el compromiso de confirmar los fueros vascos y navarros «sin perjuicio de la unidad constitucional de la Monarquía». Se dejaba para más adelante las modificaciones que deberían introducirse en los fueros para lograr su conciliación con la Constitución de 1837. La victoria no estabilizó el orden moderado. Cuando en 1840 los moderados intentaron aprobar una ley de Ayuntamientos favorable al gobierno central, provocaron un nuevo movimiento juntista. Madrid se alzó con la milicia ciudadana, pero muchos otros ayuntamientos se rebelaron también. La nueva ley se vio como anticonstitucional y las movilizaciones locales expresaron su decisión de asegurar «de un modo estable las leyes y la Constitución».

Entonces se introdujo el nuevo sujeto político decisivo. En una situación de insurrección popular, bastó con que el general victorioso Espartero se pusiera del lado de los juntistas para que todo el movimiento se organizara sobre otras bases. Con esa base militar y popular se condenó a María Cristina y a los liberales moderados al exilio, y el general se elevó a regente. Así se demostró que Balmes tenía razón al considerar que el factor principal de toda la época no era sino la debilidad del poder. Un Madrid aislado y controlado por las camarillas moderadas de la regente (los gestores de la revolución pasiva) apenas podía detener el movimiento juntero animado por las propias estructuras locales. Solo el ejército podía intervenir en esa situación, y lo hizo, de forma curiosa, uniéndose a la milicia nacional, como dejó claro la proclama del ayuntamiento madrileño del 1 de septiembre de 1840. Si se llegó a este acuerdo no fue por ningún tipo de convergencia doctrinal entre el movimiento juntero y los generales, sino sencillamente porque eran dos fuerzas armadas que no podían caminar hacia un enfrentamiento civil a pocos meses del final de la guerra carlista. Sería cuestión de tiempo que el desencuentro entre generales y Juntas cristalizara. Así se iniciaba la Regencia de Espartero (1840-1843), un general liberal que impuso el orden moderado.

El curso de los acontecimientos que mostró el espejismo de aquella síntesis de ejército y populares se dio en Cataluña. Si bien Barcelona y las ciudades catalanas se vincularon al movimiento liberal progresista para detener las aspiraciones del tradicionalismo agrario, no estaban interesadas en asumir un régimen local y provincial que concedía amplios poderes de intervención al gobierno central. El movimiento de diciembre de 1842 dejó clara la unidad de fabricantes y trabajadores, abogados y literatos, frente al régimen de Espartero. Jaime Vicens Vives ha apuntado que «por primera vez estalló, en el seno de la familia liberal española, la oposición decidida entre Madrid y Barcelona». Oposición política que enfrentó a liberales contra liberales, y que tuvo en la organización del poder local la piedra de distinción.

Una vez más fue Balmes quien definió la situación en una serie de artículos de los años 1843 y 1844, publicados en la revista *La Sociedad*, poco después de que Espartero bombardeara la Ciudad Condal. Cabe suponer que Balmes escribió bajo el trauma de una actuación inconcebible en la Europa de aquella época. El caso es que interpretó el momento como si dejara clara una diferencia fundamental que haría fortuna en el imaginario catalán: se trataba de la naturaleza europea de la tierra catalana frente a la más bien africana realidad de las tierras al sur del Ebro. De Cataluña al extranjero, Balmes percibe «una especie de continuación»; sin embargo, cuando se sale del principado camino de España, «se ha dejado la patria y se entra en países extraños». El párroco de Vic emplea de forma sutil e intencionada las palabras *patria*, *nación* y *provincia*. La sugerencia es que, cuando se pasa de Cataluña a Europa, se va de una provincia a otra de la misma nación. España era una nación extraña. Y lo era desde el punto de vista humano, social, económico y político. Se trataba de dejadez, de ociosidad, de falta de aseo, de carencia de orden, de ausencia de industria, de pobreza, esa era la diferencia con España. El catolicismo común no llenaba el abismo entre las dos realidades.

Balmes vio a Cataluña como una parte sana en un organismo enfermo. Recordando las ideas de Antonio Capmany, matizaba su mirada y reconocía que la vida de España estaba en la periferia y que lo dicho en tono despreciativo se verificaba sobre todo en el centro. En realidad, Balmes hablaba de Madrid, a la que había calificado de «corrompida cloaca» e identificado con Sodoma. Madrid, esa ciudad ganada al desierto, era el emblema de una España africana, y esa conquista de la aridez de la estepa era posible por el dinero de las provincias. Lo que Balmes rechazaba por encima de todo era la forma de hacer política de las élites madrileñas, su capacidad de maniobra, su flexibilidad carente de principios, su espíritu de maquinación, esa extraña promiscuidad que permitía un sutil entendimiento por debajo de todas las diferencias, con la condición siempre de que se formara parte de sus grupos. Era ese agudo contraste entre la brutalidad con que trataban a los otros y la falta de rigor con que organizaban sus grupos dirigentes lo que escandalizaba a Balmes, que miraba desde la vida limpia «de la religión del trabajo», la verdadera esencia y «la suerte de Cataluña».

Balmes no defendía una visión minoritaria. Su prestigio y su autoridad no tenían parangón en Cataluña, siendo incuestionable su liderazgo sobre amplias capas de la población catalana. Con todo, era un moderado y sobre él pesaban otros valores. Nunca cuestionó la obra de los Reyes Católicos, y cuando aseguró que «los catalanes son también españoles» no dejó de expresar su angustia acerca de si Madrid pensaría lo mismo, dado el trato dispensado a Barcelona en 1842. Pero que Balmes era un moderado se vio claro cuando calificó de «absurdos los proyectos de independencia». Si este pensador es decisivo en esta historia es porque mostró que, aunque Cataluña había participado en el movimiento juntero español, reivindicaba otra cosa a la que dio nombre y concepto: «provincialismo legítimo, prudente, juicioso, conciliable con los grandes intereses de la nación». El contenido de esta realidad autónoma provincial era educativo y cultural, social y económico, y, sobre todo, se centraba en una política de comunicaciones e infraestructuras, un apoyo a la industria propia, un ordenamiento aduanero independiente y una regulación entre los fabricantes y trabajadores de inspiración cristiana. La percepción de que la vinculación de Cataluña a España era un dilema comenzó entonces a redefinirse. Por una parte, España ofrecía un mercado para la economía catalana que era condición para su progreso, pero por otra la vinculaba a un régimen político que la presionaba hacia el atraso. En este dilema, Cataluña deseaba aumentar los beneficios y disminuir los perjuicios. Pero un vínculo entusiasta ya no podía construirse.

3

LA «GLORIOSA»

DICTADURA

La consecuencia de la Regencia de Espartero fue el desmantelamiento del sistema liberal de partidos. Los moderados acompañaron a María Cristina al exilio, y los progresistas pronto se vieron desprestigiados por una cooperación con Espartero que suponía una claudicación. Con ello, el Partido Progresista se desintegró. El intento de Joaquín María López de organizar una Junta Central que diera salida a las reivindicaciones radicales fracasó y tuvo que dejar el gobierno apenas diez días después. En 1843, Espartero ya no podía controlar el movimiento de Juntas y la situación estalló por doquier. La conciencia política se expresó de forma clara como una alternativa entre un gobierno «nacional» y una «dictadura militar», otra forma de tiranía. Entonces, los progresistas denunciaron la corrupción de los gabinetes de Espartero, la formación de grandes fortunas y el uso desviado de los recursos fiscales. «Los verdaderos españoles», dijeron, no volverían a caer en la trampa de confiar en un militar. La Constitución de 1837 debía ser restablecida cuanto antes. Pero en esos momentos las Juntas provinciales y locales de toda España no mostraban su inclinación voluntaria a confiar en el gobierno central. El 19 de junio de 1843, la Junta Suprema Provincial de Barcelona demostró hasta qué punto los actores eran conscientes de la lógica de la situación al expresar:

> Cuando en las grandes crisis se han visto amenazadas las libertades públicas, siempre han acudido las provincias a la formación de juntas provinciales que, reasumiendo todos los poderes, salvasen la patria, la Constitución y a la reina. Ahora ha sucedido puntualmente lo mismo.

Esa había sido la ley general. Lo nuevo consistía en que el gobierno central de Espartero no se había disuelto, «contra el voto de todos los españoles». La dictadura militar ahora debía ser derrotada por «el grito santo de independencia que han pronunciado las provincias». La dictadura de Espartero debía ser vencida por las milicias provinciales. Ahora, para los junteros, se trataba de «organizar un gobierno» capaz de dirigir a «las tropas reunidas de todas las provincias pronunciadas» y de enfrentarse con éxito al ejército de Espartero. Valencia debía ser la sede de la Junta Central, y en ella debían reunirse dos vocales de cada provincia. Pero ya no había manera de llevar a cabo esos planes sin contar con aliados militares. Por mucho que las Juntas proclamaran el gobierno de López, en el ínterin el general Francisco Serrano se elevaba a «encargado de todas las Secretarías». En el fondo se buscaba de nuevo un acuerdo entre el sector progresista del ejército y la milicia nacional. Sin embargo, un acuerdo de este tipo estaba sometido a una desconfianza básica. Diez días más tarde, el comandante Riera proclamaba en Barcelona una insurrección con el argumento de que Serrano había faltado a su juramento. La desconfianza no se dirigía solo hacia Serrano, sino también hacia los liberales de López. Así, entre las Juntas y cualquier gobierno que se forjara en Madrid ya no había entendimiento posible. Barcelona empuñó las armas y llamó a mantener viva la memoria de los sucesos del bombardeo de 1842.

Una de las denuncias que se dirigieron contra Joaquín María López fue que iba a declarar la mayoría de edad de la reina Isabel, con lo que se suponía que la Constitución de 1837 quedaría obsoleta. Se empezó a considerar inevitable que la mayoría de edad de la soberana introdujese un cambio político, y se temía que este fuese impulsado por los grupos cortesanos. En tales condiciones, cuando en noviembre de 1843 se proclamó la mayoría de edad de Isabel y llegó al gobierno Luis González Bravo, una de sus primeras medidas dejó ver el diagnóstico que hacían los grupos dirigentes que rodeaban a la joven reina. Si la fuerza que mantenía vivo el espíritu político era el elemento popular de las Juntas, entonces era preciso garantizar la hegemonía del centro mediante la fundación de un Instituto de Fuerza Armada de Infantería y de Caballería, capaz de combatir en el ámbito local y en el terreno mismo de las fuerzas populares. Desconfiando tanto del elemento liberal del ejército como de la milicia nacional, el ejecutivo deseaba generar una fuerza armada capaz de intervenir en los disturbios civiles. Así, en el real decreto de su fundación se argumentaba que «la fuerza civil sirve para evitar la intervención del Ejército en los actos populares». En el fondo, las élites gubernativas tampoco deseaban «robustecer con exceso la importancia del brazo militar en el orden político», pues habían visto con claridad los efectos perturbadores que tenía la dirección militar del liberalismo. Por eso, la Guardia Civil no se atenía a la «división propia de los cuerpos del Ejército», sino a una específica organización, flexible y funcional. Se ha dicho que la Guardia Civil surgió para la protección del campo, pero esta finalidad no aparece en el decreto fundacional. En él solo se mencionan tareas de «policía» llevadas a cabo por un «cuerpo civil», y se hace referencia de forma clara a «disturbios civiles». Por lo tanto, de forma muy consciente se quiere separar tanto al ejército como a la milicia nacional del control de los «actos populares». Nada que ver, por lo tanto, con la protección del campo. Es más, su principal ventaja se veía en «la diseminación de la fuerza en muchas y cortas fracciones», en la capacidad de intervenir de forma flexible, plural y preventiva en los conflictos civiles.

Pronto el nuevo gobierno comenzó a dejar clara su política antiliberal, suspendiendo las medidas desamortizadoras y organizando una nueva ley de Ayuntamientos y Diputaciones Provinciales destinada a erradicar el poder local y las aspiraciones junteras. Finalmente, el movimiento regresivo promulgó una nueva Constitución en 1845. En ese tiempo, sin duda, el enemigo ya no estaba en el liberalismo progresista, desarticulado, ni en el liberalismo moderado, que desde el exilio había controlado al grupo que en ese momento rodeaba a la reina. Ahora se imponía la voluntad de atraer a los carlistas al nuevo espacio político de moderación. Para este fin, debilitar el poder militar era una oferta que sonaba bien a los oídos de los derrotados carlistas. Balmes, siempre tan lúcido, confesó que el poder militar había sido el decisivo desde 1834, pero que la cuestión no era tanto debilitarlo cuanto fortalecer el poder civil. Para eso se debía acabar con la declaración de los estados de sitio sobre las provincias, endémicos desde hacía décadas. Y para lograrlo era preciso solventar el problema del poder local y de las diputaciones. Este era el punto de cruz de toda esa política.

REPUBLICANOS

Mientras tanto, desconfiados de todos los liberales, que habían consumido todo su prestigio, los movimientos populares locales habían seguido otras consignas. Así surgieron los llamamientos republicanos. Quizá su primera manifestación importante sea el himno de Abdó Terrades, musicado por Anselm Clavé: *La campana*, que acabó como himno de la resistencia en 1842. Ahora el «popular congrés», que era la base del poder y de la soberanía, dictaba que «lo poble sols [...] es lo rey». Los grupos sociales que alentaban esta proclama se hacían eco de las viejas reivindicaciones antifeudales. Los dirigentes políticos debían saber que «son criats, no senyors de la grey», dijo en un vocabulario que no podía ocultar su origen cristiano. Sus reivindicaciones eran muy sencillas:

> que pagui qui té renda / o bé alguna prebenda: / lo qui no té, tampoc deu pagar res.

Debían dejar de pagarse las demás imposiciones, sobre todo el «pret de la portella», el pago por entrar en la ciudad a vender los productos, los consumos, de fama tan terrible en las luchas políticas de los siglos XIX y XX. Por lo demás, se sabe a quiénes se dirigían. «No, jornalers, may més no pagarem».

¿Quiénes eran los jornaleros? Para Terrades, presidente de la Junta Revolucionaria local de Barcelona, eran las clases populares y trabajadoras, artesanales fabriles o campesinas. Frente a ellos se alzaba el aparato de gobierno, lo que llamaba «el actual sistema», que incluía desde las Cortes hasta los funcionarios públicos. Se trataba de un movimiento insurreccional, armado, dotado de una retórica extrema. Aunque en un acto público Terrades proclamó la república, no fue seguido. No tenía capacidad organizativa y sus ideas eran demasiado extremas para ser escuchadas.

> A los caudillos que lo dirijan [al pueblo] solo deben obedecerles mientras dure la insurrección, y fusilarlos si quieren dejar en ejercicio alguna autoridad del régimen actual

decía en su periódico *El Republicano* para exigir que se creara un poder local forjado por el pueblo en consejo abierto y por aclamación. Como es natural, se calificaba a esos poderes como «soberanía». Esos poderes locales debían forjar una Constitución republicana, que asumiría la premisa de «la nación, única soberana» y la formación de poderes responsables. Mientras se lograba la Constitución, el pueblo se mantendría con las armas en mano. Por fin, eso parece decir Terrades, era necesario pasar de la revolución pasiva a la revolución activa. «De este modo el pueblo por sí mismo puede hacer la revolución». Mientras la hicieran otros, solo se perpetuaría la dominación.

En la medida en que el movimiento revolucionario tenía su base en las Juntas locales, la república en la que pensaban esos líderes era una república federal. En 1842, la fórmula ya estaba forjada por parte de *El Huracán*. Esta propuesta implicaba abolir todos los poderes existentes y que cada agrupación, elevada a Estado federado, forjara un gobierno provisional, con una nueva Administración de Justicia basada en jueces elegidos por el pueblo y una Junta consultiva para dirimir los conflictos de competencias con el futuro gobierno central, aunque con respaldo plebiscitario en las decisiones importantes. También debían configurarse nuevos ayuntamientos. Con este movimiento realizado, se debían convocar Cortes constituyentes fuera de Madrid para forjar una «Constitución central de la Federación Ibérica», básica, de limitadas competencias, para que «cada estado» disponga del «derecho indisputable de arreglar su gobierno interior», según leyes que debían merecer «la aprobación del Congreso central» para armonizar los intereses particulares y generales. Patricio Olavarría, director de *El Huracán*, que se publicaba en Madrid, argumentaba que esa era la revolución «general y completa que España necesita», y definía el orden político existente como «farfulla de importación extranjera». Solo una Constitución federal como la descrita era la única adecuada al «instinto generoso y honrado del pueblo castellano».

En fin, hacia 1842, y como respuesta a la voluntad de Espartero de acabar con la acción revolucionaria y la autonomía local, surgió una literatura republicana radical. Hacía hincapié en el viejo movimiento juntero, que se había ido convirtiendo en otra cosa. De ser la plataforma de prohombres notables y de grupos tradicionales de poder, se convirtió en lugar de encuentro de reivindicaciones populares y profesionales. Para ellos, las argucias de Espartero y su regencia, y la mala fe de los moderados, no constituían sino un mundo dominado por una extraña lógica del poder que jamás descendía a cuidar de sus intereses. La disposición del general a defender la Constitución de 1837 se manifestó una impostura y su táctica, esperar y ver sin la menor planificación, no hizo sino aumentar la percepción general de que su único interés era perpetuarse en un poder dictatorial en el que solo le faltaba declararse rey. Los movimientos de unidad de los liberales moderados y progresistas no resultaban menos oportunistas para los republicanos. En realidad, todos sabían que el sistema solo podía ordenarse desde otro militar. Únicamente un general podía derrotar a otro general. Narváez, persiguiendo a Espartero hacia Gibraltar hasta expulsarlo de España, era el nuevo héroe.

Los republicanos, con sus canciones, catecismos y cartillas populares, afirmaban que habían sido engañados por todos los actores, realistas, absolutistas, liberales moderados o exaltados. Todos debían ir a la misma «paella» para que allí «purgaran sos pecats». Ellos querían romper con todo ese cosmos y creían que el único modo posible de hacerlo era reasumir la revolución activa y armada, la única forma de «que se respete su voz y que no se haga burla de sus derechos». La revolución debía garantizar la «intervención popular», y se creía que solo así se atenderían sus intereses económicos, como habían demostrado las protestas de obreros y patrones de la industria del algodón, que se hundía por la indolencia y los intereses antinacionales del gobierno central, incapaz de proteger la producción artesanal catalana. Esta era la esencia del mensaje republicano: acción popular y defensa de los intereses económicos populares. Para dejar las cosas claras, las cartillas afirmaban con claridad que «los principios republicanos son los mismos que predicó Jesucristo». No se trataba de mera contrapropaganda. El filósofo Félicité Robert de Lamennais, traducido por Larra, había señalado de nuevo con intensidad el montante utópico del cristianismo. El movimiento republicano no hacía sino destacar el nuevo evangelio.

El republicanismo traducía a virtud política las antiguas exigencias de la religión, y en comunidad de lucha la vieja fraternidad religiosa. De nuevo, «la nación en masa» podía disponerse a morir por la patria y ese era el sentido de la milicia nacional, que jamás debía someterse a las exigencias del gobierno central. Sin embargo, las canciones populares incluían versos menos evangélicos: «Molta sang ha de corre», decía una de ellas, muy conocida, *El Chirivit*. Otra, que puso nombre al movimiento catalán de 1843, «los valens de la Jamancia», que defendían a la Junta Revolucionaria Central, hablaba de «fer la mort del porch». Un sistema político contrario a los intereses populares, entregado a la lucha por el poder con fines extractivos y de oportunidades económicas y sociales, era contestado por parte de los pueblos con una hostilidad radical. El vínculo de representación se había roto por el abuso y la impunidad. De forma característica, *El Centinela de Aragón* llamaba a los progresistas a que se desengañasen de sus líderes y aceptaran que solo la república garantizaba pan, trabajo y seguridad a las masas. Una república federada, apoyada en las «sublimes máximas democráticas», era vista como la única que garantizaba la paz y la natural expresión de un pueblo entero. Los republicanos de mediados de siglo no eran ni mucho menos mayoritarios. Pero pronto conectarían con nuevas consignas. Aquí la evolución de Terrades fue muy interesante, dada su popularidad. Exiliado en París, conoció allí la revolución de 1848 y se acercó al nuevo movimiento socialista utópico, evolución que había seguido Narcís Monturiol y su revista *La Fraternidad*. En una conversación entre ambos, publicada en esta revista, Terrades decía: «Yo opino que solo por la fuerza se obtienen la reforma de los gobiernos, pues no veo ninguno que espontáneamente las haga». Este punto indica el origen de todos los males y la lógica de la insurrección armada. Por lo demás, esa acción violenta era la que esperaba el poder para tratar a los republicanos como amotinados, deslegitimarlos y reprimirlos.

Así se forjó la lógica política desde 1842: o se aceptaba el *statu quo* de un gobierno de conspiradores y maniobreros o se arriesgaba la insurrección armada, que hacía inviable una acción popular consistente y sólida. De esta manera se abrió paso una representación política que solo podía estabilizarse contando con la docilidad incondicional de la gente. Cualquier oposición era impulsada al enfrentamiento violento, insurreccional, caótico, cada vez más desprestigiado cuanto más clara dejara su impotencia. Así, el mundo político se abrió sobre un abismo creciente, que todavía se hizo más profundo cuando Ramón María Narváez asumió el poder en 1844. Con él se iniciaba la década moderada que mandó al exilio o a la impotencia política a los progresistas y radicales y que redujo el cosmos político oficial al propio Partido Moderado.

MODERADOS

Tras duros enfrentamientos, desarticulados los grupos progresistas, radicales y republicanos, el general Narváez recogió los elementos moderados de todos los grupos. Los moderados absolutistas del Estatuto Real, ahora organizados en la Unión Nacional; los moderados liberales, que ahora se llamaban «puritanos» y que eran la izquierda del sistema, y los moderados carlistas, la derecha del sistema, todos tenían la consigna de reunir la familia liberal bajo el régimen de Narváez, que pretendía agrupar fuerzas suficientes para un nuevo proyecto político dirigido por él y que se mantuviera al margen de carlistas y progresistas. Sobre esta estrecha base se buscó una Constitución excluyente como la de 1845. Todos sabían que la operación duraría lo que tardaran en reorganizarse los progresistas y en conectar de nuevo con suficientes fuerzas populares para impulsar una nueva insurrección posterior.

El rasgo más sobresaliente de la Constitución de 1845 es la

cooptación como sistema general de refuerzo del aparato del Estado. Frente al Estatuto Real que garantizaba el Senado para obispos y nobles, ahora se reservaba en su mayoría para los propios servidores del Estado, incluidos los obispos, desde luego, pero también para los altos militares, ministros, embajadores, jueces superiores, consejeros de Estado y fiscales. Es el propio Estado el que se hace fuerte cooptando a sus fieles servidores. Pero el Senado era el órgano decisivo, porque juzgaba a los ministros y regulaba el sistema político. En realidad, el Senado se eleva a órgano soberano, pues ante él se ejerce la responsabilidad. Así, es el Estado, mediante las personas que han dirigido sus órganos, el que ejerce el control y la regulación de la clase política. Por supuesto, solo el Senado puede juzgar a los senadores, excepto en delitos *in fraganti*. Todo lo demás de la Constitución se dejaba a leyes ulteriores y a reglamentos de gobierno. Se trataba, sobre todo, de dar una cobertura jurídica a la acción de gobierno y de ponerle determinados límites relacionados con los derechos fundamentales de los ciudadanos: inviolabilidad del hogar, de la propiedad y garantía de *habeas corpus*. El resto era una verdadera dictadura de gobierno en la que Narváez mandó durante cuatro de los diez años que duró. Pero la Constitución transcendió esta obra. Destilado histórico de todo el período anterior, estuvo vigente de una forma u otra hasta 1869.

La acción política de esta década fue crear el Estado administrativo que se conoce y culminar así el viejo sueño de los Borbones de construir una monarquía centralizada y uniforme. Ninguna de las reivindicaciones del movimiento juntero se atendió. Pero se dotó al Estado de instrumentos capaces de hacer visible su poder: generó una burocracia fiel y disciplinada, construyó un orden jurídico unitario, compensó a la Iglesia por las desamortizaciones con la ley de Dotación de Culto y Clero, devolvió los bienes episcopales no vendidos, firmó el Concordato de 1851, concedió a la Iglesia la censura sobre publicaciones, ordenó la educación, creó los institutos de estudios secundarios, reguló los estudios de doctorado concentrados en la Central, reformó el sistema tributario con la contribución rústica y urbana, el subsidio industrial y comercial, el impuesto personal y, finalmente, creó el Banco Español de San Fernando, futuro Banco de España. Para imponer el sistema fiscal, recurrió a los viejos usos de la monarquía de los Austrias: fijó cupos por provincias, que estas distribuían por ayuntamientos, que a su vez repartían entre los vecinos. La evasión y el fraude fueron actos ingentes. Para que funcionara de algún modo, el gobierno local y el municipal tenían que estar en manos del gobierno central. Los intereses populares fueron desatendidos con el impuesto de los consumos, que gravaba los productos de primera necesidad excepto el pan. A pesar de todo se hizo una quita de la deuda del 20 por ciento. La vinculación del Estado con el desarrollo capitalista se extremó: la liberalización del suelo de la ley de Minas atrajo capital extranjero y se aprobó la ley de Ferrocarriles y de Puertos, así como los canales de Castilla e Isabel II. Con estas obras, el régimen moderado mostraba su íntima alianza con la gran burguesía española.

Entonces fue cuando la burguesía media y baja se organizó en una oposición interna al régimen de Narváez que sustituyó a los viejos liberales, siempre dispuestos a unirse al movimiento juntero, y que cuestionó la dictadura legal del gobierno moderado. Estructurada alrededor del pensamiento krausista, obra de un confuso filósofo alemán bien recibido en la católica Bélgica, esta oposición interior al moderantismo era tímida desde el punto de vista político, pacífica en su más profundo espíritu y, aunque conectada con elementos de la masonería, no tenía la orientación propia de los carbonarios hacia el socialismo utópico, sino hacia un organicismo social y un puritanismo de costumbres que era bastante soportable por los católicos moderados. Así que fue bastante tolerada y, en cierto modo, preferida a la vieja insurgencia radical liberal. Era una posición moderada ideal para un régimen moderado. Sin embargo, todo se puso a prueba en 1848, año en que la revolución de París se extendió como un reguero de pólvora por toda Europa, hasta tal punto que le permitió decir a Karl Marx que el fantasma del comunismo volaba sobre tierras europeas.

Es verdad que el 48 español no fue virulento ni cuajó en una situación revolucionaria. A pesar de todo, existió y fue promovido por los elementos radicales del exilio, por los republicanos de dentro y de fuera y por los carlistas, enojados porque su candidato a esposo de la reina Isabel no había sido aceptado. Fue suficiente para agitar un cosmos político tan débil y para ver la creación del Partido Demócrata, que asumió los aspectos sociales y populares expresados ya en las anteriores protestas. Los liberales se escindieron de nuevo entre los que apostaron por la vía conspirativa insurreccional y los que pedían negociar. Los moderados hicieron lo mismo entre los que deseaban la dictadura militar y los que buscaban contemporizar con aquellos liberales dispuestos a pactar. La única manera de reforzar su poder fue vincularse al juego de la política internacional. Los moderados se inclinaron hacia Francia, que luchaba contra la revolución parisina con todas sus fuerzas; los progresistas, hacia Inglaterra, que necesitaba una política más liberalizadora para colocar capitales y productos propios. Fue entonces cuando brilló el hombre que dio expresión a las angustias y ansiedades de la clase dirigente española, al espíritu que subyacía a la fachada de constitucionalismo moderado que se había logrado generar en 1845. Ese hombre tiene dimensiones europeas y se llama Juan Donoso Cortés. Conviene recordar algunas palabras suyas para entender el futuro de la historia española y el estilo de su clase dirigente. Cuando estalló en febrero de 1848 la revolución en París, todos los moderados españoles quedaron sumidos en un espíritu de «asombro y consternación». Donoso Cortés puso entonces la palabra.

APOCALIPSIS

Donoso procedía del liberalismo, había colaborado con Juan Álvarez Mendizábal y había sido un fiel defensor de María Cristina, a la que acompañó al exilio. A la caída de Espartero, Donoso regresó a España y se vinculó a la Constitución de 1845. Fue recompensado con el título de primer marqués de Valdegamas con categoría de «grande de España». Así que Donoso formaba parte de la experiencia central del liberalismo español desde sus primeros años, más cercano al reformismo, hasta su evolución hacia el doctrinarismo y el moderantismo. Traumatizado por la muerte de su hermano, activó el expresionismo católico y acabó configurando su espíritu con sus amistades francesas, espantadas ante el rumbo que tomaban los acontecimientos en París. Con ese espíritu marchó en 1848 a Berlín, donde había sido nombrado embajador. Allí trabó amistad con el embajador ruso. Con la experiencia personal de la revolución regresó a Madrid, donde pudo pronunciar el discurso más importante del pensamiento político español moderno, de verdadera repercusión europea. La tesis de ese discurso es bien sencilla y se resume en esta frase: «Cuando la legalidad basta para salvar la sociedad, la legalidad; cuando no basta, la dictadura».

Pero ¿y el presente? ¿Cómo se salvaría? Lo que decía Donoso es que en el presente existía una realidad que es el «estado de excepción» y que en esas circunstancias la dictadura constituye una forma legítima de gobierno. Donoso rehabilitó la dictadura al llamarle gobierno no solo legítimo, sino racional, tanto en la teoría como en la práctica. Estas frases son muy conocidas. Menos identificado ha sido el espíritu de Donoso, que reconoció que la finalidad de su discurso era sencillamente rebatir hasta «enterrar» las ideas contrarias. El Parlamento fue entendido como «el cementerio natural» de las infecundas ideas progresistas. En la base del pensamiento de Donoso, la legalidad era solo un mero principio auxiliar, un arma de la sociedad, entre otras. Su principio, que derivaba del francés Louis Bonald, afirmaba el carácter absoluto de la sociedad. Pero en su sentido de las cosas, «sociedad» se oponía a la palabra más tremenda: «revolución». Entre ambas se daba la más cruda antítesis, tanta como la que va del ser a la nada. La revolución era el mal concentrado. Cuando estaba desparramado, podía gobernarse desde la pluralidad de las instituciones y leyes. Pero cuando el mal se concentraba, solo podía vencerse desde un bien concentrado. Eso era la dictadura.

Donoso no reclamaba la dictadura para ejercerla. Era conocida su falta de ambición política directa. Se presentaba como un humilde ciudadano que, para defender la sociedad, reclamaba poderes especiales. Lo más español de su pensamiento es que los reclamaba para quedar exonerado de ejercer la violencia. Donoso quería irse a la tumba sin dañar a un hombre. La dictadura lo haría por él, pero él no sería responsable. Este pensamiento, que lleva directamente al Gran Inquisidor de Fiódor M. Dostoievski, está en la base del pensamiento católico de Donoso. Los «hombres de bien» merecían ser defendidos por un dictador para así salvar su alma, porque no pueden ser dejados indefensos ante la revolución. Entre líneas, este discurso consideraba que el mal se concentraba mediante las asociaciones políticas, que así eran *per se* revolucionarias. Pero al final de todo, Donoso hacía de la dictadura una forma del gobierno divino del mundo, una realidad providencial. Dios permitía las revoluciones dentro de su secreta sabiduría para que los hombres adquirieran la conciencia adecuada de la realidad peligrosa de la historia y de sus deberes. Ahora, sin embargo, se abría el momento decisivo: Dios enseñaba permitiendo revoluciones para que el ser humano tomara decisiones. Eso explicaba el rumbo de la revolución de París, su triunfo. En suma, las revoluciones eran obras de Dios, procedían de la culpa de los hombres, pero se consentían para su castigo. Estas ideas procedían de la doctrina tradicional acerca del tirano y ya la había defendido san Isidoro de Sevilla. Sin embargo, bastaba esperar para que la providencia brillara. ¿Cómo? Dejando que los agentes de la revolución se devorasen a sí mismos. El origen de la revolución era el mal, el mismo que había animado a Luzbel contra su Dios. Su origen estaba en los que tenían suficiente poder, no en los pueblos de gentes sencillas. En el poder de los tribunos, en el de los partidos, en el de los ideólogos que animaban a todos los demás a «ser como dioses». La revolución no procedía de los pobres de espíritu. La obligación del gobernante era brindarle a estos su protección paternal.

Con un espíritu profético que sobrecoge todavía cuando logra reprimir su tono hiperbólico, dijo que quien tuviera ojos en la cara podría ver que se había acabado la época de la libertad. «¡La libertad se acabó! ¿Os asusta, señores, la tiranía que sufrimos? De poco os asustáis. Veréis cosas mayores». Entonces, Donoso anunció algo que resonaría en muchas inteligencias españolas. Lo hizo de forma solemne y exigió que sus palabras fueran recordadas y guardadas en la memoria. Los liberales no sabían nada acerca del rumbo que tomaba la civilización y el mundo. No sabían nada de la lucha terrible que se preparaba entre Europa y Rusia en el futuro. Así aseveró que el mundo caminaba hacia el despotismo más desolador que habían conocido los hombres. Solo desde el catolicismo se podía obtener la altura debida para juzgar el «conjunto pavoroso de los acontecimientos». Para Donoso, la noción de «libertad» era cristiana. Si se acababa el cristianismo, entonces la libertad se acababa. Pero con esto no hacía sino aparecer el paralelismo más maravilloso, pues al decaer el principio interior religioso de obediencia, tendría que aumentar hasta el extremo el principio exterior de la coacción política. Así, el esquema de gobierno interior y pastoral de la Iglesia sería desalojado ante un gobierno puramente exterior. Carentes de Dios, esos gobiernos nuevos imitarían a Dios. Serían omniscientes extremando la vigilancia y la policía; omnipotentes, extremando la técnica y las armas; sus deseos serían impuestos a todos los súbditos. Lo peor sería la imitación nihilista de lo mejor, un dios tecnificado que culminaba el proceso de creación del Leviatán. Una vez anunciado este proceso, ya nadie se podría llevar a engaño.

Esta era la opinión fundamental de Donoso: una vez activada la ideología comunista, ya no se elige entre libertad y dictadura. En el futuro no será este el dilema. La elección estaría entre la dictadura revolucionaria y la dictadura de gobierno. Puestos a elegir entre dos dictaduras, Donoso elegía la más «saludable», «noble», «serena» «procedente de regiones limpias». Esa era la «dictadura del sable». La otra era la «dictadura de la navaja», la del puñal, la popular, la innoble.

Donoso logró ser escuchado. Si se pasa revista a sus tesis, hay algo de Marcelino Menéndez Pelayo en su expresión, más en Juan Vázquez de Mella y más en el segundo Ramiro de Maeztu. Raro fue el intelectual del franquismo que no escribiera sobre él recordando que sus profecías se cumplían en la España de Franco y su lucha contra Moscú. Incluso Azorín llegó a decir que todo él era nobleza, sinceridad y amor, y alabó la historia que hablaba de que en París se quedó sin camisas por dárselas a los pobres. Pero Azorín nos da otra noticia. Don Emilio Castelar se sabía sus discursos de memoria. Todavía nos preguntaremos si los conocía Antonio Cánovas.

LA REPÚBLICA SOBREVENIDA

Donoso olvidaba algunas cosas, desde luego. Cuando el jefe del ejecutivo, conde de San Luis, cerró las Cortes a finales de 1853 y gobernó por decreto, con la persecución y la represión subsiguientes, no lo hizo por inspiración profética. Sencillamente deseaba realizar unas contratas de ferrocarriles a las que se oponía el Senado. Todos, desde los narvaístas a los republicanos, se unieron contra un gobierno tan corrupto. Este aumentó la represión. La insurgencia estalló en 1854, ahora bajo un nombre tan prosaico como la Vicalvarada. Con ese nombre era fácil pensar que no se presentara la Providencia. Vino Espartero de nuevo. En realidad, la revolución la hicieron los moderados como O'Donnell y Cánovas para adelantarse a los progresistas. Pero al final, para controlar ese movimiento, se dio el poder al viejo general, esperado con impaciencia por la reina. Leopoldo O'Donnell mantuvo el Ministerio de la Guerra. Pero el genio del plan ya era Antonio Cánovas, quien deseaba quemar la opción Espartero. El gabinete, para atraerse el favor popular, se entregó a una política anticlerical descarada, y el ministro Pascual Madoz presentó una privatización de bienes comunes de los pueblos como parte del programa liberal. Cuando la situación estuvo madura, O'Donnell se hizo con el poder, pero solo de paso. En el baile del rigodón por su cumpleaños de 1856, la reina eligió como pareja de baile a Narváez. Era volver al principio.

Las protestas en Andalucía, animadas por el Partido Demócrata, vieron emerger la cuestión agraria: al grito de «¡mueran los ricos!» de los antiguos panfletos de 1842, se quemaron archivos y casas de la Guardia Civil. Luego se vieron por los caminos reatas de presos dirigirse a los trabajos forzados y las condenas a muerte ascendieron a un centenar. Narváez, aturdido, dimitió. En 1858, ya estaba preparada una nueva formación forjada por O'Donnell y Cánovas durante los dos años de gobierno moderado. La Unión Liberal, síntesis de liberales puritanos y progresistas templados, se disponía a ofrecer otra década de gobierno estable —orden y libertad, era su divisa— que venía a suceder al complejo período de agitaciones de los años precedentes. Con la puntualidad de una nueva generación, el proyecto insurreccional, agotado, daba paso a un decenio de relativa tranquilidad, administrado por la alta y la media burguesía, altos empleados, abogados, y, desde luego, por la plana mayor del ejército, que se reservaba la presidencia con O'Donnell.

Este sistema de acuerdo entre la Unión Liberal y el ejército debería llegar a la llamada «revolución gloriosa» de 1868. En suma, la Unión Liberal fue también el partido del Estado, como lo había sido antes el moderado, y asumía la cooptación de sus servidores más notables. De hecho, no se impugnó seriamente la Constitución de 1845. No se decretó la exclusión de ninguna fuerza política de las elecciones, pero se comenzó a ver como natural que los gobernadores civiles, coordinados por el ministro de Gobernación, ejercieran el control electoral y garantizaran la representación oportuna a la mayoría. El Estado forjaba su propia clase política y también su representación. Se cooptaba a sus ministros, a sus candidatos, pero también a sus propios parlamentarios. Ahora la Unión Liberal representaba al Estado. Así que estaba dispuesta a acoger aquellas características que Donoso Cortés veía en el despotismo del futuro: la omnisciencia. Tendió el telégrafo para posibilitar la rápida circulación de las órdenes ministeriales entre Madrid y las provincias. El éxito de la Unión Liberal fue arrollador. La primera legislatura fue estable y duró cinco años. El Estado administrativo dio un nuevo paso adelante. Se restableció la relación con Roma, que aceptó deuda pública en compensación de la venta de bienes; se hizo una ley Hipotecaria y de Notarios; se creó la escuela diplomática, el cuerpo de ingenieros, el de archiveros; se reformaron las leyes educativas y se trazó un plan de carreteras. En un orden político tan cerrado y manipulado, los demócratas y los republicanos siguieron con sus imposibles planes reivindicativos e insurreccionales, vinculados con los campesinos andaluces y los obreros catalanes, algunos muertos, como Sixto Cámara, y otros presos como, Fernando Garrido, en 1859. La rebelión de Loja en 1861 fue todavía más amplia y puso en pie una columna de más de mil hombres armados unidos al grito de la república. Miles de campesinos se adhirieron durante una semana. La represión fue feroz: cien jornaleros fueron fusilados y medio millar deportados. Una amnistía al año siguiente dulcificó la pena.

Cuando el Estado se sintió suficientemente fuerte, se vio claro que el esquema de gobierno no pasaba por aprovechar la fortaleza de la administración para mejorar las condiciones de vida de los pueblos. Era el propio Estado, su administración y sus gestores, el que deseaba extenderse, expandirse como un cuerpo más amplio, más capaz de ofrecer prebendas y oportunidades. El reflejo fue el imperial. O'Donnell declaró la guerra al sultán de Marruecos en 1859 con motivo de unos disturbios en Melilla. Parte de la opinión pública política deseaba compensar las posesiones francesas en Argelia. Justo entonces estallaron la rebelión carlista y la demócrata. O'Donnell, muy realista, se dio cuenta de que el país no podía arriesgar el orden interior con una guerra imperial y trazó la paz. La debilidad del Estado hacía muy difícil y prematura esa aventura imperial. Sin embargo, se reconoció la «vocación africanista de la monarquía española». Al decirlo tan claro, pronunció una razón de Estado.

La Unión Liberal era menos fuerte de lo que parecía. Se había especializado en atraer hacia sus filas a gentes de los antiguos partidos, que habían quedado desarticulados. Pero como grupo no tenía otro programa que la administración del Estado. Las disensiones internas no tenían muro de contención alguno, excepto el goce del poder. Tras los primeros cinco años, luego no hubo manera de ordenar un gobierno estable y los ministros iban y venían. En 1864 comenzó a operar Antonio Cánovas del Castillo como ministro de Gobernación, y propuso dos leyes que mostraban su espíritu: una daba plena capacidad al ejecutivo para prohibir y disolver a discreción toda asamblea pública, y otra restablecía la censura previa y entregaba a la jurisdicción militar las publicaciones que atacaran al ejército. Desde 1857, los progresistas, muchos en el exilio, dirigidos por el general Juan Prim, esperaban que las contradicciones de los unionistas y el desafecto popular pronto dejasen las cosas cercanas a la insurrección. Cuando la reina percibió que ese era el destino, llamó a quien daba garantías de mano dura, llegado el caso, Narváez. Pero solo si llegaba el caso. La orden de la soberana, ahora apoyada por su madre María Cristina, era que se atrajera a los progresistas a la vía legal y por eso Narvaéz se mostró dispuesto a ser liberal, con medidas de amnistía y levantamiento de penas. La figura de Narváez sugería que esa era solo su primera opción. Los progresistas, que conocían la camarilla que rodeaba a Narváez, no entraron al trapo y entonces emergió el Narváez de siempre.

La línea roja fue aceptar el *Syllabus* papal que declaraba pecado el liberalismo. Toda la prensa, decenas de diarios solo en Madrid, se movilizó y el ministro Luis González Bravo propuso una durísima ley de Censura. En este ambiente estalló la crisis universitaria, por la imposición de que la Central se atuviera a la enseñanza de la religión católica y a la defensa del Concordato. Los profesores krausistas y los demócratas como Emilio Castelar fueron perseguidos y apartados. Una pequeña historia fue decisiva. Castelar había dejado una revista, *La Discusión*, y se había pasado a *La Democracia*. Su puesto allí lo ocuparía Francisco Pi y Margall, quien publicó en un artículo algo que haría sonreír a Donoso:

> Hay que elegir entre el hombre y Dios. Si se cree en Dios hay que quedar sin la libertad; si se cree en la libertad hay que renunciar a Dios.

Luego, en el segundo artículo, conectó con los anarquistas andaluces: era preciso someter la propiedad territorial a la soberanía popular. Castelar, un republicano demócrata creyente, contraatacó. En uno de sus artículos, «El Gesto», criticaba a la reina, que había vendido parte del patrimonio regio para aliviar la situación de la Hacienda, pero se había quedado con un 25 por ciento para su patrimonio privado.

Era una desamortización más, y solo serviría para lo mismo: para incrementar las grandes fortunas. Castelar protestó. El patrimonio real era un bien público y no se podía privatizar. Era inalienable. Podía venderse, pero solo si servía para crear un fondo público con el que atender gastos del Estado. Ahora era el peor momento para hacerlo. Además de ilegal, la venta sería un profundo desengaño. El artículo y la inquietud universitaria llevaron a actuar contra Castelar al mismo Antonio Alcalá Galiano, conocido como «el Apóstata», dado su pasado revolucionario —él solía contestar con la pregunta: ¿Quién no lo es en este país?—, y que era el responsable de la universidad. Se cambió al rector y la agitación dio la impresión de que todo se descontrolaba. Gonzalez Bravo habló de oponer la fuerza y el hierro a la fuerza y el hierro, y amenazó: «¡Desgraciado el que caiga!». En la Puerta del Sol, miles de estudiantes iniciaron una pitada con silbatos. Las fuerzas los disolvieron en la noche de San Daniel, con varios muertos. Alcalá Galiano, excitado, murió en plena sesión del Consejo de Ministros pronunciando una frase enigmática, «¡El 10 de marzo!», que espantó a todos. Se refería a la represión que en Cádiz excitó los ánimos hasta provocar el motín de Riego, cuyo himno cantaban los estudiantes en la Puerta del Sol.

La reina se dio cuenta de que tenía que calmar los ánimos y volvió a llamar a O'Donnell. Deseoso de atraer a los progresistas, este cambió la ley electoral para abrir el sufragio a diversas profesiones con independencia de su renta. Los progresistas mantuvieron el retraimiento, al igual que los demócratas y los republicanos. En enero de 1866, Prim se levantó y O'Donnell adoptó la política de Narváez: suprimir reuniones, asambleas, comités, tertulias. Otra insurrección de sargentos produjo sesenta y seis condenados a muerte. O'Donnell fue cesado. Para esa política era mejor Narváez con su ministro González Bravo, quien dijo que era preciso manejar el puñal de tal manera que produjera «algo muy gordo que hiciera latir la bilis». Aquí la «dictadura del sable», digna y noble, que alabara Donoso, ya se había degradado lo suficiente. Cuando Narváez moría en 1868, lo sucedió este aficionado al «noble arte del cuchillo», como diría Borges.

La situación de Madrid en ese momento era terminal. En una carta que escribía Madoz a Prim en enero de 1867, se quejaba de que la vida económica estaba muerta. «Nadie paga porque nadie puede pagar, porque nadie tiene para pagar». En este clima de crisis económica, con quiebras bancarias por doquier, la oposición demócrata, progresista —luego se uniría lo que quedaba de la Unión Liberal bajo Serrano—, había mantenido reuniones en el extranjero y se llegó a un frente amplio, que tendría notable repercusión en la historia de España. Reunidos en Ostende (Bélgica) en agosto de 1866, acordaron deponer a la clase dirigente en el poder. El procedimiento: forjar un gobierno provisional capaz de convocar una asamblea constituyente elegida por sufragio universal masculino directo. Implícito al Pacto de Ostende era acabar con el reinado de Isabel II, aunque se sometería a la votación de las Cortes constituyentes si se optaba por la monarquía o la república. También se aceptaba que el presidente del gobierno provisional fuera el general Prim. En julio de 1867, mientras la represión arreciaba en Madrid, dicho pacto se ratificó en Bruselas, explicitando que Prim era el jefe del movimiento y que la bandera de la revolución era acabar con la dinastía de los Borbones. Aunque la monarquía se decidiera por Cortes o por plebiscito, no recaería en la dinastía reinante.

El 17 de septiembre de 1868 se publicó el manifiesto «¡España con honra!», en el que se denunciaban «las nuevas fortunas improvisadas» y la corrupción general de toda la administración, con la muerte del municipio. Cuando Juan Bautista Topete se puso al frente de la escuadra de Cádiz, todo estaba preparado para la rebelión y el movimiento juntero se reeditó una vez más. Si eso fue el 19 de septiembre, el día 20 la Junta Revolucionaria de Sevilla lanzaba una proclama en la que asentaba los puntos necesarios para la «regeneración de este desgraciado país». Ante todo, volvía a reclamar sufragio universal y libertades generales, incluida la enseñanza y los cultos y, tan pronto lo permitiera la situación, la libertad de comercio. Se exigían Cortes constituyentes y el final de los impuestos de consumos y puertas, así como unidad de fuero y abolición de los especiales. Aunque no se pedía la formación de la milicia nacional, se exigía la derogación de la ley de Quintas y la formación de un ejército de voluntarios. En Madrid, días después, la muchedumbre llenaba la Puerta del Sol, con banderas rojas y negras y otras rojas y amarillas, e imponía la revolución sin derramar una gota de sangre. La élite gobernante se desvaneció como un cuerpo extraño y desarraigado. Por todo el litoral, las ciudades proclamaron Juntas. Contra todo pronóstico, el gobierno provisional lo presidió un unionista, el general Francisco Serrano.

Por mucho que la mala situación económica ayudara a los sublevados, no cabe duda de que la revolución de 1868 fue política. A ello contribuyó la muerte de los actores de primera fila de las dos décadas anteriores. Todos los intereses económicos de los sublevados podían haberse defendido sin asumir los principios democráticos de gobierno provisional y asamblea constituyente. Pero era ante todo una revolución política, como lo demostró el mayor protagonismo de los partidos Demócrata y Republicano, que volvían a conectar con los elementos de 1842 y 1857. Este encuentro de la vieja insurgencia con las nuevas agitaciones y movilizaciones determinó el curso de la revolución. En este sentido, los intentos de la Unión Liberal de contenerla fueron vanos. Se llevó adelante el programa progresista, con las desamortizaciones, pero aumentó la dimensión anticlerical, y aunque los demócratas no tenían gran poder en el gobierno provisional, las Juntas urbanas eran suyas. Cuando el gobierno se inclinó a la monarquía —a finales de 1868—, el Partido Demócrata se escindió. Los republicanos se convirtieron en el Partido Republicano Democrático Federal, y el grupo minoritario, los 'cimbrios', aceptó la monarquía y se integró en el Partido Democrático Radical, que mostraba su aspiración: ordenar las relaciones entre el gobierno central y los poderes locales. Sus líderes, Castelar, Pi y Margall y José María Orense, tenían distintas percepciones del federalismo, pero en todo caso aseguraron que la democracia en España solo podía ser republicana y federal. Los diarios federales aparecieron por doquier en Barcelona *(El Tiro Nacional)*, Valencia *(La Blusa)*, Madrid *(La Igualdad)*. El viejo líder Fernando Garrido, incansable, se paseó por toda España en defensa de las ideas republicanas. El movimiento fue tal que Serrano se adelantó a proclamar que el ejecutivo se inclinaba por la monarquía. Con ello, los movimientos de masas a favor del republicanismo aumentaron. Se tenía clara conciencia de que lo que no había sido posible en 1842 y en 1857, ahora, en 1868, con el exilio de la reina Isabel, se encaminaba con mejor fortuna. Una tradición política ahora aparecía nítida y cristalizó con la fundación de la Asociación Internacional de Trabajadores, la AIT, de impronta anarquista.

En enero de 1869 se celebraron las elecciones a Cortes constituyentes. Por primera vez tuvo lugar una elección democrática universal para varones mayores de edad y se acudió a las urnas con suficiencia, un 70 por ciento. La mayoría votó progresista, aunque los unionistas y los federales obtuvieron buenos resultados (sesenta y nueve diputados). En junio de ese año estaba lista la Constitución.

greso, y los comités republicanos federales de Aragón, Cataluña, Valencia y las islas Baleares organizaron el pacto federal de Tortosa, de mayo de 1869. Su espíritu era «constituir definitiva y sólidamente el país», lo que únicamente se podía lograr mediante una «necesaria expansión de los encontrados intereses». Esta libertad solo podía lograrse en una república, desde luego, y los federales de la antigua Corona de Aragón se conjuraron para oponerse a cualquier irrupción de la reacción. Para ello se organizaban como Asamblea Confederada. No pretendían separarse de España, como dijeron, pero se mantendrían con una estrategia unida para lograr la instauración de una república federal. Este movimiento político, en el que ya trabajó el futuro líder catalanista, Valentí Almirall, vendría a solaparse con la propaganda incipiente del anarquismo.

Aunque Cataluña era el centro de gravedad del movimiento federalista, no hay que olvidar que a través de él encontraban aliento las reivindicaciones urbanas, sobre todo de las ciudades portuarias. Si Pi y Margall marchó a Madrid fue como consecuencia de la represión que siguió a las luchas de 1843, pero eso no fue obstáculo para defender sus ideas federalistas desde el centro. Con ellas coincidían las clases urbanas que sufrían los impuestos de consumos con los que se sostenía la Hacienda pública. Por eso no era utópico pensar que el modelo federal podía aplicarse a todas las tierras españolas. Eso permitió que Pi y Margall se mantuviera aliado de Almirall, quien fundó el Partido Republicano Federal de Cataluña y desplegó una intensa actividad periodística. De forma expresa, Almirall desconfiaba de lo que pudiera hacer el gobierno de Madrid y le parecía que era preciso avanzar en paralelo hacia una Constitución federal de España y una propia del Estado de Cataluña. Cuando la Constitución del 1869 se aprobó, Almirall tomó en sus manos la tradición de la insurrección y se lanzó a la revolución federal de septiembre, siendo deportado. Poco después, en octubre, la guerra estallaba en Cuba.

Era fácil pensar que la nueva Constitución, puramente liberal y democrática, no satisficiera las demandas republicanas. No solo porque apostaba por la monarquía. Seguía manteniendo al clero católico, aunque reconocía otros cultos, y permitía la educación libre, aunque no retiraba sus colegios al clero. Aunque sentaba el principio democrático de sufragio entre los varones, se organizaba en distritos uninominales, una forma preferida por los moderados porque permitía un mayor control por parte del gobierno central y las oligarquías. Así que era una Constitución de compromiso entre unionistas y progresistas, tal y como se vio cuando Serrano se elevó a regente y Prim tomó la jefatura del gobierno. Luego todo se precipitó: la elección como rey de Amadeo de Saboya, defendido y apoyado por Prim, a finales de 1871; el asesinato de este último antes de que el monarca pudiera jurar la Constitución; la disolución del consenso entre unionistas y progresistas; el abandono general del soberano, y la declaración de la guerra carlista en abril de 1872, muy virulenta en toda la cornisa vasca, navarra y catalana, donde dejarían aisladas a las capitales de provincia en medio de un territorio controlado por la administración de Carlos VII, un embrión de Estado organizado y funcional.

Todo parecía disolverse. España era un Estado fallido en esos instantes. Un gobierno sin apoyos parlamentarios fuertes, impugnado en el norte, en las ciudades, en Cuba, roto el consenso fundador, no podía servir a un rey como Amadeo, incapaz de entender las formas y los estilos de la política española, el carácter exacerbado de las luchas y de las hostilidades personales. Con una amarga reflexión, Amadeo afirmó que los principales enemigos de los españoles eran los españoles mismos. La forma de luchar era tan carente de lógica, principios, objetivos y razón, que resultaba imposible moderarla o arbitrarla. «Lo he buscado ávidamente dentro de la ley y no lo he hallado. Fuera de la ley no ha de buscarlo quien prometió observarla». Estas palabras del rey, pronunciadas en febrero de 1873, no exentas de dignidad, fueron recibidas con una desinhibida relajación por todas las partes. Cánovas y los unionistas porque por fin desaparecía un obstáculo para reponer a los Borbones en el hijo de Isabel, Alfonso. Los progresistas porque, en un esfuerzo por atraerse a los republicanos, podían buscar ya con ellos la mayoría, en una república que solo ellos podrían gobernar. Así fue como un Parlamento monárquico votó la Primera República, más fruto de una argucia de Cánovas, para quemar cuanto antes la revolución, que de un movimiento organizado y positivo del pueblo español a favor de la forma republicana.

Las Cortes encargaron a un gobierno provisional la celebración de Cortes constituyentes. Era febrero de 1873. Sin embargo, las Cortes de 1868 no se disolvieron de forma inmediata. Los radicales se hicieron cargo del centro político, pero era inevitable contar con los republicanos. Así que se entregó el gobierno a Estanislao Figueras. Como la voluntad era exigir a los radicales que detuvieran el poder creciente de los federales, estos lograron pronto convocar las nuevas Cortes constituyentes para junio y, cuando se produjeron los primeros conatos de violencia de la reacción conservadora, Madrid vio el espectáculo de que un catalán, Pi y Margall, al frente de la milicia nacional, supo mantener el orden. En esas nuevas Cortes, todas las demás fuerzas jugaron al abstencionismo. Los republicanos federales fueron dejados solos, sin enemigos visibles. La abstención fue del 60 por ciento. En los debates parlamentarios iniciales se abrieron paso las ideas moderadas de Pi y Margall sobre la estructura federal de España, que debía ordenarse de forma coordinada entre el centro y la periferia. El artículo 1 del borrador, que jamás llegó a aprobarse, decía que

> componen la Nación española los Estados de Andalucía Alta, Andalucía Baja, Aragón, Asturias, Baleares, Canarias, Castilla la Nueva, Castilla la Vieja, Cataluña, Cuba, Extremadura, Galicia, Murcia, Navarra, Puerto Rico, Valencia, Regiones Vascongadas.

Se permitía a los Estados federados organizarse en las provincias actuales o en otras. Sin duda, existía la convicción de que había reivindicaciones específicamente cantonales de organizar nuevas provincias, sobre todo visibles en Alcoy y Cartagena. En tanto que Cortes normales gubernativas, se estudió repartir tierras a colonos. Sin embargo, el proceso de Cortes constituyentes ya implicaba una lógica central y fue impugnada por los poderes locales y las Juntas, que deseaban un poder configurado a partir de ellas mismas, con la vieja dinámica de Junta Central, sin entregar la autonomía local a una Constitución desde arriba. Así, la insurrección local no perdonó al gobierno republicano federal, que cayó víctima de los más radicales de sus aliados. La experiencia republicana, que se había consumado ocupando el campo libre dejado por los seguidores de Alfonso de Borbón con la idea de que el caos acelerase el regreso de la monarquía, acababa justo por la incapacidad de ordenar la relación entre el centro y la periferia y de forjar una fuerza hegemónica capaz de dirigir la revolución activa de forma seria.

4

LA OBRA CONSTITUCIONAL DE CÁNOVAS

CÁNOVAS SE ESCRIBE A SÍ MISMO

El 3 de enero de 1874, el candidato a dictador, el general Manuel Pavía, entraba a caballo en el Congreso, interrumpía el debate constituyente de las Cortes e iniciaba la disolución de la Primera República española, sin apenas haber dado tiempo para avanzar en los debates constituyentes. Tres días después cedía el poder al general Francisco Serrano, quien disolvía las Cortes e iniciaba una dictadura republicana —oficialmente no había otro régimen en España—. En realidad, gobernaba en un vacío político que solo tenía el soporte de su propio caudillaje militar. Con la guerra carlista abierta y con la insurrección de Cuba, nadie pensaba en un gobierno que no fuera militar. Tendría que pasar todo aquel año de 1874 para que Alfonso publicara su *Manifiesto de Sandhurst*, la escuela militar en la que el futuro rey se ejercitaba de cadete. El texto lo había escrito Antonio Cánovas, quien un año antes había sido proclamado jefe del Partido Alfonsino. El manifiesto regio se dirigía a la nación para comunicar la mayoría de edad del futuro monarca. En realidad, era algo así como una carta del joven cadete a Cánovas. Hay algo de siniestro en el hecho de que Cánovas se escribiera a sí mismo, pero ese desdoblamiento de autor/receptor fue muy característico de su relación con la monarquía. «Deseo que con todos [los que me han felicitado] sea usted —le decía el rey a Cánovas o Cánovas a sí mismo— intérprete de mi gratitud y de mis opiniones». Con ello, y desde el primer pasaje, Cánovas se elevaba a oráculo infalible del candidato a soberano.

El manifiesto se declaraba a favor de la monarquía constitucional como solución a los problemas de España porque ofrecía la reconciliación nacional de todos «los de buena fe, sean cuales sean sus antecedentes políticos». Era un régimen de unión y de paz, se decía, y no podía basarse en exclusiones. Un «monarca nuevo» se presentaba como carente de pasiones, y esto significaba que el rey se consideraba ajeno a la terrible historia del siglo. Cánovas, algunas veces, como luego en los debates constitucionales de mayo de 1876, sugirió que para gobernar España era preciso olvidar todo lo que los hombres políticos habían aprendido a lo largo del siglo XIX. Venía a significar con ello que la legitimidad regia para gobernar se basaba en su mayor capacidad de olvido. Con su elocuencia particular dijo: «Hay que olvidar todo o casi todo lo que hemos aprendido, si es que se quiere que haya aquí [...] Patria siquiera». Aunque cabe la sospecha de que él, en el fondo, no olvidaba nada, era verosímil que el joven rey no quisiera recordar mucho. Así, desde ese manto de olvido se habló de concordia, de orden y de libertad y se suponía que estos serían los valores que regirían el nuevo tiempo monárquico. Pero, en realidad, por encima del tiempo y atravesando los siglos, para Cánovas había algo más, de naturaleza inolvidable: el derecho monárquico y las instituciones representativas, que no habían dejado de funcionar con plena legalidad hasta la revolución de 1868, incluso en las peores circunstancias, como la guerra de la Independencia de 1812 o la guerra civil de 1840. Esta era la frontera del olvido selectivo de Cánovas. Desde ese momento de 1868, la nación había quedado huérfana y privada de libertades. Para Cánovas no quedaban dudas de que la Constitución de 1869 había tenido el suficiente valor para derrocar a la anterior de 1845; pero aquella Carta, con una rara evidencia, para él ya no estaba en vigor porque no disponía de la legitimidad de origen, dado que «se formó sobre la base inexistente de la monarquía». Pero si la Constitución de 1869 no tuvo legitimidad, ¿cómo pudo derrocar a la de 1845? Cánovas aquí apelaba a la facticidad histórica. Era así. La facticidad valía para derrocar, pero no para construir. Para una cosa era legítima, pero para otra, ilegítima. Por lo demás, la Constitución de 1869 tampoco estaba vigente porque la habían destruido aquellos que, sin base constituida, habían proclamado la república.

Con estas premisas, Cánovas ya estaba marcando el sentido de su intervención política futura. Se trataba de una síntesis histórica entre los dos extremos que el siglo XIX había dejado: la Constitución de Cádiz, liberal, y la Constitución de 1845, conservadora. Aunque, cuando se observa con detalle, estas constituciones apenas habían estado vigentes unos pocos años, y la vida histórica había discurrido de una forma inestable y a menudo convulsa, cuando no traumática, vistas desde la lejanía y, sobre todo, desde el fracaso de la «operación Amadeo de Saboya» y de la República federal, aquellas parecían en cierto modo los momentos de una estabilidad ideal o fundamental. Esta creencia determinó la búsqueda de un denominador común a los dos regímenes. Hallar una base capaz de integrar los principios de ambas constituciones fue la finalidad de Cánovas. De forma precisa, el manifiesto de Alfonso dejaba claro que, por debajo de ese denominador común, y haciéndolo posible, estaba el principio monárquico de la casa de Borbón, «una monarquía hereditaria y representativa» que garantizaba la continuidad histórica y la atención a todos los intereses y derechos, «desde las clases obreras hasta las más elevadas». Si la Constitución de 1869 no era legítima porque se había formado sin rey existente, la nueva Carta Magna requería un monarca en la plenitud de sus derechos y prerrogativas. Así, el principio monárquico fue la palabra fundamental.

Todas las demás cuestiones políticas se declaraban pendientes, pero en modo alguno impedían ese principio fundamental: tenían que ser resueltas por un acuerdo entre el rey realmente existente y las Cortes. Esto es: no había desaparecido la soberanía nacional, que residía en estos dos elementos, aunque ahora ambos debían mostrar la forma concreta de organizarse y de relacionarse. Ahí residía el hecho esencial. España era una monarquía constitucional desde la dualidad misma de sus representantes soberanos. Lo era desde siempre. Aunque no tuviera Constitución, nunca dejaba de tener rey porque la legitimidad hereditaria no permite vacación y porque «por sus principios [posee] la necesaria flexibilidad» como para resolver todos los problemas, de conformidad «con los votos y convivencia de la nación». Por eso, en su manifiesto, Alfonso XII se comprometía a no decidir nada por sí solo. No habría otra Constitución otorgada. Pero nadie debía llevarse a engaño: la posición soberana de la monarquía tampoco se derivaba de la Constitución escrita. Su principio era existencial. La monarquía operaba desde fuera de la Constitución positiva, conformándola e interpretándola junto con la nación. El doble principio de un «príncipe leal y un pueblo libre» no era nada nuevo. Era lo que siempre había existido en España, rey y reino.

Para que esa libertad se cumpliera, era preciso que «las honradas y laboriosas clases populares» recordaran las tragedias del Sexenio Revolucionario y no se dejaran arrastrar por «sofismas pérfidos o absurdas ilusiones». Cánovas sugirió que la mejor manera de curarse de esas enfermedades, que llevaban a la revolución, era respetar la propia historia. Si se entendía lo permanente en ella, sería posible atender las exigencias cambiantes del tiempo. De nuevo, el planteamiento básico era el propio de la revolución pasiva y todo el juego consistía en discriminar el alcance, ritmo y forma de las concesiones constitucionales. Esta base se justificaba diciendo que el rey permitía esa síntesis de lo esencial y lo temporal, de lo eterno y lo actual, para defender al final que, en palabras del propio soberano,

> sea lo que quiera mi propia suerte, no dejaré de ser buen español ni, como todos mis antepasados, buen católico, ni, como hombre de siglo, liberal.

La capacidad oracular de Cánovas, como se ve, era impresionante.

DICTADURA DE CÁNOVAS

Estos planteamientos, formulados el 1 de diciembre de 1874, tenían puntos débiles desde una perspectiva jurídica. El título que apoyaba la acción de Alfonso era que su madre, la exreina Isabel, había abdicado. Aunque parezca paradójico que una exsoberana abdicase, para Cánovas este argumento era decisivo. El rey no era hecho rey por nadie, salvo por su derecho hereditario, del que no podía ser desposeído ni siquiera por el pueblo, que es lo que sucedió en 1869. Sin embargo, el general Arsenio Martínez Campos no compartía este criterio. Así que proclamó rey a Alfonso XII con el soporte y el poder del ejército, en Sagunto. No era un rey existente efectivo, salvo por la fuerza de las armas. Práxedes Mateo Sagasta, que era jefe de un ejecutivo formalmente republicano, aunque bajo un presidente-dictador, el general Serrano, que nadie había elegido, consideró que aquello era una declaración de guerra civil. Como publicó *La Gaceta de Madrid* el 31 de diciembre de 1874, aquella era una «bandera sediciosa». Un rey así elevado significaba, para Sagasta, apoyar «las aspiraciones del absolutismo». En suma, se trataba de «una rebelión que en su último resultado no podría favorecer, si se propagase, más que al carlismo y a la demagogia». Era evidente que la dictadura de Serrano deseaba resistir. Pero ¿qué títulos tenía Serrano para ello? Aunque Cánovas no era sino el jefe del Partido Alfonsino, nombrado el 22 de agosto de 1873 de acuerdo con la exreina, tan pronto el rey fue proclamado se convirtió en su ministro plenipotenciario. Y así, el 31 de diciembre de 1874, quien no tenía otro título que la confianza privada, tras el pronunciamiento de Sagunto, dictó un decreto de constitución de un Ministerio-Regencia. En él se decía que «proclamado [Alfonso XII] por la nación y el ejército» como rey, «había llegado el caso de usar de los poderes» que su nombramiento como jefe del partido regio le conferían. Así, Cánovas pasó de ser jefe del partido de una exsoberana y un cadete pretendiente, a presidente de la conocida como «dictadura de Cánovas». Su política consistiría en desplegar el programa del *Manifiesto de Sandhurst*. Cánovas reconoció que España se hallaba en un «estado excepcional», pero en modo alguno pensó que él era un soberano: la realidad existencial era la monarquía constitucional, y en ese momento se trataba de producir normas capaces de reparar el vacío de acuerdos constitucionales entre el rey y las Cortes.

Así fue como todo el ministerio Cánovas se puso a preparar la formación de una Constitución positiva, capaz de concretar la, según él, Constitución existencial histórica española y de adaptarla a los tiempos. Por eso, lo primero que hizo fue una ley de Prensa, capaz de mantener abierta ante la opinión pública la «crítica justa e ilustrada». Solo ella. Esto implicaba reducir la «absoluta libertad de prensa», porque se suponía que dicha libertad era culpable de las guerras civiles pasadas. Ahora, cuando se trataba de encaminarse hacia una Constitución formal, no se podría someter a debate «la índole de las nuevas instituciones». De la misma manera que la existencia del rey quedaba fuera de la Constitución, pues era su propio supuesto, así, la monarquía constitucional renovada quedaba fuera del campo de discusión de la prensa. Por supuesto, se prohibía toda alusión a los actos, opiniones o persona del rey o su familia. Ahí, el Ministerio-Regencia impedía que se discutiera otra cosa que las propuestas de Cánovas, portavoz del rey y del gobierno. En un decreto posterior, de 18 de mayo de 1875, Cánovas dijo: «No siendo pues lícito al actual gobierno renunciar a la Dictadura, tuvo que limitarse a manifestar su repugnancia a la arbitrariedad». Lo que se quería decir con ello, pues en realidad era una frase más bien abstracta, lo dejó claro Francisco Romero Robledo en el decreto de 7 de febrero de 1875, que regulaba los derechos de reunión y asociación: el nuevo gobierno «ha encontrado en vigor» la dictadura —la de Serrano— y ahora la seguía usando. Pero la utilizaba con una clara filosofía: existía una Constitución «esencial» al régimen actual y era preciso defenderla. O sea, que en el fondo no era una dictadura. La pregunta podría formularse así: la Constitución, si era tan esencial, ¿por qué precisaba una defensa dictatorial? La conclusión es obvia: las libertades políticas debían ser limitadas de tal modo que condujesen con necesidad a la formación de la Constitución positiva de la monarquía. Romero Robledo sabía que la única manera de hacerlo era controlar de forma inequívoca a los jefes provinciales y locales, de donde venía todo acto revolucionario. Así, toda reunión pública debía tener su autorización previa y todas las asociaciones políticas quedaban anuladas, sin todavía poder constituirse nuevas.

Un observador imparcial vería con dificultad dónde acabó la acción de esos poderes que el propio Cánovas llamó «dictadura». Sin embargo, el uso que hizo de ellos fue de una extraordinaria agudeza y condujo a la formación de una Constitución positiva de amplio consenso. Lo primero era disponer de partidos políticos nuevos. Para ello, Cánovas apoyó la formación de un grupo de nueve personas de todos los partidos liberales antiguos (Moderado, Progresista, Unión Liberal, y disidentes del Constitucionalista de Sagasta) que hicieron memoria y convocaron a todos los diputados y senadores elegidos en los últimos treinta años. La aspiración era reunir a todos los notables de procedencia liberal que habían tenido una palabra política desde 1840 hasta 1868. Unos seiscientos representantes contestaron y así se fue formando el Partido Liberal-Conservador de Cánovas, que dejaba a Sagasta en la oposición, todavía empleado en la defensa de la Constitución de 1869. Una declaración se hizo pública el 20 de mayo de 1875:

> La conservación del orden y de la libertad y el pronto ejercicio de las libertades parlamentarias depende esencialmente del afianzamiento de la monarquía de don Alfonso XII y de la legalidad común.

Como se puede ver, se asumió la divisa del moderantismo: orden y libertad. La dictadura se entendió así como el avance hacia la búsqueda de una legalidad común. Para salvaguardar el proceso se nombraba una comisión de treinta y nueve notables que debía formular las «bases de la legalidad común».

PROYECTO CONSTITUCIONAL

En poco más de un mes, a primeros de julio, ya estaban acabados los trabajos de la comisión de los treinta y nueve notables, pero, para asombro de todos, estos prohombres interpretaron su mandato de forma bastante amplia. En lugar de las bases de la legalidad común, ofrecieron sencillamente un proyecto de Constitución en toda regla. El periódico canovista *El Tiempo* nos permite explicar qué se quería decir con «legalidad común». En cierto modo, volvió el sincretismo de las Cortes de Cádiz. El proyecto de la nueva Constitución positiva no reclamaba novedad. En su articulado constituía un «conjunto completo y armónico» que recogía, sistematizaba e intercalaba disposiciones de las constituciones anteriores, entre ellas algunas procedentes de la Constitución democrática de 1869. El propio devenir constitucional español, desde 1812, se elevó a fuente de antecedentes históricos y se vio la tarea del presente como una ordenación de toda la época liberal, el cierre de la revolución pasiva del siglo XIX. Así, la legalidad común no era sino un conjunto selecto de normas de las anteriores constituciones, un régimen económico de olvido y memoria, que no ocultaba que su perspectiva básica era la Constitución de 1845 mejorada. Su aspiración era que los liberales moderados, progresistas y demócratas disidentes pudieran considerar la nueva Carta Magna como base suficiente de gobierno. Los diversos partidos legales podrían gobernar «variando solo en cierto caso las leyes orgánicas que le sirvan de complemento», algo que ha sentado escuela. El aprendizaje reflexivo consistía en esto: mientras que los partidos anteriores a 1874 entendían que su toma del poder implicaba una constitución —con lo que la regulación del acceso al poder requería mecanismos extraconstitucionales, insurreccionales—, ahora el sistema aprendía que bastaba con cambiar las leyes orgánicas, respetando la Constitución como ley común. Con ello se abría el camino al cambio pacífico de poder. Cuando se pronunciaba este juicio, Sagasta ya había pactado (17 de junio) abandonar la Constitución de 1869 como la única en vigor, y con ello se posibilitaba la aceptación del Partido Constitucional en la nueva monarquía alfonsina. El régimen de la Restauración echaba a andar.

En el mes de julio, la comisión de los treinta y nueve había ultimado sus trabajos. Cánovas dejó el gobierno y se aprestó a sacar adelante la Constitución en unas futuras Cortes. Para ello, como es natural, tenía que convocarlas. Cánovas se oponía a que se usase la ley electoral democrática de 1869, por sufragio universal masculino, y por eso ejerció esta reserva. La reserva aquí no significó veto. Para asegurar el resultado electoral con sufragio universal, sin embargo, se mantuvo a Romero Robledo en el Ministerio del Interior, lo que era toda una garantía. Así que al mantenerse la legislación electoral democrática, Sagasta tuvo un motivo más para participar en el proceso constitucional en Cortes. Si Cánovas aceptó este hecho, aunque solo fuera *por* esta sola vez —como dijo de forma expresa—, fue para conceder a la monarquía el máximo respaldo electoral. Sin embargo, su reserva podía abrir la puerta a una reducción de sufragio para las siguientes Cortes normales. Cuando Sagasta aseguró el apoyo a la nueva monarquía, Cánovas regresó a la presidencia del gobierno. Así se estableció la nítida distinción entre dos partidos legales, y se caracterizó su diferencia como «más o menos liberales en tendencias y aplicaciones». La ley electoral de 28 de diciembre de 1878 eliminó el sufragio universal y redujo el censo a menos de un millón de personas. Solo se volvería al sufragio universal en 1890, ya con Sagasta en el ejecutivo.

Bajo estas condiciones, se convocaron elecciones a Cortes el 31 de diciembre de 1875. Allí Cánovas expresó las claves de legitimidad de todo el proceso. Procedía de la abdicación de Isabel, que hacía a Alfonso heredero legítimo y rey; de las promesas del *Manifiesto de Sandhurst*, del régimen monárquico constitucional que estaba en pleno vigor, aunque sin Constitución positiva. Eso era lo decisivo:

> Las naciones tienen siempre una constitución interna, anterior y superior a los textos escritos, [textos] que la experiencia muestra cuán fácilmente desaparecen.

Para no dejar dudas, afirmaba que

> la Constitución interna, sustancial, esencial de España, está, a no dudar, contenida y cifrada en el principio monárquico-constitucional.

Esto implicaba que la soberanía de la nación residía en el rey y el reino. Solo la potestad conjunta de los dos elementos podía resolver los temas importantes. Esta Constitución íntima ofrecía el organismo natural de la sociedad española y no podía ser anulable por los sucesos, los accidentes y los procesos mismos de la vida histórica. Con esa potestad conjunta, todo podía ser reconstituido. Y lo era porque el rey deseaba renunciar a la «omnipotencia política del poder real», y eso a pesar de que «la dictadura que los republicanos dejaron creada» era fácil de mantener, sobre todo cuando las Cortes, entre los españoles, tenían escaso prestigio. Allí se justificó el sufragio universal porque el rey, asentado en la «herencia, la tradición y la legitimidad», deseaba entregar a las Cortes el principio de organización que el pueblo se había dado a sí mismo, sin su intervención. Y este lo había hecho en 1869. Así que todos podían ser electores y elegibles, pero solo si se elegía dentro de la monarquía constitucional, que no estaba sometida al derecho de voto.

Un documento adicional del 9 de enero de 1876 dejaba las cosas más claras. Se trata del *Manifiesto de los Notables*, que así se conoció a la comisión de treinta y nueve miembros encargada de ofrecer un proyecto constitucional. Convocadas las Cortes, estos próceres deseaban dirigirse al «cuerpo electoral cuando va a decidir los destinos de la patria». Los notables se identificaban como los representantes de los partidos políticos legales y no ocultaban que intentaban controlar las contingencias que se derivaban del proceso electoral. Este estado de ánimo temeroso caracteriza a la Restauración. Sin embargo, para evitar riesgos, los patricios tenían conciencia de la necesidad de eliminar «los personalismos y las parcialidades», la codicia del mando, los partidos caducos, capaces de obstaculizar y no de construir. En suma, un cosmos político nuevo se abría ante sus ojos. Así se habló de partidos nuevos «que sepan esperar», y de una opinión pública vigorosa. Los notables confiaban en que la historia trágica anterior, plagada de discordia, sirviera de «perdurable escarmiento».

Por todo ello, se debían proteger los principios fundamentales de la monarquía. Pronto resultó claro que la comisión «convino en dejar fuera de discusión los atributos esenciales de la monarquía hereditaria». La figura del rey era extraconstitucional. Los poderes de que gozaba no se reglaban ni computaban. Estos elementos daban a la Constitución de 1876 un aspecto casi de Carta otorgada, por mucho que lo negaran los notables. El rey renunciaba a su omnipotencia y, como solo tenía un elemento ulterior para organizar el reino, debía pactarlo con la representación nacional en las Cortes. Pero la nación se vinculaba a su propia esencia histórica, pues se reconocía que los dignatarios del Estado, la alta nobleza (con más de diez mil duros de renta) y la jerarquía eclesiástica eran igualmente extraconstitucionales y formaban una parte del Senado «por derecho propio». La Constitución existencial, como se ve, se ampliaba poco a poco. Otra parte del Senado sería igualmente extraconstitucional porque la elegiría el rey; y la tercera, sería nombrada por las diversas instituciones del Estado, que de este modo mantenían una separación respecto de la nación, que era la que elegía el Congreso. En realidad, aquí se hacía clara la situación. Lo que Cánovas llamaba «Constitución esencial» era el propio Estado y su aparato, sin olvidar el ejército, cuyo representante personal era el rey. Por lo demás, la justificación de la parte «electiva» estatal del Senado fue muy precisa. Se trataba de que no se redondeara cada vez la mayoría gubernamental con nombramientos vitalicios *ad hoc* del monarca, lo que desprestigiaba al cuerpo senatorial. El redondeo de la mayoría debía lograrse con senadores temporales electos y revocables. Así se lograba «la flexibilidad que ha de mantener la Cámara alta para que los partidos alternen pacíficamente en el mando». De igual modo, el catolicismo era la religión del Estado, y la nación se comprometía a su mantenimiento.

Esta diferencia entre la nación y el Estado es muy relevante en el espíritu de la Constitución de la Restauración, que deja a la soberanía popular como la fuente de la representación en el Congreso y poco más. Con cierto desdén, se decía que el Congreso es una asamblea «destinada a reflejar en el mecanismo político la opinión movediza y un tanto apasionada de las masas populares». El Senado, por el contrario, moderaba el principio de la representación nacional o, como decía el manifiesto, «los ímpetus irreflexivos del Congreso». Aquí se revelaba la opinión que el régimen de la Restauración tenía sobre la Cámara baja. En estas consideraciones regía el principio de «tan poca democracia como sea posible». Para impedir que el Congreso fuera irreflexivo y pusiera en peligro el turno de poder era preciso hacerlo depender tanto como fuera posible de los partidos políticos legítimos. Para ello se mantuvo el artículo 21 de la Constitución de 1845, «que permite a los partidos políticos establecer en las leyes orgánicas el sistema de elección que juzguen más oportuno». Esto es: la ley electoral era también extraconstitucional y formaba parte de esas atribuciones que tenía cada partido político a la hora de gobernar. En la práctica no era injusto porque los dos partidos tenían el mismo poder y porque la representación popular no hacía gobierno, sino que el gobierno producía la representación popular. Con ello, la nación quedaba reducida a refrendar el acuerdo político, ya fuese el constituyente o el ordinario.

Con esta alusión a la Constitución de 1845 se mostraba que la nueva Carta Magna de 1876 era un resumen de lo mejor de las constituciones liberales anteriores. Así, se incluyó el título I de la Carta democrática de 1869, que defendía la existencia de derechos extraconstitucionales, que la ley no crea, sino que reconoce y sanciona. Como se aprecia, también aquí cada partido obtenía su dosis de principios, en este caso el de la existencia de derechos naturales no derivados de la Constitución, algo que Sagasta defendía con énfasis. Este principio democrático compensaba los importantes elementos conservadores que se dejaban fuera del esquema constitucional. Pero todavía el *Manifiesto de los Notables* imponía un límite específico a los derechos naturales: «el derecho del Estado», que debía velar por la existencia del organismo social. Por lo demás, la unión de monarquía y nación se verificaba en la historia, en la lucha liberal contra el carlismo. De este modo, la obra de Cánovas estaba regida también por el famoso «término medio». A eso se aludía con las referencias al «fundamento común», a la «legalidad común», al «derecho común». No debe olvidarse que, mientras tanto, la guerra civil seguía en el norte de España y en Cuba. Lo «común» era un *desideratum*.

Pero todavía conviene reparar en el principio extraconstitucional de la religión. Aunque la Comisión de Notables hizo todo lo posible por ofrecer un contexto en el que el carlismo pudiera respirar tranquilo, la cuestión religiosa lo impidió. La Restauración no podía renunciar a su tradición liberal y se presentó como defensora del principio de libertad religiosa de conciencia y, con ello, de tolerancia religiosa. Los notables no cedieron en este punto, no porque estuvieran convencidos de la dignidad de este principio, sino porque era preciso retirar «de las manos de la revolución» una bandera peligrosa, «que no tardaría en hallar eco en las impresionables muchedumbres». Aunque una minoría de notables ultraconservadores abandonó la Comisión y se desvinculó del proyecto constitucional, la mayoría se atuvo a este principio. Pero no porque no tuviera la misma voluntad de mantener la unidad católica y defender «las tradiciones católicas del pueblo español», sino porque no se consideraba medio adecuado la «intolerancia legal». Se trataba de mantener el fin, pero por medios más adecuados, que no pudieran ser usados por «la revolución», un sujeto que por doquier se introduce en el debate como el verdadero enemigo, el afuera de la Constitución que forja la Constitución.

En realidad, todo esto le da a la Restauración un aspecto de movimiento defensivo de los principios liberales de la primera mitad de siglo (orden y libertad), frente a la realidad que rodea a sus representantes, esas muchedumbres, las masas, los elementos revolucionarios, todo aquello que ha quedado sepultado en una realidad que no se quiere nombrar. La revolución, las masas, las muchedumbres, todo eso no son la nación. La soberanía es la reunión de Cortes y rey. Estos dispositivos extraconstitucionales esenciales deben producir las leyes adecuadas a cada tiempo, la nueva Constitución y las leyes orgánicas. Al final, todo converge en la producción de un contexto político donde a la nación en sentido de *demos* político solo le queda la posibilidad de decir sí a la nación esencial, que reside en las Cortes con el rey. Con frecuencia se tiene la impresión de que se cree que ese enemigo temido, la revolución, en el fondo anida en el corazón mismo de esa nación a la que no se quiere conceder la soberanía. En este sentido, el *Manifiesto de los Notables* muestra que las «cuestiones constitucionales» se resolvían desde un espíritu de reconciliación de las formaciones liberales que se habían enfrentado con violencia durante los cuarenta años anteriores. Esos enfrentamientos internos era lo que se debía olvidar, dando paso a lo que se llamó «transacciones patrióticas». En todo caso, no se trataba de una reconciliación nacional, sino de élites. La nación quedaba fuera, como «lo otro» de ese acuerdo, bien como nación carlista, bien como nación democrática y revolucionaria.

El patetismo de la situación lo sentían con intensidad los notables que escribieron el manifiesto. Para ellos,

> el régimen parlamentario pasa hoy en España por una crisis suprema, cuya solución, favorable o adversa, depende exclusivamente de las Cortes que van a reunirse y, por tanto, del criterio que domine en su elección.

La confesión no podía ser más clara. Lo que se ponía en marcha, contra la opinión desengañada de la gente, no era un régimen parlamentario. La monarquía constitucional no lo era. Que se acertara o no en aquella empresa constituyente no dependía de que la nación democrática hablara de forma libre, sino del criterio de la elección de las Cortes. El miedo se dejaba ver en otras expresiones: «Urge pues constituir en brevísimo plazo al país», dijeron los que ya habían resuelto las cuestiones constitucionales en litigio. Al final quedaba claro que se trataba de impedir «los extravíos y excesos del principio parlamentario». Con ello se mencionó la palabra decisiva. Se hacía todo eso no por creencia en los principios de la monarquía parlamentaria, ni por la confianza de que la nación española estuviera en condiciones de asumir el estado de modernidad de las naciones avanzadas, sino porque la monarquía

> aconsejada en verdad por la razón de Estado ha convocado los comicios, abdicando espontáneamente de la dictadura que las circunstancias pusieron en sus manos.

Se ejercía un deber impuesto por la razón de Estado.

Sin embargo, se buscaba con anhelo que de ese ejercicio electivo solo pudiera salir el resultado deseado y que, además, fuera pronto e inmediato. Todas las angustias se habían relatado ya en el pasaje final del manifiesto, cuando los notables hablaron de extraer los beneficios de una revolución liberal madura, lejana ya de la infancia, que ahora deseaba frenar la revolución democrática que albergaba en su seno la nación desde 1868. Era preciso acabar dos guerras, era preciso rehacer el Estado. Esto significaba aprobar la Constitución que ellos habían diseñado como el medio más rápido de rehacer los poderes públicos. Pero se trataba de un medio. Los fines ya estaban dados y eran evidentes para todos: la razón de Estado. Por eso los notables dijeron con todas las letras que era cuestión de «hacer parlamentariamente lo que en otras ocasiones ha hecho el Monarca por un acto de dictadura ministerial». En suma, se trataba de llevar a cabo la misma política de la dictadura de gobierno regio ahora de forma parlamentaria. Para ello, las Cortes debían elegir con el criterio adecuado. Si no se hacía así, el desprestigio parlamentario sería inexcusable y con él un largo eclipse de la libertad. Donoso Cortés siempre estuvo detrás de la

Restauración y sus diagnósticos otorgaron a los argumentos el patetismo que reflejan estas declaraciones.

CONSTITUCIÓN POSITIVA

En este clima, bajo el gobierno de Cánovas, se celebraron las elecciones, en la Península, entre el 20 y el 24 de enero de 1876; Canarias votó el 28 de enero, y Puerto Rico, el 15 de febrero. De los cuatro millones de votantes, fueron finalmente a las urnas el 55 por ciento del censo electoral. Romero Robledo, el ministro del Interior, garantizó que el buen criterio rigiese en la elección. Y lo hizo: de los 391 escaños, 333 fueron para el partido de Cánovas; Sagasta tuvo 27 diputados, y los demócratas, apenas dos. En el Senado prácticamente todos fueron del Partido Liberal-Conservador. El 15 de febrero se abrieron las Cortes. El 27 de marzo se presentó a las Cortes el proyecto de Constitución ya elaborado. Cánovas hizo uno de sus discursos magistrales en el que dejó claro que la Carta Magna ya estaba elaborada y que las Cortes, representantes de la nación, no la hacían, sino que la aprobaban. Así que estas no fueron constituyentes, sino ordinarias porque allí se estaba aprobando una ley normal a iniciativa del ejecutivo. En realidad, Cánovas pudo decir, con sus inconsistencias características, que «ya funcionaban dentro de su órbita legítima todos los poderes legales». Decía esto en el mismo acto en que presentaba la Constitución por la que se suponía que esos poderes iban a obtener legitimidad y legalidad. Nunca reveló mejor su sentir que en una fecha tan tardía como 1888, cuando en un discurso pronunciado el día 7 de marzo dijo que

> la Constitución no es entre nosotros sino una ley como otra cualquiera, que puede interpretarse y aun modificarse por otra ley, porque ninguna más que los atributos de las leyes ordinarias tiene la que hoy es Constitución del Estado.

Pero en 1876 todavía no se podía proclamar con crudeza el instrumentalismo de la Constitución. Es verdad que las Cortes tenían poderes suficientes para rechazar la Carta, pero la mayoría recordaba que seiscientos antiguos próceres ya habían debatido este tema. Era como si la verdadera nación estuviera representada por aquellas élites, visibles en los treinta y nueve notables, no por los diputados. En realidad, Cánovas decía que, en el régimen de la monarquía constitucional, los representantes estaban sostenidos por la tradición y la autoridad, por el progreso y la libertad. Las dos primeras palabras fueron pronunciadas por la Comisión de Notables. Las Cortes debían pronunciar las dos restantes. Pero debían hacerlo pronto, ya que las Cortes de la monarquía constitucional no podían operar contra «el fondo común de la escuela política monárquico-constitucional», el destilado histórico de liberalismo que habían organizado los notables. Así, las cuatro palabras debían ser convergentes y unánimes. Un cierto cansancio doctrinal se reflejaba en las palabras de Cánovas, que deseaba ir a lo importante, al gobierno. Todos esos principios se habían «discutido ya muchas veces al formar los diversos códigos políticos». Ahora era preciso que se discutiera lo mínimo (el título I sobre los derechos de los españoles y el III sobre el Senado) y que las Cortes fueran una herramienta adecuada para legitimar un gobierno.

No fue por azar que Cánovas eligiera estos dos títulos como los sometidos a debate. Se trataba de una simetría significativa, muy característica de él. El primer título era el aporte democrático de la Constitución, y el tercero, el hereditario, «similar» a la institución monárquica. El primero permitía oleadas revolucionarias que el tercero debía contener. Al destacarlos, resaltaba la *complexio oppositorum* de la Constitución, su resumen del tiempo histórico. El liberalismo ya podía ser una tradición fundada y reconocible que hacía más sencilla la decisión. Ahora esa síntesis debía cristalizar en una Constitución que «ha de tener todos los caracteres posibles de permanente y definitiva». Nadie se acordaba de que, por otra parte, se caracterizaba como una ley ordinaria. Si se reúnen ambos asertos, se descubre con claridad lo que se quería decir en el fondo. Era el máximo que Cánovas deseaba otorgar. Esto era lo definitivo. Si se sobrepasaba, entonces podría anularse como cualquier otra ley.

Y en realidad, la permanencia definitiva era el sueño de Cánovas. Con él quería alejar el «pavoroso problema» de la revolución, que ante sus ojos se perfilaba nítido: el problema de las relaciones entre el socialismo y el Estado. Aquí Cánovas veía que chocaban mundos políticos hostiles, enemigos hasta la muerte: los individualistas y los socialistas. Pero estos enemigos no tenían perfiles claros. Por una parte estaban los que concedían derechos naturales incondicionales a los individuos y, por otra, los que los concedían a la sociedad. No había mediación posible entre estos dos principios: el liberal y el socialista. La única solución posible pasaba por el Estado. Este debía reconocer los derechos individuales naturales pero debía regular los derechos políticos del individuo para que no pudieran destruir la sociedad; por su parte, el Estado debía regular también los derechos sociales para no llevarlos al extremo de destruir al individuo. Con ello se mostraba con claridad que Cánovas era ante todo un pensador del Estado y se mostraba partidario de regular su actuación «según el diverso desarrollo que en cada momento histórico alcanzan las naciones». Este aspecto regulador del proceso histórico, que él reclamaba en monopolio, capaz de armonizar los principios contrarios que luchaban en su seno, otorga a la doctrina del Estado de Cánovas la condición de todo liberalismo doctrinario: ser un principio moderador del proceso histórico, un verdadero *katechon* o muro capaz de detener la legitimidad democrática. Entre estos elementos retardatarios, el monarca era el fundamental. Como diría más tarde, al arreciar los debates para volver al principio del sufragio universal, «para nosotros, jamás, por ningún camino se puede llegar por medio de la legalidad a la supresión de la monarquía; a causa de que no hay legalidad sin la monarquía». Añadió que «para mí, la monarquía es anterior y superior a toda institución».

Así se evitó el reconocimiento de la soberanía nacional. Cánovas dijo sin tapujos que las Cortes no tenían derecho a discutir el principio de la monarquía ni la legitimidad del rey.

> La monarquía constitucional [...] no necesita, no depende ni puede depender, directa ni indirectamente, del voto de estas Cortes, sino que estas Cortes dependen en su existencia del uso de su prerrogativa constitucional [del rey].

Esto es: el principio monárquico creaba las Cortes. Las Cortes no creaban al rey. La monarquía estaba aprobada por «sí propia». Cuando la tensión aumentó, Cánovas dijo con toda claridad lo que pensaba acerca del soberano:

> Todo cuanto sois, incluso vuestra inviolabilidad, todo está aquí bajo el derecho y la prerrogativa de convocatoria del Soberano.

Esto significaba que solo el monarca convocaba a la nación, que existía porque él la convocaba. Por el rey existe la nación. Por él, al reunirla, la nación podía hablar. Quienes aceptaran estos principios generaban la legalidad común. Quienes quedaran fuera, optaban por el régimen republicano.

De este modo, el principio de soberanía nacional, el principio democrático y el principio republicano quedaban vinculados en el afuera del sistema constitucional canovista, como el enemigo que había que contener. Ello quedó claro en el discurso de Francisco Silvela, del 20 de abril de 1876. Defendía la tesis de que el derecho político de ser elector no era parte de los derechos naturales del individuo. El sufragio universal no era derecho natural. La democracia no era la aspiración de la Constitución, sino garantizar que dentro del sistema se «desarrollen todas las políticas». Todas, menos las democráticas. Silvela dijo de forma clara:

> Yo no suscribiría un programa político que no consagrara de una manera terminante la limitación del sufragio universal, porque yo entiendo que el sufragio universal es una de las instituciones más incompatibles con todo gobierno bien ordenado.

Con ello, la monarquía parlamentaria quedaba excluida. La Constitución se dirigía a posibilitar el gobierno, no a establecer la soberanía democrática. Solo quienes apoyaran la legalidad común se podrían «turnar en su tiempo y hora», una expresión que daba la impresión de que todo estaría regulado como si fuera un reloj. Al final, los constitucionales de Sagasta aprobaron el proyecto que, como algunos recordaron, no incluía una expresa declaración de la soberanía nacional. El 8 de abril Sagasta explicó el sentido de su voto favorable. Ellos creyeron siempre que las Cortes de la República no desactivaron la Constitución de 1869 porque se convocaron con ella en vigor. El levantamiento de Sagunto debía haber repuesto el articulado pleno de 1869. Ahora, como mal menor, pero suficiente, el título I de 1876 restablecía su espíritu. Y por eso ellos votaban el proyecto constitucional.

De forma correspondiente, cuando el 2 de julio se publicó la Constitución, no se hizo en nombre de la nación, sino en nombre del rey, que venía a «decretar y sancionar» la Carta Magna. Era la fórmula de 1845, que implicaba algo menos que una soberanía compartida. Se hablaba de la «unión y acuerdo con las Cortes del reino», pero no cabía duda de que la monarquía, no la nación española, se dotaba de un órgano legal adecuado a su gobierno. Se llegaba así a la «Constitución como ley fundamental de la Monarquía», no como ley fundamental de la nación. La misma instancia que la había decretado y sancionado podía suspenderla. Sagasta podía decir lo que quisiera, pero de aquella Constitución no se derivaba la diferencia entre derechos protegidos y garantizados y los medios gubernamentales de división de poderes. Los artículos 14 y 17 eran muy claros: los derechos de los españoles no podían ir en menoscabo de los «derechos de la nación ni de los atributos esenciales del poder público». Esenciales eran los atributos del poder. La prueba es que el artículo 17 permitía suspender todos los derechos cuando lo exigiese «la seguridad del Estado».

DICTADURA MONÁRQUICA

La Constitución de 1876 se asienta sobre la figura del rey y se parece mucho más a la de 1845 que a la de 1812. El artículo 50, idéntico al 43 de 1845, atribuía el poder ejecutivo al soberano, que nombraba y separaba a los ministros. Pero solo el ministro que firmaba era responsable. Él ejecutaba las leyes y los reglamentos. La amplitud del poder ejecutivo del monarca no acababa aquí. Una «Ley Constitutiva del Ejército» posterior a la Constitución atribuía al rey-soldado funciones militares decisivas y, cuando estaba al frente de una fuerza armada cualquiera, según decía el artículo 5 de esa ley, las órdenes del soberano «no necesitarían ir refrendadas por ningún ministro responsable». En realidad, con su inconsistencia característica, el rey de la Constitución de Cánovas era a la vez un poder y un órgano moderador. Estas dos cosas eran tan contradictorias como la monarquía constitucional y la parlamentaria. Cánovas dijo el 8 de noviembre de 1877, en el Diario de Sesiones, que

> el Poder Real no es una ilusión ni un símbolo [...] sino un poder positivo y eficaz, el factor más importante del sistema constitucional, [...] que exige propia iniciativa e inspección continua, como que tiene el derecho y el deber de mantener el concierto de los poderes públicos, imponiendo a todos el respeto a la constitución del Estado. Para eso, el Poder Real tiene sobre el Poder legislativo la facultad de disolución; sobre el Poder ejecutivo, la facultad de destitución; y hasta sobre el Poder Judicial, el derecho de Gracia.

Y no solo por el asunto de la gracia. Como decía un jurista en 1911, «en realidad, nuestra máquina judicial es un engranaje subordinado al poder ejecutivo», pues toda la vida de los jueces dependía del ministerio correspondiente.

El rey de Cánovas reina y gobierna, pero justo por eso no puede pretender a la vez ser un poder neutro y moderador, porque todos los poderes le están sometidos. No ejerce la moderación y la neutralidad, ni regula los poderes, sino que los constituye o los destituye. Por lo tanto, aunque no sea responsable, al final ejerce la responsabilidad política respecto a ellos. Todo lo que se necesitaba para actuar en política era tener la confianza del rey. Nada más. El propio Cánovas lo reconoció cuando en el debate de la Constitución, el 8 de marzo de 1876, valoró sus méritos para estar en el banco azul. Entonces dijo que no se derivaban de lo que había trabajado por la restauración monárquica, sino de «la confianza de su Majestad el Rey y he estado hasta ahora en él por eso solo y en adelante no lo estaré sino por eso mismo». Es verdad que añadió que también lo estaba por la confianza de la Cámara. Pero esto solo de manera derivada, porque bastaba que el rey la disolviera y diera el gobierno a otro para que ya no pudiera estar en ella. Esa era la situación y él sabía que, con la Constitución en la mano, el monarca mantenía intacta la prerrogativa regia absoluta. El 8 de noviembre de 1877 dijo que

> sostener que los reyes deben atenerse siempre, hasta cuando de violaciones constitucionales se trata, al voto de las Cámaras, es una herejía constitucional.

El soberano podía suspender aquella Constitución, al fin y al cabo una ley más, sin contar con las Cortes. Y cuando daba órdenes a los militares, no necesitaba el refrendo de un ministro. El golpe de Miguel Primo de Rivera, con la Constitución de 1876 en la mano, era legal porque la dictadura suspensiva había estado siempre en el horizonte de la Constitución, desde su fundación. Cánovas pensó que ese texto constitucional era prescindible ante la Constitución esencial, pero no pudo medir hasta qué punto la perfecta legalidad de una Constitución problemática era ella misma problemática. Así que fue la legalidad de 1876 la que al final determinó la destrucción política de esa legalidad, pues, como es sabido, la previsión de gobierno directo del rey con sus militares en 1876 significaba una cosa, pero en 1923 ya significaba otra. En todo caso, cuando defendió que someter el rey a las Cámaras era una herejía, Cánovas demostró lo que temía: el principio parlamentario. Y lo temía porque creía que, de imponerse, el pueblo se convertiría en «dueño de las elecciones» y se elevaría a verdadero rey. No concebía un principio parlamentario capaz de organizar un poder legislativo limitado, una división de poderes. Para su concepción política, siempre hay un rey y el poder funcionaba cuando era un ropaje de la dictadura. Aquel dualismo de Donoso Cortés, o «dictadura del sable» o «dictadura de la navaja», seguía vivo. La «omnipotencia parlamentaria» era la peor de las tiranías, y frente a ella solo estaba el rey del principio monárquico. Así que había que elegir entre dos soberanos: el de las elecciones o el de la herencia.

Con todo lo dicho, lo decisivo no era la Constitución esencial ni la positiva. La clave estaba en las leyes orgánicas que el ministerio siempre podría transformar con sus mayorías. Estas leyes eran las que daban vida real a la Restauración y eran orgánicas porque formaban el organismo del aparato del Estado. Así, la ley orgánica Municipal de 2 de octubre de 1877 establecía la dependencia de los ayuntamientos respecto de las diputaciones y de los gobernadores civiles. Con ello, la vieja reivindicación de los junteros fue rechazada. Los gobernadores civiles de las provincias no solo eran jefes políticos de las diputaciones, sino que tenían la capacidad jurisdiccional en el ámbito administrativo y podían paralizar acuerdos de los ayuntamientos, además de regular todos los derechos naturales de la población. Así, esos derechos superiores de la Constitución venían regulados por leyes emanadas de la decisión gubernamental. La ley de julio de 1876 suspendía el régimen foral vasco, aunque pronto fue sustituido por el concierto de cupos de hombres y de impuestos.

Este tipo de maquinaria legislativa, que afectaba a los resortes básicos del poder, que tornaba reversible cualquier reforma y disciplinaba el ritmo evolutivo, permitió que una norma tan elemental como la de 1876 tuviera una larga historia. Y lo hizo porque apenas hubo una relación determinante entre la teoría y la práctica de la Constitución. Esta diferencia era conocida por los intelectuales de la época. Esta fue la razón de que esa Constitución recibiera todas las críticas de los intelectuales, desde Gumersindo de Azcárate, que escribió un libro famoso, *El régimen parlamentario en la práctica*, que vio la luz en 1885, hasta Adolfo González Posada, con sus *Estudios sobre el régimen parlamentario en España*, de 1891. Esta larga vida de la Constitución dependía de lo que se conoce como «la Tercera Constitución». Cánovas se refería con ello a lo que no constaba en el texto escrito, sino que más bien se identificaba con aquel «desenvolvimiento político que van recibiendo sucesivamente, y por obra del tiempo y de la necesidad, los mismos preceptos textuales en la Constitución escrita». Este pasaje es anterior a la Restauración y corresponde a los debates de 1869, pero en él se muestra la idea básica de la política de Cánovas. En él se nos advierte acerca de la ilusión de atar demasiado un texto como garantía de estabilidad. La condición de la estabilidad procedía de esa capacidad de responder a las condiciones de cada presente con la flexibilidad propia de un gobierno prudente. Y esto no era sino la aplicación de la Constitución esencial al tiempo presente, condicionando desde prácticas políticas reales el funcionamiento de las instituciones regladas en la Constitución positiva.

En este sentido, la verdadera Constitución de 1876 no era sino el acuerdo profundo entre el rey y las élites políticas siempre cubiertas por el sistema gubernativo. Este hecho, que dependía del control de los electores por el sistema de caciquismo instalado en las gobernaciones provinciales, garantizaba las mayorías en las Cortes, una vez fueran convocadas por el presidente del gobierno al que el rey diera la confianza. De este modo, el sistema funcionaba en la medida en que las Cortes no fueran un principio político autónomo, sino el refrendo de la confianza del rey otorgada al jefe del ejecutivo, que era la verdadera fuente del poder. Si la Cámara respondía de forma negativa al nuevo primer ministro, entonces todo el sistema se hundía. Por ello, el voto debía estar controlado, porque de otra manera emergía lo que realmente había: un acto discrecional del monarca en su prerrogativa de nombrar gobierno.

El sistema funcionó bien mientras el rey pactó con los partidos el cambio de la confianza y el nombramiento del jefe de gobierno. Para decirlo con claridad: mientras el pacto de élites fuera autónomo y el rey lo aceptara. Tal cosa se produjo a lo largo de la regencia, mientras Alfonso XIII fue menor de edad. Sin embargo, al poco de gozar de la mayoría, el monarca, sabedor de sus poderes, comenzó a usarlos al margen del pacto de caballeros de las élites. Así fue convirtiéndose en un centro de poder propio que sembró el desconcierto y a menudo rompió el turno. Con sus decisiones, poco a poco fue erosionando el sistema y dejando crecer la desconfianza. La lógica de estos vaivenes fue la de impedir un liderazgo fuerte de partidos y bloquear la transformación de estos. En cierto modo, sus incondicionales fueron los más conservadores de los dos partidos, el conservador Juan de la Cierva y el liberal conde de Romanones, los más flexibles, los más indispuestos a dirigir la Restauración hacia una monarquía parlamentaria con partidos de masas. Con ello se bloquearon todas las opciones de reforma. Es verdad que fue una Constitución de larga vida, comparada con las que conoció el siglo XIX, pero no generó una fidelidad ni una adhesión íntima al menos desde 1908. Sostenido por su propia dinámica, albergado por una Constitución considerada como definitiva e inmutable, el régimen político de la Restauración fue perdiendo apoyos de forma creciente y, cuando políticos lúcidos como Antonio Maura y José Canalejas vieron que tenía los pies de barro, fueron neutralizados, unos por el propio rey y otros por el asesinato político. Cuando en 1914 estalló la Primera Guerra Mundial, el cosmos de partidos se disolvió por las rivalidades entre aliadófilos y germanófilos, y la miopía del rey creyó ver en ese hecho la oportunidad de un gobierno patriótico al modo prusiano alemán. En el fondo, cuando se formaron las Juntas militares, ya se sabía que eran ellas las que mandaban, con su hilo conductor en palacio, el servicial De la Cierva. Era cuestión de tiempo que este gobierno encubierto se hiciera visible. Con la Revolución de Octubre en Rusia, y sus efectos en España, huelga general incluida, se dio un paso más. Cuando la guerra de Marruecos anunciaba el desastre y los escándalos amenazaban con llegar al alto mando y al propio rey, Miguel Primo de Rivera puso fin a un régimen que para aquel entonces había perdido casi todos sus apoyos.

INTELECTUALES Y DESAFECCIÓN POPULAR

Lo peor que se puede decir de la Constitución de 1876 es que no supo evitar el proceso de esa misma pérdida de apoyos políticos y sociales. En este sentido, su duración supuso una larga erosión hacia la muerte. Quizás este era su pecado original: el verse como definitiva. Con ello se mostró incapaz de acompañar la vida histórica española, que pronto asumió una evolución propia, desconectada de la regulación oficial de la vida política. La realidad social siguió su camino y las élites encastilladas en la Constitución hicieron como que no la veían. Esto fue así porque contaban desde el principio con la legalidad de una situación excepcional que siempre se resolvería a su favor por los medios de la dictadura. Esta garantía mantuvo el carácter estrecho de aquellas élites, defendidas por los diques protectores del Estado. Los precios protegidos unían por un lado a los cerealistas aristocráticos conservadores con los defensores de los productos industriales nacionales, de naturaleza más liberal. Mientras se creaba un mercado interior cada vez más amplio, estos intereses se vieron compatibles, al precio del aislamiento internacional. Sin embargo, un mercado así constituido implicaba cargar los subsidios estatales sobre los consumidores y los trabajadores. El malestar popular contra los consumos y arbitrios, que gravaban los bienes básicos, siempre fue intenso. Pero la índole misma del equilibrio beneficiaba a los intereses más reaccionarios, pues si se gastaba el dinero en precios elevados subvencionados de productos agrarios, el mercado de productos industriales sería siempre mínimo. Con ello, los centros fundamentales de la industria, como Vizcaya y Cataluña, pronto comprendieron que llevaban las de perder en ese pacto, que en el fondo beneficiaba a los intereses cerealistas de los grandes propietarios vinculados al ejército y a la nobleza. Estos intereses, por lo demás, administraban el gasto público destinado a Defensa y a las necesidades de atender los restos de la aventura imperial, primero en el Caribe y luego en África.

Gentes que debían pagar precios elevados para cubrir los subsidios de los intereses cerealistas de los mismos generales que luego los conducían a guerras lejanas —la verdadera base de semejanza con el sistema prusiano—, fueron las que padecieron como suelo social de la Constitución de la Restauración. Como los intereses afectados por ese proteccionismo eran los fundamentales de las élites constituyentes, su atención se consideró tan definitiva como la propia Constitución. Así se ralentizó el desarrollo industrial y se erosionó el pacto de centro-perifieria. Esa era la razón básica del miedo a la democracia popular. La Restauración era lúcida al darse cuenta de que ahí se enfrentaban intereses irreconciliables e innegociables. Por eso el reloj histórico se desajustó y el ritmo evolutivo de la política y de la sociedad no marchó al unísono. Si la Restauración hubiera dado pasos hacia una mayor liberalización política capaz de ofrecer canales de poder a los nuevos actores sociales, quizá no hubiera crecido la percepción de que el régimen era más bien un obstáculo. Aquí, como sucede siempre que una obra política es fruto de la maestría de una única persona, la Restauración no encontró el recambio de Cánovas. Su protagonismo extremo, y el patetismo de fondo de sus planteamientos, hicieron muy difícil su recambio. Sus declaraciones de que con la ley del Sufragio Universal de 1890 se había roto el pacto constitucional, mostraban ya que el régimen no existía. La previsión de que se avanzaba hacia una democracia a la que se tendría que enfrentar el rey en el vacío fue una profecía autocumplida.

Así fue como la desafección al régimen fue creciente, no menguante. Las cuatro generaciones de españoles que vivieron bajo su normativa —la de los fundadores, la que maduró en el momento finisecular, la que floreció en el estallido de la Primera Guerra Mundial y la que llegaba a la mayoría de edad cuando la dictadura de Primo de Rivera moría—, asistieron poco a poco al espectáculo de un malestar creciente, hasta llegar a ser generalizado. Se ha dicho con frecuencia que fueron los intelectuales quienes socavaron las bases de la Restauración. Esta visión es simplista y cuando se esgrime, en el fondo, se recomienda que todos los actores sean tan miopes para mirar la realidad como aquellos que quieren que nada cambie porque solo la continuidad de las cosas responde a sus intereses. Compartir esta imagen idílica de perfección es algo que no se podía reclamar a los intelectuales, y cargarlos con la responsabilidad de hundir un sistema que hace oídos sordos a toda propuesta de cambio encubre la verdad. Una vez más, lo que erosionó la Restauración fue su propio espíritu «definitivo», que encubría el carácter inflexible de los intereses que la sostenían. Lo primero, la exoneró del afecto de los hombres cultivados. Lo segundo, la privó del afecto de las masas. Estas dos cosas presionaron el sistema de la Restauración hasta disolverlo.

A este proceso el filósofo Pedro Cerezo lo ha denominado «mal del siglo», en una frase muy apropiada. No debe pensarse que el mal del siglo tiene fuentes específicamente españolas. Fue conocido por casi todas las sociedades europeas, porque el proceso que se ha descrito concierne a todas las realidades históricas que no lideraron el proceso de modernidad y padecieron la revolución pasiva en un grado u otro: desde Rusia hasta Portugal. Es decir, el proceso español es bastante normal desde el punto de vista histórico. Pero el mérito de Cerezo reside en mostrar que esa evolución histórica era percibida como altamente insatisfactoria desde el momento mismo de la Restauración, y no desde 1898. Hay algo así como un fatalismo reinante entre las élites cultas de la propia

Restauración inicial y que concuerda con ese miedo a la democracia que se aprecia en Cánovas, y antes en Donoso Cortés. Tal estado de ánimo no podía ser satisfactorio a poco que se tuviera dignidad intelectual. Estaba la técnica del gobierno, la apuesta positivista por la ciencia, pero eran artefactos sin espíritu. El Romanticismo no había sido capaz de apasionar a los ánimos. El ejemplo de Larra había mostrado el inevitable choque con la realidad. Ahora se volvía a repetir el caso con Ángel Ganivet.

En efecto, España no tenía una realidad a la que entregarse en gran estilo, como al menos tenían Alemania o Francia en el ámbito de la ciencia. De ella, en España no quedaba sino una sombra. Si se quería sobrevivir, se tenía que cargar con la escisión personal. Juan Valera fue el ejemplo perfecto de estos hombres refinados y conscientes de la primera generación de la Restauración, que por la mañana administraban una realidad mediocre y por la tarde compensaban la frustración con las intensidades de la conciencia mística. El personaje de su célebre novela *Pepita Jiménez* roza la plenitud con esta íntima realidad de matices sublimes que compensa la sequedad del seminario y del pequeño pueblo. Esas compensaciones operaban en el fondo anímico de los hombres del krausismo y luego de la Institución Libre de Enseñanza, elevando el amor panteísta hacia las tierras de España como expresión de un anhelo orgánico de justicia que se veía negado cada día. En ese amor, una religión laica, se reconocían los promotores de una nueva élite que se estrellaba contra los muros de la Restauración.

Ni siquiera el mundo católico se sentía identificado con la Restauración, y solo el entusiasmo de un Menéndez Pelayo por la obra positiva de España en la historia podía encubrir que ese mejor pasado, encarnado por el humanismo del exiliado Vives, llevaba siglos sin ser efectivo en esas tierras. Por lo demás, su sentido de lo hispánico era plural e integrador, cercano a Balmes y a Cataluña, y no podía sentirse cómodo con élites demasiado castizas. Nunca se dirá bastante que Menéndez Pelayo está en la base de la posición inicial de Miguel de Unamuno, contraria al casticismo castellano. Así que el exaltado catolicismo de Menéndez Pelayo, su prioridad absoluta, ocultaba una tensión con el régimen de la Restauración, cuyos caciques —en su opinión— cubrían el vacío dejado por los obispos, los verdaderos líderes. Si se unió con Cánovas en la Unión Católica fue por las indicaciones del papa León XIII. En realidad, los hombres que apoyaban el régimen, como Joaquín Sánchez de Toca, debían de parecerle bastante heterodoxos. Cuando en los debates sobre la legalización de la Internacional se atizaron los ánimos y se dijo que democracia era socialismo, Cánovas apeló en su estilo a la «lentitud de los procesos naturales», dejando claro que su organicismo católico se oponía al krausista. Pero Sánchez de Toca, en sus *Ensayos sobre religión y política*, invocó un darwinismo descarnado que proclamaba la función jerarquizante de la lucha por la vida. Rompía la igualdad, pero producía orden. El darwinismo social parecía la legitimidad última de la Restauración. El crítico de esta primera generación fue Leopoldo Alas, Clarín. Él desplegó el darwinismo con una lógica despiadada. La lucha por la vida en Vetusta producía una especie moral: el mayoral don Fermín. La última escena de *La Regenta*, crítica radical de la Restauración, alude al mayoral como un sapo, fruto de la evolución natural hacia lo peor propia de un ambiente insano.

La generación que comenzó a escribir hacia finales de siglo abandonó la literatura de Galdós, empeñada en mitificar la memoria del liberalismo progresista del siglo XIX. La variación de Pío Baroja consistió en dejar claro que, tras los mitificados *Episodios Nacionales*, solo había héroes dudosos, personajes enérgicos por su primitivismo, pura voluntad, pero ninguna idea clara, dotados de una energía libre sin finalidad. En realidad, Baroja comprobaba que esa historia no había llevado a sitio alguno, y su amigo Azorín elaboró el naturalismo de Clarín hasta llevarlo a un gusto por lo enfermizo, lo disminuido, lo carente de vida y voluntad. Arthur Schopenhauer los iluminó a los dos. El insecto pasó a ser el símbolo de lo que España producía, algo que se volverá a ver bajo el franquismo con Dámaso Alonso. Sus hombres, igual que las abejas, no construían colmenas, sino iglesias milenarias, como en *La voluntad*. No será la última palabra de Azorín, sin duda, que pronto supo ver que esa mínima vida había producido la mística y la realidad detenida de Castilla, tan lejana de las aventuras del siglo. No se puede apreciar bastante la influencia del quietismo, esa mirada heterodoxa que poco a poco se introduce en los espíritus. Si lo que se ofrecía a la acción era la obra de Cánovas y de los positivistas, entonces la mística y la vida mínima y quieta eran caminos más directos hacia una realidad en la que se confundían la vida y la muerte. Esa belleza de la muerte y del fracaso inspira al mejor Valle-Inclán. El pesimismo fue la forma de vivir el fatalismo, que para todos era el diagrama último de la Restauración. No solo dominaba en estos intelectuales parias, que buscaban salvarse en una obra literaria en la que veían un símbolo de España. Basta leer *El pesimismo en su relación a la vida práctica*, de Azcárate, publicado en 1877, para darse cuenta de que era un asunto que afectaba a cualquiera que no fuera tan cínico como Sánchez de Toca.

Solo alguien que había conocido los ardores nietzscheanos sintió energía suficiente para proponer que era necesario marchar ¡hacia otra España! Este fue Ramiro de Maeztu. Venía de la realidad vasca, a la que veía crecer. Él sintió entusiasmo por la simbología mítica de la fábrica, de la fundición, de la industria, de la masa. Solo él se distanció del grupo formado por Pío Baroja, el autor de *Vidas sombrías*, con Azorín y Valle, y del cristianismo intrahistórico de Unamuno, para afirmar la necesidad de crear un capitalismo hispano que mirara hacia Alemania. Él llevó a Ortega y Gasset a Kant y a Marburgo. Sin embargo, en un libro destacado, *La crisis del humanismo*, se separó del modelo de Estado fuerte del II Reich alemán. Así recaló en una síntesis de catolicismo, tradicionalismo y capitalismo que de nuevo identificaba en Bilbao, pero siempre vinculado a un hispanismo cosmopolita y universal. Así, este intelectual paria, periodista de casta, acabó dando el ideario a la burguesía española con una eficacia que no conoció igual. Fue muy simbólico que en uno de sus últimos viajes de Vitoria a Madrid, ya en la fase final de la Segunda República, coincidiera con Baroja. Maeztu iba en el vagón de primera, firmando autógrafos entre la alta sociedad que regresaba del veraneo. Baroja iba acurrucado en su asiento de tercera, olvidado.

La tercera generación de intelectuales de la Restauración heredó estas posiciones críticas, pero en el año 1914 comprendió que había llegado la ocasión de pasar a la acción. Todos tomaron posición por los aliados, con lo que dejaron solo al rey en su intento de forzar un modelo prusiano. Este alineamiento fue decisivo. José

Ortega y Gasset reclamó un nuevo liberalismo revolucionario; Manuel Azaña decantó el reformismo hacia el republicanismo; Luis Araquistáin comenzó a tomar en serio la posibilidad de un socialismo de masas, y todos juntos, en la revista *España*, comenzaron a forjar el núcleo de lo que luego sería la intelectualidad republicana. La tarea de la literatura del 98 había servido para anular cualquier intento de propaganda oficial para ofrecer una imagen positiva del régimen. La escisión entre el sistema de partidos y la realidad de la sociedad se consumó. En ese momento, la España oficial se veía como un asunto privado, terminal, en el que se ventilaban intereses exclusivos que nada tenían que ver con el ritmo histórico de una sociedad que aprovechó la neutralidad en 1914 para impulsar sus exportaciones agrarias y aumentar su industria. Al final esa guerra trajo más aislamiento en el exterior y carestía en el interior. Cuando acabó la contienda, la contracción de las exportaciones sorprendió a un país que había aumentado su capacidad industrial y sus masas obreras, cuya conciencia reivindicativa, y también revolucionaria, no hacía sino crecer. Puesto que la Restauración no había sabido pasar a un régimen de partidos de masas, sino de notables, estos movimientos sociales no pudieron ser canalizados a través de las instituciones. Socialistas, anarquistas, republicanos, vieron crecer sus organizaciones, lideradas por destacadas publicaciones, ahora dirigidas por intelectuales que habían escapado a su condición de parias y se habían convertido en órganos de opinión de formaciones políticas. Allí coincidieron los que estaban bien posicionados en el sistema, como Ortega y Azaña, con los que procedían de la pura bohemia literaria, como Araquistáin y Maeztu, por citar algunos. Las posibilidades de acuerdo con los dinosaurios del pasado, como el conde de Romanones o Juan de la Cierva, eran nulas y todos lo sabían. Cuando la dictadura de Primo de Rivera quiso echar mano de una intelectualidad para canalizar sus aspiraciones de configurar una mínima estructura representativa, apenas tuvo un talento económico como José Calvo Sotelo. La gente como J. M. Pemán, J. Pemartín, A. Goicoechea, V. Pradera, C. Silió y demás cabezas de la Asamblea Nacional Consultiva no tenían la más mínima capacidad de conectar con una realidad a la que habían dado la espalda décadas atrás. El campo de la cultura y de la intelectualidad, aunque integraba a personas de sensibilidad política muy variadas, no pensó jamás en tener a la clase política de la Restauración como su representación.

La cuarta generación de intelectuales que, con la puntualidad de los quince años orteguianos, vinieron a la vida pública hacia 1929, creyeron desde el primer momento que ellos iban a asistir a la regeneración de España, tantas veces anunciada desde la insoportable crisis del 98. La generación del 14 había definido revistas, cátedras, editoriales, organizaciones, y los jóvenes ya no empezaban de cero, y sentían con entusiasmo que habían llegado los tiempos en que la fachada de una oficialidad se derrumbase sobre el vacío interior de las instituciones. Como es natural, aquí los espíritus jóvenes dieron rienda suelta a sus figuraciones y expectativas. Se sabe que los veteranos, desde Unamuno hasta Ortega, no dejaron escapar ninguna oportunidad de conectar con la juventud. El que disponía de una organización intelectual más solvente, Ortega, estuvo en condiciones de reunir a su alrededor una derecha y una izquierda. Por su cercanía pasaron una María Zambrano, un César Arconada, un Ramiro Ledesma, un Xavier Zubiri, un Francisco Ayala y una pléyade de jóvenes dotados en los campos de las ciencias sociales y humanas. Jóvenes falangistas fueron a ver a Unamuno, no sin agrado. Una complejidad basada en la sensibilidad diferente, en orígenes distintos y en intereses dispares, poco a poco fue cristalizando alrededor de opciones radicales, siempre al margen de la oficialidad. Las líneas rojas que acabarían generando los nuevos frentes estaban en el futuro, no en el pasado. Sin duda, todos tenían un componente nacionalista y heredaban la vieja cuestión de España, y a partir de esta visión acabaron distanciándose. Nadie pensaba en las instituciones oficiales, que caerían por su propio peso. Bastó para ello con el empujón en las elecciones de abril de 1931.

No sería justo olvidar que una parte de la cultura del Sexenio Democrático no entró en las negociaciones constitucionales impulsadas por Cánovas. El ideario federal, el verdaderamente derrotado junto con el carlismo vasco, dio lugar a tres movimientos que serían decisivos en el futuro. Ante todo, el amigo y colega de Pi y Margall, el catalán Valentí Almirall, optó por poner punto y final a la estrategia de construir una España federal capaz de acoger a Cataluña en su seno. En su opinión, reflejada en escritos satíricos insuperables, las distancias históricas entre Cataluña y el resto de España eran demasiado amplias para impulsar una acción política conjunta. Así que, con Almirall, se comenzó a pensar en la necesidad de que Cataluña siguiera su propio camino. La «provincia» poco a poco pasó a ser la «nacionalidad». Al *Memorial de Greuges* de 1885, en el que Almirall participó de forma activa, siguió *Lo catalanisme*, que ya defendía una clara ruptura con Madrid. Sin embargo, era una ruptura intelectual. No todos los agentes reales catalanes podían seguir esta estrategia, y los hombres de Àngel Guimerà formarán la Lliga de Catalunya, más cauta. Aquí se aprecia un cosmos propio. Los intelectuales que siguen la línea de Almirall, como Pompeu Gener, profundizan en el fracaso histórico de la España liderada por Castilla y triunfadora desde el Compromiso de Caspe, pero culpan a la nación catalana de mercaderes por su esclavitud política. Así que también ahí se vio necesaria una resurrección, puesto que se consideró indigno integrarse en el sistema oficial de la Restauración. No todos lo vieron así, desde luego. Víctor Balaguer y Joan Mañé i Flaquer apostaron todavía por la región, pero quien realmente decidió la evolución hacia un catalanismo nuevo fue el sucesor de Balmes, el obispo Josep Torras i Bages, con *La tradició catalana*, de 1892. Pues fue este, y no Almirall, quien influyó en Enric Prat de la Riba, cuya aspiración ya era recuperar los órganos tradicionales de gobierno de los catalanes, ahora bajo la forma de Estado. Así fue como un ideario tradicional se convirtió en motor del republicanismo y como la república coronada que fue el principado pasó a apostar por la República catalana.

Pero el fracaso del federalismo produjo la definición del anarquismo como movimiento separado de las aspiraciones políticas, centrado en las exigencias sociales, económicas y culturales. Allí donde el federalismo fue importante, también lo fue el anarquismo; con el despliegue de la industria y con la penuria campesina, el anarquismo creció como la principal ideología, capaz de generar una mentalidad propia y un hábito político desgarrado e inflexible. Con el deterioro de la imagen de la política oficial, el desprecio de la política se colmó de evidencias. No es un azar que el mayor problema del catalanismo fuera el anarquismo, pues ambas ideologías procedían del mismo tronco común y acompañarían a la Cataluña moderna generando tensiones a veces atravesadas por la violencia. El anarquismo en Cataluña fue la piedra de toque de que el organismo social catalán no seguía vivo. Albergaba una amplia población a la que le resultaba atractiva la política populista radical de Alejandro Lerroux y la violencia terrorista. Con ello, el tradicionalismo catalán no podía imponerse, y la inclinación a pactar con un Estado atrajo a muchos catalanes. Esta hostilidad al anarquismo por parte del catalanismo burgués llevaría a dar su beneplácito a la dictadura de Primo de Rivera. El enfrentamiento llegaría a la guerra civil.

Por último, el otro perdedor, el carlismo, acabó organizando su propio partido en el que, por obra de Sabino Arana, se asumió el viejo ideario tradicionalista y católico, solo que ahora, atravesado por el espíritu de los tiempos, se comprendió bajo el rótulo de la raza. Desde luego, ni Almirall ni Gener dejaron de hablar en términos de «raza» para diferenciar Castilla de Cataluña. Incluso Prat de la Riba llegó a expresarse en estos términos para poder explicarse la desafección de los valencianos a su proyecto de Gran Cataluña, tanto más irritante por cuanto que veía cómo se echaban en manos de un literato bohemio como Vicente Blasco Ibáñez. Ahí funcionó el mito del valenciano semita, que no puede amar la cultura catalana llevada por los fundadores del reino con la profundidad que reclama la organicidad de la sangre. Pero en las Provincias Vascongadas, aquel carlismo remozado en el Partido de la Patria Vasca sirvió para unir a la burguesía autóctona frente al aluvión de poblaciones castellanas que venían a promover la industria siderúrgica de Bilbao. Ahí de nuevo, la imposibilidad de pacto entre las burguesías centrales y las periféricas bajo el paraguas de las instituciones llevó a que una ideología tradicional y conservadora tuviera que proclamar su desafección hacia un régimen tradicional y conservador. Puesto que en Bilbao no existía el fenómeno del anarquismo, sino que dominaba el socialismo, la burguesía vasca no se avino a un pacto tan forzado como el que llevaron a cabo las burguesías catalanas con el Estado. Los dos elementos del pueblo que se estaba formando en Vasconia con la emigración masiva tenía más posibilidades de apostar de forma unida por el esquema republicano. Sin duda, este no habría sucedido de forma política tan clamorosa si la burguesía central hubiera llegado a acuerdos sólidos con sus pares vascos y catalanes. Pero el dispositivo de la Restauración, incapaz de reformarse, los hizo imposibles.

5

LA CONSTITUCIÓN DE LA REPÚBLICA

ERROR DE CÁLCULO

La miopía de las élites de la Restauración y su endémica falta de respeto a la realidad popular se demostraron cuando pretendieron regresar a la Constitución de 1876 tras la dictadura de Primo de Rivera. Por doquier, los intelectuales anunciaban que España no tenía Constitución vigente, e incluso Ortega y Gasset, en un artículo titulado «El error Berenguer», había sentenciado que España no era Estado. Un viejo colaborador de Maura tan lúcido como Ángel Ossorio y Gallardo afirmaba que la inconstitucionalidad abierta por la dictadura primorriverista solo podía cerrarse por un proceso constituyente que pusiera fin a la monarquía constitucional y a las prerrogativas regias. Las mismas cosas se venían diciendo desde 1917, cuando todos sabían que ya gobernaban las Juntas militares y se avecinaba lo que Ortega llamó en otro artículo «Los momentos supremos», con el final de la Gran Guerra y la derrota de las monarquías. Tras un siglo de erupciones, en los primeros años del siglo XX el pueblo español se movía al ritmo de las capas tectónicas. Era un proceso tan lento que los desatentos no supieron ver ni el movimiento ni la dirección del mismo. Alexis de Tocqueville afirmó que la Revolución francesa fue el movimiento más anunciado e imprevisto de la historia moderna. Lo mismo podría decirse de la Segunda República española.

En realidad, nadie valoraba bien la situación, y de ahí la sorpresa del curso efectivo de las cosas. En 1925, cuando Miguel Primo de Rivera terminó la guerra de Marruecos y Manuel Azaña hizo su *Apelación a la República*, ya partía del supuesto de que una consulta al pueblo español no podría hacerse con el pacto constitucional de 1876 en vigor. Un tiempo después, cuando Primo de Rivera mostró su voluntad de avanzar hacia una nueva forma constitucional, fruto de una Asamblea Nacional temporal y de un directorio civil «con facultades legislativas», ya estaba formada una Alianza Republicana con diversas fuerzas políticas de oposición, en la que se exigían Cortes constituyentes. Su pacto se firmó el 11 de febrero de 1926, día en que se cumplía el aniversario de la Primera República. Junto al grupo de Azaña, firmaban Alejandro Lerroux (por el Partido Republicano Radical), el Partit Republicà Català de Lluís Companys y una serie de personalidades. Allí se vieron juntas gentes tan diferentes como Vicente Blasco Ibáñez y Antonio Machado. Ni el mejor de los talentos de la oposición preveía el ritmo de los acontecimientos. La Alianza deseaba unas Cortes constituyentes para luchar en su seno por la república. No preveía que cuando esas Cortes se celebraran la monarquía habría dejado de existir ni podía sospechar hasta qué punto era torpe la élite dirigente. Companys incorporó la necesidad de un orden federal del Estado. Lerroux y Blasco Ibáñez insistieron en la medida más popular: la eliminación de censos y foros y una nueva fiscalidad. Pero todos veían inevitable una lucha por la república bajo la monarquía.

La miopía oficial se reflejó en el manifiesto de Primo de Rivera del 5 de septiembre de 1926. Ya en el decreto de fundación del Directorio civil se había confesado que los problemas «candentes que son nervio y raíz de nuestra raza» eran sobre todo los de «carácter económico». De la misma manera, en el citado manifiesto aseguró que los problemas económicos del presente no podían resolverse en el seno del régimen parlamentario. En suma, para el dictador y para las élites sociales que él representaba, solo había un problema: el económico. Por eso era preciso crear una cámara corporativa donde estuvieran representados todas las clases, «incluso las que no significan más que la ciudadanía y el consumo». La miopía consistía en no querer ver el problema político, en creer que cuando las cosas de la economía funcionaran mejor, la gente olvidaría la política. En ningún pasaje quedó más claro que cuando, al convocar la Suprema Asamblea Nacional, un cuerpo ilegítimo, Primo de Rivera aseguró que se debía entregar con pasión a su trabajo

> sin que preocupaciones basadas en el cargo de ilegalidad de origen, que no tardarán en hacerse, coarten en nada los propósitos ni los ánimos y atribuciones de la Asamblea.

Se sabía de sobra que tal cuerpo no tendría legitimidad. Sin embargo, la política de poder impidió percibir que la carencia de base implicaba la inviabilidad de la propuesta. La miopía era la consideración extrema hacia el poder y del desprecio extremo a la ciudadanía.

Sin duda, Primo tenía razón al aludir a la «tiranía legal» de la Restauración, pero no estaba en condiciones de percibir que una España nueva no se podía hacer por el decreto de otra tiranía ilegal. Aun suponiendo que deseara avanzar hacia un Estado democrático y una obra revolucionaria, no era capaz de comprender que una «gran Asamblea, representación genuina del país» no podía proceder de un decreto dictatorial. Una representación debía brotar de la demanda y la aprobación de la ciudadanía. Solo ella puede decir cuándo se siente representada. No puede imponerse. El conjunto de elementos contradictorios de la política de Primo de Rivera no ocultaba su verdadera aspiración: producir una obra revolucionaria, una España nueva que evolucionara hacia la normalidad. No había mejor manera de confesar que se estaba en un callejón sin salida. Por si fuera poco, acumulaba aspectos contrarios al asegurar que esa normalidad «no ha de ser precisamente la del pasado» —¿cuál sería entonces?—, pero tampoco se podía prejuzgar la anulación de la ley constitucional vigente, «eje y espíritu de la vida pública». Tal cantidad de cosas contrarias sugiere varias manos en la redacción del manifiesto y ninguna capacidad de dirección. Miopía sobre miopía, quien acumulaba tantos puntos de vista contrarios confundía ese acto de yuxtaposiciones conceptuales con el poder. Pero ni el poder es eso ni se ejerce así.

Que el poder es otra cosa se vio cuando Primo tardó exactamente un año en convocar la Asamblea Nacional, lo que se hizo en un real decreto de 14 de septiembre de 1927. En el mismo se afirmaba que «el país no presenta hoy más problemas que los normales en cualquier otro». La vieja argumentación de la no excepcionalidad española ocultaba la incapacidad de diagnosticar los problemas concretos. Esto daba pie a un increíble optimismo delirante que pretendía con palabras halagüeñas crear realidades positivas. El dictador ya lo había hecho con el plebiscito de 1926, la última vez que se usó el sistema de caciquismo de la Restauración, que no respetó las mínimas garantías de voto secreto y de sufragio universal. Sostenida por estos ocho millones de firmas, en «buena parte de ausentes del país», pertenecientes a lo que se llamó «la mansa rebeldía de la inhibición», la Asamblea Nacional tenía escasas posibilidades de significar algo concreto. Primo de Rivera aludía al hecho de que él podía haber recurrido a las viejas Cortes y garantizarse la mayoría mediante «los deplorables recursos electorales». Si no lo había hecho era porque temía el funesto caciquismo y las «inconvenientes agitaciones». Pero eso era justo lo que hizo. El cortocircuito de la Restauración, su matriz originaria, acudía a la cita en el momento de su crisis. Puesto que se temía la dimensión democrática, se usaba el caciquismo. Ahora se estaba en el principio que prestaba su lógica al sistema que había diseñado Cánovas, pero sin la posibilidad de acudir a los seiscientos próceres de la élite política liberal como punto de partida de los acuerdos. Así se buscó la salida, inviable, de una asamblea que no se sabía lo que era; «no ha de ser Parlamento, no legislará, no compartirá soberanía». ¿Qué haría entonces? Serviría de corporación consultiva e inspectora de la acción de gobierno y prepararía la «amplia labor» que sometería «a la aprobación del órgano que la suceda, que por fuerza ha de tener carácter legislativo». Era la misma Asamblea de Notables de Cánovas, ahora con cierto refrendo forzado de firmas, que debía preparar una nueva Constitución.

En momentos de suma gravedad, por lo tanto, he aquí que se convoca una asamblea que no tiene tareas precisas, pero que algún día presentará su labor a otra que será su sucesora. No se quiere decir con todos los términos que preparará una Constitución nueva que aprobará otra asamblea. El movimiento se parece mucho al de Cánovas al convocar a la Asamblea de Próceres y notables en 1875, para hacer un proyecto de Constitución que solo tenían que aprobar las Cortes al año siguiente. Pero ahora no se trata de notables, sino de representantes del Estado, de las provincias, de los municipios, de las clases y profesiones, y de las Uniones Patrióticas, que integrarán a la «gran masa apolítica». A esto se le llama «independencia garantizada por su origen, por su composición, por sus fueros». En los momentos de máxima urgencia, se le entrega al país un plan confuso, que solo parece conocer en su arcano el general que lo ha creado y que se aviene a comunicar solo una parte, aquella que él estima oportuna. De ese modo se genera una expectativa sin compromisos concretos, capaz de embaucar a la «gran masa apolítica». José Yanguas Messía, presidente de la Asamblea, en el discurso de inauguración de las sesiones, el 10 de octubre de 1927, dijo que este órgano debía preparar los proyectos fundamentales

> que habrán de ser en su día objeto de examen y resolución de un órgano legislativo que tenga por raíz el sufragio, rodeado de las máximas garantías de independencia y pureza.

De ahí podía salir bien poco. Si la Constitución de 1876 se aproximó en muchos aspectos a una Carta otorgada, el proyecto de Constitución que ofreció la Asamblea Nacional de Primo de Rivera lo era plenamente. Una Carta otorgada que adaptara a los tiempos el régimen parlamentario, según dijo el presidente, pasaba por la adopción del sistema corporativo, por la limitación del Parlamento como «clase discutidora» —de nuevo Donoso Cortés— a tareas fiscalizadoras y legislativas, pero sin capacidad de detener la capacidad ejecutiva del gabinete. De este modo, Primo se vio ante la tarea de afrontar el problema constitucional español y de transformar en sentido corporativo el Parlamento. Dos tareas heterogéneas y muy diversas. Una, secular e histórica, pendiente desde antiguo, y la otra, moderna y problemática, propia de las democracias de masas en tiempos de amplia lucha de clases. Era lógico que Yanguas Messía se dejase llevar por la megalomanía. El mundo entero, dijo, está pendiente de España. Lo que allí se ventilaba era el problema de la civilización occidental. En realidad, no era tanto, pero era igual de imposible.

LA RESPUESTA DEMOCRÁTICA

El decreto de constitución de la Asamblea Nacional se firmó en San Sebastián. Por razones simbólicas, tres años después, y en el domicilio donostiarra de Unión Republicana, se firmaba la nota oficiosa del Pacto de San Sebastián, en el que cristalizó el movimiento de la realidad, lejos de las miradas del gobierno de Primo de Rivera. Allí estaban los radicales de Lerroux y los de Acción Republicana de Azaña, los del Partido Republicano Radical Socialista de Álvaro de Albornoz, la derecha liberal republicana de Maura y Alcalá-Zamora, los catalanes de Acció Catalana, de Acció Republicana de Catalunya y Estat Català, la Federación Republicana Gallega y se esperaba al Partido Republicano Democrático Federal Español, que no pudo enviar representantes porque los nombraría en el siguiente congreso. La nota decía que eran todos los elementos republicanos. Además se adherían personalidades importantes, como Eduardo Ortega y Gasset, Marañón y Prieto. De esa nota solo trascendía una cosa: todos estaban de acuerdo. ¿En qué? En declararse fuerzas adversas al «actual régimen político». Sin duda, era una reunión reservada. Pero hay algo claro en ella: estaban catalanes, gallegos, se esperaba a los federales, por un lado; y estaban los republicanos unionistas, por otro, junto con importantes intelectuales centrales. Se tenía viva inquietud por saber qué se había dicho sobre Cataluña. En una nota adjunta se dijo que ese problema había quedado resuelto por unanimidad

> en el sentido de que los reunidos aceptaban la presentación a una Cortes constituyentes de un estatuto redactado libremente por Cataluña para regular su vida regional y sus relaciones con el Estado español.

Pero se añadía que «este acuerdo se hizo extensivo a todas aquellas otras regiones» que sintieran la necesidad de hacer lo mismo. La clave era que la lista de derechos constitucionales debía ser única y establecida por las Cortes constituyentes, pues solo así se garantizaba la igualdad en las libertades públicas.

Así que ya se sabía algo más que en la reunión de la Alianza Republicana: se iba hacia unas Cortes constituyentes convocadas por sufragio universal en las que se abría camino la república. Los estatutos serían convocados de la misma manera. Con ello, se ultimaba el proceso constitucional español en la medida en que, por fin, se aceptaba sin condiciones ni restricciones el proceso democrático como base del proceso constituyente. Cuando los representantes catalanes explicaron el sentido del pacto, asumieron que lo hacían «con la autorización de los demás reunidos» y para explicar ante su opinión pública que todos los presentes habían aceptado resolver el problema de Cataluña mediante la asunción del «principi d'autodeterminació». Ese principio se concretaba mediante la propuesta del «Estatut o Constituçió autònoma proposada lliurement pel poble de Catalunya». Cuando se expresó el acuerdo mediante un punto, se cruzó una palabra que nos revelaba algo más de lo tratado: «el triomf de la Revolució» suponía la solución jurídica del problema catalán por parte del «Govern revolucionari». El tercer punto era todavía más preciso: la parte del Estatuto que hiciera referencia a la delimitación de competencias estaría sometida «a l'aprovació soberana de les Corts Constituents». Esto significaba varias cosas: primera, que se preparaba una revolución como vía a la república; segunda, que sería administrada por una gobierno revolucionario; tercera, que tendría en su base unas Cortes constituyentes; cuarta, que esta era la sede de la soberanía y que tenía la competencia de competencias; y por último, quinta, que esto era compatible con la autodeterminación de Cataluña.

Cuando Dámaso Berenguer soñaba con volver a la Constitución de 1876, ya era imposible. Pero nadie sabía cómo se produciría el final del régimen y hubo conspiraciones para lograr que la república viniera por un golpe militar, apoyado por una huelga general controlada por la Unión General de Trabajadores (UGT). La rebelión de los mandos intermedios de Jaca mostraba que todavía existían reflejos del viejo siglo XIX, la insurrección militar ante un gobierno impasible. Pero no era necesario ese gesto ni la huelga general, que fracasó en Madrid, sin duda boicoteada por la propia jerarquía de la UGT, liderada por el catedrático Julián Besteiro y su mano derecha, Andrés Saborit. Para su fortuna, la república vendría por sí sola. De forma coherente, en diciembre de 1930 se lanzó un manifiesto del Comité Revolucionario, que acababa con un «¡Viva España con honra!». Frente a la miopía de una clase gobernante que se deshacía a la desbandada, se alzaba un «profundo clamor» que brotaba de las «entrañas sociales» y que reclamaba una identidad entre justicia y república. Todas las evidencias se recogieron respecto a un hecho bien sencillo: la monarquía no podía regir el Estado, representar a la nación, ordenar la sociedad. Ni sociedad, ni nación, ni Estado podían seguir vivos bajo la monarquía. Ante este hecho, se exigían responsabilidades históricas y se denunciaba «el provecho ilícito», el «despilfarro escandaloso» y la corrupción económica, de la que no escapaba el monarca, de quien se invocó su gusto por las «acciones liberadas». No solo esto: más sangrante todavía era que, a pesar de la corrupción, la incompetencia y la incapacidad, se gobernara con jactancia, arrogancia y desvergüenza. Se vivía en la ignominia, según se dijo. «Para salvarse y redimirse no le queda al país otro camino que el de la revolución». Lo que el Pacto de San Sebastián firmado seis meses antes no se atrevía a pronunciar, ahora, con Berenguer, era una palabra pública y viva.

Con una retórica que resuena a Azaña por doquier, enérgica y firme, se confesaba que nadie en España podía sentir la «interior satisfacción» de vivir en una nación civilizada. Durante años y años se había preparado una hecatombe porque se había dejado a la gente sin esperanzas y sin libertad. La angustia, el dolor y la desdicha eran tan amplios, se decía, que era inevitable «la emisión de la violencia culminante en el dramatismo de una revolución». Se veía que aquellos hombres iban forzados hacia la única salida que se les ofrecía. Había algo así como un órdago de la monarquía, que podría decir: Aquí estaré sin cambiar. Si queréis podéis echarme, pero será mediante una revolución que también os devorará. Se sabía demasiado bien que eso era lo que había acaecido en 1868 y en 1874. El rey estaba dispuesto a replegarse ante la oleada revolucionaria, porque quizá preveía que conduciría a un caos todavía mayor. Quien escribiera el manifiesto bien sabía de los riesgos.

> La revolución será siempre un crimen o una locura donde quiera que prevalezca la justicia y el derecho, pero es derecho donde prevalece la tiranía

dijo. Era una confesión de debilidad y de incomodidad, incluso de previsión de los peligros que se iban a arrostrar. Pero todavía se podía hacer un esfuerzo para «provocar y dirigir la revolución». Así que se sabía que se jugaba con fuego. La única posibilidad pasaba porque aquella revolución pasara a ser «un levantamiento nacional que llama a todos los españoles». En suma, la república tenía una oportunidad si constituía a la nación con una base democrática, como la «soberanía nacional» representada en una Asamblea constituyente capaz de avanzar hacia la «igualdad económica y la justicia social». Los reunidos en San Sebastián asumieron el estatuto de «poder público con carácter de Gobierno provisional».

Berenguer reaccionó convocando Cortes según la Constitución de 1876 para el 25 de marzo. Publicó el decreto el 7 de febrero, pero no encontró eco. Tuvo que dimitir. Su sucesor, el almirante Juan Bautista Aznar, publicó en el *ABC* una declaración por la que manifestaba su propósito de renovar la totalidad de ayuntamientos y diputaciones. Luego se procedería a la convocatoria de elecciones generales, que ahora se suspendía. Esas Cortes posteriores tendrían el carácter de constituyentes y, ante todo, tendrían que enfrentar el «problema de Cataluña» y la cuestión de la división de poderes. Ahora, por fin, se daba cuenta el monarca de que la Constitución de 1876 daba muchas «facilidades [...] para ser revisada y modificada». Hacía casi veinticinco años que los líderes más conscientes de la Restauración venían recordándolo, pero nadie escuchó. Incluso se ofreció a Cataluña la «base mínima» de la Comisión del año 1919, cuando se estaba bajo la presidencia de Antonio Maura. Por lo demás, se aceptaba el punto del manifiesto de San Sebastián: se ofrecía a las provincias la posibilidad de organizarse en regiones con estatutos. Al borde del precipicio, parecía descubrirse la necesidad de una reforma largamente defendida. A esta obra de reforma se le daba plena sinceridad a fin de que nadie «pueda buscar motivo para la abstención». Incluso se ofreció la posibilidad de someter a juicio de responsabilidades al gobierno de la dictadura. Sin embargo, recoger parte de las reclamaciones de los partidos de la oposición no fue muy gallardo. Las cosas ya estaban en otro sitio. Y estaban en la pregunta: ¿por qué no se quiso atender a su hora las ofertas de reforma de Maura, en 1907, en 1914, en 1918? Ahora se quería extraer del manifiesto de San Sebastián lo más notorio, lo que más podía dividir a las fuerzas republicanas, mientras que se metía en la cárcel a sus firmantes.

La jugada no podía salir bien. En el decreto que suspendía las elecciones generales, Aznar decía que los comicios municipales eran «prenda inexcusable del criterio que el gobierno tiene» de convocar los posteriores generales. Era evidente que todo se iba a jugar en esas elecciones, las más difíciles de ganar para los republicanos, porque se ventilaba en el terreno mismo de los viejos sistemas de representación, usando la vieja ley Maura de 1907, que ya había intentado eliminar el caciquismo en el ámbito local. La gente se dio cuenta de la trascendencia de las elecciones del 12 de abril y respondió de forma adecuada. La Conjunción Republicano-Socialista a la mañana siguiente pudo decir que aquel día brillaba en la historia de Europa por la emoción civil y la defensa de ideales políticos. No solo lo habían mostrado los votantes. Los jóvenes que no llegaban a la edad también mostraron su adhesión «a nuestras ideas».

En ese comunicado, sin embargo, se comenzaban a dejar ver palabras de dudosa verdad, aunque fueran de eficacia política. Allí se dio la interpretación oficial de la jornada: las elecciones habían tenido «el valor de un plebiscito desfavorable a la monarquía» y podían interpretarse como «veredicto de culpabilidad contra el titular superior del poder». En sentido estricto no eran ni una cosa ni otra. Para los líderes, que seguían en la cárcel, mediante las elecciones había hablado la «voluntad nacional» y todos se debían plegar a ella. Pero las elecciones no fueron un plebiscito, ni una convocatoria a Cortes constituyentes, ni se aspiraba en ellas a formar la voluntad nacional. Y sin embargo, la legalidad era tan impotente que ni siquiera pudo defenderse. Con sentido político ajustado a la situación, los firmantes se llamaron «representantes circunstanciales», pero dejaron claro que eso significaba a todos los efectos que eran el gobierno provisional. Y en efecto, el 14 de abril ya se nombraba a Niceto Alcalá-Zamora presidente del gobierno provisional como jefe de Estado.

En verdad, los resultados no eran tan claros desde el punto de vista plebiscitario. Lo único claro era que en cuarenta y una de las cincuenta capitales de provincias ganaron las candidaturas de los republicanos, y que en Barcelona y en Madrid la victoria fue abrumadora. Sin embargo, lo que mostraba la consulta era que las viejas heridas anteriores a la Restauración no habían sanado. Al parecer, las candidaturas monárquicas alfonsinas obtuvieron 19.035 concejales, y las republicanas, 39.568. Pero en medio quedaban unos 15.198 concejales tradicionalistas, integristas, nacionalistas vascos, independientes, cuyo sentido del voto, desde un punto de vista plebiscitario, no habría quedado claro. Fue una lección importante que comprendieron las fuerzas conservadoras. En el momento decisivo de la historia habían ido separadas, y lo habían hecho por su diferente posicionamiento dinástico. Lo tendrían muy en cuenta para desplegar su hostilidad contra la Segunda República, que se inició el mismo día 15 de abril.

En todo caso, el rey Alfonso XIII también realizó su interpretación de las cosas y definió su movimiento. Lo hizo público en su manifiesto al país del 17 de abril de 1931. Todo parecía regresar. Reparar en la historia daba esperanzas a la monarquía. En 1868, la exiliada había sido su abuela Isabel, pero apenas siete años después, su padre, Alfonso XII, había regresado al trono. La *ratio* familiar estaba por encima de la personal y era de esperar que la inconstancia del pueblo español también fuera constante. En su manifiesto, el monarca dijo que «no tengo hoy el amor de mi pueblo». Las dos palabras claves era «hoy» y «mi». El posesivo se desplegaba luego con razones de servicio público a España. La cuestión del «hoy» era la decisiva. De forma rotunda confesó el soberano que su conciencia le dictaba que «ese desvío [del amor] no será definitivo». Las razones que tenía el monarca eran sencillas: él pudo equivocarse y sin duda lo hizo alguna vez. Sin embargo, tenía plena confianza en la falta de rigor y de firmeza del juicio del pueblo español. Él la llamaba «generosidad» y había sido abundante siempre ante «las culpas sin malicia». Consciente de que estaba situado por encima de las decisiones de la voluntad nacional, que era la doctrina que había defendido Cánovas desde siempre, no podía entender que por una elección cualquiera él pudiera dejar de ser rey. Por eso, tras las elecciones de abril, continuó diciendo: «Soy Rey de todos los españoles». Entonces citó la palabra que había decidido la exclusión y la inclusión en el sistema político desde hacía cincuenta y seis años: las prerrogativas regias. En suma, no renunciaba a ellas. No dejaba de verse como el verdadero soberano de «su» reino, algo que nadie podía discutir porque en el fondo era un derecho histórico. De forma sutil, además, no reconocía que las elecciones de 1931 fueran un plebiscito o una sentencia. Todavía esperaba «a conocer la auténtica y adecuada expresión de la conciencia colectiva». Para él la nación no había hablado. Él esperaría con paciencia a que lo hiciera. Mientras, suspendía su poder real, se apartaba de España y la reconocía «única señora de sus destinos». En suma, lo dejaba todo abierto para lo que pudiera pasar en el futuro.

GOBIERNO PROVISIONAL SOBERANO

Uno de los mayores equívocos del nuevo régimen era que asumía tareas a la vez soberanas y gubernativas. En el decreto que fijaba el Estatuto jurídico del gobierno, de 15 de abril, quedaba claro. Debía ejercer las «funciones soberanas del Estado» y el «Gobierno con plenos poderes». Sin embargo, se comprometía a someter su actuación al «discernimiento y sanción de las Cortes Constituyentes», que eran reconocidas como el «órgano supremo y directo de la voluntad nacional». Aunque hablara en su Estatuto jurídico de que formadas las Cortes llegaba la hora de «declinar ante ella sus poderes», no dimitió hasta la crisis de octubre de 1931 y por otras razones. El gobierno no deseaba publicar una Carta de derechos ciudadanos, porque esa debía ser la obra de la Constituyente. Pero de forma previa e inmediata se vinculaba al respeto de la «libertad de creencia y cultos». El Estado no podía demandar a nadie confesión de su fe. De la misma forma, ampliaba los derechos constitucionales tradicionales con el reconocimiento de la personalidad sindical. Por supuesto, garantizaba la propiedad privada, pero avisaba de que «el derecho agrario debe responder a la función social de la tierra» y mostraba su alarma por el abandono de la población campesina. Finalmente, preveía cierta resistencia a la república y anunciaba un «régimen de fiscalización gubernativa» que podía implicar limitaciones de derechos, de los que se daría cuenta en las Cortes constituyentes. El hecho de que fuera Miguel Maura quien llevara esta línea de mano dura con la prensa hostil (*ABC* había dado noticias sobre la quema de conventos) y con los primeros movimientos de huelguistas de Pasajes, era lo sorprendente. En la misma línea, se derogaba la ley de Jurisdicciones, por la cual desde 1906 se protegía a las fuerzas armadas. Sin duda, se argumentaba con la fraternidad entre fuerzas armadas y pueblo, generada en la jornada del 14 de abril, algo que solo vieron los más optimistas. Pero sobre todo se negaba que existiera peligro alguno de ruptura de la unidad de España. De forma clara se decía que «las regiones, afirmando su derecho natural e histórico a la personalidad libre y autónoma, sellan y afirman, fraternalmente, la solidaridad de antecedentes y destino que sobre el cuadro evidente de la naturaleza, logra el esfuerzo colectivo de la historia». No había peligro de ruptura de la unidad de la patria. Eso se dijo en Madrid.

Pero ¿lo había? No era claro. A las tres menos cuarto de la tarde, el 14 de abril de 1931, desde el balcón del ayuntamiento de Barcelona se proclamaba el Estado Catalán y se añadía que «con toda cordialidad procuraremos integrar en la Federación de Repúblicas Ibéricas». En ese mismo acto se formaba el gobierno de la República Catalana. Se manifestaba que ahí estaba reunida la libertad del pueblo catalán y que en su defensa estaban dispuestos a dar la vida. En realidad, se reconocía que «el poble ens ha donat el seu vot perquè governem la ciutat». Sin embargo, lo que se tomaba era otra cosa: el gobierno de Cataluña. De nuevo, Francesc Macià aludía a la necesidad de dar la vida por ese gobierno. Desde el despacho presidencial, sin embargo, se decía algo distinto: «En nom del poble de Catalunya proclamo l'Estat Català sota el règim d'una República Catalana». Ahora se repetía de nuevo lo de «con toda cordialidad», pero matizaba que anhela y demanda a los otros pueblos de España que colaboren con Cataluña en la creación de una confederación de pueblos ibéricos. Luego se dirigía a todos los Estados libres del mundo y les brindaba una política de paz. Finalmente, a las ocho de la tarde, se emitía una orden desde la capitanía general. En ella se decía que «proclamada la República federal española», se nombrada capitán general y se ordenaba que con dos baterías se proclamase la república desde la plaza de San Jaime, «con los mismos honores con que se proclamaba en el anterior régimen el estado de guerra». Todavía el mismo día tenía lugar la proclamación oficial de la República Catalana como Estado integrante de la Federación Ibérica. Aquí se citaban los Acuerdos de San Sebastián y se manifestaba que los mismos se habían ratificado con el presidente «de la República Federal Espanyola». Según dichos acuerdos, el «poble espanyol» y el «poble català» debían expresar su voluntad. Mientras tanto, Macià demandaba a todos los catalanes que se conjurasen con él, incluso hasta el sacrificio de la propia vida. El estado de ánimo más bien excitado se dejaba ver cuando avisaba de que quien perturbase el orden sería considerado traidor a la patria. De nuevo, la misiva acababa dirigiéndose a todos los pueblos del mundo, incluidos los de España, para garantizar la paz internacional. «Per Catalunya, pels altres pobles germans d'Espanya, per la fraternitat de tots els homes i de tots els pobles, Catalans, sapigeu fer-vos dignes de Catalunya».

Como se ve, la serie de actos y manifestaciones no era ni muy ordenada ni muy tranquilizadora para el gobierno de Madrid, que tuvo que mandar a varios ministros a Barcelona el 17 de abril para dejar claro lo que estaba pasando y explicar el alcance de los Acuerdos de San Sebastián, que debían obtener la eficacia debida. De esta entrevista trascendió una nota en la que, tras aclarar que la reunión había estado presidida por la mayor cordialidad, se manifestaba estar de acuerdo sobre los principios que habrían de articular «el hecho revolucionario catalán» —cuya eficacia «revolucionaria» se calificaba como «saludable»— con el nuevo régimen español. Se iba a adelantar la elaboración de un Estatuto de Cataluña, que sería aprobado por la Asamblea de Ayuntamientos Catalanes. Tras su aprobación, se presentaría como ponencia del Gobierno Provisional de la República a las Cortes constituyentes. Pero lo más decisivo de los nuevos acuerdos fue que el resultado de la revolución catalana no permitía proclamar el Estado Catalán, sino sencillamente rehabilitar el nombre glorioso de «Gobierno de la Generalidad de Cataluña». Era una buena noticia para «Cataluña y el resto de España». La revolución republicana parecía salvar el primer escollo.

Así se aceptó en el decreto que organizaba el gobierno de la Generalidad. El 28 de abril, en un manifiesto, se dejaba bien claro que lo que había sucedido en Cataluña era el final del largo contencioso entre la Generalidad y la dinastía de los Borbones, no entre Cataluña y España.

El gobierno provisional tenía una tarea urgente: romper de manera fáctica los acuerdos con Roma del Concordato de 1851. Lo hizo. Derogaba la obligatoriedad de asistencia a misa en los cuarteles y en los establecimientos públicos, incluía la voluntariedad de la instrucción religiosa, excluía a la jerarquía católica de la elaboración de los planes de estudio, decisivo en su política educativa de construcción de escuelas públicas. Pero ante todo, el gobierno provisional se entregó a la tarea de convocar la Asamblea constituyente, aunque se dio prisa en hacerse con el poder de las diputaciones provinciales. Y para ello, mediante un decreto de 21 de abril de 1931, no dejó de usar los poderes de los gobernadores civiles que, como en la Constitución de 1876, debían nombrar una comisión gestora capaz de controlar las diputaciones. Los diputados, tantos como distritos provinciales, serían nombrados libremente por el gobernador civil de entre los concejales de los distritos. Aunque tenían poderes limitados, se regirían por la ley de 1882. Las diputaciones vascas y navarras se regirían por el concierto económico y se mantendría su autonomía. Respecto a Cataluña, el artículo 6 del decreto era muy claro: «Restaurada la Generalidad al proclamarse la República de Cataluña», desaparecían las diputaciones, pero el gobierno debía nombrar la Asamblea de Representantes de los ayuntamientos, mientras se eligía esta por sufragio universal. En el citado decreto de 28 de abril se llamaría a esa Asamblea de los Representantes de los municipios la Diputaçió Provisional de la Generalitat.

Luego, el 8 de mayo se publicó un decreto que modificaba la ley electoral vigente, aunque de forma provisional y a efectos de la elección de Cortes constituyentes. Hasta entonces, la ley electoral preveía pequeños distritos unipersonales, la clave para la corrupción política. Para evitarlo se hacía una única circunscripción provincial. Ahora se deseaba garantizar una mayor proporcionalidad, pues permitía asignar a cada diputado unos cincuenta mil habitantes o fracción superior de treinta mil. Madrid y Barcelona serían circunscripciones propias, así como todas las ciudades mayores de cien mil habitantes, en las que se integrarían los pueblos de su partido judicial. Otra novedad importante era que se mantenía el voto restringido: en un distrito de veinte diputados se podían elegir hasta dieciséis, y así proporcionalmente. Las listas en modo alguno eran abiertas, ni cualquiera podía ser candidato. Estos debían haber sido ya diputados, o ser propuestos por dos exsenadores, o por dos exdiputados a Cortes, o bien por tres exdiputados provinciales, o bien por diez concejales de elección popular de la misma provincia. No puedo valorar la incidencia de estos obstáculos a que cualquier partido presentara candidatos a Cortes constituyentes. Para ser diputado electo se necesitaba al menos el 20 por ciento de los votos. Si no se llegaba a tal cantidad, se volvería a celebrar la elección para las vacantes, alcanzando el acta con la mayoría de los votos. Se declaraba elegibles a las mujeres y se ampliaban las funciones notariales de garantías. Sin embargo, se suprimía la intervención del Tribunal Supremo en el examen de las actas protestadas, a fin de lograr la máxima rapidez en la constitución de las nuevas Cortes. Así serían las propias Cortes las que juzgarían las protestas. La mayor novedad era que la edad del elector se rebajaba de veinticinco a veintitrés años.

El decreto de convocatoria de Cortes constituyentes se dictó el 3 de junio de 1931 y se estableció que las mismas se abrirían el 14 de julio, fecha de la fiesta nacional francesa. El decreto era muy sentido y por fin se establecía la «verdad descubierta por la democracia» de que la historia es la obra de los pueblos. Llamaba la atención sobre las tareas que le esperaban y citaba de forma expresa la aprobación del Estatuto catalán «en la unidad total del Estado», y sin privilegio o excepción respecto de otras «demandas y tradiciones regionales». Las tareas de las Cortes constituyentes serían también la realización de las leyes orgánicas complementarias y las reformas en «justicia social». El pasaje iba dirigido a los socialistas, pues se reconocía que era la única razón determinante que ellos tenían para «colaborar en la obra revolucionaria» republicana. Las nuevas Cortes aceptarían las dimisiones del gobierno provisional, someterían a juicio su actuación y nombrarían presidente de la República y del gobierno. Las elecciones se celebrarían el 28 de junio y la segunda vuelta, donde fuera necesaria, el 5 de julio. Los gobernadores civiles fueron obligados a mantener neutralidad en la contienda electoral, dado que el gobierno provisional era heterogéneo y estaba compuesto de fuerzas electorales diversas. Por lo demás, los mismos fueron limitados en sus poderes y funciones respecto del orden público y se exigió de ellos que garantizaran las libertades de propaganda y de reunión.

De forma urgente, el 22 de junio de 1931 la Conjución Republicano-Socialista se dirigía al pueblo de Madrid solicitando su voto y recordándole la «fina sensibilidad política» manifestada el 14 de abril, que ahora se debía poner manos a la obra para forjar la estructura política, social y económica del país. La apuesta de esta alianza era a favor de una república «de las extremas democracias burguesas con la expresión serena del obrerismo organizado». Ese debía ser el contenido de la futura Constitución. Por una parte, los derechos individuales procedentes de las conquistas de la Revolución francesa, que definían la nueva política de libertades; por otra, la fortaleza de un Estado sostenido por una «conciencia nacional» vinculada a la justicia social. Burguesía nacional radical y socialismo moderado debían ser las fuerzas principales. De su bloque hegemónico dependería que la revolución activa española tuviera éxito.

CONSTITUCIÓN

Antes de que se reunieran las Cortes, la Comisión Jurídica Asesora del gobierno provisional, presidida por Ángel Ossorio y Gallardo, al frente de un amplio equipo de juristas, ya disponía de un anteproyecto de Constitución. Se trataba de dotar a la República de la mínima interinidad institucional posible. El preámbulo es muy interesante para entender qué pensaban las élites más conscientes del Estado en aquella situación. Ante todo, presionaba el problema de la república unitaria o federal. Ambas parecían adecuadas, dice Ossorio, desde el punto de vista dogmático o histórico. La opción que se tomó fue pragmática. Se trataba de «apoyarse en la innegable realidad de hoy y abrir camino a la posible realidad de mañana». Y la realidad innegable era la provincia. Nadie protestaba contra esta organización. Por ello, habría sido «arbitrario» definir la República como federal, pues no parece apetecida por la «generalidad del pueblo». Pero en otras «regiones españolas» existía una posición autonómica que era preciso darle cauce. En suma: existía un problema catalán, no un problema federal. Si se hubiera dado un «federalismo uniforme y teórico», sería un invento. Si se hubiera dado un Estado unitario, sería injusto y autoritario. Era preciso abrir un cauce hacia la formación de entidades políticas históricas con claras competencias definidas según la «gran mayoría del país interesado». En suma, si esta estrategia se pusiera en marcha, quedaría claro que surgiría «un régimen federal para determinada parte del territorio». Por eso era preciso proponer una lista de competencias del Estado, para lo cual Ossorio confesaba que «nos hemos guiado por lo que establecen las constituciones federales». Así, la Constitución de la Comisión incorporaba un preámbulo que afirmaba el carácter unitario del Estado: «La nación española, en uso de su soberanía [...] decreta y sanciona la siguiente Constitución». En ella se definía España como una «república democrática», pero reconocía que se «halla integrada por provincias y municipios». Sobre ellas podrían definirse las regiones.

El otro gran tema que preocupaba era el religioso y Ossorio, católico ferviente, apostaba por la separación de la Iglesia y del Estado y la libertad de conciencia y de cultos. El anteproyecto de la Comisión reconocía la fuerza social y la significación histórica de la Iglesia católica, y mantenía el derecho público de la misma a enseñar. El nuncio Federico Tedeschini puso el grito en el cielo y proclamó que el anteproyecto de Constitución lesionaba los «derechos de Dios y de la Iglesia». Avisaba de que combatir a la Iglesia era erróneo y vano porque en ella enraizaba la «única e insuprimible energía nacional». Confesar que la Constitución era de la nación española y separarla de la catolicidad, le parecía una contradicción. Si el nuncio ponía el grito en el cielo ante la propuesta del moderado y católico Ossorio, era previsible que todo fuera a peor con los debates en Cortes. El aspecto moderado de su anteproyecto se veía en la propuesta de dos cámaras, con un Senado sin función política, de aspecto asesor, sin dar o retirar confianza al gobierno, pero sin posibilidad de ser disuelto, renovable por mitades cada cuatro años. En suma, era un Senado que podía ser el propio del Estado federal, pero sin carga política, mitad cámara reflexiva y mitad consejo técnico.

Las elecciones dieron un resultado abrumador a favor de las candidaturas socialistas y republicanas, y este proyecto bastante moderado se tornó improbable.[2] El resultado extremadamente positivo presionó a favor de mantener el Pacto de San Sebastián hasta que estuviera aprobada la Constitución e incluso hasta que estuvieran desplegadas las leyes orgánicas. Era lógico que el anteproyecto de Constitución de Ossorio fuera considerado de manera crítica por los socialistas, pues lo entendían bastante lejano del «alma revolucionaria del pueblo». En un editorial de *El Socialista* del 3 de julio de 1931, se calificó el anteproyecto de retardatario, reaccionario y confuso. Este lenguaje era nuevo y tenía como premisa el rotundo éxito que había obtenido el Partido Socialista Obrero Español (PSOE) en las elecciones de 28 de junio. El gobierno rechazó el anteproyecto. La operación de Niceto Alcalá-Zamora de ofrecer la base jurídica moderada a una república burguesa había fracasado. Las Cortes constituyentes eligieron una comisión de veintiún miembros dirigida por Luis Jiménez de Asúa para ofrecer otro proyecto constitucional. Se fijó su reglamento el 18 de julio. El 10 y el 11 de julio el PSOE aprobaba en un congreso extraordinario las bases de su estrategia constituyente.

Ante todo debía forjar un texto flexible, algo en lo que coincidía con Manuel Azaña, que reclamaba la menor Constitución posible. Se apostaba por los derechos individuales y por regular de modo

2. La victoria la obtuvo el partido socialista, con 116 diputados, con casi el 25 por ciento de los votos. El Partido Republicano Radical de Lerroux consiguió 89 diputados; el Partido Republicano Radical Socialista, 55; Acción Republicana, 30; la Derecha Liberal Republicana, 22; la Agrupación al Servicio de la República de Ortega, 13; la Esquerra Republicana, 36, y los republicanos gallegos, 13. De todas estas fuerzas había que formar un bloque hegemónico. Se optó porque de ese bloque quedase fuera Lerroux. Sin duda, este paso, políticamente explicable, tuvo consecuencias nefastas para la República.

eficaz la suspensión de garantías. Frente a toda memoria del pasado, se exigía una única Cámara elegida por sufragio universal, igual, directo y secreto por todos los españoles de uno y otro sexo mayores de veintiún años. Pero sobre todo, se desgranaba la dimensión social de la nueva Constitución, en la que se reflejaba su condición socialista: que el trabajo no era una mercancía, que los convenios colectivos reconocieran a los sindicatos como agentes sociales, que además estos participaran en los organismos directivos de las empresas. Frente a la fiscalidad anterior de consumos y foros, se exigía un impuesto progresivo, el rescate de los bienes comunes en manos privadas, la nacionalización de ferrocarriles, la banca, minas, bosques, comunicaciones e industria de guerra, y abordar el problema de la tierra en una ley paralela a la Constitución, que debería estar aprobada en otoño. Otros temas eran la igualdad de sexos y la separación de Iglesia y Estado, pero con expulsión de las órdenes religiosas y la confiscación de sus bienes. Con ello se exigía la defensa de la escuela laica y única. Finalmente, se optaba por reconocer la reivindicación regional pero se reclamaba la aprobación en referéndum de los estatutos.

Al final, el proyecto de Constitución que acabó aprobado y que definía España como una «república de trabajadores de toda clase», no fue tan radical, pero tampoco fue tan moderado como el de Ossorio. Jiménez de Asúa, en el discurso de presentación, definió la Constitución como «avanzada, democrática y de izquierdas», en línea con el bloque hegemónico, aunque no podía llamarse socialista. «Liberal de un gran contenido social» era una manera precisa de referirse a la alianza de Azaña con los socialistas. La oposición de los grupos agrarios, Acción Nacional y PNV no fue intensa, dada la correlación de fuerzas. Más grave fue que los republicanos radicales y los liberales y republicanos de derecha no se sintieran cómodos. Se aceptó una parte dogmática de derechos y deberes, en la línea de las liberales del siglo XIX, y una parte orgánica de creación de instituciones. Al final, se aprobó el 9 de diciembre de 1931 con el voto contrario de ochenta y un diputados de los cuatrocientos sesenta y seis. Sin embargo, la Constitución rompió el primer gobierno provisional. Cuando se aprobó el artículo referido a las relaciones con el catolicismo, el presidente del gobierno,

Alcalá-Zamora y el ministro de la Gobernación, Miguel Maura, presentaron su dimisión el 14 de octubre de 1931.

Entonces se vio que el hombre fuerte era Azaña. Este asumió la presidencia y se quedó con el Ministerio de la Guerra. La primera medida de Azaña fue la ley de Defensa de la República, que se tramitó mientras la Constitución no se había aprobado. Se trataba de una ley por su propia naturaleza extraconstitucional y se le dio prioridad en los debates de las Cortes constituyentes. Era un signo de debilidad porque se venía a decir que la República era mejor defendida por esta ley excepcional y superior que por la propia Carta constitucional, cuyas deliberaciones y debates paralizó. La contradicción de la situación se hizo notar y entonces se dijo que la ley dejaría de estar en vigor tan pronto las Cortes constituyentes se cerraran. Esto debería haber significado tan pronto la Constitución entrara en vigor, por cuanto muchos artículos de la ley eran contradictorios con la Carta Magna (derecho de reunión, manifestación, publicación y, sobre todo, el cierre de diarios sin juicio previo, todo ello sometido al Ministerio de Gobernación, en manos de Santiago Casares Quiroga; pero también el cese de funcionarios por «falta de celo», contrario al carácter inamovible que reconocía la Constitución). Pero como se verá, no fue así.

Con los ministros del PSOE y con los demás republicanos afines a Azaña, Lerroux quedó aislado en el segundo gobierno provisional. Este bloque hegemónico, sin embargo, no estaba dispuesto a que su dominio fuera un asunto circunstancial. Los poderes constituyentes hicieron una Constitución casi imposible de reformar, pues para toda reforma exigía la disolución de las Cortes proponentes y la convocatoria de unas constituyentes que se vincularan a la reforma ya propuesta. Definieron el Estado integral para sugerir que, frente al federal, los estatutos de las regiones deberían pasar por las Cortes y no gestionarse desde la libre iniciativa de los pueblos. Aunque reconocía la iniciativa popular legislativa, los proyectos debían ser presentados a las Cortes por el 15 por ciento del cuerpo electoral, que tenía derecho a solicitar también un referéndum para declarar su posición ante leyes ya aprobadas.

Sobre todo, fue confirmada la separación de Iglesia y Estado, pero como la Constitución tenía para sus mentores efectos de reparación de la evolución histórica y de construcción de la nueva nación española, se fue más allá de las libertades positivas respecto a la religión, el culto y la moral. En realidad, se buscó la disolución de los estratos históricos acumulados, eliminando órdenes religiosas, prohibiéndoles la enseñanza, imponiendo un régimen fiscal nuevo y extendiendo la amenaza de confiscaciones. Por supuesto, se eliminó el presupuesto del clero. En resumidas cuentas, respecto al tratamiento de la religión, la Constitución mantuvo unos derechos positivos de profesar el culto que se estimase oportuno, pero no siempre garantizó que fuera así. La nueva nación republicana se indispuso con la nación católica de forma completamente insuperable.

La cuestión federal se canalizó a través de la fórmula del Estado integral. Se aseguró el principio de autodeterminación como forma de organizarse en región y dotarse de Estatuto. Se asentó el principio de heterogeneidad al afirmar que «unas [provincias] querrán quedar unidas [al Estado], otras tendrán su autodeterminación en mayor o menor grado». La autonomía final dependería «de su grado de cultura y progreso». La asimetría, como luego se diría, permitiría desde luego que Cataluña se definiera en su Estatuto como un «Estado autónomo dentro de la república española». No todas tenían que hacerlo así. La definición de «integral» que tenía el Estado obedecía a que esos estatutos de autonomía debían obtener su raíz de legitimidad de la implicación de la totalidad del pueblo español a través de sus representantes en Cortes. Solo entonces recibían la plenitud de su constitución. No estaba previsto que ningún Estatuto se aprobara completamente al margen de la decisión de la representación nacional. El ejercicio de la autodeterminación se entendió así compatible con este sentido de la última palabra concedida a una representación de la unidad de pueblo español.

Sin embargo, el destino de la República no se jugó en esto, sino en otro punto más discreto, pero de terribles consecuencias. Fue la forma en que definió el gobierno, con la separación de funciones entre el presidente del gobierno y el presidente de la República. El primero era parlamentario puro. El segundo tendría una legitimidad reforzada por un número de compromisarios elegidos *ad hoc* en número y procedimiento igual al de los diputados. Esto concedía al presidente de la República una rara legitimidad, que no era ni popular ni parlamentaria. Sus poderes eran igual de extraños y, salvo la defensa de la seguridad de la nación, en la que podía ser positivamente activo, eran más bien negativos, suspensivos y de veto. Sin duda podía retirar su confianza al presidente del gobierno, pero no podía proponerlo, pues el ejecutivo debía brotar de las Cortes. Así se llegó a un ordenamiento peligroso que favorecía el enfrentamiento entre los poderes del Estado, no la cooperación. El presidente de la República podía eliminar gobiernos, pero no formarlos; podía obstaculizar la mayoría de la Cámara y provocar una crisis general, puesto que a la Cámara no le quedaba otra salida que la destitución del presidente de la República. Si Jiménez de Asúa dijo que la presidencia era una síntesis de la Constitución alemana de Weimar y de la de Francia, debía haber añadido que era una síntesis de lo peor de ambas. Ni tenía poderes ejecutivos como el presidente de la Constitución de Weimar, ni era impotente, como en Francia. Era poderoso para destruir e impotente para construir. Las consecuencias de esta posibilidad legal fueron letales y llevó a la debilidad gubernamental que condujo al caos.

LA REPÚBLICA A LA DEFENSIVA

Tan pronto se aprobó la Constitución se podían haber hecho dos cosas. Si la República hubiera tenido confianza en sí misma, habría sometido la Constitución a un referéndum, igual que mandaba someter a voto popular los estatutos de autonomía. No lo hizo, dejando claro que no se fiaba del resultado. De este modo, el gobierno abría una asimetría. Los estatutos de autonomía, como el catalán, aprobado por el pueblo del principado mucho antes que la Constitución y que esperaba la aprobación de la Carta Magna para ser debatido en las Cortes, tendrían una base popular que se le negaba a la Constitución que debía legalizarlos. No era una buena señal, aunque quizá fuera realista. En todo caso, mostraba que el bloque hegemónico de la República ya estaba a la defensiva.

Pero al menos se podía haber hecho otra cosa: una vez que la

Constitución estaba aprobada, era lógico que el gobierno provisional hubiera disuelto las Cortes, convocado elecciones y puesto en marcha las previsiones constitucionales. Sin embargo, tampoco se hizo. Se argumentó que quedaban por discutir leyes fundamentales y estatutos de autonomía, y que era bueno que las mismas Cortes constituyentes cerraran la legislación de forma coherente con el texto fundamental. Así, las Cortes constituyentes quedaron prorrogadas como si fueran las Cortes ordinarias de una legislatura normal. Pero no solo esto. Además, Azaña se lanzó a un movimiento extraño. Deseó que la ley de Defensa de la República fuera declarada parte de la Constitución. Ossorio le recordó que lo uno o lo otro, porque el título III de la Carta, dedicado a los derechos y deberes, estaba suspendido por entero con aquella ley. Azaña respondió que la ley era necesaria para gobernar. Pero, de esta forma, reconoció que la República no podía abrirse camino en el gobierno sin disponer de poderes excepcionales. Posiblemente Azaña, en diciembre de 1931, era sincero y quizá tuviese razón, pero todo junto mostraba que la Segunda República, pasado el entusiasmo inicial, era muy débil. Al final se llegó al acuerdo de incluir la ley de Defensa de la República como una transitoria en el texto constitucional: la ley estaría en vigor mientras estuvieran abiertas las Cortes constituyentes. Estas, por lo demás, seguirían operativas todo el tiempo posible. Así, para cerrar el esquema sin convocar elecciones, se incluyó otra transitoria por la que se nombraba al presidente de la República por la mayoría de las propias Cortes, sin convocar la preceptiva elección de compromisarios. La impresión que se lleva el observador es que todos los actores implicados del bloque hegemónico sabían que los problemas empezarían cuando hubiera nuevos comicios. De forma lógica deseaban que ese momento llegara lo más tarde posible. Así se generó la impresión de que la República estaba atada a la primera elección de Cortes, al momento de la euforia.

¿Qué había pasado en los pocos meses de gobiernos republicanos? Sin duda, las viejas voces carismáticas de los intelectuales no estuvieron muy a favor del texto. Denunciaron que era un traje a hechura del bloque hegemónico de Azaña y los socialistas, y Miguel de Unamuno dijo con dureza que su futuro no era la reforma, sino el borrón. Ortega y Gasset también denunció los acuerdos mecánicos de Azaña con los socialistas, que, en su opinión, habían cargado la Constitución de dinamita utópica y radical. Lo que en el fondo quería decir era que se estaba pagando un precio demasiado alto por el pacto con el PSOE, cuyas bases, sobre todo las de la Federación Nacional de Trabajadores de la Tierra (FNTT), deseaban usar los poderes del Estado para conseguir promesas revolucionarias de reparto de tierras y un programa de nacionalizaciones. Josep Pla, con su gracia llena de socarronería, nos dejó un vivo retrato de la megalomanía de aquellos intelectuales de pretensiones carismáticas.

En suma, la afirmación expresa de que se trataba de una Constitución de izquierdas y de claro anticlericalismo la hizo intragable para la derecha; pero la moderación de la política reformista del gobierno la hizo decepcionante para las bases de izquierdas. En esta extraña mezcla de doctrinarismo y de timidez, se reconoce que en el fondo la República estaba sostenida por una pequeña burguesía de intelectuales y teóricos, que habían imaginado una nación a medida de su fantasía, y por un partido socialista preso de la división interna y de su propia retórica revolucionaria. En este sentido, la Carta republicana de 1931 es la última de las constituciones excluyentes del siglo XIX. Los miedos del bloque hegemónico ante una consulta electoral eran fundados. El segundo gobierno provisional y el primer gobierno constitucional de Azaña, ya excluido el Partido Republicano Radical, se percibió como el verdadero poder constituyente. En el tiempo que durara en el poder tendría que forjar el pueblo republicano deseado, capaz de apoyar lo que ya no era la anhelada república ideal, sino la república concreta.

Así todo se encaminó a una huida hacia delante en la que se percibía la falta de tiempo y las prisas en todos los actores. Por una parte, el gobierno se entregó a la discusión en Cortes del Estatuto catalán, disolvió a los jesuitas y confiscó sus bienes y, por otra, preparó la ley de Reforma Agraria. El Estado, que padecía el grave déficit presupuestario dejado por la dictadura de Primo de Rivera, y que contemplaba la fuga ingente de capitales, necesitaba ingresos para pagar las futuras indemnizaciones de las tierras que abrieran camino a la reforma. Con la mencionada ley era preciso convencer a las bases socialistas de que la colaboración con el ejecutivo caminaba en dirección a la emancipación y no era un obstáculo a la misma. Pero lo que las bases entendían por emancipación era un cambio revolucionario de propiedad de la tierra, de las minas, de las industrias y de las infraestructuras. Azaña no podía ofrecer nada semejante. Así que el bloque hegemónico tenía muy difícil forjar una política concreta capaz de mantener la unidad de las partes y la satisfacción de las bases. Cuando la FNTT y la UGT crecieron hasta el millón y medio de afiliados, los nuevos enrolados no querían medidas pequeñoburguesas. Hubieran mantenido su fe en la República si esta les hubiera ofrecido un *crescendo* de medidas hacia una transformación radical de las condiciones materiales de vida. Lo que obtuvieron se resume en un conjunto de medidas que podrían mejorar su suerte en un proceso a largo plazo: mejoras salariales, protección contra el despido, capacidad de intervención en los convenios, obligación de contratar a los obreros del pueblo, renovación de arrendamientos, prohibición del desahucio, imposición de la obligación del laboreo de tierras (eriales entre el 40 y el 60 por ciento), etcétera. En condiciones sociales no cercanas a la desesperación, habría sido algo. Pero con una crisis industrial que bloqueaba la emigración, que hacía regresar a emigrantes —más de cien mil españoles tuvieron que volver al campo—, la situación del campesinado se hizo insostenible. La mala cosecha de 1931 hizo necesario importar trigo, aumentar la deuda, pero los precios del pan siguieron creciendo en 1932, agravados por la especulación que beneficiaba a grandes y medianos propietarios. Las condiciones de los jornaleros empeoraron. Cuando por fin llegó el trigo extranjero, salió a la luz todo el grano oculto y los preciso cayeron. Los pequeños propietarios, que pensaban hacer el agosto, se arruinaron. Se culpó al gobierno de hundir la agricultura, pero tampoco los propietarios jugaron limpio. El malestar fue general.

La República, con los líderes del PSOE, estaba convencida de que con esas medidas se posponía el programa de máximos de las bases obreras. Pero en un gesto de ingenuidad pensaron que eso sería agradecido por los terratenientes, los industriales, los estratos de medianos y pequeños propietarios agrarios y demás clases acomodadas. Excluidos de los debates constitucionales, sin representación verdadera en las Cortes constituyentes, los patronos y los terratenientes no iban a cooperar en resolver la crisis, e incluso esas medidas mínimas, en medio de una economía poco competitiva, les resultaron inaceptables. En realidad, nadie hizo nada por lograr un pacto, algo ajeno a la base misma de la República. La percepción de que España era lo que había salido en las Cortes constituyentes fue letal para las fuerzas del bloque hegemónico. Anuladas políticamente, las clases acomodadas no podían serlo en la esfera económica, la propia de la vida cotidiana. Excluidas del proceso constituyente, entre estas clases la hostilidad a la República fue consistente, coherente y de principio. No podía solicitárseles cooperación alguna. De forma asimétrica, el bloque hegemónico fue condescendiente con ellas en la política concreta y radicalmente hostil en la política doctrinaria constitucional. Esta inconsistencia fue letal. Pensar que los mismos que veían anulados sus puntos de vista en el texto constitucional iban a cooperar económicamente con una política moderada fue de ingenuos.

Las obstrucciones a la ley de Reforma Agraria fueron ingentes. Si se aprobó de repente en septiembre de 1932 fue porque se aprovechó el entusiasmo republicano del fracaso del golpe de Sanjurjo. Sin embargo, hacia finales de 1932 todo seguía igual. Cuando se vieron los escasos efectos inmediatos de la ley de Reforma Agraria, los sindicatos del PSOE comprendieron que difícilmente iban a contener a sus bases, que mantenían aspiraciones no muy lejanas de los sindicatos anarquistas. Lo mismo sucedió con los mineros de Asturias, que se pasaban al Sindicato Único, dirigido por anarquistas y comunistas. Todo lo que sobrepasara al gobierno por la izquierda, le parecía a este una «irresponsabilidad reaccionaria» que fortalecía objetivamente las metas de la derecha. Las voces en el PSOE que alertaban de la posibilidad de quedarse en terreno de nadie crecieron. Francisco Largo Caballero comenzó a darse cuenta de que su vieja política de «arrancar gradualmente y por medios legítimos» los privilegios de los patronos, ya no iba a funcionar más, al verse el PSOE implicado en una lucha ideológica burguesa sin cuartel. Julián Besteiro, desde su cómoda presidencia de las Cortes, se confirmaba en su tesis de que la revolución burguesa debían hacerla los burgueses, con la abstención de los obreros socialistas. Indalecio Prieto, el verdadero soporte de Azaña, que siempre había considerado que solo con un régimen burgués sólido se podría producir un avance hacia el socialismo, se iba quedando en minoría.

Sin embargo, ya se había ido demasiado lejos y entonces emergió en Largo Caballero la pulsión autoritaria en defensa del gobierno. Puesto que su principal enemigo era Besteiro, procuró mantener su presencia en el PSOE mediante una creciente radicalización retórica, muy evidente a partir de 1932. Ya que se trataba de la lucha contra la Confederación Nacional del Trabajo (CNT), era preciso jugar entre estas dos líneas rojas: medidas reformistas para mantener el pacto con Azaña, y retórica revolucionaria para contener a las masas. Las primeras aumentaban el conflicto con los comunistas y la CNT, sin disminuir la hostilidad de los patronos; la segunda aumentaba la hostilidad de los patronos sin disminuir la presión de los radicales de izquierda. La huida hacia delante del ejecutivo tenía todo el aspecto de un torbellino de aguas bravas.

Todo se jugó en el manejo del tiempo. El Instituto de la Reforma Agraria, la previsión de la ley anterior, requeriría mucho. Con la memoria precisa de las viejas tácticas obstruccionistas, los grandes aristócratas pusieron demandas masivas ante los tribunales para que no se les aplicase la confiscación de tierras. El objetivo era ganar tiempo para que la ley no se cumpliera. Sin duda, se apostó por empeorar las condiciones sociales del campesinado. Todo bajo *sub iudice*, no se les podía pedir a los propietarios que laborasen unas tierras que era posible que perdieran. Así que la crisis económica y la actitud hostil de los grandes propietarios, muchos de ellos nobles y militares, no estaban en condiciones de darle tiempo al gobierno. Los anarquistas y los comunistas, que veían que las cosas empeoraban en lugar de mejorar, tampoco. Las huelgas patronales y la desobediencia civil aumentó y con ella la presión de la CNT. La vieja unión de los «Grandes» y el motín popular, que reducía los gobiernos monárquicos ilustrados a la impotencia, se reprodujo en la nueva situación. Con su retórica, José María Gil-Robles reconoció que si los propietarios querían sobrevivir, los campesinos debían pasar hambre.

Entonces, hacia octubre de 1932 el PSOE se dio cuenta de que, a pesar de todo, el único camino era la estabilidad de la legislatura. En un texto que Paul Preston destacó en su día, Besteiro dijo:

> Si se separan los ministros socialistas del gobierno, el equilibrio político de la República se rompe, la vida de las Cortes se acorta extraordinariamente y unas elecciones prematuras pueden ser una aventura demasiado peligrosa.

Era una verdad fácil de entender. Largo Caballero se hizo fuerte en el PSOE al ganar su congreso de 1932, y sus asesores, con Luis Araquistáin a la cabeza, lo iluminaron acerca del hecho esencial. El reformismo socialdemócrata había sido derrotado en Weimar porque no había sabido resistir la doble ofensiva de los nazis y los comunistas. Era necesario no perder el gobierno, pero todavía más no quedar engullido por la izquierda radical. Eso marcó la estrategia de la derecha. En realidad, desde esa fecha, la suerte de la República española estaba determinada por lo que había pasado en la República de Weimar, cuya Constitución había imitado.

LA REPÚBLICA A LA DERIVA

La de la derecha era una estrategia que venía de antiguo. Desde el 14 de abril de 1931, los monárquicos alfonsinos y los tradicionalistas se entregaron a la conspiración. Pero este trabajo no era suficiente. Se necesitaba un partido capaz de jugar en el terreno de la República y de representar en ella los intereses que habían quedado huérfanos con la disolución del régimen monárquico. Un carlista, Gil-Robles, abogado sutil e inteligente, que desde aquel 14 de abril venía unificando todas las fuerzas de la derecha, se encargaría de configurar un partido poderoso con presencia en toda España, la Confederación Española de Derechas Autónomas (CEDA). Su aspiración era la de «reconquistar todo lo perdido» dentro de la legalidad. Surgió así una fuerza no republicana dispuesta a jugar en el seno de la Segunda República. Su lema era el de un carlismo reformado con elementos conservadores del liberalismo: «religión, patria, orden, familia y propiedad». Su enemigo, el socialismo, que, como no podía ser menos, era la última forma judaizante de mirar el mundo. Su dificultad mayor era que no tenía otros diputados que los quince agrarios y los cinco de Acción Nacional. Así que, sin fuerza parlamentaria propia, Gil-Robles se entregó a forjar un partido solvente, la CEDA.

Este hecho se cruzó con otro de máxima importancia. Como ya se ha dicho, el primer gobierno constitucional de Azaña había separado a Lerroux del poder. El político radical no se quedó parado. Creía que la República le debía su existencia y estaba indispuesto con Azaña por haberse convertido en el tótem protector de la misma. En su propaganda se presentaba como el Salvador. Su salida del gobierno, sin embargo, lo llevó a conectar con los militares que, dirigidos por José Sanjurjo, conspiraban contra el gobierno de Azaña. Lerroux también aceptó en el partido a muchos terratenientes andaluces. Su presión parlamentaria se dirigió, como es natural, a separar a los socialistas del poder. *El Debate*, el periódico de Ángel Herrera, apoyó este movimiento. La derecha comprendía que, de lograr ese paso, habría elecciones anticipadas y entonces el bloque hegemónico se derrumbaría. Cuando Lerroux comprendió que el golpe militar no era un amago coactivo, se retractó; pero Sanjurjo siguió con su tarea y fracasó. Un breve entusiasmo regresó y la aventura fortaleció a Azaña, que logró aprobar la ley de Reforma Agraria, como ya se ha dicho. Lo decisivo es que Gil-Robles montó en cólera. Su estrategia paciente había retrocedido muchos peldaños con la intentona fracasada de Lerroux y Sanjurjo. Este hecho demostró ante todos que el choque frontal fortalecía la República. Su plan consistía en usar la legalidad no por la creencia en su legitimidad intrínseca, sino porque era más eficaz al proyecto final de «reconquistar» lo perdido. En realidad, era una evidencia para todos los actores que Gil-Robles iba a seguir la estrategia nazi de emplear los medios de la República para destruirla. Para ello, al igual que en Alemania, había que separar al socialismo del gobierno.

> El peligro está en el partido socialista español [...]. Hay que constituir un frente único para evitar que el socialismo combata

dijo en un mitin en Málaga en enero de 1932. Era el mismo objetivo que Lerroux, pero Gil-Robles reclamaba la dirección del proceso.

Gil-Robles leyó bien que él tenía tiempo, pero el bloque hegemónico no. Para la táctica legalista bastaba que el ejecutivo se desgastase. Nada de choque frontal. Este fue el único requisito para entrar en la CEDA. Aunque Gil-Robles decía a los suyos que el objetivo era una reforma constitucional concerniente a la cuestión religiosa, educativa y social, sabía que con la Constitución en la mano eso era poco menos que imposible. Su plan era más cercano al del austríaco Engelbert Dollfuss, pero Gil-Robles tenía muchas reservas por el carácter dudoso del nazismo en materia de religión. Cuando dio un mitin en Barcelona en marzo de 1933 y criticó al nazismo, recibió un abucheo sonoro. «No volvió a repetir la experiencia», señala Preston. Cuando Hitler firmó el Concordato con Roma, todo parecía más viable. Así que la CEDA siguió adelante con su política de conquistar el poder legalmente para destruir la legalidad. Por supuesto, acusaba al gobierno de permitir lo que la prensa presentaba como «el caos social», pero esperaba la erosión que significaría la represión, si es que el gobierno la ejercía.

Y eso significó Casas Viejas, en enero de 1933, con el levantamiento de jornaleros gaditanos hambrientos. La despiadada masacre conmocionó a la opinión pública, por lo indigno del proceder y lo mezquino de la crueldad con que se produjo el incendio de la casa del militante anarquista Seisdedos, y su asesinato por la aplicación de la ley de Fugas. Sabiendo lo que se jugaban, los ministros socialistas defendieron los hechos, pero ya no volvió a ser igual. En el balance de lo que ponían y lo que arriesgaban, los socialistas se dieron cuenta de que llevaban un juego muy arriesgado. La alternativa era formar un gobierno con Azaña y los radicales, algo todavía más estéril. En este clima se llegó a las elecciones municipales parciales de abril de 1933, que llamaban a votar al 10 por ciento del electorado. Ya fue muy sintomático que el ejecutivo no publicara los resultados. Aunque no significaran una debacle para el bloque hegemónico, sí que mostraron que las derechas podían forjar el grupo más compacto si se unían con los radicales. Entonces formaban mayoría.

Aunque sin publicarse, estos resultados fueron tenidos en cuenta por todos. Entonces se puso en marcha un actor destructivo, el presidente de la República. Aunque no podía intervenir positivamente, sí podía hacerlo de forma negativa. Con la excusa trivial de la enfermedad del ministro de Hacienda, Alcalá-Zamora le retiró la confianza a Azaña. En un gesto difícilmente comprensible, ofreció la presidencia a Besteiro y a Prieto, quienes se negaron. Cuesta pensar que este resultado no estuviera previsto. En todo caso, el efecto fue fulminante. Aunque el gobierno Azaña siguió —disminuyendo el poder de su partido—, la división interna del PSOE creció, como se vio en los debates de la escuela de verano de Torrelodones de agosto de 1933. El panorama alemán, como comprendió Araquistáin, se verificaba en España. Besteiro se quedó solo al defender la retracción y la inhibición. Prieto tampoco fue comprendido por las bases al mantener la necesidad del bloque hegemónico como única política posible. Largo Caballero, ante el entusiasmo de las bases, afirmó la línea revolucionaria y defendió mantenerse en el poder como un instrumento hacia ella. La línea argumental de Gil-Robles, como es natural, encontró en ello un motivo para extremar su radicalidad antidemocrática.

Las evidencias de que el gobierno temía cualquier contacto con el electorado aumentaron con otra elección menor, pero muy significativa. Como había establecido el reglamento de constitución del Tribunal de Garantías Constitucionales, se procedió a la elección de sus vocales. No fue una sorpresa que el bloque radical y la CEDA obtuvieran la mayoría. El entusiasmo de la CEDA, largamente preparado, creyó llegado el momento oportuno. Lerroux pidió a Alcalá-Zamora formar gobierno en tanto que fuerza más votada. Podría ensayar un gobierno de coalición republicano puro, sin socialistas. Azaña, que veía venir el momento, cambió la ley electoral introduciendo una variación del sistema proporcional, que daba ventaja a la lista más votada. La maniobra era dudosa y políticamente supuso un error. Acabaría beneficiando a los rivales, que estaban mejor preparados para las elecciones generales y que iban a obtener el beneficio del voto de las mujeres, más conservador. Finalmente, Alcalá-Zamora ejerció sus poderes negativos, retiró la confianza a Azaña y encargó formar gobierno a

Lerroux, con lo que la más turbia de las almas se alzó con el destino de la República. Desde entonces, todo lo que se debía verificar era el proceso concreto y la forma en que se acababa con ella. Por supuesto que Lerroux tuvo que ejercer el poder apenas un mes con las Cámaras cerradas y finalmente renunció. Pero el daño ya era irreparable. El bloque hegemónico, que había hecho la Constitución, había dejado a un enemigo interior, su presidente, fruto del pacto original de la República moderada. Sin embargo, ese pacto ya estaba roto desde la aprobación del artículo 26 de la Constitución, relativo a las relaciones con la Iglesia. Al dejar fuera del propio bloque a Lerroux, las dos fuerzas se unieron. Tan pronto vio la ocasión que Lerroux le brindó, el presidente desmontó el bloque hegemónico. Largo Caballero afirmó que, sin el poder, se avanzaba hacia la guerra civil y que el PSOE dejaba a un lado la estricta legalidad republicana.

Al final, se convocaron elecciones generales para el 19 de septiembre de 1933 y en ellas la victoria de los radicales y los cedistas fue rotunda. Narrar los hechos que siguieron resulta una tarea bastante prolija y estéril. El principio político de la República había muerto tan pronto Azaña abandonó el poder y el bloque hegemónico quedó deshecho. Los dos años de gobierno de radicales y cedistas puso en marcha la agenda de Gil-Robles para erosionar la legalidad desde la legalidad misma. Fuera del poder, los socialistas se situaron al margen de la legalidad. Desde el punto de vista político, nadie creía en la República de 1931 y todos se aprestaron a conquistar la legalidad para disponer de una posición de ventaja en la futura confrontación que por todas partes se anunciaba. Cuando Gil-Robles exigió el paso último de su estrategia, la presidencia de gobierno, la inteligencia de Lerroux se comprobó limitada por la mala fe. Este pensaba que Gil-Robles no se atrevería a dar el paso y que su partido sería el que se cobraría de forma perenne la prima de republicanismo. Pero eso valía solo mientras la situación no estuviera madura para eliminar la República. Cuando los partidos de izquierda comprendieron que de eso se trataba, los mismos que habían erosionado al bloque hegemónico republicano y socialista (anarquistas y comunistas) lo reforzaron, sin duda con la certeza de que la toma legal del poder no era sino el comienzo de una actuación revolucionaria. El plan B de las fuerzas que apoyaron a Gil-Robles se puso en marcha ante la derrota de la CEDA en 1936. La guerra civil, prevista por todos los actores, fue encarada con la certeza recíproca de victoria. Por eso se fue hacia ella sin que nadie pensara en detenerla. Unos porque pensaban que disponer del gobierno pesaría de forma decisiva, y otros porque sabían que el ejército, alzado de forma unánime, recibiría el auxilio de una parte importante de la nación católica y de la mayor parte de los apoyos internacionales.

VALORACIÓN FINAL

La República de 1931 es la última de las constituciones al estilo del siglo XIX. La derecha, gastada y sorprendida, operó primero con el reflejo de la abstención y, como había sucedido en el XIX, apostó por la vía insurreccional. La izquierda, con estas evidencias, pensó que tenía derecho a proponer una Constitución que solo reflejara sus propios puntos de vista, tal y como había sucedido en 1837 o en 1869. Ignorante de la diferencia entre Constitución existencial y Constitución política, olvidó la primera entregándose a la idea de que con la segunda podría cambiar la realidad histórica, cultural y social de España. Este proyecto regenerador era verosímil solo con una dictadura republicana y con un tiempo muy largo del bloque hegemónico en el poder. Esto es, forzando los dispositivos democráticos, algo que Manuel Azaña en algunos momentos rozó. A eso fue invitado por Ernesto Giménez Caballero, en el libro que dedicó al jefe del gobierno. Sin embargo, los poderes excepcionales explícitos habrían condenado a la República a depender de un ejército en el que Azaña no confiaba. La política de educación, junto con un laicismo activo riguroso, podría haber generado ese cambio de pueblo en el largo plazo. Pero para ese proyecto era imposible solicitar la cooperación económica de las mismas fuerzas a las que se quería aplastar en el terreno de la cultura, las ideas y la religión. En una crisis profunda, sin esa cooperación, las cosas solo podrían ir a peor, generando un malestar social insoportable que acortaría el tiempo disponible del gobierno del bloque hegemónico. Por mucho que este deseara mantenerse en el poder todo el tiempo posible, los detalles de malestar popular y la deserción de las élites intelectuales organizadas alrededor de pretendientes a caudillos carismáticos de la opinión pública sirvieron de excusa a la convocatoria de nuevas elecciones. De este modo, el bloque hegemónico de Azaña y los socialistas fue apareciendo como un dispositivo de poder partidista, lo que contribuyó a su soledad. Así, la República se embarcó en una política radical por un lado y tímida por otro, que llevó a que no tuviera el tiempo necesario para realizar un proyecto que era resistido con firmeza por extensas capas de la población. Acelerar el tiempo histórico de reformas con medios puramente legales es siempre una contradicción y una ilusión. En ella cayó el gobierno Azaña.

A todo eso es preciso añadir que estos dilemas eran los mismos de buena parte de Europa. Sin embargo, un país menor como España no podía tener un curso de actuación propio y diferente de sus referencias más cercanas. Aquí, sin embargo, la contradicción interna al bloque hegemónico no era menor. Azaña, francófilo profundo, pensaba en una regeneración republicana de la nación, pero olvidó que eso costó el Terror y el reparto masivo de tierras en 1789. Besteiro y Largo Caballero (por su asesor Araquistáin) miraban a Alemania, y quedaron sorprendidos por la disolución de la SPD ante la doble presión del nazismo y del comunismo. Así que Largo emprendió el camino de vincularse al Partido Comunista de España (PCE) y no quedarse solo en la izquierda radical. La República, así, no podía ser ayudada ni por Francia ni por Alemania. No por Francia, porque Madrid se encaminaba hacia una posición revolucionaria; no por Alemania, porque sus aliados habían perdido la batalla. Con este aislamiento internacional contaba Gil-Robles y los que preparaban el plan B de insurrección militar.

Para acabar, dos comentarios: se ha dicho que la guerra civil tuvo como principal motivo la eliminación de una Cataluña independiente. No hay evidencias para esta tesis. Azaña habría resistido la independencia de Cataluña tanto como Gil-Robles. Pero que el conflicto armado también se hizo para impedir el autogobierno de Cataluña es evidente. Lo que merece comentario es si Cataluña experimentó un cosmos político diferente del español y si, separada de los grandes dilemas del mundo político hispano, habría logrado generar un camino propio. Es más que dudoso que fuera así. Aunque Cataluña hubiera logrado la independencia formal de la República en 1934, cuando se produjo la declaración unilateral del Estat Català de la República Federal Espanyola, las opciones y posicionamientos que tenían lugar en España se habrían reproducido en tierra catalana, como se vio con la proclama de la CNT. De la misma manera que España no podía sustraerse a las líneas políticas europeas, Cataluña no habría podido vivir al margen de esas dramáticas fuerzas. Al final, la guerra civil española fue también una guerra civil catalana, porque lo que se jugaba afectaba a las raíces existenciales más básicas del ser humano. Aquí, de nuevo, la diferencia entre Constitución existencial e institucional explica las cosas. Muchos catalanes no identificaron su realidad existencial con las instituciones legales republicanas. Por eso, con su identidad catalana asegurada por firmes certezas religiosas, participaron en una guerra contra esas instituciones legales que interpretaban la catalanidad de forma hostil a sus percepciones e intereses. Otros, sencillamente, pusieron por delante diferentes realidades materiales de la vida (la propiedad, el orden, la seguridad, la religión), aun a sabiendas de que la catalanidad política tendría que ser sacrificada.

El segundo comentario es este: la República y el levantamiento militar siguen generando una intensa pulsión de identificación. Creo que esta pulsión debe ser controlada porque desde el punto de vista ético e intelectual es una impostura. Quien quiera identificarse con aquellos sucesos tendría que hacer el esfuerzo de reconstruir el cosmos cultural, religioso, social y económico de aquel entonces. Si hiciera este esfuerzo, comprendería que la identificación es imposible. Por supuesto, el observador que mira aquellos tiempos comprende que se cometieron muchos errores y que los dos bandos que acabaron enfrentándose estaban equivocados y se habían equivocado desde antiguo. Los errores políticos, en la medida en que se cometieron en un clima de intereses extremos, llevaron a posiciones cada vez más irreversibles y moralmente más dudosas. El destino general de los acontecimientos alcanzó así ese nivel de tragedia colectiva que nadie en su sano juicio desea repetir. Por eso, quien desee vincularse a aquellos actores y problemas debería saber que la única manera de identificarse con ellos y de vivir esas experiencias pasa por generar el mismo clima de pobreza, miseria, fanatismo, desesperación y miedo, inseguridad, incultura, incivismo, analfabetismo, falta de perspectivas y brutalidad. Quien no esté dispuesto a asumir la responsabilidad de generar esas condiciones, las únicas que hicieron posible la conducta de aquellos actores, no debería identificarse con ellos. Por eso, en estos casos, es más sano mantener el sentimiento de piedad por todos aquellos ciudadanos cuya triste suerte, afortunadamente, no hay que compartir.

6

FRANQUISMO

DICTADURA SOBERANA

La piedad es un sentimiento que no nos va a abandonar tampoco en este capítulo. Pues la guerra civil sobrepasó todas las expectativas de crueldad, crimen, muerte y desolación. A ello se sumó la potencia mortífera de una contienda desigual, en la que pronto se vio que los aliados internacionales de los «nacionales» disponían de un armamento más sofisticado que los republicanos. Las gentes de España fueron objeto de experimentación militar por parte de los nazis y de los fascistas, adiestrando a pilotos y militares en novedosas tácticas de guerra que pronto se emplearían en lo que se atisbaba como una nueva conflagración de ingentes proporciones, que ya no respetaba la diferencia entre población civil y militar. Aquí no se trata de fijar la atención en los hechos bélicos y en sus deplorables consecuencias humanas. Solo se tratará acerca de las nuevas formas que van a tener las élites políticas y de las nuevas lógicas en que se va a jugar la batalla política, los nuevos hábitos y formas de lucha, las nuevas tácticas y organizaciones. Desde el punto de vista de la historia de la clase dirigente, la emergencia del franquismo tuvo efectos casi revolucionarios.

Desde un punto de vista político, el franquismo se suele dividir en tres épocas diferenciadas. La primera constituye una negra posguerra; la segunda tuvo su origen en el éxito de la reestructuración económica del régimen a finales de la década de 1950, y culminó anunciando una nueva época con la ingente campaña dedicada a alabar los «Veinticinco Años de Paz» en 1964. Desde ese año, el régimen franquista apostó por una institucionalización con la ley orgánica del Estado, aprobada en referéndum en 1966. No se puede valorar el franquismo sin reparar en las diferencias entre estas tres etapas. La manera en que se sucedieron estas tres políticas diferentes no obedeció a un designio originario. Sin embargo, hubo continuidad por debajo de estas épocas y conviene identificarla para una descripción correcta del franquismo.

Las fuerzas que llevaron al general Francisco Franco al poder desde el inicio tenían como aspiración la constitución de la nación católica existencial que se había movilizado en la guerra, de tal manera que hiciera imposible en el futuro una base popular para las dinámicas de la República. Aunque el régimen de Franco comprendió que algunos de los aspectos de este proyecto resultaban equivocados (por ejemplo, la autarquía), las élites dirigentes del franquismo pudieron comprobar alborozadas hacia 1960 que sus expectativas constituyentes iban camino de realizarse. Por fin Franco, que desde la aparición en 1942 de la *Doctrina del caudillaje* de Francisco Javier Conde se había legitimado a través de la victoria militar, veinticinco años más tarde podía legitimarse por el cuarto de siglo de paz. Ese pueblo pacificado, abrumado por la propaganda, con instituciones altamente coercitivas, ya podía hablar en un referéndum y aprobar las leyes que el régimen pensaba estables y duraderas en 1966. Los cambios que experimentó el régimen franquista fueron posibles porque sus dirigentes podían mantener una fidelidad básica a su proyecto originario: el de constituir una sociedad nueva desde poderes dictatoriales. A lo que no se había atrevido el bloque hegemónico republicano, ahora lo realizaba el bloque franquista.

El proyecto de una dictadura soberana y constituyente de la sociedad era más antiguo que el régimen de Franco. Había sido elaborado, utilizando conceptos de Carl Schmitt por el lúcido y apasionado Ramiro de Maeztu, y esto a partir de una pregunta: ¿qué había fallado en la dictadura de Primo de Rivera? En su opinión, Primo había operado como un mero dictador comisario o temporal para superar un problema excepcional de inestabilidad y falta de apoyo de la monarquía. Dirigido contra los propios políticos que apoyaban al rey, el dictador no había definido un amigo y un enemigo pertinente ni había radicalizado los ánimos de forma consecuente. Por eso su obra fue superficial. Ahora se hacía precisa una dictadura de largo plazo, sin cortapisas de otras instancias soberanas, y capaz de formar un capitalismo moderno que generara un pueblo de clases medias despolitizadas. Todo eso debía producirse antes de reconocerse los derechos políticos e instituciones liberales. A los ojos de Maeztu, el desconcierto de la República era consecuencia del fracaso de la dictadura primorriverista. En lugar de marcar las diferencias entre amigo y enemigo, Primo de Rivera había disuelto la cohesión de las derechas y se había mostrado incapaz de fortalecer los dos principios de la nación española: el catolicismo y el sentido de la hispanidad. Sin ellos, los intentos de José Calvo Sotelo de generar un capitalismo español eran inviables.

Desde el mismo día de la marcha del rey, esos intelectuales, organizados en torno al grupo fundador de la revista *Acción Española*, comprendieron que esa dictadura constituyente implicaba el fracaso de la Segunda República. Con la obstinación de quienes profesan una idea de salvación y financiados de forma regular, se entregaron al activismo político desde el primer día. Lo que a sus ojos hacía intolerable el régimen republicano era la convicción de que con él sería imposible construir un capitalismo español capaz de mantener una sociedad católica. Este proyecto histórico deseaba ofrecerse como esquema de modernidad a la comunidad hispánica de naciones; no podía ser entendido ni realizado ni querido por los intelectuales laicos republicanos ni por los socialistas, por no hablar de los anarquistas. La tragedia que percibieron los creadores de este proyecto fue descubrir que tampoco podían contar con los fervientes católicos vascos y catalanes, en la medida en que antepusieron sus exigencias de autogobierno nacional a cualquier otra consideración objetiva. Aunque Maeztu ofreció, en su obra *Defensa de la Hispanidad*, una idea que era hispanoamericana, y aunque era partidario de los fueros tradicionales como portadores de los valores hispanos, esta posición no tuvo relevancia para el futuro. Su idea de dictadura soberana sí.

LO PREVISTO Y LO IMPREVISTO EN EL FRANQUISMO

Las élites conservadoras de los primeros días de la República no habían decidido quién dirigiría esa dictadura soberana constituyente. Sus dos ideólogos fundamentales, José Calvo Sotelo y Ramiro de Maeztu, establecían únicamente sus dos bases ideales: la forma concreta de capitalismo de Estado y la forma cultural y católica de la hispanidad protegida por una monarquía tradicional. Ambos eran fervientes monárquicos y es bastante probable que su previsión fuera la de una monarquía autoritaria, católica y «templada» por los poderes indirectos de la Iglesia, las academias y las diversas expresiones de la tradición. Era casi seguro que este proyecto hiciera necesaria una guerra civil, cuya preparación asumió José María Gil-Robles. Dado que el escenario previsible de conflicto civil también jugaba en las fuerzas republicanas de izquierdas, lo más sencillo de imaginar habría sido la insurrección socialista y anarquista. El aplastamiento de la revolución de Asturias de 1934 fue la base cierta para un pronóstico de futuro y, al mismo tiempo, un ensayo general del mismo. Si Gil-Robles hubiera ganado en las urnas en 1936, se habría ido a un régimen autoritario según el esquema de los referentes alemanes, austríacos e italianos.

Lo que acabaría complicando este escenario fue la derrota de febrero de 1936, al votar los imprevisibles anarquistas las candidaturas del Frente Popular. Así que la dictadura no se iba a imponer desde el poder, sino desde la oposición y mediante un golpe de Estado y no según la forma más legal de aplastar una insurrección con poderes excepcionales. Como todos los actores sabían que se jugaban la partida definitiva, las elecciones de febrero de 1936 permitieron la unidad circunstancial de la izquierda republicana con la izquierda revolucionaria. Esta unidad amenazaba la forma «república» de manera letal, pero obligó a las fuerzas conservadoras y reaccionarias a dar un golpe ilegal. Este hecho produjo dos circunstancias: primera, que la guerra, desde el bando nacional, no tuviera definido un poder civil; segunda, que la contienda no solo tendría que vencer una insurrección, sino al propio aparato del Estado republicano. De acceder a la dictadura por poderes excepcionales civiles legales, como preveía Gil-Robles, se tuvo que derrotar al poder legal. Ambas circunstancias dieron a la dirección militar de la guerra su poder característico. Como se sabe por escritos cercanos al golpe, al no destruirse la República desde el poder, «la acción ha de ser en extremo violenta para reducir lo antes posible al enemigo fuerte y bien organizado».

Los directores militares de la contienda pronto comprendieron que este escenario sobrevenido era casi providencial para el proyecto constituyente. Con suma perspicacia se dieron cuenta de que una larga guerra podía ser más eficaz para moldear al pueblo español que una actuación gubernativa excepcional, pero en todo caso con cierta cobertura legal. Para movilizar toda la violencia social de forma desinhibida, hicieron una propaganda eficaz sobre la idea de que el gobierno republicano preparaba un golpe preventivo contra sus potenciales enemigos. El miedo creció por doquier. Acabar con la República fue un objetivo de primera hora. Pero acabar con ella de esta manera fue efecto de las contingencias políticas. Solo estas dijeron lo que estaba sin pensar en el proyecto originario: quién iba a ser el portador de la soberanía. Tras una penosa guerra, ese portador sería el general victorioso.

Sin embargo, la causa misma por la que había luchado y vencido imponía los fines de su dictadura. Como dijeron al final de la guerra sus defensores, Franco tuvo que encarnar dos aspectos contradictorios del dictador constituyente. Por una parte, en tanto que soberano, no podía ver limitado su poder más que por su propia voluntad. Esto fue lo que dijo Dionisio Ridruejo. Pero, por otra parte, en tanto que caudillo, luchó por una causa tradicional que él no podía definir a su arbitrio, sino garantizar en su continuidad. Esto es lo que dijo Francisco Javier Conde al definir a Franco como un caudillo carismático al servicio de la tradición, sin capacidad de innovación. Todos los complejos elementos del régimen franquista se derivan de esta contradicción básica. La voluntad soberana del Caudillo no tenía límites para constituir el pueblo español, que era el de la tradición y ya estaba constituido. De ahí que su principal actividad fuera represora de todo aquello que no coincidiera con ese pueblo ya existente. Esta premisa permite describir toda su actuación como una desconstrucción de lo que en la historia española era evolución y novedad, y que él consideraba como una mera superficie frente a lo esencial y eterno. Esa superficie era todo lo que había acontecido en España desde el «Estado totalitario» de los Reyes Católicos y su configuración imperial bajo Carlos V y Felipe II.

De este modo, Franco llegó a decir, en una carta del 12 de mayo de 1942, que «los males de España no venían de los años inmediatos al 14 de abril de 1931», sino de los siglos que siguieron «a la Monarquía de los Reyes Católicos, con la de Carlos y Cisneros, o con la del segundo de los Felipes». Desde entonces, «el genio de España» había dejado de regir su historia. En otra ocasión, el dictador habló de la monarquía totalitaria de los Reyes Católicos, lo que nos permite identificar la aspiración del régimen en su primera época: crear algo parecido a lo que había sido el dispositivo inquisitorial. Ese dispositivo permitiría que el pueblo ya existente y constituido se defendiera de la impureza histórica acumulada. La aplicación pormenorizada de la delación, la desproporción entre indicios y penas, la extensión de la criminalización a familias y linajes enteros, la concentración de la persecución en campesinos y obreros, la exigencia de retractaciones humillantes, la invocación de sucesos antiguos para justificar el crimen, todo esto constituyó un dispositivo cercano al inquisitorial. Eso hace de esos largos años de posguerra del régimen de Franco algo tan odioso. Pero la imitación verdadera del dispositivo inquisitorial residió en que se quería conseguir un pueblo puro. Por eso fue lógico que, al igual que la Inquisición no permitiera huella superviviente alguna de los ajusticiados, el régimen franquista quisiera sepultar en el anonimato más radical a sus víctimas, perdidas en las cunetas. Y de la misma forma que, tras las miles de ejecuciones de judíos, España amaneció pobre pero dominada por el poder de los Reyes Católicos, así, tras la aplicación del nuevo dispositivo inquisitorial, España conoció décadas de pobreza y miedo, pero el régimen era sólido.

Una España pobre pero nuestra: esa fue la ideología de la llamada «autarquía», algo contrario al proyecto originario de Calvo Sotelo y de Maeztu de crear un capitalismo católico hispánico. Este desajuste fue la consecuencia de la manera en que se realizó el pronóstico. La autarquía respondía al limitado y peculiar sentido de la economía de Franco, coherente con sus fundamentos ideológicos. Por ello, las fuerzas que apoyaron al Caudillo no discutieron la autarquía. Primero, porque era coherente con la tradición que desde san Isidoro hacía de España un país abundante y privilegiado, autosuficiente; segundo, porque la hostilidad a la ciudad como foco fundamental del laicismo era compartida por la jerarquía eclesiástica; tercero, porque la ruralización —España volvía a tener más del 50 por ciento de la población dedicada al campo— hacía más eficaces los sistemas de presión, miedo y control; y cuarto, porque el propio dictador manifestaba hostilidad a las formas modernas de la riqueza, para él cercanas a los masones, judíos y financieros, que detestaba. Por lo demás, la autarquía era una consecuencia una vez derrotados los gobernantes nazis.

Solo a causa del inevitable y sencillo hecho de que Franco no tenía verdaderos aliados internacionales, y una vez comenzada la década de 1950, el grupo dirigente del franquismo dio signos de iniciar una política y esa fue la de continuar con los planes de aumento de regadíos ya diseñados en la dictadura de Primo de Rivera y en la Segunda República. Este hecho lleva a preguntarse por los beneficiarios netos de los primeros quince años del régimen de Franco, que conocieron un retraso de todos los índices de la economía respecto de la República. En primer lugar, benefició a los terratenientes, muy vinculados con la nobleza y con los militares de alta graduación, que veían sus tierras atendidas por unos jornaleros sumisos, no menos atemorizados que los obreros de la industria nacional y de las minas, cuyos patronos vieron en la autarquía los beneficios de un proteccionismo semejante al que había garantizado los equilibrios de la Restauración; en segundo lugar, a las órdenes religiosas, las viejas capas auxiliares del dispositivo inquisitorial, a las que se les devolvió el monopolio de la educación; en tercer lugar, a las élites católicas que, como la Asociación Católica Nacional de Propagandistas (ACNP), canalizaron las exigencias de la jerarquía episcopal que se instalaron en las estructuras de visibilidad cualitativa del régimen (prensa, como el periódico *Ya*; la agencia Logos; la Editorial Católica, etc.) y en la dirección de las instituciones universitarias privadas (el CEU, Comillas, de los jesuitas). Estas élites operaron en el aparato estatal y gubernamental, generaron el sistema educativo (dirigido por José Ibáñez Martín) y crearon sus propios canales de comunicación y promoción (como el Boletín de la ACNP).

Gracias a ellos, la guerra civil fue elevada a «cruzada», con lo que se garantizó la aspiración de lograr un pueblo tradicional. Las élites de la ACNP lograron el pleno funcionamiento de los poderes indirectos eclesiásticos sobre el franquismo, aquellos que para Maeztu eran garantía de todo gobierno «templado». Un grupo de apenas seiscientos laicos procedentes de la burguesía, la mayoría juristas y letrados, garantizaban a la vez perfecta obediencia a la jerarquía eclesiástica y a Franco. Por ellos el Caudillo se mantuvo fiel al paradigma de gobernante católico y «la Iglesia fue servida como quería ser servida»; esto es, sin una implicación directa en el poder. La Iglesia, «maestra en la verdad y en las costumbres», y el Estado, «obligado a defenderse dentro del radio de acción» con medios violentos, podían cooperar en una estructura de medios y de fines. El papel coactivo del Estado servía a la idea católica normativa. La doble sociedad perfecta, con esa garantía de cooperación recíproca de Estado e Iglesia, volvió a concretarse en la España franquista. Así, el gobierno podía ser totalitario y al mismo tiempo respetuoso con «su origen (divino) y la doctrina de los fines con arreglo a la Iglesia». En suma, la tradición verdadera era que de nuevo España «estaba al servicio de la Iglesia católica», como dijo Alfonso de Hoyos en el Boletín 259 de la ACNP el 15 de diciembre de 1940.

RIZOMA Y PODER FRANQUISTA: LA FALANGE

El Estado franquista era un medio instrumental para alcanzar los fines propios de una sociedad católica. Sin duda, los teóricos de la ACNP —como Joaquín Ruiz-Giménez indica en el Boletín 317 de 1943— sabían que ese fin implicaba «la paz y la concordia de sus miembros» y que «el Estado se ha de colocar al servicio de la sociedad, esta al del hombre, y este al de Dios». Pero, como en el dispositivo inquisitorial tradicional, esto se refería únicamente al pueblo purificado. Como recordó Ibáñez Martín en 1944, no había diferencia en el servicio de Dios, de la Iglesia y de Franco. Pero todavía hay algo que formó parte de ese dispositivo inquisitorial y que se debe reseguir en el sistema político de Franco. Se sabe que la eficacia de la Suprema a lo largo de su historia dependía de la estructura rizomática de los llamados «familiares». Estos se reclutaban de entre los estamentos hidalgos empobrecidos y atravesados por un resentimiento profundo frente a los estamentos conversos, dinámicos y activos. Al gozar del estatuto de «familiares», muchos escaparon de la marginalidad completa, lo que no les impidió practicar las formas más plebeyas y mezquinas de comportamiento. Se sabe que los «familiares» se beneficiaban directamente del expolio de los bienes de los delatados por ellos mismos y de otros medios de coacción y chantaje. Esta función fue la que cumplió la Falange con su estructura capilar a través de todo el territorio, su ideología totalitaria propia.

Los falangistas que, más allá de los miles de activistas iniciales, crecieron con los aportes del arribismo y el oportunismo, se hicieron con el expolio de los bienes de los sindicatos y de los partidos obreros. Franco lo permitió dejando bien claro que el botín de los plebeyos iba a los plebeyos. Beneficiados con pequeños puestos administrativos en los ayuntamientos, puestos marginales en la educación, empleos prebendados en estancos y otras instituciones dependientes de la autoridad política, los militantes falangistas, que heredaron las retóricas entusiastas de los fundadores, fueron un elemento popular central del régimen. Constituyeron la cohorte y, beneficiados del poder personal de Franco, al contrario de la ACNP, se encargaron de las tareas profanas y coactivas del poder del Estado. Se les entregó la administración sindical y se les dio todo aquello que conectaba no con las instancias sagradas, sino con el pueblo llano, al que podían tratar con una amplia gama de actitudes, desde el paternalismo bonachón y protector al terror y la denuncia. Pero tanto la Falange como las asociaciones derivadas de ella (por ejemplo, la Guardia de Franco, fundada hacia 1950) cumplieron una función decisiva hasta los últimos días del régimen: con su fidelidad garantizaban la dimensión plebiscitaria, aclamatoria, personal e intransferible del Caudillo. Era «su» guardia exclusiva, dispuesta a todo, que gozaba de la visibilidad capaz de ejercer con eficacia los equilibrios en el interior del régimen entre el ejército, la Iglesia y los demás poderes. En los momentos delicados del franquismo, hasta las ejecuciones de septiembre de 1975, la aclamación se hizo visible como la fuerza de choque privativa del Caudillo.

Por mucho que sus dirigentes iniciales tuvieran otra idea acerca de su función histórica y que anhelaran convertir el franquismo en un régimen fascista, la Falange nunca tuvo probabilidad alguna de conseguirlo. Servían a la dimensión personal del gobierno de Franco, pero no definieron por sí mismos la impronta del régimen. La demostración se vio cuando se les encargó la redacción de los Principios Fundamentales del Movimiento (1956) y se tuvieron que tragar el texto redactado por Luis Carrero Blanco. A partir de entonces no controlarían ninguna tarea importante del Estado. Para la nueva época, marcada por los pactos con Estados Unidos y el reconocimiento internacional de España, se requerían nuevas élites, mentalidades y estilos. Franco comenzó a prescindir de militares en el gobierno y a colocarlos en puestos menos visibles y más lucrativos. Entonces se vio que era el momento de aplicar, en su integridad, el proyecto de Ramiro de Maeztu: un capitalismo católico, hispánico, surgido de una admiración por Estados Unidos de América. Eso ofrecieron al régimen los hombres del Opus Dei, que mantuvieron durante décadas las ideas de *Acción Española*, a partir de 1950 difundidas a través de la editorial Rialp.

Antes de pasar a la segunda época del régimen de Franco, sería conveniente definir no el elemento central, sino la característica más llamativa de la primera época. El franquismo era una dictadura militar, pero —tal y como ha observado Edward Malefakis— no se interpretó como una aspiración personal ni se vio al Caudillo como un tirano depravado. Entre sus defensores existía la opinión de que actuaba en beneficio de una idea de pueblo, de sociedad y de poder. Franco era un hombre representativo de los valores que defendía y, al mantener su vida de acuerdo con sus ideales, se convirtió en un ejemplo del tipo humano que él mismo quería promover. Entre sus cualidades estaba la frialdad de juicio y, como otros muchos españoles, consideraba que aquellos que no formaban parte de ese pueblo anhelado debían desaparecer. Pero este tipo de sentimientos y percepciones era igualmente tradicional, y reproducía un viejo sentido de exclusión y de autodisculpa que tenía precedentes en la historia española. Aunque su ideal de pueblo no tenía componentes raciales, sí que estaba organizado sobre un sentimiento de pureza y de superioridad cultural y religiosa innegable. Por eso resulta tan difícil calificar la dictadura militar de Franco con adjetivos modernos como «fascista» o «nazi», «autoritaria» o «totalitaria». Era de verdad otra cosa.

Ni Franco ni sus apoyos iniciales eran modernos. No quería crear ni un hombre nuevo ni una sociedad futurista. Él solo reclamó el carisma de ser un hombre tradicional y, por lo tanto, legitimado por quien concede el carisma: la Iglesia católica. Si aceptó el nombre de «caudillo» fue porque recordaba los líderes castellanos previos al Estado, sostenidos por sus armas. No podía fundar un régimen totalitario con estas premisas y debía subordinar la construcción del nuevo pueblo y del nuevo Estado a los fines de la Iglesia. No fue un líder de un partido, sino el jefe de un Estado al servicio de la tradición católica, y jamás pensó en organizar en un partido a los elementos políticos del régimen. Compartió con otros modelos el nacionalismo y el uso de la propaganda, pero no tuvo un diseño milenarista para el régimen que estaba fundando. Su objetivo fue mantener el poder personal como el único que podía equilibrar fuerzas políticas y sociales que jamás pensó en eliminar o transformar. En este sentido, solo recurrió a las multitudes en función de la supervivencia política personal, separando los momentos de aclamación de los institucionales, asegurándose de que ese sentido aclamatorio de la política fuera en su exclusivo beneficio. Si Franco dijo una vez que la Falange era su claque, quiso ocultar que era más bien su cohorte personal, el poder profano que la Iglesia no podía disputarle. Como ha dicho Malefakis lúcidamente, «ya fuera claque, coco o grupo de matones, la Falange no tenía funciones de fuerza inspiradora».

Resto profano en un cosmos católico, extraído de elementos plebeyos en un mundo burgués y aristocrático dominante, la Falange no podía ser sino un grupo subalterno. Sin embargo, creo que Malefakis se equivoca en dos aspectos en su razonable análisis: primero, en decir que Franco buscó desmovilizar la Falange, y no disciplinarla y transformarla hasta ponerla al servicio personal y del régimen; segundo, en calificar como absurdo el objetivo confesado por el Caudillo de restaurar «el Estado totalitario de los Reyes Católicos». Franco imitó conscientemente el dispositivo inquisitorial, ahora caracterizado como el tribunal para la persecución de la masonería y el comunismo, elementos ambos que, para la propaganda de la época de José María Pemán, procedían del espíritu judío. La Falange sirvió a este fin como órgano del Estado. Sin embargo, Malefakis tiene razón en su conclusión. Para calificar el régimen de Franco con un adjetivo que manifieste su capacidad de producir dolor no es preciso llamarlo «fascista»:

> El fascismo no fue la única fuente de maldad de nuestro turbulento siglo XX. El mal también surgió de manera independiente, como sucedió en los primeros años de la España de Franco.

Para mí ese origen independiente es bastante español. Se trata del dispositivo inquisitorial de la sociedad católica forjada por los Reyes Católicos. Esta imitación no tenía que ser reinventada, porque había estado vigente hasta el siglo XIX. Todavía en 1870 los carlistas, una de las fuentes inspiradoras de Franco, la celebraban y alababan como santa, pura y necesaria para un gobierno adecuado. Solo así se explica que en 1940 hubiera doscientos sesenta mil presos en España.

SEGUNDA ETAPA: HACIA LA NUEVA ÉPOCA

Aparte del sufrimiento general, la mayor pérdida de la larga década de 1940 fue en capital humano. Se perdió por muerte o por exilio, por cierre de las fronteras y por pérdida de contacto con el exterior. Toda esa época fue de regresión política, económica, cultural y social. El dinamismo que había demostrado España entre 1914 y 1934 se frenó en seco por la destrucción del aparato productivo y, sobre todo, por la política del régimen. Manuel Azaña solo acertó a medias en su diagnóstico. Con clarividencia dijo en la *Velada de Benicarló* que no habría un régimen fascista en España, sino una «dictadura militar y eclesiástica de tipo español tradicional», con sables, casullas, desfiles militares y homenajes a la Virgen del Pilar. No incluyó la cohorte falangista ni atisbó la producción ingente de pobreza que el régimen traería consigo. Esto sucedió porque el ejército no solo asumió la política de justicia, sino que también dirigió la política industrial. Los militares se situaron en los puestos centrales del aparato del Estado, siempre bajo los ideales de la autarquía, más bien cuarteleros. La aspiración fundamental fue eliminar importaciones, lo que llevó a un intervencionismo económico asfixiante. Entre 1935 y 1950, la renta media por habitante en España decreció a un ritmo del 0,9 por ciento anual. Con razón se ha podido hablar de un «terror económico», cuyo símbolo es la cartilla de racionamiento y los comedores del auxilio social, con sus niños rapados y sus uniformes rayados.

Así, el intervencionismo y el dirigismo se hicieron al estilo del cuartel, reglamentista y rígido. Con este espíritu, en 1941, Juan Antonio Suanzes fundó el Instituto Nacional de Industria (INI), y se organizó el Servicio Nacional del Trigo, que exigía la declaración y entrega de la cosecha al Estado con precios regulados. La corrupción fue general; el mercado negro, ingente, y el fraude fiscal, generalizado y endémico (alrededor de un tercio del debido). La venalidad de los funcionarios encargados de dar los permisos de actividades económicas fue proverbial. A pesar de la política de crédito ilimitado del Banco de España, la economía se deprimió ante la falta de demanda y las reducciones salariales, con lo que la política monetaria produjo una inflación de alrededor del 20 por ciento. Nadie hizo un seguimiento de los costes de esa política regresiva y arcaica que llevó a España a distanciarse de forma creciente de los países mediterráneos europeos. La conjunción de una inflación descontrolada y de salarios a la baja tuvo efectos letales. Esta parte de la realidad no fue entrevista por Azaña, a fin de cuentas un burgués acomodado.

Se ha dicho, con razón, que el principal rasgo del carácter de Franco fue la cautela. Por eso conviene desechar cualquier idea de transición brusca en la política del régimen. Cuando se inicia la década de 1950, no existe más que una tímida liberalización y una atenuación intervencionista. Más que una política programática, se trata de una retirada de obstáculos, ni sistemática ni ordenada. Se dan exploraciones aperturistas junto a regresiones intervencionistas, visibles en 1957 y en 1959. A pesar de las indecisiones, se fue estabilizando un terreno de interconexión de la economía española con otras realidades, siempre como respuesta a los cambios en la situación internacional. Hacia 1950 se había definido la guerra fría y, en el contexto de una nueva política mundial, el régimen de Franco, con su anticomunismo, alcanzaba una nueva función. En este contexto, fue central la irrupción de las primeras huelgas en Barcelona, País Vasco y Madrid, en 1951.

Se ha dicho de esas huelgas que fueron las últimas que protagonizaron los actores políticos de la guerra civil. En el clima creciente de la guerra fría, supusieron el último intento de desestabilizar el régimen. Ese mismo año se produjo un cambio de gobierno: Suanzes perdía la cartera de Industria y se escindía de ella el Ministerio de Comercio. Este nuevo ejecutivo lideraría los acuerdos entre España y Estados Unidos de 1953, de los que se derivaron la construcción de bases militares a cambio de una importante ayuda económica, que sirvió para financiar importaciones y mejorar los equipos productivos y el consumo; pero, sobre todo, los pactos propiciaron una serie de recomendaciones de política económica que fueron probándose poco a poco y que obligaron a cambiar los interlocutores con los asesores americanos. Por primera vez se cuestionaría la política del intervencionismo autárquico y comenzaría a generarse una nueva teoría económica para España. Muy significativo fue el libro de Manuel de Torres *La coordinación de la política económica en España*, publicado en 1953 con prólogo del entonces obispo de Málaga Herrera Oria. Por tímidos que fueran esos cambios, ya no se podrían evitar los siguientes.

Hacia 1956 llegaba a la juventud una generación que no había vivido la guerra civil y que, alentada por el reconocimiento del régimen franquista por la ONU, promovió tímidas reivindicaciones. Las nuevas huelgas de Barcelona y el País Vasco, las manifestaciones de estudiantes en Madrid de 1956, ensayadas el año anterior en el entierro de Ortega y Gasset, generaron un clima de inquietud desconocido. La medida de subir los salarios un 25 por ciento tomada por José Antonio Girón de Velasco, responsable máximo de la organización sindical en su condición de ministro de Trabajo, sembró la confusión y disparó la inflación. La demagogia sindicalista de la Falange no podía alterar la regulación económica. La consecuencia fue el cambio de ministros más importante del régimen franquista. Raimundo Fernández-Cuesta abandonó la Secretaría del Movimiento; Ruiz-Giménez, un propagandista, perdió el Ministerio de Educación; en Comercio entró Alberto Ullastres; Mariano Navarro Rubio, en Hacienda; y se nombró a Laureano López Rodó, un hombre del Opus Dei, secretario general técnico de la presidencia. De forma inmediata, España entraría en el Fondo Monetario Internacional (FMI) y en la Organización Europea para la Cooperación Económica (OECE). En 1959 estaba diseñado el Primer Plan de Estabilización Económica de López Rodó, con la ayuda de los asesores americanos. Con ello, la política económica se sometió a los esquemas del FMI. Con desparpajo, el Plan pretendía coordinar la economía española con la de los países occidentales y liberalizarla respecto de «intervenciones heredadas del pasado» ya innecesarias.

Estos hechos cambiaron la clase dirigente española. Ante todo, eliminaron la posibilidad de intervención económica de la Falange y de su sindicato, carentes de todo sentido técnico en economía. Por lo tanto, los sectores falangistas del régimen perdieron aún más cualquier atisbo de capacidad directiva. Pero también cambiaron los políticos de inspiración católica. Los «propagandistas» habían funcionado bien mientras el régimen quería producir esa utopía tradicionalista que hacía de España un país que daba la espalda a la historia; incluso habían sabido dotar al régimen de cierta estructura administrativa, versados como eran en los ámbitos jurídicos y legislativos. Pero estos miembros de la ACNP carecían del espíritu y la formación adecuados para encarar una política que se plegara a las exigencias de la economía occidental. Así se dio por concluida la primera época del régimen, la de crear un pueblo puramente católico, y se pasó a la segunda fase, la de fundar un capitalismo católico. La dimensión instrumental del Estado no se alteró, pero se amplió a la construcción de un capitalismo católico, que en la España de 1957 no podría forjarse a partir de una sociedad civil liberal, dinámica, emprendedora e innovadora. La nueva clase dirigente la ofreció el nuevo grupo hegemónico vinculado al Opus Dei. Los demás tuvieron que conformarse con gozar de cierta subalternidad.

Fue un nuevo estilo, una nueva forma de presencia pública, que exhibía un apoliticismo y una desconfianza respecto de cualquier ideología (en verdad, incluía la cautela hacia la ideología falangista). Pero sobre todo fue un discurso nuevo que, sin cuestionar la legitimidad de origen del franquismo, fue proyectando la idea de una nueva legitimidad de ejercicio más pragmática. A partir de entonces, la bondad del régimen se demostraba no solo porque había restablecido el pueblo católico, sino porque estaba en condiciones de ofrecerle un bienestar desconocido en España. Poco a poco, la paz y el progreso, y no la guerra y la victoria, fueron las divisas del régimen.

Las medidas que se tomaron entre 1957 y 1959 buscaron crear las condiciones para hacer de España un país que compartiera la baza propagandística de Occidente frente al comunismo: la prosperidad económica. Sin embargo, este no era el objetivo central del régimen y, por ello, nunca se embarcó de forma decidida en una política económica liberalizadora. Como en otras épocas, España mantuvo una política hacia fuera y otra hacia dentro, aprovechando las oportunidades que le ofrecía la coyuntura expansiva europea, pero manteniendo en el interior el control férreo de los dispositivos políticos. Su aspiración fue dejar claro que el régimen no había cambiado y que era él, y no la ayuda ni la coyuntura europea, el que generaba la riqueza. Por eso Franco se hizo visible con sus medidas de autoridad. Su aspiración era que la nueva cultura económica no desnaturalizara al régimen. Este objetivo era imposible de cumplir. A partir de 1960 los procesos económicos expansivos se dispararon y lo hicieron de forma constante hasta 1973, cuando comenzó la conocida como «crisis del petróleo». Los parámetros económicos se transformaron, modernizándose el sistema productivo e integrándose una amplia y barata mano de obra que llegaba a las ciudades procedente del campo. La renta per cápita y el PIB crecían a un ritmo cercano al 6 por ciento anual. Un endémico déficit comercial se equilibraba con las remesas de divisas de los emigrantes y con un turismo creciente. A pesar de todo, el proteccionismo mantenía el trato favorable a sectores bien conectados políticamente, y el corporativismo canalizaba unas relaciones laborales sumisas y paternalistas. Pronto el régimen percibió que el sistema funcionaba sin necesidad de ir más allá y experimentó con cierta confianza que capitalismo y franquismo eran compatibles. Hoy se sabe que Italia, Grecia y España crecieron de forma similar arrastradas por Europa. Este hecho muestra la relativa dependencia del sistema económico de la Europa del sur y la relativa indiferencia de los regímenes políticos para desplegar una economía subsidiaria.

La consecuencia fue que el régimen utilizó la relativa bonanza económica para mantener en paralelo una economía subvencionada en minería, siderurgia, industria naval, etcétera. La industria autóctona se concentraba en la rama de tecnología barata y de bajos costes laborales: textil, calzado, muebles, etcétera. Y, sobre todo, la industria turística. Pero cuando el régimen lo creía necesario, activaba su potencial de intervención y dejaba caer sobre la actividad económica, a discreción, su laberinto de reglamentos, que podía borrar del mapa cualquier empresa por eficiente que fuera. De este modo, nadie se preocupó por generar un espíritu propio de una economía competitiva, productiva y libre.

A partir de 1960, la Falange había perdido todo su poder cultural e ideológico y los nuevos falangistas, forjados en el Sindicato Español Universitario (SEU), se integraron como gestores del Estado sin programa o ideario. La escala de mando del Movimiento no era sino otra más de las estructuras del Estado y un trampolín para cargos y prebendas. La estabilidad del régimen permitió la ingente propaganda de la campaña de los «Veinticinco Años de Paz», en la que se alababa a Franco porque, con su humildad personal, no había perturbado la paz durante todo ese tiempo. Si eso ocurría en 1964, para 1966 se aprobó en referéndum la ley orgánica del Estado, que promulgaba la forma monárquica para España. Como resultado de la historia interna del régimen, una cultura política, al margen de los referentes de la República, comenzó a configurarse con sus respectivos canales de opinión, generando colectivos y grupos de poder que no tenían nada que ver con los exiliados y sus formaciones políticas. Así, los primeros falangistas se convirtieron en liberales; los primeros propagandistas, en demócratas cristianos organizados en cenáculos políticos, y los más cercanos al Opus Dei, en un grupo empeñado en reducir el alcance de las ideologías en la vida pública, en lucha con la Falange. Luego estaban los monárquicos y las fuerzas tradicionalistas que habían apoyado la «cruzada». Cada uno contaba con su propio medio de comunicación —los propagandistas el *Ya*, los monárquicos el *ABC*, los falangistas *Pueblo* y la cadena de periódicos provinciales, los catalanes *La Vanguardia Española*, y los hombres del Opus Dei la cadena SER y el diario *Madrid*, al tiempo que generaba la élite del periodismo del futuro con la facultad de Navarra—, lo que daba al franquismo un aspecto de pluralidad interna que, sin embargo, dejaba en pie, como clave de bóveda, la figura personal de Franco.

Aunque la organización sindical española se había entregado a la dirección de los hombres de la Falange, la doctrina que inspiraba la organización del llamado «sindicalismo vertical» era más bien el corporativismo católico. En los sindicatos de la Confederación Nacional de Sindicatos debían cooperar patronos y obreros para regular la producción y los salarios. A su vez, debían disponer de una representación corporativa en las Cortes orgánicas del régimen. Por lo tanto, eran un órgano del Estado diseñado al servicio del propio Estado. El par «sindicato único» y «partido único» estaba reconocido ya desde los puntos fundacionales de la Falange. El régimen corporativo, por lo tanto, vinculaba el pensamiento católico con las tendencias fascistas. Ambos exigían el abandono de la lucha de clases. Al final, lo que dominó fue el corporativismo católico, y por eso la ley fundacional de los sindicatos fue reconocida por el régimen como «una concepción originalmente española», no sin un toque castrense, en la medida en que caracterizaba al pueblo español como «ordenado en milicia de trabajo». Por ello, no es de extrañar que los líderes falangistas —como José Luis Arrese— reconocieran que la Falange estaba «al servicio de la España auténtica, y la auténtica es la España teológica de Trento».

Ya se vio que las primeras movilizaciones de cierta oposición al franquismo tuvieron lugar hacia 1951. Por entonces, el régimen perseguía todavía con meticulosidad todo lo que tuviera que ver con los viejos agentes de la guerra civil y la República. Sin embargo, en el seno de la propia estructura sindical, y relacionado con sectores de la Iglesia, comenzó a organizarse un movimiento que poco a poco fue generando, dentro de los sindicatos verticales, una nueva clase obrera. El tejido estaba tan entrelazado con el de la estructura sindical oficial que no se podía perseguir de forma radical. Por lo demás, se aprovechaba de forma intensa la normativa laboral, que desde la ley de Convenios Colectivos de 1958 regulaba la concertación social. Esta cultura sindical, aunque superaba las expectativas de los sindicatos oficiales, no incorporaba una lucha política directa contra el régimen. Por lo tanto, no dependía de los proyectos políticos de la República, basados en una centralidad de la lucha de clases, sino en la nueva cultura del acuerdo social que empleaba los locales oficiales para celebrar asambleas preparatorias de las negociaciones o para organizar las elecciones de jurados de empresas. Cuando al inicio de la década de 1960 comenzó a cristalizar el Concilio Vaticano II, que apostaba por la democracia como el régimen adecuado a la doctrina eclesial, los elementos de la Iglesia española en sintonía con esta orientación apoyaron la formación de esa élite sindical.

Ahí está el origen de las Comisiones Obreras (CC. OO.), surgidas de las Juventudes Obreras Católicas y de instituciones semejantes. Como el campo había dejado de ser el sector fundamental de la economía, el nuevo sindicalismo se concentraba en las dimensiones industriales. Así se rompió con la tradición anarquista, tan vinculada a la reivindicación de la tierra. Aunque el nuevo sindicalismo era capaz de usar la huelga, resultaba evidente que la finalidad de la huelga era un buen arreglo, no una actividad política con su propia lógica. Las huelgas de 1962 en las zonas industriales de Asturias, País Vasco y Cataluña ya mostraron que, junto al viejo sindicalismo clandestino de la UGT, se estaba generando un sindicalismo nacionalista vasco. Entonces aparecieron las Comisiones Obreras y las persecuciones.

Sin embargo, ya era demasiado tarde para erradicar un movimiento sindical que crecía desde las demandas de una realidad que el propio franquismo había forjado. Sobre la vida misma de las fábricas crecía un fenómeno ambivalente. El movimiento sindical, ante todo económico, reclamaba más libertad para organizarse sin los corsés propios del sindicalismo oficial. Al exigir libertad, era imposible separar reivindicaciones políticas y sindicales. Pero en último extremo, el juego del sindicalismo era constructivo, los convenios colectivos garantizaban mejoras para los trabajadores y aumentaban el prestigio de los sindicatos entre los asalariados. Con ello, la reivindicación de una mayor libertad dejó de parecer un asunto peligroso por sí mismo, capaz de evocar los traumas de la República. Como ha recordado Santos Juliá, «el sindicalismo dejó de percibirse como agente de una revolución social pendiente». De este modo, la reclamación de libertades políticas, que llevaba de la mano, dejó de identificarse con un enfrentamiento civil. Era más bien un síntoma de normalidad. Aquí también aumentaba la exigencia de que todo fuera semejante a las realidades de los países europeos. Este cambio de cultura política fue el resultado del abandono de la tradición política de la Segunda República. Ahora se deseaba una homologación con las realidades europeas, porque la vida española se percibía como semejante a ellas.

Esta era la percepción mayoritaria de las nuevas clases medias, forjadas por trabajadores cualificados, crecidos en las escuelas profesionales de los jesuitas, o en las universidades laborales impulsadas por el propio régimen. La expansión de las exigencias educativas, la articulación del sector comercial y de servicios, la proliferación de la administración pública, todo contribuyó a forjar una sociedad más articulada. La ruptura de las tradiciones políticas republicanas hizo que estas clases medias forjaran un vocabulario político elemental y mimético que tenía a Europa como modelo. Los intelectuales carismáticos del primer tercio de siglo ya no existían y nadie capaz de ofrecer un horizonte general con sus ideas los había sustituido. En ese momento se percibía que solo a través de una apertura a Europa y una apropiación de sus avances intelectuales se podría estar en condiciones de generar una propuesta propia a la altura de los tiempos. Como un supuesto asentado en la población se abrió camino la idea de que España ya había superado el tiempo de la República. En cierto modo, también se tenía la certeza de haber superado el clima tenebroso de la primera época del franquismo. Nadie miraba al pasado porque era más firme la convicción de que se había ido hacia un sitio mejor que todo lo soñado en épocas pasadas. Si se reclamaba más libertad política era como consecuencia de la propia riqueza de la nueva realidad, no desde la nostalgia de la República, un régimen que incluso los que se mantenían en la resistencia interior sabían que tuvo bases sociales más débiles, injustas y dramáticas.

La propaganda ingente desplegada por el régimen franquista en 1964 con motivo de los «Veinticinco Años de Paz» no pasó en vano. Hay que recordar la intensa actividad de carteles, celebraciones, nodos, fiestas, movilizaciones de solidaridad (como recoger ladrillos para construir grupos de viviendas a los desfavorecidos, libros usados y viejos para obtener recursos). Las celebraciones de la Victoria se hicieron días feriados que los empresarios pagaron a los obreros, a los que enrolaron en celebraciones comunitarias. «Paz» y «Orden» eran consignas que acabaron calando en la gente. Todo fue obedecido con disciplina y en cierto modo preparó la agitación de los actos del referéndum que Franco ganó de forma abrumadora en 1966. Se suele olvidar que las leyes orgánicas del Estado se votaron en referéndum; como elemento político legítimo un fraude, pero como dispositivo popular de disciplina muy eficaz.

TERCERA ETAPA DEL FRANQUISMO

No es difícil percibir la debilidad de todo ese proceso. La sociedad española de mediados de la década de 1960 quería ser como la de Europa, y creía saber lo que eso significaba. Libertades sociales y culturales, libertad sindical y de prensa, eliminación de la censura de libros, amnistía de los presos políticos, y, desde luego, la desaparición de aquellos señores vestidos con sus chaquetas blancas y camisas azules. Quizá se reclamasen libertades políticas propiamente dichas, pero no se percibían las implicaciones de la libertad política. En todo caso, se daba por seguro que no se podía poner en peligro el relativo bienestar que se estaba cerca de conquistar y cuyas primicias ya se disfrutaban. Trabajo, salarios cada vez mejores, servicio de seguridad social, pensiones, mejores escuelas, este era el horizonte de poblaciones que dejaban atrás las angustias generales de una vejez perdida en la miseria. El alivio se percibió por doquier, para enojo de los que mantenían una conciencia política fiel, conectada con los actores de la Segunda República y la guerra Civil, que ya se veían en minoría social y que, a la defensiva, despreciaban con cierta saña a los que olvidaban tan pronto las terribles experiencias de la posguerra. Que ser como Europa implicara la disposición a intervenir de forma activa en la formación de una democracia representativa y responsable, esa no era una demanda segura ni mayoritaria. Es más seguro que el deseo de ser como Europa implicase la desaparición de un dispositivo político franquista que muy pocos amaban y menos entendían. Para la inmensa mayoría, la realidad llevaba camino de ser buena y sería mejor sin la impostura de la política oficial. Pero la ilusión no verbalizada era que todo siguiera igual, aunque sin un régimen político cuyas ridículas personalidades humillaban a muchos y eran percibidas por casi todos como una rara especificidad española.

Y aquí está el problema central de la herencia del franquismo. La mayor escuela de libertad política en España seguía siendo la actividad sindical. Pero esta práctica es diferente de la acción política. Aunque se sospechaba que las Comisiones Obreras estaban vinculadas al Partido Comunista de España (PCE), se trataba de dos organizaciones distintas. Sus militantes también procedían de estratos sociales diferentes. Obreros los sindicalistas, los militantes comunistas del interior, a partir de 1960, ya no eran los agentes de la guerrilla hasta los primeros años cincuenta, sino que procedían de las capas urbanas, formadas por universitarios y profesionales, muchos de ellos bien situados desde el punto de vista social. Por lo demás, nadie estaba interesado en una identificación estricta entre las dos formaciones, la sindical y la política. El mensaje fundamental por parte de CC. OO. era que el conflicto podía ser un paso necesario, pero siempre hacia la mejora de la condición laboral de los trabajadores. Este sentido constructivo del conflicto hizo mucho por mejorar la cultura política del país, pero no era suficiente para organizar un proyecto político capaz de ofrecer una idea de futuro al país completo. Sin embargo, esta carencia preocupaba poco. Para la mayoría, ese proyecto era un abstracto deseo de ser como Europa. Por eso, aunque los conflictos crecieron a lo largo de los años sesenta, significaron un fortalecimiento importante de la organización de CC. OO., pero no llevaron a una impugnación general del franquismo y la propuesta de una alternativa.

Sin embargo, una cierta disfunción diferenciaba entre una reivindicación económica entregada a los sindicatos y una reivindicación política casi monopolizada por el movimiento estudiantil universitario, endémico durante el decenio de 1963 a 1973, año este último en que un franquismo terminal se entregó a una gran depuración de los estudiantes más significados. Fueron ellos los que plantearon exigencias generales para la sociedad española y los que denunciaron de forma radical el régimen de Franco. Pero en cierto modo, esos jóvenes ya imitaban a los europeos y americanos que luchaban contra sus propios dirigentes democráticos, y no es seguro que ejercieran una profunda influencia política y pedagógica sobre el resto de los españoles. En todo caso, no contribuyeron en absoluto a paliar el déficit de cultura política popular que ningún movimiento sindical, por eficaz que sea, puede ofrecer. En ese mundo universitario, reclutado en las capas altas y medias de la sociedad, muy sensible al cambio generacional, se generó aquella cultura política radical, por completo ajena a la guerra civil y sus actores, que percibió con nitidez la vacuidad ideológica del régimen franquista. Muchos de ellos la conocieron por la existencia mediocre de sus propios padres y generaron una época sobrecargada de exigencias de coherencia ideológica que se cruzaron con la lucha generacional.

En ese ambiente se producirá, en el País Vasco, la fundación de ETA en el umbral de los años sesenta, así como todos los movimientos políticos de esa década, como el Moviment Socialista de Catalunya, pionero en vincular las reivindicaciones nacionalistas con las reivindicaciones de izquierda. En Madrid, tras las protestas de 1956, surgiría el Frente de Liberación Popular (FLP), en el que se integrarían los jóvenes universitarios radicales católicos, que aspiraban a encontrarse fraternalmente con la clase obrera, y tuvo una rama catalana, la Asociación Democrática Popular. Aunque al inicio estas asociaciones se mostraron inclinadas a cooperar con el PCE-PSUC, pronto las tensiones se hicieron explícitas. El FLP secundó la huelga nacional pacífica del PCE de 1959, y participó en las convocatorias de los años siguientes, cuando sus detenidos se contaron por decenas y ganaron un gran prestigio entre la clandestinidad. Su rama catalana, convertida en el Front Obrer de Catalunya, se integró, junto con el Moviment Socialista, en la Plataforma Moviment Febrer 62, que pronto sería el rival del PSUC en el control de CC. OO., sobre todo cuando en 1967 se vinculó a la organización Força Socialista Federal, procedente del catolicismo catalán de izquierdas.

Por mucho que estos movimientos no fueran capaces de dotarse de una base política amplia, mostraron que el régimen tenía escasa probabilidad de renovar a su clase dirigente. Ante tales sucesos, Franco respondió proclamando el estado de excepción durante casi tres años, entre 1968 y 1970, año en el que tendría lugar el proceso de Burgos contra dieciséis terroristas de ETA. Esta reacción fue leída por todos los grupos de la oposición política como una muestra de la debilidad del régimen, que tenía necesidad de regresar a sus prácticas represivas radicales para sobrevivir. Esta lectura alentó a nuevas formas de oposición política. Por parte del PCE se buscó la mayor base popular, desplegando la política llamada de «reconciliación nacional». Los grupos de la nueva izquierda, ya vinculados a las experiencias de Mayo del 68 y a la estrella creciente de Ernest Mandel, el trotskista de la IV Internacional, pronosticaron que España era el eslabón débil de la cadena capitalista y que la futura revolución socialista se daría en nuestro país. Con ella, la oposición antifranquista fue ante todo oposición anticapitalista. Todos ellos denunciaron la operación de reconciliación del PCE como específicamente reaccionaria y no menos destinada a mantener el juego estalinista destinado a impedir la revolución inminente. Ante esta radicalización, el FLP se escindió y dio lugar a Acción Comunista, menos dispuesta a colaborar con el PCE, que pronto vio el crecimiento de una alternativa en el PCml, que usaba sus mismas siglas pero con el calificativo de «marxista-leninista», índice de su pureza y de su radicalidad.

Fue así como la represión final del régimen de Franco generó una eclosión de organizaciones izquierdistas, con referentes plurales, pero en todo caso conectadas con la extrema izquierda marxista europea. Especialmente relevante fue la Organización Revolucionaria de Trabajadores (ORT), cuya evolución resulta muy significativa. Originada en ámbitos cercanos a los jesuitas que ejercían su apostolado en el cinturón industrial de Madrid, procede de su vanguardia obrera juvenil. Pero tras sufrir algunos cambios y pasar por una estrecha colaboración con el PCE, acabó en manos de un grupo de intelectuales que la vincularon al maoísmo, tal y como sucedía con los líderes franceses que seguían el modelo de Jean-Paul Sartre tras el París de Mayo del 68. Otro grupo, como la Liga Comunista Revolucionaria (LCR), se vinculó a la IV Internacional y a su inspiración trotskista, lo que le permitió conectar con la tradición socialista del POUM, cuyo líder, Andreu Nin, había muerto a manos de los agentes estalinistas en Barcelona.

En el intento de conectar con las tradiciones republicanas no estuvo sola la LCR. En Barcelona, el Movimiento Ibérico de Liberación (MIL) se vinculó a la tradición anarquista, y uno de sus hombres, Salvador Puig Antich, sería una de las últimas víctimas de Franco. Todavía conviene mencionar a otros tres grupos de izquierda radical que se posicionaron en el frenesí de la oposición a un régimen que se hundía. Se trataba del Movimiento Comunista (MC), que se extendió desde el mundo *abertzale* vasco, que daba apoyo político a ETA, hacia los grandes focos industriales de Madrid y de Barcelona. En el mismo campo de un marxismo antidogmático, aunque de una inspiración más cercana a Antonio Gramsci, estaba la Organización de Izquierda Comunista de España (OICE). Lo peculiar de estas fuerzas es que, entregadas a un trabajo teórico obsesivo por definir la revolución que se avecinaba y su tipología, no dieron el paso a conectar con la violencia política antifranquista. Ese fue exactamente el camino que siguió el PCml al fundar el Frente Revolucionario Antifascista y Patriota (FRAP), que en principio no excluía la violencia en su práctica y que se constituiría de una forma opaca a la discusión teórica, muy cercana a una rudimentaria organización militar autoritaria.

La premisa básica de estas formaciones era que la caída del régimen de Franco, que para principios de la década de 1970 se suponía inminente, implicaría la crisis del capitalismo español y se daría paso a una democracia popular. La grandiosidad de este diagnóstico chocaba con la carencia de fuerza de las organizaciones mencionadas, que confiaban más bien en el automatismo de los procesos que ellos identificaban. Muchas de ellas apenas llegaban al millar de militantes. Sin embargo, fueron los agentes más activos y eficaces de socialización política de la juventud universitaria. Rara vez mantenían a los militantes vinculados de forma fiel a la organización, dado el virtuosismo de sus planteamientos teóricos, pero inoculaban la conciencia política a niveles muy intensos. Los jóvenes entraban y salían de sus filas, pero en el camino se llevaban no los dogmas que los líderes deseaban imponer, pero sí una percepción política elaborada desde un punto de vista teórico. Cuando estalló la Revolución de los Claveles en Portugal, las certezas de sus planteamientos crecieron hasta el entusiasmo, y la figura del brigadier Otelo Saraiva de Carvalho se elevó a mítica. Quizá su mayor ilusión procedía de su mismo entusiasmo. Los jóvenes radicales estaban convencidos de que serían capaces de extender sus evidencias entre la población y generar un pueblo político sostenido por valores extremos. Sin embargo, la población española en general observaba esos fenómenos con una mirada distante, apreciando en ellos una extraña mezcla de idealismo y confusión. La clandestinidad en la que se movían sus principales líderes impedía poner rostro a esas organizaciones y hacía difícil el trabajo político de masas. Así, los españoles llegaron a la víspera de la muerte de Franco contemplando unas élites políticas clandestinas radicales y utópicas, y unas élites oficiales cínicas, observadas por la indiferencia de un pueblo carente de toda cultura política real.

Muy distinta fue la táctica del PCE, que se aprestaba a convertirse en la garantía más poderosa de un futuro democrático para España. Dispuesto a dar señales inequívocas de que la reconciliación nacional iba en serio, Santiago Carrillo impulsó un acuerdo, completamente imprevisible, con Rafael Calvo Serer, un hombre vinculado al Opus Dei, pero que por su historia personal se había mantenido crítico con la dictadura tras una primera etapa apologética de la España de Franco. Calvo Serer, con la fundación del diario *Madrid*, corrió un destino paralelo al de los falangistas desafectos al régimen con los que había polemizado, como Dionisio Ridruejo y Pedro Laín Entralgo. Había sido impulsor de la revista *Arbor* y se había aproximado también al catalanismo católico. Finalmente, el diario *Madrid* fue cerrado por las autoridades y su edificio volado, con una imagen muy gráfica que sorprendió a muchos observadores por su dureza simbólica. Pero todavía más impactante fue la imagen de Calvo Serer en París compartiendo mesa con Dolores Ibárruri, la Pasionaria. Esa fotografía causó sensación y daba a entender que, por caminos indirectos pero seguros, la figura de Carrillo podía llegar a los aledaños de los centros del poder español. Puesto que el PCE deseaba ante todo dar muestras de normalidad, aquella imagen entusiasmó a los militantes. Aprovechando ese momento, junto con otras fuerzas menores, en el verano de 1974, el PCE fundó la Junta Democrática, a la que pronto se sumaron el Partido del Trabajo de España (PTE) y la organización cristiana comunista Bandera Roja, que luego se asimilaría en el seno del PSUC —algunos de sus cuadros al final sirvieron bajo la bandera del PSOE en el poder—. El esfuerzo propagandístico del PCE no tuvo parangón e impulsó una importante campaña de ampliación de la militancia, en un esfuerzo por llegar al medio millón de afiliados en España. Así, se alineó con las tesis del dirigente comunista italiano Enrico Berlinguer, quien había definido, en la misma línea de Gramsci, el llamado «compromiso histórico», un intento de coordinar las fuerzas progresistas italianas, desde la Democracia Cristiana de Aldo Moro hasta los sectores situados más a la izquierda del Partido Comunista Italiano (PCI), con la firme idea de mostrar un compromiso con la democracia y con un orden político y económico popular. Todo junto se llamó el «eurocomunismo». Carrillo no quedó fuera de esta política y más tarde, en 1977, publicaría su libro *Eurocomunismo y Estado*, que todavía mereció la atención de Carl Schmitt, quien vio en él la forma más sutil de presentar el viejo totalitarismo, pues la democracia en modo alguno era incompatible con esa aspiración.

Sin duda, el PSOE no tenía nada que oponer a la estrategia comunista. Mucho menos activo en la resistencia contra el franquismo, los jóvenes socialistas tuvieron muchas dificultades para encuadrar a los viejos militantes del interior que habían sobrevivido a las cárceles y a la persecución y gastaron muchas energías en arrancar las siglas históricas del partido a los exiliados que, en un proceso de degeneración política y vital, las habían administrado.

Y aunque lo habían logrado en el Congreso de Suresnes de 1974, identificando a un líder eficaz como Felipe González, resultaba una incógnita el seguimiento popular que el partido tendría. Desde luego, el PSOE contaba con algo muy importante: no solo la ayuda financiera de la poderosa socialdemocracia alemana, austríaca y sueca, sino también con la completa homologación con fuerzas políticas de la envidiable Europa del norte. En este sentido, el alineamiento de Carrillo con Italia no tenía el atractivo del respaldo sólido que ofrecía la estable y rica República Federal de Alemania. El caso es que el PSOE no podía perder la carrera con el PCE a la hora de presentarse como un aspirante serio para liderar la futura democracia española, y respondió a la Junta Democrática con la formación de la Plataforma de Convergencia Democrática, rubricada en junio de 1975. En esta organización se reunieron fuerzas que seguían en la clandestinidad, que iban desde la socialdemocracia más moderada, como la Unión Social Demócrata Española, o fuerzas sencillamente democráticas, como la Unió Democràtica del País Valencià, hasta agrupaciones de extrema izquierda, como el Movimiento Comunista o la Organización Revolucionaria de Trabajadores, pasando por el Partido Carlista y por diversas fuerzas gallegas, catalanas y vascas. Resultaba evidente que el PSOE estaba activando la vieja rivalidad de los partidos de extrema izquierda hacia el PCE, y que preferían integrarse en esa Convergencia Democrática, liderada por jóvenes socialistas, que verse las caras con Carrillo. Luego, esta decisión tendría consecuencias importantes cuando el partido socialista llegó al poder en 1982, con una transferencia importante de militancia izquierdista.

VALORACIONES FINALES

Cuando se enumeran las realizaciones intelectuales de la época de Franco se aprecian importantes novelas, magníficos libros de poesía, obras de ensayo histórico e investigación académica madura, pero difícilmente se identifica a un autor o a un grupo capaz de ofrecer al país un programa político general, convincente y maduro de regeneración democrática. Tampoco lo habían logrado los liberales del Contubernio de Múnich —la asistencia en 1962 de un centenar de políticos españoles al IV Congreso del Movimiento Europeo, una reunión propiciaba por Salvador de Madariaga—, de los que nadie se acordaba en 1974 y que había asentado la percepción nítida de que Franco y Europa eran incompatibles. Desde luego, para esas fechas no existía un intelectual no franquista de referencia popular, y quizá uno de los efectos del régimen fue que no permitió la emergencia de intelectuales carismáticos. Aunque había intelectuales valiosos, difícilmente traspasaban las fronteras de la vida académica o de los grupos de militantes, en cuyo seno se forjaban distintos mitos. Por supuesto que ya en esa época circulaban las traducciones de Gerald Brenan sobre *El laberinto español* y se podía leer el *Homenaje a Cataluña* de George Orwell, pero no se disponía de una reflexión propia y orientadora sobre la experiencia de la República. Algunas obras de memorias de los actores republicanos, tan instructivas como la de Luis Araquistáin, jamás circularon con facilidad, por lo que los únicos que reflexionaban sobre la República eran partidarios del régimen de Franco, que apenas tenían legitimidad moral para hacerlo. En esas condiciones, la dictadura llegaba al final de su existencia sin una cultura política alternativa definida y con una separación entre los intelectuales y políticos del exilio y el resto del país, a excepción del PCE.

Por supuesto que tanto la Junta Democrática como la Convergencia Democrática aspiraban a constituir una democracia con partidos políticos y con garantías jurídicas propias de un Estado de derecho. Se tenía un sentimiento difusamente republicano y se defendía una organización federal para España. Sin embargo, apenas se decía nada sobre la articulación del sistema productivo, o acerca del diseño en detalle del orden institucional, o la forma de funcionamiento de los partidos políticos. Se quería tener la fachada de Europa, pero no se sabía nada del espíritu y de las entrañas del edificio que se quería construir. Pero si alguien se hubiera atrevido a ofrecer un mínimo esbozo de todos estos detalles, sin ninguna duda habría sido mirado con la extrañeza con la que se observaba a los militantes radicales. El primitivismo de la cultura política se percibía por doquier. Se deseaba con cierta fuerza ser como Europa, pero nadie estaba interesado en saber cómo se hacía. Así que una sociedad bastante normalizada en hábitos de vida, de consumo e incluso de cultura de masas, anhelaba que alguien completara esa normalidad y se mostraba dispuesta a identificar a quien le ofreciera ese camino con más garantías. A estas fuerzas, la sociedad española le daría su voto, pero no su participación y su militancia. La cultura plebiscitaria, más que la cultura de actividad política, se había enraizado en estratos profundos de los españoles.

Así se vivieron los años finales del general Franco. El asesinato del presidente del gobierno Luis Carrero Blanco, un sobresalto general, sirvió de vacuna. La ciudadanía pudo ver cómo desaparecía la mano derecha del Caudillo sin que pasara nada grave. Por supuesto, el régimen estaba tan desprestigiado que solo de forma renuente se creyó que los autores verdaderos fueran los entonces inculpados y detenidos. De este modo, la sociedad española comenzó a percibir que podía andar por sí misma sin las figuras protectoras de Carrero Blanco y de Franco. Si se tuviera que describir la situación de la vida española vísperas de la muerte del dictador, se podría decir que era plural y rica en todo tipo de figuras parciales en los campos de la vida intelectual y cultural. Pero de la misma manera que hacia 1955 se había identificado un grupo intelectual y militante organizado alrededor de un proyecto general para la vida española, como era el Opus Dei, ahora, cuando se tenía que hacer frente a una nueva época, no se veía algo parecido. Se salía de una época dominada por la figura visible del poder de Franco, y no se avistaba un grupo sólido, amplio, unido y defensor de una causa explicable en detalle a los españoles, capaz de ser entendida y de cooperar en su defensa. Un grupo que tuviera preparada una agenda clara, que conociera a su pueblo, que pudiera educarlo en una conciencia política creciente, y que le explicara nuestro papel futuro en Europa y en el mundo, eso no existía.

Este proceso le daría a la Transición española su impronta característica. Situado a la expectativa, el pueblo español se comportó como un observador atento y movido por dos objetivos: su aspiración a la homologación europea, sin correr riesgos de alterar el orden, la prosperidad y la paz de los que gozaba. Este doble objetivo es el que obtuvo expresión jurídica en una Transición que fue comprendida como el camino «de la ley a la ley». Cuando en 1975, el mismo año en que moriría Franco, José Luis López Aranguren afirmara en su ensayo *La cultura española y la cultura establecida*, que «del franquismo no quedaba absolutamente nada», quizás expresaba un deseo piadoso que, en su caso, podía explicarse pero que no era realista. Del franquismo quedaban todas las metamorfosis, incluida la del propio Aranguren, pero sobre todo quedaba una ausencia de cultura política propia de una ciudadanía activa, cuyas consecuencias nadie estaba en condiciones de precisar.

Cuando se miran las cosas desde el punto de vista de la acción política, se constata que del franquismo quedó mucho, como suele suceder tras los regímenes personalistas. Acostumbró a la población a la pasividad política y a la mentalidad plebiscitaria. Desde luego, esta miraba con extrañeza a los políticos del franquismo, a los que consideraba cínicos, extravagantes y de cartón piedra. Deseaba disponer de nuevos políticos a los que poder entregar su confianza, y que realizaran su deseo de ser como los demás europeos, pero no vio la política como un asunto propio y militante. Deseaba, es verdad, que los políticos fueran sus representantes, pero no vio en ellos a sus iguales, personas con quienes poder cooperar y participar en sus actividades y estructuras. Esta mentalidad se confirmó cuando comenzaron los primeros brotes de violencia política, o los primeros llamamientos a la huelga general revolucionaria, que fue vista por gran parte de la población como el primer paso inevitable en un proceso de politización intenso que en ese momento se percibía como antinatural, fanático y no deseable. La mayoría quería tener representantes políticos, pero ignoraba el precio que se debía pagar cuando la representación se cifraba sobre la pasividad plebiscitaria. Eso tampoco nos llevaba a Europa.

En fin, los actores que quedaban en pie del régimen de Franco, con toda la estructura de poder del Estado en sus manos, dirigidos por un incompetente Carlos Arias Navarro, percibía la realidad sociológica española de una manera incorrecta. Creía que el déficit de conciencia política de la mayor parte de la población era indiferencia y se mostraron dispuestos a comprobar hasta qué punto aquella inmadurez política de la mayoría del pueblo español podría acompañar al régimen en sus intentos de maquillaje. Así comenzó el tira y afloja de lo que sería la Transición, ese espectáculo observado con preocupación activa y con protagonismo pasivo por el pueblo. La clave de esa actitud de la mayoría de la población era la aspiración a encontrar los representantes políticos capaces de respetar su decisión firme y profunda: romper con el régimen de Franco y bloquear la izquierda radical comunista. Ambas cosas eran compatibles con la Europa a la que ellos querían pertenecer. Esta sería la enseñanza que sabría extraer Adolfo Suárez.

7

SEGUNDA RESTAURACIÓN

UN PROCESO SUFICIENTEMENTE PLANIFICADO

Felipe González dijo una vez que le hacía gracia escuchar que la Transición había sido un proceso ordenado. «Hay que decir con claridad que nadie tenía un programa perfectamente acabado», sentenció. A González le hacían gracia estos comentarios porque con seguridad no había leído el libro de Miguel Herrero de Miñón *El principio monárquico*. Si lo hubiera hecho, habría percibido que el curso de los sucesos que él iba a protagonizar en diverso grado seguía una lógica jurídica bastante bien establecida en esa obra. Publicada en 1972 por la editorial Cuadernos para el Diálogo, el texto de Herrero es una pequeña joya de inteligencia, precisión e ironía. Herrero, sin duda, es el único talento digno de llamarse «padre de la Constitución española» de 1978. Él guarda el sentido profundo del texto constitucional —sobre todo del título VIII, que preparó con la traducción del folleto de Georg Jellinek, *Fragmentos de soberanía*— y, lo que es todavía más importante, propuso el sentido preciso de lo que podía ser el orden jurídico de la Transición. Sin esa referencia, algunas cosas no se entienden bien y parecen un caos. Pondré un ejemplo. Ha producido cierto escándalo una frase del Preámbulo de la Constitución de 1978 que le atribuye al texto la finalidad de «consolidar un Estado de derecho» en España. Esa consolidación se concretaba en la formación de un Estado social y democrático de derecho. La frase implicaba con claridad que, antes de la Constitución, había un Estado de derecho que se consolidaba. Si alguien se tomó jurídicamente en serio que eso era así fue Miguel Herrero. Por supuesto que en su libro dejó sin confesar lo que a él le parecía aquel artefacto jurídico organizado por el franquismo.

Así que se limitó a hablar, en la Introducción a *El principio monárquico*, de la «Constitución española». Eso es lo que él iba a estudiar. Como jurista, a Herrero le parecía evidente que lo mejor que podía suceder a la muerte de Franco era reclamar la validez del conjunto de sus Leyes Fundamentales, muy rudimentarias, y con las que se podía maniobrar de forma bastante previsible. La otra posibilidad era seguir manteniendo una estructura de poder personal fáctica y arbitraria, heredera del caudillaje de Franco. Así que Herrero ofrecía tomar en serio las pretensiones constitucionales franquistas y defendió con sutileza que esa era la mejor estrategia para sepultarlo. Con ironía característica, Herrero argumentaba que, mientras viviera el Caudillo, dotado de poderes discrecionales, esa «Constitución española» estaba sometida a una «condición suspensiva». Estaba dormida. No servía para iluminar el proceder político del Caudillo, tan impenetrable como su voluntad, pero entraría en vigor el mismo día de su muerte. Herrero consideraba que el carisma de Franco no podía heredarse y que por eso, a su muerte, todas las instituciones franquistas «no tendrían otra legitimidad que su legalidad». Este movimiento de Herrero fue muy sensato. Por eso pudo decir, ante el pánico de los monárquicos como Luis María Anson, que «el orden constitucional antecede al rey». Y así era. Hasta el último momento de su vida, Franco podía suspender la decisión a favor de la monarquía, o de ese sucesor a título de rey. Monárquico, claro, al menos por aquel entonces, Herrero deseaba evitar toda impresión de exterioridad entre el régimen de Franco y el futuro rey, lo que habría favorecido que los militares franquistas (aludidos varias veces en su libro como órgano de defensa de aquella constitución) pudieran situarse contra la autoridad regia. El rey heredaba todos los poderes de Franco, organizados en las Leyes Fundamentales. Era preferible tratar con esa fría legalidad que con cualquier candidato a heredar el carisma de Franco. Conocer esa legalidad era determinante para hacerla actuar tan pronto la previsión sucesoria se cumpliera y el rey Juan Carlos asumiera la sucesión de la jefatura del Estado. La intención de Herrero quedó sugerida cuando citó al filósofo marxista Georg Lukács para decir que ese conocimiento de la legalidad era necesario incluso para quien quisiera forzarla. La ignorancia no había sido nunca útil a nadie.

Y esta era la finalidad del libro. La tesis fundamental de *El principio monárquico* era que, según las Leyes Fundamentales del régimen de Franco, la representación nacional estaría concentrada en el rey. Este no era realmente el soberano político, pero sí el soberano jurídico. La voluntad de Herrero no era defender que el rey tuviera un poder jurídico absoluto. Como órgano del Estado, el rey tenía poderes tasados y sometidos a controles, pero como monarca era el único que representaba la soberanía nacional y el principio activo de la unidad de la nación. La consecuencia principal fue que las Cortes de Franco no eran un cuerpo representativo de la voluntad nacional. Asamblea estamental, las Cortes representaban intereses «naturales» de los grupos sociales. En tanto que asamblea corporativa, no encarnaban el principio de unidad política del pueblo español. La suma de los particularismos no formaba el todo cualitativo de la nación. Como era evidente, esas Cortes no se las había dado la nación a sí misma. Por lo tanto, no representaban la soberanía nacional. Esta representación correspondía en exclusiva al rey, respecto del cual las Cortes eran meramente un órgano auxiliar y cooperativo. Identificando de forma continua al monarca con un «presidente coronado» (con cierta inspiración en el sistema francés del general Charles De Gaulle), Herrero consideró que esa posición era compatible con la titularidad democrática de la soberanía afirmada en las leyes franquistas sometidas a referéndum. Herrero pudo decir que el rey era un representante de la soberanía, pero no era la soberanía misma. Las leyes franquistas jugaban con la idea de representación, no con la idea de identidad entre el representante y el soberano. Ni Franco ni el rey eran la nación española. Solo la representaban de modo exclusivo. Las leyes orgánicas de 1966, junto con la ley sobre Referéndum Nacional, consideraban que la soberanía en último extremo residía en la voluntad nacional, pero solo el monarca la «personificaba» y la hacía actuar. En tanto que soberano jurídico, el rey imprimía la dirección a la acción del Estado y solo de él podía derivarse la orden de convocar a la voluntad de la nación a través de las formas de democracia directa plebiscitaria.

Esa era una de sus competencias. Ningún otro órgano del Estado podía convocar a la nación sino el que la representaba. Las

Cortes estamentales franquistas no podían dirigirse a la nación ni oponerse a lo decidido en un referéndum nacional sin incurrir en traición y violar los juramentos. Tampoco tenían el poder de hacer dimitir al gobierno, que era responsable solo ante el jefe del Estado, como en la República Francesa actual «una simple expresión del poder presidencial».

Si se negaba a las Cortes franquistas el papel de representantes de la voluntad nacional, entonces el jefe del Estado tenía el «monopolio del poder legislativo» y del ejecutivo. El régimen español desconocía el parlamentarismo. Tampoco tenía tal poder legislativo el Consejo Nacional del Movimiento. Su formación era reflejo de los intereses estamentales de las Cortes y su alusión al «Movimiento» como «comunión» de los españoles era jurídicamente ciega, porque no concretaba su sentido. Élite noble de las Cortes, el Consejo Nacional del Movimiento tenía un «carácter senatorial» y desempeñaba papeles cercanos a un tribunal constitucional, pues podía vetar, emitir consultas y dar una interpretación autorizada de la ley ante una «consulta constitucional». Pero los resultados de esas consultas no eran vinculantes. Por su parte, las Cortes podían preparar, dictaminar, proponer proyectos, pero no podían legislar propiamente. Con ello, el régimen no podía desplegarse legislativamente al margen del rey ni sobrevivir sin su iniciativa. El obstáculo central era que cualquier reforma de las Leyes Fundamentales debían contar con la actividad cooperativa de las Cortes. «Elaboración y aprobación son, por lo tanto, condiciones de la sanción» regia de las leyes. Solo el rey puede querer, pero no puede querer solo. Esta tesis definió el problema de la Transición: ¿cómo lograr que las instancias legales quisieran lo que el monarca quería?

El rey estaba sometido a una limitación formal de sus competencias, pero desde el punto de vista material su capacidad de iniciativa era ilimitada. Por lo demás, al monarca le estaba permitido todo lo que las leyes no prohibían y sus poderes gozaban de una cierta expansividad capaz de rellenar cualquier laguna jurídica. Ninguna interpretación del franquismo podía reducir estos poderes regios sin hundir el orden jurídico completo. No existía posibilidad de una «desnutrición» del poder del jefe del Estado sin el colapso total del sistema. Sin embargo, sí existía la posibilidad de que los órganos auxiliares del rey bloquearan su voluntad. Por ejemplo, el monarca solo podía sancionar una ley aceptada por la Asamblea de las Cortes. Todo el argumento de Herrero consistía en mostrar que las Cortes no tenían ninguna posibilidad real de bloqueo. Si sabían lo que eran, las Cortes no podían querer otra cosa que el rey.

Este fue el problema político de la Transición. La tesis de Herrero era que «no parece lógico que los mandatarios [estamentales de las Cortes] puedan bloquear la representación de la nación». En caso de que eso se diera, el monarca «debería recurrir [...] a la voluntad misma de la nación». Aquí el argumento de Herrero tenía un aspecto desiderativo. Habría sido coherente con el sistema franquista «atribuir al rey la potestad de someter directamente al pueblo proyectos legislativos cuya adopción por vía de referéndum fuera alternativa o acumulativa con el procedimiento legislativo ordinario». Un cauce directo de comunicación entre el monarca y la nación, sin necesidad de preparación ni elaboración de las Cortes, era dudoso, aunque no era contradictorio con las Leyes Fundamentales. El gobierno sí estaba obligado a presentar a la Cámara sus proyectos de ley, pero con independencia de ello, el jefe del Estado podía convocar al pueblo. El dictamen del Consejo del Reino no era vinculante.

Así, Herrero definía una técnica de reforma de las Leyes Fundamentales. Y eso a pesar de que la constitución franquista afirmaba que una de esas leyes era la de los Principios Fundamentales del Movimiento Nacional, del 17 de mayo de 1958, que se declaraban «por su propia naturaleza permanentes e inalterables». Aquí la contradicción era síntoma de la incoherencia de la legislación franquista. Proponía todas las Leyes Fundamentales como reformables, pero una de las leyes reformables incluía una cláusula acerca de algo que por naturaleza era «permanente e inalterable». El argumento de Herrero aquí fue digno de un teólogo refinado. Consistió en mostrar que esos principios podían ser permanentes e inalterables, pero la ley que los acogía no era irreformable. Se trataba de cualidades y ámbitos diferentes. El jurista, dijo, no tiene delante de sí una «entidad metafísica» con una «naturaleza inalterable», «el Movimiento», sino solo el artículo de una ley fundamental que, como toda otra ley, estaba sometida a la cláusula de reforma. Si una ley es fundamental, entonces es modificable, incluida la que habla de que «los principios del movimiento son inmodificables». Con su habilidad retórica característica, Herrero vino a decir que los principios del Movimiento podían seguir siendo permanentes e inalterables en el reino de los objetos metafísicos. Incluso podían ser eternos e inmodificables. Pero eso no era contradictorio con que fueran jurídicamente derogados en su eficacia jurídica mundana al reformar la ley. Seguían inmodificables como lo es el pasado, pero ya ajenos al ordenamiento normativo. Su presencia en la legalidad constitucional era modificable, en tanto que todo artículo concreto de una ley fundamental podía ser derogado. Herrero no quería alterarlos, sino dejarlos en la eternidad del pasado y privarlos de eficacia jurídica.

Pero ¿no era eso un fraude de ley? ¿No estaba bloqueada toda posibilidad de declararlos reformables en la medida en que el nuevo jefe del Estado los había jurado? El juramento, ¿no obligaba al jefe del Estado a no reformar lo jurado? En el libro de Herrero es muy importante este momento porque está en la base de la hostilidad de muchos mandos del ejército hacia el rey, al que consideraban perjuro desde el momento en que su gobierno legalizó al PCE. Esto era obviamente un desatino falaz. El caso es que los militares consideraban la legalización del PCE contraria a los principios del Movimiento y a la comunión nacional. Aunque eso no estaba dicho en sitio alguno —desde un punto de vista metafísico la comunión en que consistía el Movimiento podía perfectamente concretarse en la reconciliación nacional que proponía el PCE—, el monarca era para ellos un perjuro. Herrero consideró esta argumentación «sumamente peligrosa» porque llevada al límite haría del rey un perjuro por cumplir la ley. Puesto que había jurado también las leyes que permiten reformar las leyes, no cumplir los artículos que permitían la reforma cuando se viese oportuno era tan perjuro como reformarlas. La acusación de perjuro era de tal índole que, hiciera el monarca lo que hiciera, incurriría en ella. Ahora bien, un juramento que es contradictorio (pues siempre acababa en perjurio) era nulo. Esta era la conclusión que deseaba extraer Herrero, con una certera previsión de que sería la acusación más intensa que iba a recibir el soberano. El juramento de las Leyes Fundamentales «supone la lealtad al orden institucional como un todo, incluida la cláusula de revisión, el entorpecimiento de cuyo uso es violación de la Constitución». De este modo, Herrero quería preservar ante todo «el mantenimiento de la cadena de la legalidad», que la experiencia siempre había demostrado «políticamente muy útil».

La consigna de ir «de la ley a la ley» ya estaba elaborada en este libro, y con ella el camino de la Transición. Esto era posible porque el mismo sistema que se declaraba inalterable incluía el procedimiento de reforma por la vía del referéndum, que a Herrero le parecía «sumamente democrático y flexible» como para lograr la superación del orden constitucional del franquismo. En este caso, no solo sería preciso un referéndum legislativo, sino lo que él llamaba un «referéndum constitucional» que debería darse con el acuerdo de las Cortes. Pero para ese referéndum no se fijaba un orden cronológico. Las leyes permitían al jefe del Estado someter a referéndum una reforma de la legislación fundamental sin pasar previamente por las Cortes. Después de la aceptación popular, podría llevarse a las Cortes para su preceptivo acuerdo reclamando que las mismas se atuviesen al dictado de la nación. Pero todavía el monarca tenía una ulterior posibilidad: convocar un referéndum prospectivo, el cual, puesto que no se consultaba respecto de un proyecto de ley, no estaba condicionado ni por las Cortes, ni por el Consejo del Reino, ni por el Consejo Nacional del Movimiento. Aunque sin validez jurídica, ese referéndum podía ser muy útil para conocer la opinión del pueblo respecto de cualquier cuestión, dejando la formalización jurídica para los órganos competentes posteriores. En los tres casos, ningún referéndum podría convertir en ley lo aprobado por la nación al margen de las instancias competentes de las Cortes. Pero nadie podría evitar ese diálogo directo entre el soberano popular y el soberano legal. Así, Herrero concluyó: «El representante debe callar cuando el representado se halla presente». En este sentido, las Cortes no tendrían ninguna posibilidad de oponerse a este proceso político acordado entre el rey y el pueblo.

> Es difícil imaginar unas Cortes que nieguen su acuerdo a un proyecto de reforma constitucional presentado por el rey y al que el pueblo ha dado solemnemente su conformidad.

Las Cortes quedarían obligadas de hecho y de derecho a cooperar con las decisiones de la nación convocada por el rey.

EL PROCESO REAL

Por lo general, suele parecer a los españoles que estos complejos argumentos jurídicos son adornos. En realidad no lo son. Por debajo de todos los sutiles análisis de Herrero de Miñón, que sugerían la vía de una continuidad constitucional, había una premisa más fuerte. El pueblo que había dado su aceptación a la ley orgánica del Estado, en 1966, era el mismo que daría su asentimiento o rechazo a las propuestas que le llevara el nuevo jefe del Estado. Esa continuidad existencial de pueblo era la decisiva y con ella contaban las élites que se preparaban para pilotar la Transición. Una vez más, se afirmaba la existencia de la soberanía nacional, y su permanencia permitía una transformación constitucional. La dictadura soberana de Franco, si había tenido efecto, era forjando ese pueblo. Ahora se trataba de ver cómo respondería si era convocado. La cuestión decisiva era el margen de libertad que regiría esa convocatoria y, por lo tanto, la legitimidad que generaría. Nadie en esas élites quería recordar que en 1966 esa legalidad había sido nula por la tremenda coacción con que se forzó a expresarse al pueblo. Pero no era necesario repetirla.

No quiero decir que el rumbo de la Transición se hiciera como lo había pensado Herrero de Miñón, al fin y al cabo un letrado del Consejo de Estado. Sin embargo, su libro abrió los caminos y definió las posibilidades. En realidad marcó diferentes escenarios según la resistencia mayor o menor de las instituciones franquistas al previsible proceso de reforma. Si estas daban su conformidad, entonces el procedimiento preferible era un proyecto de ley de Reforma presentado a las Cortes por el gobierno, con los avales del Consejo del Reino, del Consejo Nacional del Movimiento y luego sometido a referéndum popular. Así, legalidad institucional y legitimidad democrática irían de la mano, ejerciendo el rey poderes normales establecidos en las leyes franquistas. Pero si la cooperación institucional era mínima, sobre todo las de las Cortes, entonces el monarca podía convocar un referéndum que solicitase la opinión del pueblo sobre una reforma política y así coaccionar a los órganos del franquismo con la evidencia de que el soberano nacional no estaba con ellos. En este segundo caso, el rey usaba poderes ampliados no contemplados en las leyes, pero sí incluidos en el principio monárquico. En ambos casos convenía defender que la apelación a la soberanía nacional formaba parte del orden legal franquista. La cuestión era si la violencia coactiva y la falta de libertad iban a regir el nuevo y previsible referéndum. Aquí todo era una incógnita.

Esta interpretación de las cosas permitió decir al rey, el día de la muerte de Franco, cumplida la previsión sucesoria, que su título se lo conferían «la tradición histórica, las Leyes Fundamentales del reino y el mandato legítimo de los españoles». No dijo la herencia, pues no la recibía, sino la tradición histórica. El historiador Álvaro Soto ha dicho que el monarca no tenía la legitimidad proveniente de la voluntad de los españoles, «a no ser que pensara que las Cortes eran la representación legítima de los mismos». Justamente eso es lo que no pensaba el rey, que nunca le atribuyó a las Cortes franquistas la representación de la soberanía nacional. Eran un órgano representativo, pero no de la nación, y por eso el monarca con pleno sentido dijo que eran «herederas del mejor espíritu de participación popular en el Gobierno». Desde dentro del operativo institucional, «el mandato legítimo de los españoles» procedía del referéndum de enero de 1966, que había aprobado la ley orgánica del Estado. En este sentido, el rey habló de las Leyes Fundamentales como «fiel reflejo de la voluntad de nuestro pueblo». El propio Franco dijo varias veces que el nuevo reino se había instaurado «con el asentimiento de la nación». Esto le daba pie al monarca a afirmar que veía un futuro basado «en un efectivo consenso de concordia nacional». A la postre, no era descabellada la frase de Franco en su lecho de muerte afirmando que todo estaba bien atado.

Desde la oposición al ordenamiento jurídico del franquismo, la cuestión decisiva fue que la voluntad de la nación expresada en el referéndum de 1966 no se podía considerar fiel, dadas las condiciones de carencia de libertades en que se expresó. Pero esta valoración política obviamente era la propia de las fuerzas democráticas que no tenían otra opción que proponer un gobierno provisional revolucionario. En las Cortes franquistas ese argumento no se podía hacer valer por principio.

Lo que sucedió después se regía por la lógica del libro de Herrero. Al mantener el principio gubernativo, y un jefe de Estado, ya no se podía nombrar un gobierno provisional. Si este se hubiera proclamado, habría significado un enfrentamiento civil entre candidatos a ejercer el principio gubernativo. Esto fue aceptado por la mayoría de la población, que de hacer bromas sobre el rey pasó a entregarle cada vez más su apoyo. Todavía en junio de 1974, Santiago Carrillo argumentaba que «esta monarquía fascista será denunciada y condenada por el pueblo sin remisión». El test de esa condena se fijaba en la futura huelga nacional con efectos revolucionarios. Era evidente que esta no se plantearía hasta 1976 y no tuvo el resultado esperado. Ahí se alzó una línea roja en la que se reconoció de forma pasiva la voluntad política de la población. En realidad, el discurso de Carrillo era contradictorio. Aludía a que el esfuerzo revolucionario vendría de la mano de la «reconciliación nacional en marcha», «real y tangible». Sin embargo, era poco intuitivo invocar a la vez la reconciliación nacional y la huelga general revolucionaria. Si la aspiración era la reconciliación, los intereses políticos, limitados pero profundos de la mayoría de la población no la interpretaron como si incluyera un gobierno provisional. Una vez que este no se abrió paso con la huelga de 1976, la reconciliación pasaba por pactar con la realidad institucional del jefe de Estado y su gobierno, a condición de que dejara atrás el franquismo. Así, el verdadero ejercicio de reconciliación nacional fue el que tuvieron que hacer los líderes políticos comunistas, sobre todo los que vivían en el exilio, de adaptarse al pueblo que el franquismo había configurado a lo largo de sus cuarenta años de dictadura soberana.

Pero pueblo en realidad ya no había otro. Este fue el dilema de la Transición. Se vio en el comunicado del periódico *El Socialista* de octubre de 1974, todavía antes de la muerte de Franco. Por una parte, se deseaba seguir la voluntad soberana del pueblo y, por otra, alcanzar «una adecuada formulación de una ruptura democrática». Pero ambas cosas no eran compatibles *per se*. La voluntad soberana del pueblo no quería con claridad una ruptura, puesto que no deseó crear el vacío de poder mediante una huelga general. Aunque sometidos a una coacción política sin precedentes, que hacía imposible una legitimidad de origen, los actos políticos del pueblo español bajo el régimen de Franco condicionaron el futuro, sobre todo al forjar una mentalidad y un hábito. Configurada social y políticamente con ellos, la mayoría de la gente deseaba una transformación pacífica. De forma convergente con la propaganda de la campaña de los «Veinticinco Años de Paz» y con la publicidad del referéndum de 1966, el rey habló en su discurso a las Cortes del 22 de noviembre de 1975 de «paz, trabajo y prosperidad, fruto del esfuerzo común y de la decidida voluntad colectiva». Eran palabras que sonaban en todos los oídos a continuidad. Y lo eran, pero también decían otra cosa.

Aquel discurso del monarca fue muy sintomático. Por una parte, decía que ese mismo día comenzaba una nueva época en la búsqueda de esos bienes; y por otra, que sería «el fiel guardián de esa herencia». En suma, venía a confesar que se vinculaba a la paz, el trabajo y la prosperidad de la última época del gobierno de Franco, a la que iba a dar una nueva época. Esta contradicción era más difícil de percibir y, en cierto modo, parecía más retórica que otra cosa. Pero, en suma, ofrecía una mejor base para «un efectivo consenso de concordia nacional». Situado ante dos proyectos de reconciliación nacional, el pueblo español asumió una parte de cada uno porque así seguía la ley del mínimo esfuerzo. Mantendría su confianza en el rey como jefe de Estado de continuidad, pero solo si sus políticos no eran los franquistas, sino los que reclamaban la reconciliación desde el lado de los vencidos.

Y así fue. Al monarca le bastó con controlar la presidencia de las Cortes y del Consejo del Reino para dominar el entramado institucional vigente, tal como se derivaba del libro de Herrero. Luego, se decidió por uno de los modos de expresar su desconfianza al presidente del gobierno, dejando bien claro que era responsable ante él. Cuando en una revista norteamericana, el rey dijo de Carlos Arias Navarro que era un «completo desastre», le obligó a dimitir. Al disponer de la plena colaboración de Torcuato Fernández-Miranda al frente del Consejo del Reino, se garantizó un nuevo presidente de su confianza. Ahora se podía comenzar el programa de máximos, presentar un proyecto de reforma constitucional de las Leyes Fundamentales del franquismo, impulsado por un jefe de Estado que operaba como un rey constitucional al estilo del siglo XIX.

Frente a este movimiento, la oposición democrática al régimen estaba profundamente dividida en la percepción del camino a seguir. Si bien la Junta Democrática insistía como primer objetivo en la formación de un gobierno provisional de coalición, nada parecido proponía la Plataforma de Convergencia Democrática, y no es del todo cierto que ambas organizaciones apostaran por la ruptura de igual modo. Los manifiestos del PSOE, la fuerza mayoritaria que lideraba la Plataforma, nunca pidieron un gobierno provisional. Exigieron el reconocimiento y la protección de las libertades democráticas y «la convocatoria de elecciones libres en un plazo no superior a un año». Era evidente que elevaban una demanda a un gobierno en ejercicio. Pero no reclamaron la formación de un gobierno provisional de amplia coalición, que hubiera significado conceder el liderazgo al PCE. De hecho, la Junta Democrática se veía a sí misma como el embrión de ese gobierno provisional, y la fundación de la Plataforma no fue sino su impugnación. Cuando en marzo de 1976 se fusionaron ambas organizaciones en la «Plata-Junta», quizá todavía se buscaba este objetivo, pero tras el desigual seguimiento de la huelga de noviembre de 1976 ya era evidente que no se rompería la continuidad del principio gubernativo.

La diferencia fundamental entre el gobierno de Adolfo Suárez y el de su antecesor, Arias Navarro, fue la siguiente: el primero presentó una ley para la Reforma Política, mientras que Arias comenzó a forjar un proyecto de ley de Reforma de las Cortes y otras leyes fundamentales. Este proyecto de Arias alteraba, mediante una ingeniería jurídica, el sentido mismo de las Cortes franquistas, al pretender hacer de ellas un órgano político representativo, cosa que no eran, como es sabido. Luego, de forma convergente, se presentó un proyecto de ley de Asociaciones Políticas que debía dotar de cierto pluralismo al sistema de elección de los procuradores. Ambos proyectos reflejaban la obsesión de dotar a las Cortes franquistas de un simulacro de representación política nacional. En suma, era un proyecto de mínimos que no transformaba el entramado institucional completo, sino que introducía fases intermedias que dejaba fuera a las fuerzas políticas de oposición. Posiblemente, en su imaginario, Arias creyese que podía transformar la democracia orgánica en algo parecido a un simulacro de democracia de partidos controlados.

El proyecto de Suárez, al rotularse ley para la Reforma Política (4 de enero de 1977), dejaba claro que cambiaría la lógica global del cosmos político del franquismo y que una democracia liberal semejante a las europeas sería el horizonte final. Al acompañarlo con la ley de la Amnistía, Suárez pudo ser persuasivo respecto a su propósito de que se avanzaba hacia «una plena normalidad democrática». La reconciliación nacional también avanzaba desde el lado del ejecutivo. Pero no hay la menor duda de que el gobierno de Suárez era el gobierno del rey, y no tenía otra fuerza que la de contar con su confianza. La clave de su reforma pasaba, en todo caso, por la capacidad de conceder libertad a todas las fuerzas políticas de oposición. Si no era así, las apelaciones a la ciudadanía en referéndum tendría el mismo defecto de origen que en la época de Franco.

Si se analiza el texto de la ley para la Reforma Política, claramente se descubren las estrategias cercanas al libro de Herrero de Miñón. Ante todo, la asunción básica de que existía algo parecido a una Constitución vigente; que la democracia no era incompatible con ella y que la ley era expresión de «la voluntad soberana del pueblo». Dado que se aprobaba una ley fundamental más —eso era la ley para la Reforma Política— con capacidad de reformar muchas otras, esta debía tener el refrendo del pueblo. En suma, lo que iba a suceder a partir de esa ley no era un proceso imprevisto o revolucionario, sino una previsión más del sistema legal de reforma. En lugar de intentar mediatizar con ingeniería jurídica y gubernativa el funcionamiento de las Cortes con partidos cautivos, el proyecto de ley se limitaba a decir que las Cortes se elegirían por sufragio universal directo y secreto de todos los españoles mayores de edad. Esto implicaba una radical transformación de su Estatuto, porque dejaba a las Cortes la actividad propia de un Parlamento originario nacional: darse sus propios reglamentos. Con ello, toda la estrategia de Arias Navarro se cayó al suelo. En otro artículo se afirmó que el Congreso de los Diputados compartiría con el gobierno la iniciativa de la reforma constitucional. Con ello, la iniciativa dejaba de tenerla el rey, como hasta entonces. Era evidente que el horizonte final era un «texto» que implicaría una nueva Constitución. Pero, tal y como se había defendido siempre en las leyes franquistas respecto de las reformas constitucionales, antes de sancionar la ley, el monarca lo sometería a referéndum. Con ello dejaba de ser el soberano jurídico y el representante único de la nación. Las Cortes asumían una función propia suya, la iniciativa de reforma constitucional. El principio monárquico se autoclausuraba.

La ley para la Reforma Política incluía un interesante artículo 5, abstracto y complicado, que decía:

> El rey podrá someter directamente al pueblo una opción política de interés nacional, sea o no sea de carácter constitucional, para que decida mediante referéndum, cuyos resultados se impondrán a todos los órganos del Estado.

Era la previsión de comunicación directa entre el monarca y el pueblo, de la que había hablado Herrero, que pesaba como una amenaza sobre las Cortes del régimen de Franco. Es verdad que si no se aprobaba el texto de la ley para la Reforma Política, tampoco se aprobaba ese artículo. Pero resultaba evidente que ese artículo no generaba un poder, sino que lo enunciaba y mostraba una posibilidad en la mano del rey, hicieran lo que hicieran las Cortes orgánicas. Y todavía de forma más clara, la segunda parte del artículo decía que si lo sometido a referéndum concernía a las competencias de las Cortes y estas no lo aplicaban, quedaban disueltas. Con ello, se decía que si la ley para la Reforma Política no era aprobada en las Cortes orgánicas, se podría convocar referéndum con una previsión de constituir otras que obligarían a la disolución de las vigentes. En esta situación, era evidente que las Cortes orgánicas ya estaban, como preveía Herrero, capitidisminuidas. Obraron en consecuencia. Se autoclausuraron. Las disposiciones transitorias implicaban la convocatoria de las primeras Cortes dotadas de capacidad de reforma constitucional.

Así que, a todos los efectos jurídicos y políticos, la Constitución de 1978 surge de una reforma de la constitución franquista y de sus Leyes Fundamentales. La sustancia de esta reforma, sin embargo, es de tal índole que permitió cambiar todas las instituciones básicas, porque se trató de una verdadera revolución material. Ante todo, la ley para la Reforma Política implicó la transformación de la representación soberana. Ya no fue monopolizada por el rey, sino transferida a las Cortes elegidas por sufragio universal libre y secreto. También se acabó el principio monárquico porque el gobierno debía salir de ellas. Esta transferencia la realizó el pueblo español en referéndum, pues era el único soberano político que podía hacerlo, a iniciativa del monarca, el único soberano jurídico hasta ese momento. Se puede decir que la más profunda transformación de la constitución del franquismo ya se dio en la ley para la Reforma Política, pues con ella el rey dejó de ser el soberano jurídico y acabó con la forma específica en que Franco entendió su herencia. Solo si no se aprobaba, el artículo 5 de la ley recordaba que el monarca lo seguía siendo y que podría actuar en consecuencia. La iniciativa de las ulteriores reformas constitucionales la realizaría unas Cortes y un gobierno representativos de la voluntad popular.

Todo el mundo sabía que esa era una ley de mínimos, pero con ella se transfería la soberanía jurídica del rey o jefe de Estado a las nuevas Cortes. No se trataba de una transferencia de soberanía política, que seguía intacta en el pueblo. No establecía la soberanía política del pueblo, que era «último y permanente fundamento» de las Leyes Fundamentales, incluida esta de la Reforma, sino que elevaba a representante jurídico de la nación a las Cortes de las que debía salir un nuevo gobierno y, si así lo decidían ellas, una nueva Constitución. En este sentido, se decía que solo se abordaban los cambios necesarios para «un auténtico proceso democrático» con pleno «respeto de la legalidad». El único sentido de «ruptura» verdadero era que el rey traspasaba a las Cortes y al gobierno la iniciativa legislativa incluso para la reforma constitucional. Este planteamiento fue persuasivo para los procuradores de las Cortes orgánicas, que seguían empleando su propio lenguaje con verosimilitud. Como dijo el ministro del Movimiento en la defensa, la reforma estaba basada «en nuestra legalidad constitucional». Todo lo que se dijera respecto a la guerra civil, al 18 de julio y todo lo demás, era doctrinal, pero no tenía valor jurídico. En realidad, era algo parecido a lo que había sucedido en el referéndum de 1966, y por eso se pudo hablar en los debates, con la misma validez, de «la culminación del proceso de institucionalización» del franquismo. Miguel Primo de Rivera, que era sincero y sencillo, lo dijo con firme convicción: se iba a «hacer una nueva Constitución» pero «basada en la legalidad de la Constitución vigente». En realidad, lo único que continuaba era la apelación al mismo pueblo español, el mismo que había dado el sí al referéndum de las Leyes Fundamentales y al que ahora se le pedía el sí para la nueva ley fundamental para la reforma política. Para culminar este proceso, como había sugerido Herrero, y como recordó Fernando Suárez en su discurso a favor de la ley, no se le pedía a las Cortes orgánicas la aprobación con plena eficacia de la ley para la Reforma Política (algo que correspondía en exclusiva al rey), sino solo que cumpliera su trámite (esto es, querer lo que el monarca quiere) para que decidiera quién en realidad podía aprobar: el pueblo, y así pasar luego a la sanción del soberano.

En realidad, lo que hizo Adolfo Suárez fue comprenderse a sí mismo como una alternativa legal al gobierno provisional y no hizo otra cosa que convocar al pueblo para que, por su decisión, se pudiera producir la posterior convocatoria de elecciones. De este modo, se puede decir que las elecciones del 15 de junio 1977 fueron convocadas por mandato del propio pueblo español, al aprobar la ley para la Reforma Política en el referéndum del 15 de diciembre de 1976. El pueblo aceptó que el gobierno primero de Suárez tenía suficiente legitimidad para dirigirse a él. Es difícil saber si el pueblo era consciente de que, de no acudir, deslegitimaba al ejecutivo y abría el camino hacia un gobierno provisional. Pero el pueblo se dio por llamado y acudió a votar en un 77,7 por ciento. Se ha dicho que ese referéndum no se celebró en condiciones de libertad completa y con igualdad de oportunidades para los defensores del sí y del no. Esto es cierto, pero no se dio la coacción notoria e insuperable como en 1966 y las organizaciones de oposición hicieron campaña con libertad a favor de la abstención, en un cálculo que políticamente ya demostraba que daban la batalla por perdida. Con esta opción deseaban sumar su fuerza a la peor opción: la del completo apoliticismo. En todo caso, que el sí fuera del 94 por ciento mostró con toda claridad cuál era la realidad del pueblo español y de su decisión política.

GOBIERNO PROVISIONAL DEL REY

Lo que sucedió entonces fue muy significativo. El gobierno Suárez se comportó como un gobierno provisional y actuó con decretos leyes —ni más ni menos que treinta y siete—, en unos casos derogatorios —algo que se había reconocido en la ley para la Reforma Política al conceder la iniciativa reformadora—, pero en otros casos constituyentes, como la ley electoral que iba a determinar las elecciones generales a Cortes que se preveían en la citada ley para la Reforma Política, o la creación de la Audiencia Nacional, tras la derogación del Tribunal de Orden Público; o finalmente decretos que definían el marco de las relaciones laborales. En esta perspectiva, la exigencia de responsabilidades por las persecuciones de posguerra y por la represión del régimen de Franco no podía jurídicamente llevarse a cabo. Habían sido legales, tan legales como las acciones que cambiaban la Constitución. Esta fue otra consecuencia de la inexistencia de un gobierno provisional.

No cesó allí la actividad de ese gobierno Suárez. Como las movilizaciones contra el gobierno de Arias habían sido impulsadas por la exigencia de amnistía, libertad y reconocimiento de las nacionalidades históricas, o por los derechos sindicales y de huelga, pronto la mayoría de ese programa estaba cumplido. Como esas cuestiones habían permitido la movilización de los grupos más conscientes, al encauzarse o cumplirse, la movilización popular descendió. Las fuerzas políticas dejaron de situarse en el escenario de forzar un gobierno provisional y, tras el referéndum, se colocaron en el horizonte de las próximas elecciones generales. Para ello, el ejecutivo, actuando siempre por decreto, se aprestó a legalizar al PSOE, lo que llevó a cabo en febrero de 1977. Era posible entender la ley para la Reforma Política como una autorización para legalizar todos los partidos políticos que libremente desearan fundarse, porque esa era la manera verdadera de garantizar la voluntad popular. Jurídicamente podía ser así, pero políticamente fue de otra manera. El ejército debía proteger la ley fundamental recién aprobada, que regulaba las elecciones generales democráticas, y en este sentido debía apoyar la legalización del PCE. Pero la torpeza de Suárez quizá fue presentar las cosas como si el acto de legalización de los comunistas procediera de la voluntad de su gobierno. En realidad, procedía de un mandato del pueblo que imponía la expresión de la voluntad popular libre. Lo único lógico hubiera sido una declaración derogatoria de todas las leyes de asociaciones, incluida en el articulado de la ley para la Reforma Política, y una legalización universal de las fuerzas políticas. Al ir legalizándolas de una en una —reflejo del plan de Arias Navarro, que deseaba un control gubernativo de la representación popular mediante un registro de partidos—, la torpeza del gobierno Suárez concentró las iras de todos los defensores del régimen de Franco porque presentó la legalización del PCE como un acto de arbitrio y de voluntad gubernativa, cuando era un acto jurídico obligado y vinculante del referéndum. Los principios del Movimiento no decían nada acerca de la legalización o no del PCE. El ejército no tenía nada que oponer a la medida, como no fuera su aspiración a ejercer un caudillaje colectivo que lo hiciera parte intrínseca de la Jefatura del Estado y no un garante de la ley. En cierto modo, aquella era la percepción mayoritaria en sus filas, y eso es lo que se iba a manifestar con la propuesta de Jaime Milans del Bosch en el intento de golpe de Estado de 1981, cuando ya había otra Constitución en la que no operaba el principio monárquico.

Al no actuar de forma consecuente, el gobierno Suárez convocó unas elecciones en junio con setenta y ocho partidos legales y veintiocho ilegales. No se puede decir que esta arbitrariedad gubernativa privara de legitimidad aquellos comicios. Cuando un pueblo puede elegir libremente entre setenta y ocho opciones, no parece que haya sido coaccionado de forma fundamental e insuperable en su libertad de encontrar una expresión adecuada a su voluntad. Sin embargo, el procedimiento da a entender una falta de rigor en la aplicación de los principios, y, sobre todo, una voluntad de dejar bien claro que el ejecutivo tenía en su mano la totalidad de los resortes de la situación. En todo este tiempo, la única legitimidad del gobierno era ser el gobierno del rey y disponer de su confianza. Su actuación estaba vinculada a cumplir el mandato del referéndum. Esta mezcla concedió a su actuación un margen muy amplio, como si su propia función de gobierno hubiera quedado asentada en la aceptación popular. No era así y no se debió interpretar así. Pero Suárez lo hizo. El asunto es relevante para recordar que el instrumento central de expresión de la voluntad popular, la ley electoral, no tiene otra base que la decisión del rey de suscribir el decreto ley de su gobierno. En este sentido, la posición del rey en su función constitucional antigua fue determinante en el modo de su transformación en monarca parlamentario, puesto que se sometía a un Parlamento que en cierto modo él y solo él prefiguró por su propia ley electoral. Que la ley electoral fuera posteriormente revisada y adaptada a la Constitución (ley 5/1985) no impide que el jefe del Estado determinara *de facto* la realidad de las Cortes constituyentes.

En realidad, nadie dijo que las Cortes que saldrían de las elecciones de junio de 1977 fueran constituyentes. Eran unas Cortes con capacidad de reforma constitucional. Tampoco se dijo en ningún sitio que de esas Cortes saldría un gobierno por mayoría. Los riesgos fueron intensos. El gobierno de Suárez no era de la confianza de las Cortes orgánicas, sino solo del rey. De la misma manera, mientras se debatía la nueva Constitución o la reforma constitucional, ninguna ley vinculaba al monarca a otorgar su confianza a un candidato propuesto por la mayoría de las nuevas Cortes. Sin embargo, las Cortes de 1977 expresarían la voluntad popular y no era lógico gobernar contra ella. Así que todo se jugó a esa partida. Si el resultado hubiera sido el de una mayoría comunista, por ejemplo, las cosas se habrían puesto muy complicadas. Así que la ley electoral era el mecanismo más adecuado para cubrir aquellos riesgos: debía favorecer mayorías amplias y generar un gobierno estable, de tal modo que el rey pudiera funcionar ya como un rey parlamentario, aunque no tenía base legal para hacerlo excepto su voluntad de llegar a serlo. Así se puso todo el énfasis en una ley electoral de listas cerradas bloqueadas, y se aplicó la ley D'Hondt mejorada; pero sobre todo se concedió representación aumentada a los territorios castellanos despoblados. Esa ley electoral intentaba generar los resultados más estabilizadores, pero lo que era el interés de un gobierno que se jugaba todo su proyecto a una carta, se convirtió en el espíritu de la futura democracia española. Y esto ha demostrado tener pésimas consecuencias.

Al final sucedió lo buscado, con lo que no se tuvieron que forzar los mecanismos institucionales y dejar en evidencia las lagunas del proceso. Cuando en las elecciones de junio de 1977 el pueblo español concentró su voto en el partido del gobierno (la Unión de Centro Democrático de Suárez obtuvo el 34,6 por ciento de los sufragios) y entregó al PSOE casi el 30 por ciento, todo el mundo comprendió que se había logrado lo deseado, un bipartidismo suficientemente perfecto que recordaba los momentos de la Restauración, etapa esta que en cierto modo había inspirado todo el proceso. Con ello, el rey pudo mantener la confianza personal en Suárez —que era previa a toda elección popular— como si ahora lo hiciera como monarca parlamentario. El 64 por ciento de los votos de UCD y PSOE, sin embargo, representaba el 80 por ciento de los escaños. D'Hondt daba una prima del 16 por ciento de representatividad. A pesar de todo, Suárez no dispuso de mayoría absoluta. El bipartidismo era imperfecto porque solo con dificultades se podía suponer una concentración intensa de voto para permitir una mayoría absoluta. Esto no dejaría de tener relevancia.

¿Qué había pasado? En mi opinión, las elecciones fueron resultado de una voluntad compleja, positiva y negativa, propia de la mayoría de la población votante. Desde un punto de vista positivo, las opciones más deseadas de los españoles estaban muy divididas. Se entregaban casi a partes iguales a demócratas-cristianos, socialistas y socialdemócratas. Cada uno de ellos recibía alrededor del 15 por ciento de confianza. Eso hacía un total del 45 por ciento del voto decidido por opciones positivas. Pero era más nítida la voluntad negativa. Los revolucionarios y comunistas no serían votados jamás por cerca del 65 por ciento de los españoles. Los continuadores de Franco tampoco serían votados jamás por cerca del 50 por ciento. De este doble interés positivo y negativo era lógico que los votos se concentraran en las opciones moderadas de derecha y de izquierda. Sin ninguna duda, se quería mayoritariamente tanto orden como libertad. Los representantes del régimen de Franco, organizados en un partido que había fusionado todos los pequeños grupos dirigidos por las personalidades más célebres, que se prepararon para competir en el plan de Arias Navarro, apenas recibieron el 9 por ciento de los votos, casi lo mismo que los comunistas, que habían dirigido la lucha política de oposición durante cuarenta años.

Hay quien ha visto en el hecho de que los defensores del régimen tuvieran tantos votos como los comunistas una injusticia política, y quizá lo sea. Pero en esa simetría hay algo de significativo desde el punto de vista de la valoración histórica del pasado español. Otros dicen que la actitud conciliadora del PCE le detrajo el electorado de izquierda. Este comentario parece poco persuasivo, porque ninguna fuerza más radical se benefició de esas deserciones del PCE. Esto se vio en el débil apoyó que tuvo Esquerra Republicana de Catalunya y Euskadiko Ezkerra. Por el momento, la voz del pueblo era la que era, y un político solo tiene un pecado imperdonable: desconocer la realidad de su pueblo. Si Franco se hubiera asomado a las televisiones después de las elecciones, sin duda que habría sonreído. Por fin, el pueblo español, nutrido de clases medias, tenía aspiraciones políticas parecidas a las de sus vecinos ingleses y alemanes. El largo plazo de la dictadura soberana franquista había constituido una sociedad estable.

Cuando se dio a conocer este resultado, y solo entonces, las Cortes se autoelevaron a constituyentes, para lo que tuvo que concurrir la voluntad de ellas, del rey y del gobierno. Tanto UCD como PSOE estaban interesados en este hecho, puesto que una Constitución sobre aquel resultado garantizaría su posición hegemónica constitucional. El PCE quedó reducido a una fuerza minoritaria porque el electorado consideró que era un actor central de la pasada guerra civil. Su comportamiento durante la Transición, con una amplia visibilidad, no eliminó este juicio, a lo que contribuyó en no poca medida que su aparato dirigente se mantuviera intacto desde 1936 hasta el presente, después de atravesar toda la época estalinista. En este sentido, la acción del PSOE fue más rentable. La plana mayor de los viejos socialistas del exilio no se diferenciaba mucho de los dirigentes comunistas que regresaban de Moscú. Pero los socialistas habían dado el golpe de timón en el año 1974 y fueron capaces de presentar rostros jóvenes que salían de la realidad del país y hacían olvidar a los políticos que traían malos recuerdos. Es verdad que los socialistas del interior habían desaparecido como oposición activa en la España de Franco, pero no lo habían hecho de la mirada de los vecinos. Localizados por todos por su vieja militancia, habían compartido las amarguras y miserias de la gente normal. No se habían entregado a la lucha armada ni a la militancia pública, pero se habían mantenido fieles a sus ideas, las habían defendido en las redes familiares, en las relaciones sociales discretas, y se consideró su fidelidad sencilla como una mayor fuente de confianza que los vaivenes de los políticos profesionales del PCE. Quizá por compartir el sufrimiento general se explique la amplia concentración de voto popular en el PSOE.

Respecto de Suárez, la confianza se explicaba porque representaba el orden, la continuidad pacífica de la vida social y política deseada por los estratos menos politizados, pero que no querían a los estirados políticos franquistas. Los apoyos más conscientes del régimen sabían que Suárez era la mejor opción. Como líder popular procedente de la derecha, Suárez no tendrá rival. En realidad, fue un mirlo blanco que solo podía proceder de los estratos plebeyos de la Falange, y que conservaba intactos sus reflejos populares, apenas barnizados por su paso a través del sistema franquista. Su muerte política fue consecuencia de su intenso éxito. Comprendió que solo si se transformaba en un líder populista podría hacer frente al PSOE y a Felipe González. Pero esta voluntad de permanencia política, que le podía ofrecer más votantes por su izquierda, le retiraba la confianza de todos los que habían confiado en él como ariete para transferir élites del franquismo a la democracia, o de todos los que tenían una mayor conciencia política liberal o conservadora, aunque no tuvieran vínculos con el franquismo. El punto de no retorno de la confianza de esas fuerzas fue el coqueteo de Suárez con los países no alineados, que retrasó la vinculación de España a la OTAN; los proyectos de ley del Divorcio y los Pactos de la Moncloa, ampliamente determinados por su entendimiento con el PCE, una pinza que tenía como objetivo contener la creciente influencia del PSOE. Se puede decir que, desde el mes de junio de 1977, Suárez determinó toda su política por la lucha contra Felipe González. Pero nadie iba a permitir que, para retirarle su base popular al líder socialista, Suárez hiciera una política orientada de forma populista a la izquierda. Esa aventura no sería consentida. Por supuesto que el ideario del PSOE, refrendado en su XXVII Congreso, también tendría que ser revisado. La diferencia fundamental de la nueva democracia española consistió en que la UCD moriría en ese proceso, mientras que el PSOE saldría definitivamente constituido en sus hábitos políticos justo de él.

LA DEBILIDAD BÁSICA DE LA CONSTITUCIÓN DE 1978

La tarea de las Cortes de 1977 era elaborar la Constitución. Tras un breve escarceo, que le llevó a reclamar la dirección del proceso, Suárez comprendió que debía dejar a las Cortes la iniciativa de redactar la nueva Carta Magna. Por supuesto, el gobierno continuó con su frente reformista, revisando el Código de Justicia Militar, la ley de Orden Público, reorganizando los Cuerpos de Seguridad, reformando la participación de trabajadores en los órganos de gobierno de las empresas públicas. Todos estos hechos, desde los Pactos de la Moncloa hasta la creciente ofensiva del terrorismo, inspirado en la vieja idea de provocar al ejército para destruir al gobierno (de larga memoria en la República), se han contado muchas veces y no se debe olvidar ni el clima de profunda crisis económica ni el malestar por el rumbo que tomaba la violencia terrorista. Se ha hablado muchas veces de que la Transición se produjo bajo el síndrome del miedo como principal pasión política. Es difícil estar de acuerdo con esta afirmación. El miedo existía, desde luego, porque se conocía de forma conceptual o instintiva que la escalada conjunta de la violencia terrorista etarra y radical, por un lado, y de la violencia expresiva del estamento militar, por otro, recordaba a la que había llevado al país otras veces a la catástrofe. Pero el miedo era una pasión al servicio de una firme voluntad de normalización y europeización. No se temía cualquier cosa, sino justamente la pérdida de eso. Por lo demás, reproducir la atmósfera de una etapa tan intensa es una tarea demasiado compleja para este libro. Aquí solo se tratará la evolución de las élites dirigentes en el nuevo sistema de partidos, porque me parece mucho más importante que analizar el texto constitucional de 1978, todavía vigente.

El problema central de la Constitución era incorporar la legalidad plena de la democracia parlamentaria liberal que asentara en España el Estado social de derecho. Para lograrlo bastaba con echar mano de lo que había en Europa. Lo único en lo que se exigía creatividad era en el problema español de la ordenación territorial del Estado. Sin duda, este asunto era el más interesante para la configuración de élites y capas dirigentes, porque venía a cruzarse con otro problema endémico español, el de las oligarquías urbanas, que se habían enquistado en las diputaciones y ayuntamientos franquistas. Los dos problemas son muy diferentes. El asunto de la construcción territorial de Estado presionaba políticamente, porque tanto Euskadi como Cataluña mantenían sus representantes legales en el exilio. No solo eso. Tenían una representación política diferenciada. Si el PCE tenía en España el 9 por ciento de los votos, el PSUC contaba en Cataluña con más del 18 por ciento. El PSOE se mantenía en Cataluña casi como en España, con un 28,5 por ciento. En total formaban el 56 por ciento de los votos en Cataluña. La UCD no tenía más que un 17 por ciento y no podía ser la fuerza hegemónica. Así que el bloque que podía administrar los consensos en Madrid no se reproducía en Cataluña. En el País Vasco las cosas fueron todavía peor para la UCD. El PNV había ganado con casi el 30 por ciento de los votos, por encima del PSOE, con el 26,5 por ciento. UCD solo obtuvo el 12,8 por ciento. Alianza Popular (AP), por su parte, llegó al 7 por ciento. Era evidente que las clases políticas catalana y vasca no iban a seguir la evolución de la española. Esto es lo decisivo frente a todo otro planteamiento. Mientras que todo el sistema se diseñó hacia el bipartidismo, este no se impondría por la creación de una clase política diferente en

Euskadi y Cataluña. Mientras que las oligarquías locales y provinciales, en uno más de sus ejercicios de flexibilidad, iban a canalizar provisionalmente sus intereses por el partido de Suárez, y los votos populares se concentraban en el PSOE, en Cataluña y el País Vasco las cosas no iban a seguir ese camino.

Es sabido cómo reaccionó Suárez. Para hacer frente a la recién creada Asamblea de Parlamentarios de Cataluña, con mayoría socialista y comunista, trajo a Cataluña a Josep Tarradellas, el presidente de la Generalitat en el exilio. De este modo se reconocía que la Generalitat tenía una legitimidad originaria, no derivada de la Constitución futura de 1978. Se volvía a la situación de 1931, cuando Cataluña se había dado un Estatuto anterior a la Carta republicana, por mucho que luego fuera aprobado por las instancias centrales. Con los hechos en la mano, la Generalitat tiene un fundamento supraconstitucional, existencial, como la propia monarquía. No se vio así el asunto vasco. Como allí los socialistas, con los diputados de UCD y AP, tenían mayoría, se creó un Consejo General Vasco presidido por Ramón Rubial. Aunque no había continuidad histórica con el gobierno vasco en el exilio, también se reconocía que el pueblo vasco mantenía una especie de unidad política que la Constitución vendría a ordenar, pero que el gobierno de Madrid ya asumía. La cosa se podía haber quedado ahí. Pero al final se impuso una perspectiva diferente. Se animó a que las fuerzas políticas afines en las demás regiones se constituyeran en entes preautonómicos. Sin duda, este proceso fue impulsado por las fuerzas del bloque hegemónico, los partidos de la UCD y del PSOE, que se mostraban deseosos de canalizar y organizar los intereses provinciales y locales dominantes. De este modo, sin aprobar la Constitución, se generó un proceso gubernativo en paralelo a la aprobación del texto legal. Ese proceso gubernativo no fue tenido en cuenta por el legislativo. El título VIII no sabe nada de cuántos serían los entes preautonómicos que se preparaban.

Pronto se vio que se estaban mezclando dos procesos que jamás se debían haber mezclado. Una cosa era la constitución territorial del Estado español y otra cosa era la ordenación administrativa del Estado. Arzalluz, en una intervención muy importante del 19 de junio de 1978, en plenos debates constitucionales, hizo una larga historia de la foralidad de las tierras navarras y vascas para afirmar que así se había formado el Estado en su largo proceso evolutivo. La foralidad formaba parte de la constitución existencial de España. Por eso, la Constitución de 1978 debía reconocer que esa

> manera de integración ha de ser reproducida para que efectivamente el Estado —y otra vez el Reino, puesto que estamos en una monarquía— a través de una fórmula de siglos, pueda encontrar un acomodo, una integración consensual pacífica.

Ese pacto capaz de reconocer los derechos históricos vascos era su objetivo y su único motivo para estar en la Cámara. Por la parte de Cataluña, Jordi Pujol, que se había convertido en el líder visible del nacionalismo político, defendió que la nueva Constitución debía brindar el «reconocimiento pleno de la personalidad colectiva de las diversas regiones y nacionalidades que hay en España». Esto significaba que la Constitución debía reconocer derechos ya existentes, aunque los actualizara y formalizara de nuevo.

Así pues, eran dos cosas: las realidades regionales que se creaban bajo la Constitución y las realidades históricas, jurídicas e institucionales que la Constitución reconocía. La diferencia además era que estas últimas tenían fuerzas políticas propias, cuya aspiración era lograr ese reconocimiento. Aquí se debe apreciar una diferencia. Mientras que los nacionalistas catalanes tenían un miembro en la Comisión Constitucional, los vascos no. Este hecho determinó su diferente comportamiento. Los primeros aprobaron la Constitución, mientras que los segundos se abstuvieron. A pesar de todo, el PNV vio derogadas las leyes que resultaban de las guerras carlistas y dejaron por escrito un procedimiento para prever la incorporación de Navarra al País Vasco. En realidad, el sentido de su abstención era que aunque la Constitución reconocía sus derechos históricos, hablaba de actualizarlos en un Estatuto. Los nacionalistas del PNV, por lo tanto, retrasaron su aprobación de la Constitución a que el Estatuto fuera satisfactorio. Eso determinó que la abstención en el País Vasco fuera más numerosa del 50 por ciento. Al aprobar el Estatuto que la desarrollaba, no cabe duda de que dieron el sí a la Constitución que lo albergaba.

Sin embargo, la Constitución brindaba a los nuevos entes preautonómicos dos caminos para convertirse en regiones. Uno, el del artículo 148, que no implicaba refrendo popular, y el otro, el del 151, que lo implicaba. El punto de partida de los estatutos era diferente. El primero arrancaba de las diputaciones y los diputados; el segundo, solo de la Asamblea de Parlamentarios; esto es, de las oligarquías provinciales o de algo parecido a los representantes de un posible pueblo. La diferencia fundamental no era de competencias, sino de la forma política en que se iban a ejercer. Las que seguían el artículo 151 se configuraban con división de poderes clásica, Parlamento, gobierno y tribunal superior de justicia. Las otras no de forma clara. Sin embargo, el proceso era dinámico y la reforma de los estatutos permitía aumentar competencias. Por su parte, el Estado podía transferir otras si lo estimaba procedente. En todo caso, no se sabía qué pasaba con los entes jurídicos existenciales como la Generalitat y el Consejo General Vasco, que con plena conciencia hablaban de «recuperar [...] sus instituciones de autogobierno» y de la «hora solemne en que Cataluña recupera su libertad», continuando una larga historia previa a la Constitución. De un lado, quedaba claro que se regirían por el artículo 151, pero en el espíritu de la Constitución no estaban generadas por ese artículo. Así se llegó a la confusión que gravita en la opinión pública como una losa: que los territorios existenciales en sus derechos históricos preconstitucionales, como Cataluña, en el fondo son autonomías reguladas por el artículo 151 y, por lo tanto, un caso más de lo que ese artículo debía regular, la ordenación política y administrativa del Estado. Con ello, el problema de la organización territorial, las tierras que componen el Estado, se disolvió en la forma de ordenarlo. Una pluralidad de realidades existenciales quedó así diluida en una única realidad existencial, la nación española.

Por eso, el título VIII está atravesado de profundas ambigüedades y es de naturaleza notoriamente provisional. Abría un proceso y reclamaba a voces que ese proceso se elevase a forma constitucional cuando estuviese terminado, pues, en tanto proceso abierto, no se sabía bien dónde acabaría. Al final, la decisión del gobierno, con su ministro Manuel Clavero Arévalo al frente, fue el fruto inevitable de un error previo. Se alentó a todas las regiones a homogeneizarse en sus órganos y competencias. Así que lo que comenzó siendo un diseño que caminaba hacia un Estado mixto, federal (para Cataluña y, casi confederal, para el País Vasco) y descentralizado (para todas las demás), se encaminó hacia un claro diseño federal homogéneo. De forma contradictoria con esta apertura del título VIII, sin embargo, la Constitución definió un proceso de reforma constitucional enrevesado y complejo, en lo que se siguió la vieja pulsión de «atado y bien atado», que como es sabido era más vieja que Franco.

No deseo retirarle méritos a la Constitución de 1978. Es la única de la historia de España que, a su manera, ha tenido la doble vuelta de refrendo. El pueblo voto sí a una ley para la Reforma Política que se sabía que tendría efectos constituyentes. Es verdad que esta condición era implícita y que el electorado no votó de forma expresa ir hacia Cortes constituyentes. Pero sí se votó avanzar hacia un nuevo sistema político con más claridad de lo que lo hizo en 1931. Además, se sometía a referéndum la Constitución y se disolvieron las Cortes. Jamás los actores constituyentes habían gozado de la seguridad suficiente para hacer este gesto. En ese momento se hizo, lo que demostraba que el bloque hegemónico era muy firme. Al final, la Constitución fue aprobada en referéndum el 6 de diciembre de 1978 con el 67 por ciento de votos emitidos y el 87,9 por ciento de votos favorables. La monarquía parlamentaria por fin quedaba instaurada en España con el voto popular. Solo el peor espíritu demagógico le llevó a Gregorio Peces-Barba, con un voto particular sobre la República, a recordar que la monarquía no había sido refrendada por el voto de los ciudadanos. Esta posición es la que ha dado pie a la creencia, poco fundada, de que la monarquía puede extraerse de la Constitución de 1978 permaneciendo esta incólume. Esta idea, junto con la de Peces-Barba, es jurídicamente peligrosa. Si la monarquía, como monarquía, ganara un referéndum específico, sin duda que podría reclamar los poderes propios de un régimen presidencialista. Lo que el pueblo español votó fue esta monarquía con esta figura dentro del orden constitucional. La una no se puede separar del otro.

BIPARTIDISMO IMPERFECTO

Como es natural, el destino de una Constitución tan abierta en su título VIII dependería de la evolución de las fuerzas políticas. Para su desgracia, la Constitución de 1978, como la de 1931, no conoció un bloque hegemónico sólido y estable. Pero a diferencia de la Constitución republicana, encontró la manera de superar este obstáculo sin que se derrumbase. Veamos primero el desmoronamiento de parte de su bloque hegemónico y cómo se supo encontrar un sustituto. En tercer lugar diremos que el resultado no fue el desmoronamiento, pero si la entrada en una zona de peligro que permite ser escépticos respecto de su futuro.

Todo comenzó con la destrucción del partido de Suárez, la Unión de Centro Democrático, que tras lograr la aprobación de la Constitución en diciembre de 1978, se dispuso a gobernar con un objetivo: disputar al PSOE una parte de su electorado. Consciente de que el éxito constitucional le colocaba en la mejor posición para gestionar la nueva etapa, Suárez disolvió las Cámaras y convocó las primeras elecciones plenamente constitucionales para el 1 de marzo de 1979. No quería cometer los errores del primer gobierno de la República, dar la impresión de que tenía miedo del voto de los españoles, y de que no confiaba en renovar los resultados electorales. Lo consiguió, desde luego, y obtuvo casi el 35 por ciento de los votos, mejorando en dos diputados los resultados anteriores. La prima D'Hondt benefició a la UCD con trece puntos. El PSOE mejoró en tres diputados y obtuvo el 30,40 por ciento de los votos, con una prima D'Hondt del 4 por ciento. El PCE también mejoró, recibiendo todavía los votos de los partidos de izquierda radical que iban desapareciendo, pero su prima D'Hondt era negativa en cuatro puntos. En suma, el bloque hegemónico funcionó muy bien, logrando entre los tres partidos el 75 por ciento de los votos y casi el 90 por ciento de los escaños. Manuel Fraga perdió seis diputados, pagando así la incapacidad de mantener unido a su grupo a favor de la Constitución. La astucia de Suárez había consistido en convocar antes elecciones generales que municipales. Se le asociaba al gobierno de España, desde luego, y él no quería perder esa ventaja. Un retroceso en los comicios municipales habría significado un obstáculo para renovar la confianza en las elecciones generales.

Esta estrategia se vio acertada después de las elecciones municipales de abril de 1979. Ya antes, el PSOE se había mostrado muy impaciente para que se convocaran antes las elecciones locales, al estar seguro de sus buenos resultados. En el librito *España y su futuro* de Felipe González, un folleto editado en 1978 y prologado por Alfonso Guerra que se debe leer con atención, ya se denunciaba que Suárez «viene retrasando la confrontación que renueve y democratice las corporaciones locales». Cuando estas se realizaron apareció lo inevitable. Las candidaturas de socialistas y comunistas se hicieron con la mayoría de las capitales de provincia. Juntas, lograban cerca del 42 por ciento de los sufragios, frente al 30 por ciento de la UCD. Cuál era el sentir real de las poblaciones sobre el franquismo se vio cuando Coalición Democrática, la federación de partidos liderada por Fraga, obtuvo el 3 por ciento de los votos. Resultaban evidentes dos cosas. Primero, que Suárez no podría impedir un gobierno de socialistas y comunistas en las próximas elecciones. Segundo, que los pactos más o menos expresos de Suárez y Carrillo no podían ir más allá del escenario cortesano. En los ayuntamientos no se podrían reproducir. Así que en 1979, a ojos de Suárez, no quedaba otra salida que disputar al PSOE parte de su electorado, y por eso giró hacia el centro-izquierda.

Sin embargo, cuando se tuvieron que aprobar las leyes sobre centros docentes y sobre el divorcio, la UCD comenzó a recibir intensas presiones por parte de la Iglesia y de sus diputados democratacristianos, mayoría en sus filas. Las leyes derivadas de los Pactos de la Moncloa pronto se mostraron demasiado ventajosas para los sindicatos y la patronal CEOE retiró su apoyo. La oposición interna, liderada por Antonio Garrigues Walker y Herrero de Miñón, se torno asfixiante para Suárez. Mirando las cosas a distancia, estos actores estaban equivocados. Ellos deseaban, sin duda, equilibrar la estructura de poder de la UCD, que Suárez la había estrechado en exceso hasta confiar solo en sus más íntimos colaboradores. Las voces que hablaban de «la camarilla de Suárez» aumentaron. Pero la crítica cuestionaba la propia estructura de la coalición centrista, que no fue reconocida como un partido, sino como un «compromiso» que debía rehacerse a diario. Cuando las encuestas que manejaba el CIS le dieron una retirada de confianza de casi el 50 por ciento del electorado a finales de 1980, el pánico cundió. En estas condiciones, sin base electoral propia, los opositores a Suárez vieron que no se podía mantener la estructura de la UCD. Cuando se dieron cuenta de que ya era tarde para salvar el proyecto político, solo tuvieron dos opciones. Fundar un nuevo partido liberal, que fue la apuesta de Garrigues, o recalar en el partido de Fraga, que se había convertido en un líder constitucional, para avanzar hacia una formación liberal conservadora. Esa fue la apuesta de Herrero.

Pero eran apuestas que se hacían en medio de la situación más delicada. El terrorismo no cesaba de atormentar a los españoles, la visibilidad de los diputados de la izquierda radical vasca era insultante y ofensiva para la mayoría del electorado, pero irritaba de forma extrema a los militares. La crisis económica no daba tregua y las huelgas se intensificaron. Suárez no daba pasos claros hacia una integración en la OTAN, lo que se explicaba por su cercanía a Carrillo. Así, frente a un clima de desafección popular, los electores más conservadores (y no solo los de extrema derecha) quedaron estupefactos con los gestos populistas de Suárez, abrazando a Arafat y a Fidel Castro en medio de baños de masas. Estados Unidos no podía mirar con buenos ojos aquella deriva, que no tenía parangón en Europa. Esto explicó el desprecio del secretario de Estado norteamericano cuando se produjo la intentona golpista de Antonio Tejero en febrero 1981.

Sobre esto se han escrito ríos de tinta, pero nada podrá ocultar el hecho de que el gobierno no tenía base popular y que las élites políticas vivían en un clima de excitación porque no se veía clara una salida al gobierno Suárez. Cuando este decidió dimitir ya fue tarde. Los más decididos de entre los conspiradores —pues hubo más de los que emergieron a la luz— siguieron con su descabellado plan. En aquella situación fueron muchos los que jugaron con fuego, unos por un motivo y otros por otro, bien para presionar a Suárez a que dimitiera, bien para anticipar elecciones generales, fundar un gobierno extralegal que se hiciera cargo de la situación excepcional en el País Vasco, acabar con la Constitución, refundar la dictadura militar, y algunos otros, es de suponer que instalados en los institutos de inteligencia, para dejar libres los humores a fin de que pudieran ser purgados llegados el caso en todas sus ramificaciones. Como es natural, la falta de acuerdo entre los que atizaron las tramas golpistas los llevó al fracaso. El frenesí no es el mejor clima para la coordinación, y la transparencia de las intenciones impidió la discreción propia de una conspiración compleja. Por lo demás, los altos generales se sabían impunes y no se protegían con el secreto. Todo se desenvolvió con la inmundicia propia de los fines y con la miseria grotesca de sus actores.

Los observadores, por lo general, coinciden en que el gobierno de Calvo Sotelo alivió las tensiones por su propia estructura provisional y de transición. Si se recuerda la foto en que Suárez aplaude al recién nombrado jefe del Ejecutivo, se percibe en el gesto desencajado del artífice de la Transición política que la herida era muy profunda. El bloque hegemónico estaba muerto y había perdido a su baza fundacional. Sin embargo, se logró el consenso interno suficiente para entregar a Calvo Sotelo un tiempo de actividad hasta las elecciones. En ese plazo se debían armonizar las competencias de la comunidades autónomas e ingresar en la OTAN. Esto último se hizo en mayo de 1982, y lo primero, en julio de ese mismo año. La entrada de España en la Alianza Atlántica fue la mejor medida para transformar el ejército de manera adecuada, dignificándolo y elevándolo al estatuto de sus pares europeos. Con ello, un actor que había presionado sobre la Transición dejó de intervenir en el proceso político. Eso fue decisivo para que el malestar de la población frente a ETA fuera cada vez más visible, más unánime y más responsable, más una competencia ciudadana que un monopolio militar.

Pero la debacle de la UCD no impulsó, como en 1931, aspiraciones de cambio de régimen por parte de la oposición. Toda la aspiración del PSOE, tan pronto comprendió el resultado de las elecciones generales de 1977, fue asegurar su hegemonía sobre la izquierda y una mayor representatividad popular que el PCE. Ya con aquellos resultados, luego mejorados en 1979, se comprendió como un potencial aparato de gobierno o, como Alfonso Guerra dijo, «alternativa de poder». Con esa hegemonía garantizada, el

PSOE se dispuso a luchar por la dirección política del país frente a la UCD. Para conocer sus intenciones es importante ese folleto *España y su futuro*, porque en él se perciben los intereses centrales de la dirección del partido. Guerra lo dijo con claridad. El folleto debía ofrecer «con su profunda imaginación política [de Felipe González] la alternativa que el PSOE da a la Transición política». Hasta 1978, Suárez había llevado la Transición de manera defectuosa. Ahora, el PSOE se ofrecía para culminarla. Con un eco de la democracia orgánica demasiado visible, Guerra dijo que el PSOE era superior a «una formación amorfa como UCD», porque ofrecía una alternativa de poder más orgánica: tenía una fuerza sindical propia, tenía más apoyo local, algo que se vería tan pronto Suárez se atreviese a convocar elecciones, y tenía más apoyo popular. Solo contando con todo ello se podría ultimar la Transición, e incluso la «propia institución monárquica conoce que su supervivencia depende de que ejerza su jefatura bajo un gobierno socialista». En suma, la Transición sería exitosa si había turno de poder. El PSOE la culminaría. Por eso, para Guerra y González, como dejaron claro en ese librillo, lo decisivo y fundamental era «completar el bipartidismo imperfecto» que ya había en España. Esto es: conformar un nuevo bloque hegemónico a favor de la Constitución.

Para Guerra, el bipartidismo quedaba en entredicho porque «la izquierda aún no ha encontrado un interlocutor válido, sólido y duradero». Y no lo hacía porque «la manipulación informativa de comunistas y el gobierno Suárez están forzando la imagen contraria». Esto es: para él, todo pasaba por «afianzar el bipartidismo imperfecto» y esto significaba «lograr sensibilizar a la población sobre la expectativa del socialismo». Para Guerra, por lo tanto, la idea básica pasaba por romper el acuerdo implícito entre la UCD y el PCE, que configuraba un mapa político donde la izquierda era el comunismo, lo que dejaría a Suárez el amplio espacio desde el centro-izquierda a la extrema derecha. Con el mayor protagonismo de los comunistas, solo Suárez tendría garantizada la mayoría del centro, y sobre todo la capacidad de no llevar las cosas a un enfrentamiento violento con el PCE. En el caso de la primacía de Fraga, eso no estaba garantizado. Por lo demás, siempre quedaba una baza: echar mano de Convergència i Unió (CiU) y el Partido

Nacionalista Vasco (PNV) para lograr mayorías en Madrid. ¿Era una idea bastante pintoresca? En todo caso, fue lo suficientemente verosímil para alarmar al PSOE.

Era normal que Felipe González, que calificaba a la Transición de «atípica», quisiera encauzarla hacia su liderazgo. En ella reconocía un «difícil equilibrio» entre el modo reformista y el contenido rupturista. Pero quedaba el tema al que dedicaba su mejor análisis, el del «bipartidismo o pluripartidismo». En su opinión, el sistema al que se estaba inclinando el pueblo español era el bipartidismo imperfecto. Por eso, González se sentía «obligado, como fuerza política, a afianzar este proceso». Le parecía que era una gran ventaja escapar al modelo inestable de «algunos países del sur de Europa». La puya, lanzada en 1978, iba dirigida al eurocomunismo de Carrillo, inspirado en la inestable Italia. Pero lo más decisivo de todo era que González aseguraba que en ese bipartidismo, la UCD no podía entrar. Era la pata coja. Y lo era por «la falta de un modelo de sociedad de parte del partido gubernamental». Como se ve, González pensaba lo mismo que los disidentes del partido de Suárez. Así que cuando el futuro primer ministro socialista hablaba de bipartidismo tenía en mente a Alianza Popular (AP). En su opinión, este partido intentaba «escapar del corsé de la extrema derecha» y deseaba ocupar el espacio del centro-derecha. Así que lo que iba a pasar en España es que el bipartidismo se lo iban a disputar dos pares de formaciones. UCD y PCE y AP y PSOE. El pueblo iba a tener la palabra para elegir a «las formaciones políticas que más garantías le merezcan como representantes de estos dos espacios-alternativas de poder político». Para aclarar las cosas, González hablaba de los comunistas como unos recién llegados al socialismo democrático, que tenían que abandonar la dictadura del proletariado, la ideología leninista y la práctica estalinista de partido. Era fácil concluir que el PSOE ocupaba con más limpieza el espacio del socialismo democrático. Por lo demás, invocando encuestas, todo hacía prever que UCD «puede estar en riesgo de perder» su presencia firme sobre su propio espacio político. La previsión era que el electorado se decantara por lo que «empieza a llamarse la nueva derecha».

La cuestión del bipartidismo reflejaba una doble preocupación:

que el espacio de la izquierda se dividiera sin entregar la hegemonía al PSOE de forma clara, por un lado; pero, de forma más sutil, se deseaba que un «hipotético cambio de poderes no suponga la marginación total o el pleno sentimiento de derrota del sector social que no obtuvo la mayoría». Ya se ve que González pensaba en términos de Estado. Deseaba determinar el futuro de la izquierda, denunciando «las críticas fáciles de algunos demagogos» encerrados en posiciones maximalistas; pero también el de la derecha, animando a la integración de AP en la política constitucional con fuerza suficiente para no quedar marginado sin esperanzas de gobernar bajo la Constitución. De hecho, González sabía que su formación era la única que estaba bien asentada en su propio espacio político. Como un nuevo Cánovas, deseaba dejar claro que la victoria del PSOE no implicaría «una remodelación constitucional», sino un «uso teleológico diferente de la Constitución». La Carta Magna tenía un carácter suprapartidario, servía para la derecha y la izquierda, algo que nunca se dijo de la Constitución de la República. Pero no solo eso. González defendió con claridad que los «grandes ideales que aporta el liberalismo» solo eran viables de verdad «desde la perspectiva solidaria del socialismo». Esto entusiasmó a muchos porque recogía la tradición española de socialistas que en el fondo eran liberal-sociales en la estirpe de los hombres de la socialdemocracia alemana (SPD) histórica. Lo que Guerra llamaba con una frase altisonante la «transición al socialismo» significaba realmente la transición al gobierno del PSOE.

El opúsculo de González en ningún caso integraba una mirada reflexiva sobre la relación entre el partido y la ciudadanía. El partido lo veía todo, pero no se veía a sí mismo. No decía nada de su estructura interna, de su forma de selección de líderes, de su democracia interna, de su relación con los ciudadanos. Hablaba de compaginar la «vía parlamentaria» con «la actuación directa de los representados», pero no decía en qué consistía esta ni cómo se lograría. En suma, la inteligencia del PSOE estaba muy atenta a la manera en que el partido podría responder a los deseos de la gente, pero su acción política era claramente plebiscitaria: la de concretar su oferta a lo que el pueblo deseaba escuchar. Respecto a su concepción del partido, todos los observadores coinciden en que «se asumió una férrea dirección central», encabezada por Alfonso Guerra, complementada por una cultura de liderazgo, centrada en Felipe González. Con ello, en la mejor tradición alemana, se forjó un típico partido de líder con máquina burocrática. La previsión de González de que la nueva derecha iniciaba un largo proceso de transformación era acertada. Bien posicionado en su espacio político, podría estar seguro de que se iniciaba un camino prometedor para el PSOE. Si se avanzaba hacia un bipartidismo, él lo inauguraría con todas las ventajas. De hecho, en los años 1980 y 1981 se pudo observar a González impaciente por acelerar la crisis de la UCD y concretar un mapa político del que saldría beneficiado.

Y así fue. El triunfo del PSOE devino imparable. El proceso de transferencia del espacio político de la derecha constitucional al partido de Manuel Fraga no fue fácil. Como proceso, recordó mucho al que José María Gil-Robles llevara a cabo para lograr configurar la CEDA. Fraga buscó de forma semejante la alianza de partidos regionalistas como Unión Valenciana, Partido Aragonés Regionalista y Unión del Pueblo Navarro. En Galicia no tuvo que aliarse con nadie porque pronto se alzó con la hegemonía del espacio político regional. Para las elecciones que todo el mundo esperaba al final del mandato de Calvo Sotelo, Fraga estaba preparado con su partido, Alianza Popular. La máxima intensidad democrática se vivió entonces. Las manifestaciones contra el intento de golpe de Estado de 1981, la percepción de que un cambio se imponía y de que UCD se hundía, motivó al electorado con fuerza, que acudió a las urnas con ganas. Más del 80 por ciento de participación popular dio la más intensa legitimidad a la democracia y a la Constitución. La concentración de votos en el PSOE fue masiva. Más de diez millones, que le otorgaron la mayoría absoluta más nítida posible, doscientos dos diputados, con una prima D'Hondt de casi el 10 por ciento. UCD y PCE se hundieron, como había deseado y previsto González. Alianza Popular tuvo el 26 por ciento de los votos, con una prima D'Hondt del 4 por ciento en escaños. Un nuevo bloque hegemónico se perfilaba para la Constitución española. Entre PSOE y AP sumaban 75 por ciento de los votos y el 88 por ciento de los escaños. El bipartidismo imperfecto echaba a andar. Pero con ello, la Constitución había encontrado el recambio hegemónico para aplicarse de forma efectiva.

Treinta años después, la Constitución española se enfrenta al reto más grave de su existencia. El bipartidismo se ha mostrado ahora como un arma de doble filo. Produce estabilidad, pero sus crisis son sistémicas. Por eso nadie sabe cómo saldrá la Constitución de la crisis del actual bipartidismo español. En todo caso, por primera vez desde el inicio de la Transición, se regresa a un escenario de polipartidismo en el que, como siempre, habrá que diferenciar los procesos vasco y catalán del resto del Estado. La pacificación del terrorismo y la emergencia de una izquiera *abertzale* legal tendrán a medio plazo un efecto tan dislocador como la emergencia de la hegemonía de Esquerra Republicana de Catalunya (ERC). El modo en que afecte la reorganización de los espacios políticos vasco y catalán en la reorganización del escenario español no es por el momento previsible. Lo que apenas puede negarse es que los treinta y cinco años de democracia han dejado al PSOE sin un discurso político claro y que el Partido Popular (PP), viejo heredero de AP, ha logrado canalizar su originaria indisposición contra la Constitución mediante una defensa de su letra que la mata en su espíritu. De este modo, el bipartidismo de los administradores de la Constitución se ha convertido en una amenaza para ella. Y sin embargo, es muy difícil prever si de la apertura del espacio político que previsiblemente tendrá lugar se derivará un bloque hegemónico capaz de reconciliarse con el espíritu de la Constitución, de hacerla evolucionar y de dotarla de sentido para los nuevos tiempos.

ÍNDICE ONOMÁSTICO

Abarca de Bolea, Pedro Pablo, 372, 376-377, 383
ABC, 509, 513, 555
Abd al-Malik, 65, 69
Abderramán I, 43-46, 50
Abderramán III, 56-61
Abella, Berenguer de, 181
Abner de Burgos, 157
Abu Yusuf, 127
Abul-Hassán, 163
Academia de los Desconfiados, 327
Acció Catalana, 506
Acció Republicana de Catalunya, 506, 519n
Acción Comunista, 561
Acción Española, 540, 547
Acción Nacional, 520, 530
Acevedo, Fernando de, 298-299, 304
ACNP, *véase* Asociación Católica Nacional de Propagandistas
Acuña, Antonio de, 251
Acuña, Diego de, 274
Acuña, Juan de, 273
Admirables secretos para conservar la mocedad, retardar la vegez, ser casto (H. de Mondragón), 264
Adosinda, 40
Adriano IV, 97
Adriano VI, 244, 249
Agrupación al Servicio de la República, 519n
AIT, *véase* Asociación Internacional de Trabajadores
Al-Hakam I, 46
Al-Mamún de Toledo, 77
Álamos de Barrientos, Baltasar, 302
Alarico I, 27
Alarico II, 29
Alas, Leopoldo, 494
Alba, duque de, *véase* Álvarez de Toledo y Enríquez, Fadrique; Álvarez de Toledo y Pimentel, Fernando; Silva y Álvarez de Toledo, Fernando de
Alberoni, Giulio, 348-349, 354-355
Albornoz, Álvaro de, 506
Albornoz, Diego Felipe de, 376
Albornoz, Gil de, 200
Alcalá Galiano, Antonio, 459-460
Alcalá-Zamora, Niceto, 506, 510, 519-521, 532
Alcántara Álvarez de Toledo, Pedro de, 426
Alejandro IV, 121
Alejandro VI , *véase* Borja, Rodrigo de
Alfonso, Pedro (o Moisés Sefardí), 87
Alfonso I de Aragón, 83-90, 96, 175
Alfonso I de Asturias, 40-42
Alfonso I de Portugal, 96, 196
Alfonso II de Aragón, 98-103, 129
Alfonso II de Asturias, 40, 46, 49-51, 53
Alfonso II de Provenza, 103-104
Alfonso III de Aragón, 148, 151-155
Alfonso III de Asturias, 42, 52-56
Alfonso III de Portugal, 120
Alfonso IV de Aragón, 176, 178
Alfonso V de Aragón, 203, 210, 212-215, 217, 219, 237
Alfonso V de León, 71
Alfonso VI de León, 18, 75-82, 86, 315
Alfonso VII de León, 18, 81, 83-89, 92-98, 100, 105-106, 111, 117-118, 161, 166
Alfonso VIII de Castilla, 98-99, 105-106, 114, 376
Alfonso IX de León, 99-100, 109
Alfonso X de Castilla, 87, 117-128, 134, 137-139, 141-143, 149, 155, 160, 167, 378
Alfonso XI de Castilla, 110, 158-159, 161-162, 164, 166-167, 172, 174, 177-180, 182
Alfonso XII de España, 464, 466-467, 469-471, 473, 475, 511

Alfonso XIII de España, 489, 511
Alfonso de Aragón, 136
Alfonso de Cartagena, 216-217, 220, 223-226, 230, 235, 268
Alfonso de Castilla, 186
Alfonso de Tolosa, 90
Alfonso el Inocente, 227
Alfonso Enríquez de Castilla, 196
Alhakén II, 61
Aliaga, Luis de, 296-298, 300
Alianza Popular, 593-594, 603-606
Alianza Republicana, 502, 506
Almanzor, 63-65, 67-70, 73, 76, 173
Almirall, Valentí, 463, 497-499
Aloito, 49
Alonso, Dámaso, 494
Alqama, 37, 38
Alvarado, Francisco, 380
Álvarez de Toledo, Fernando, 230
Álvarez de Toledo, García, 267, 271
Álvarez de Toledo y Enríquez, Fadrique, 243-244, 266
Álvarez de Toledo y Pimentel, Fernando, 273-275, 277
Álvarez Mendizábal, Juan, 435-436, 452
Amadeo I de España, 464, 469
Amelot, Michel-Jean, 326-327, 332, 335-336, 338-339, 344, 354
Ana I de Inglaterra, 334
Aner d'Esteve, Felip, 413
Anglería, Pedro Mártir de, 237, 240, 245, 247-248
Anónimo de Sahagún, 83
Anson, Luis María, 571
AP, *véase* Alianza Popular
Apelación a la República (M. Azaña), 501
Apuntes sobre el bien y el mal de España (M. Á. de la Gándara), 364, 374
Aquino, Tomás de, 239-241
Arafat, Yasir, 600
Arana, Sabino, 499
Aranda, conde de, *véase* Abarca de Bolea, Pedro Pablo
Aranda, Francisco de, 207
Araquistáin, Luis, 496, 529, 532, 535, 566
Arbor, 563
Arbor Crucis (U. de Casale), 193
Arbués, Pedro, 239
Arconada, César, 497
Argüelles Álvarez, Agustín de, 406, 414
Argüello, Alonso de, 214
Arias Montano, Benito, 273
Arias Navarro, Carlos, 568, 581-583, 586-587, 590
Arista, Íñigo (o Eneko Aritza), 48, 56
Aristóteles, 235
Armada Invencible, 281, 310
Armengol de Urgell, 65
Arouet, François Marie, 376, 380
Arrese, José Luis, 555
Arroyal, León de, 380-382
Arzalluz, Xabier, 594
Asamblea de Ayuntamientos Catalanes, 514-515
Asamblea de Parlamentarios de Cataluña, 594, 596
Asamblea Nacional, 502-506, 509
Asamblea Nacional Consultiva, 496
Asfeld, marqués de, *véase* Bidal, Claude François
Asociación Católica Nacional de Propagandistas, 544-546, 552
Asociación Democrática Popular, 560
Asociación Internacional de Trabajadores, 462
Astorga, marqués de, *véase* Osorio de Moscoso y Álvarez de Toledo, Vicente Isabel
Audiencia Nacional, 586
Ávila, Juan de, 264
Ayala, Francisco, 497
Aymerich, José, 426
Azaña, Manuel, 496, 501-502, 506, 508, 519-521, 524-526, 528, 530-535, 549-550
Azcárate, Gumersindo de, 488, 495
Aznar, Juan Bautista, 509-510
Azorín, *véase* Martínez Ruiz, José

Baena, Juan Alfonso de, 229
Balaguer, Víctor, 498
Balmes, Jaime, 429, 439-441, 444, 493, 498
Banco de España, 450, 550
Bandera Roja, 564
Baños de Velasco, Juan, 319
Bardaxí, Berenguer de, 207
Baroja, Pío, 494-495
Barraz, 93
Barrientos, Lope de, 218-219, 222, 224
Bassa, Pere Nolasc de, 433
Basset, Juan Bautista, 330, 335
Batalla de Alarcos, 99, 105
Batalla de Aljubarrota, 196-197, 229
Batalla de Almansa, 332
Batalla de Clavijo, 51
Batalla de las Navas de Tolosa, 105-106, 109, 163-164
Batalla de Lepanto, 278

Batalla de Mühlberg, 262
Batalla de Muret, 107
Batalla de Olmedo, 219
Batalla de San Quintín, 272
Batalla de Úbeda, 104, 179
Batalla de Uclés, 82, 105
Batalla del Salado, 164, 179
Baviera, Maximiliano de, 304, 311
Beato de Fernando I y doña Sancha, 74
Beato de Liébana, 49-51, 53
Beatriz de Saboya, 137
Belluga y Moncada, Luis Antonio de, 344, 347
Ben Mardanix, 93, 97
Benedicto XII, 163
Benedicto XIII de Aviñón, 193-194, 203-209, 211
Benevento, Antonio de, 130
Berenguela de Barcelona, 89
Berenguela de Castilla, 100, 108
Berenguela de Castilla y de Guadalajara, 120
Berenguer, Dámaso, 501, 507-509
Berg, duque de, *véase* Murat, Joachim
Berlinguer, Enrico, 564
Berwick, duque de, *véase* Fitz-James, James
Besteiro, Julián, 507, 527-529, 532
Bidal, Claude François, 332, 339
Biga, 226-227
Blanca I de Navarra, 210, 213
Blanca II de Navarra, 218, 223
Blanca de Borbón, 186
Blanca de Francia, 125
Blasco Ibáñez, Vicente, 499, 502
Bolena, Ana, 256
Bonald, Louis, 453
Bonaparte, Napoleón, 20, 389-390, 393-396, 398, 403-404, 415
Borges, Jorge Luis, 460
Borja, Alonso de (o Calixto III), 212, 215
Borja, Fernando de, 296, 317
Borja, Juan de, 288
Borja, Rodrigo de (o Alejandro VI), 228, 233
Borrego, Andrés, 437
Borromeo, Carlos, 274, 277
Borrull, Francisco Xavier, 414
Brancas, Louis de, 344-346
Brenan, Gerald, 566
Bruni, Leonardo, 235
Bucero, Martín, 260
Buñuel y la mesa del rey Salomón (C. Saura), 27
Burgos, Javier de, 431
Busca, 226-227
Caballero, Rodrigo, 336
Cabarrús, Francisco, 382
Cabrera, Bernat de, 180-182, 185-187
Cabrera de Córdoba, Luis, 276, 284, 289-290
Cadalso, José, 326
Cadena SER, 555
Cádiz, Diego José de, 380
Calderón, Rodrigo, 286, 291, 294-295, 297-299
Calixto II, 84
Calixto III, *véase* Borja, Alonso de
Calomarde, Francisco Tadeo, 427
Calvino, Juan, 346
Calvo de Rozas, Lorenzo, 400, 403, 405
Calvo Serer, Rafael, 563-564
Calvo Sotelo, José, 496, 540-541, 543, 601, 605
Cámara, Sixto, 457
Camino de Santiago, 18, 72-73, 82-83
Campanella, Tommaso, 316
Campillo, José del, 362
Campomanes, conde de, *véase* Rodríguez de Campomanes, Pedro
Canalejas, José, 490
Cancionero de Baena (J. A. de Baena), 229
Cancionero de Palacio (P. López de Ayala), 198
Canga Argüelles, José, 357
Cano, Melchor, 268
Cánovas del Castillo, Antonio, 455-456, 458, 464, 467-475, 477-478, 481-484, 486-488, 491, 493-495, 497, 504, 511, 604
Cantar de mio Cid, 76, 80, 81, 94
Cantigas de Santa María (Alfonso X), 123
Capmany, Antonio, 367, 379, 407, 440
Carafa, Gian Pietro, *véase* Pablo IV
Cardona, Pedro de, 247
Carlomagno, 45-46, 48, 91
Carlos I de España, 19, 28, 244-250, 252, 254-256, 258-267, 269-273, 275, 297, 300, 308, 312, 360, 433, 543
Carlos I de Inglaterra y de Escocia, 310
Carlos I de Nápoles y Sicilia, 152
Carlos I de Valois, 228
Carlos II de España, 118, 322, 324-325, 327-328, 342-343, 348-349, 358, 360, 376
Carlos II de Francia, 56
Carlos III de España, 359, 363-368, 370, 378-379, 382-383, 400, 418
Carlos III de Navarra, 213
Carlos IV de España, 382, 389, 395, 406

Carlos V del Sacro Imperio Romano Germánico, *véase* Carlos I de España
Carlos VI del Sacro Imperio Romano Germánico, 321-322, 328, 330, 332-334, 338, 342
Carlos VII de España, *véase* Carlos María de Borbón y Austria-Este
Carlos de Austria, archiduque, *véase* Carlos VI del Sacro Imperio Romano Germánico
Carlos de Austria y Portugal, 273-276, 279-280, 282
Carlos de Viana, 227, 242, 276
Carlos María de Borbón y Austria-Este, 464
Carlos María Isidro de Borbón, 426-428, 432
Caro y Sureda, Pedro, 406
Carranza, Bartolomé, 270-271
Carrero Blanco, Luis, 547, 567
Carrillo, Gómez, 217
Carrillo, Santiago, 563-565, 579, 599-600, 603
Carrillo de Acuña, Alfonso, 225, 229-231
Carrillo de Albornoz, Alonso, 208, 217
Carta a los estudiosos franceses (P. Alfonso), 87
Cartagena, Alfonso de, 216-217, 220, 222-226, 230, 234-235, 268
Cartagena, Pedro de, 223
Cartas político-económicas al Conde de Lerena (L. de Arroyal), 382
Cartilla política (D. F. de Albornoz), 376
Carvajal y Lancáster, José de, 362
Casa de Anjou, 137, 182, 227
Casa de Aragón, 175, 193, 200
Casa de Austria, 26, 246, 290, 311-312
Casa de Barcelona, 19, 102, 131, 175, 193
Casa de Borbón, 328, 353, 469
Casa de Borgoña, 249
Casa de Foix, 243
Casa de Hannover, 334
Casa de Lancáster, 196
Casa de Luxemburgo, 249
Casa de Medina Sidonia, 300
Casa de Trastámara, 209, 211
Casale, Ubertino de, 193
Casares Quiroga, Santiago, 521
Casius, 36
Castanedo, Francisco, 406
Castelar, Emilio, 455, 459, 462
Castelrodrigo, Carlos, 351
Castiglione, Baltasar, 254
Castro, Fidel, 600
Castro, Pedro de, 380
Castroverde, Francisco de, 287
Catalina de Anjou, 182
Catalina de Aragón, 256
Catalina de Lancáster, 197, 202-203
Causa del motín de Madrid, 376
CC.OO., *véase* Comisiones Obreras
Cea Bermúdez, Francisco, 426, 428
Ceballos, Fernando, 380-381
CEDA, *véase* Confederación Española de Derechas Autónomas
Celestino III, 103
Censura de la locura humana i excelencias della... (H. de Mondragón), 264
Centro de Investigaciones Sociológicas, 600
CEOE, *véase* Confederación Española de Organizaciones Empresariales
Cerda, Alfonso de la, 126-128, 145, 149-151, 153, 155-156, 161, 172, 176, 184
Cerda, Fernando de la, 125-126, 145, 149, 172, 176, 184
Cerezo, Pedro, 492
Chamucero, Juan, 347
Chaves, Diego de, 280
Chindasvinto, 31-33
Cid, *véase* Díaz de Vivar, Rodrigo
Cien Mil Hijos de San Luis, 425, 428
Cierva, Juan de la, 489-490, 496
Ciriza, Juan de, 298
CIS, *véase* Centro de Investigaciones Sociológicas
Cisneros, cardenal, *véase* Jiménez de Cisneros, Francisco
CiU, *véase* Convergència i Unió
Clarín, *véase* Alas, Leopoldo
Claris, Pau, 321
Clavé, Anselm, 445
Clavero Arévalo, Manuel, 596
Clemente XI, 342, 344, 348, 350
CNT, *véase* Confederación Nacional del Trabajo
Coalición Democrática, 599
Cobos, Francisco de los, 245, 253-254, 259, 266
Colegio de San Isidro, 377
Colegio Imperial de la Compañía de Jesús, 308, 377, 432
Colón, Cristóbal, 236-237, 240-241
Coloquio de Ratisbona, 260
Comisiones Obreras, 556, 559-561
Companys, Lluís, 502
Compañía de Jesús, 261, 263, 289, 308, 362, 376-377, 525, 544, 557, 562
Compromiso de Caspe, 19, 206, 212, 214, 250, 498

Concilio de Basilea, 217, 234-235
Concilio de Toledo, 30-35
Concilio de Trento, 262, 272-273, 277, 343, 347, 555
Concilio Vaticano II, 556
Concordato de 1753, 364
Concordato de 1851, 450, 459, 515
Concordia de Alcañiz, 207
Concordia de Villafranca, 227
Conde, Francisco Javier, 539, 542
Confederación Española de Derechas Autónomas, 529-530, 531-532, 534, 605
Confederación Española de Organizaciones Empresariales, 599
Confederación Nacional de Sindicatos, 555
Confederación Nacional del Trabajo, 528, 536
Congreso de los Diputados, 410, 430, 437, 446, 467, 477, 583
Congreso de Troppau, 424
Consejo de Aragón, 328, 335, 337, 343
Consejo de Castilla, 214, 255, 276, 283, 306, 336, 339, 341, 343, 347, 350, 361, 365-366, 368-369, 371-372, 375, 389, 395, 397-400, 403
Consejo General Vasco, 594, 596
Consideraciones políticas sobre la situación de España (J. Balmes), 429
Consideraciones sobre el estado actual de España, 432
Constanza de Aragón, 124
Constanza de Aragón y Navarra, 180
Constanza de Borgoña, 78
Constanza de Castilla, 197
Constanza de Sicilia, 122, 127, 137, 145
Constitución de 1812, 411, 415, 417, 420, 422, 424, 436, 469, 485
Constitución de 1837, 436-438, 442-443, 447
Constitución de 1845, 449, 452, 457, 468-469, 474, 477-478, 485
Constitución de 1869, 462-464, 468, 473-474, 478, 485
Constitución de 1876, 476-478, 481-482, 485-487, 489-491, 501-502, 505, 507, 509, 515
Constitución de 1931, 519, 523-525, 598, 604
Constitución de 1978, 570, 584, 588, 592-598, 600, 602, 604-606
Constitución de Weimar, 523
Constitución francesa, 523
Constitutio Unigenitus (Clemente XI), 342, 344
Contarini, Gasparo, 258, 261-262, 288-289, 291, 303
Contreras, Francisco de, 299
Convenio de Vergara, 438
Convergència i Unió, 602
Coplas de Mingo Revulgo, 229
Coplas del provincial segundo (D. de Acuña), 274
Córdoba, Gaspar de, 292
Corona gótica (D. de Saavedra Fajardo), 26
Corro, Antonio del, 264
Cortes de Cádiz, 381, 383, 388, 395, 410, 421
Cosas de España (R. Jiménez de Rada), 27
Cota, Alonso, 221
Crexel, Dalmau de, 105
Cromwell, Oliver, 314
Crónica albeldense, 54
Crónica de España (L. de Tuy), 64
Crónica de Pedro el Ceremonioso, 185
Crónica del emperador Alfonso, 88-89, 92
Crónica del halconero (L. de Barrientos), 222
Crónica en verso de Alfonso XI, 163
Crónica latina, 105, 108
Cruz Gutiérrez, Francisco, 531
Cuadernos para el Diálogo, 570
Cuerpo de Voluntarios Realistas, 426-428, 432
Cueva, Beltrán de la, 259
Curiel, Luis, 343, 346-347, 350

Dalmases, Pau Ignasi, 327
Dante Alighieri, 123, 129, 137
Daubenton, Guillaume, 344
David, 142
De l'Espagne en 1829 considérée par rapport à la France (G. Mazzini), 423
De Lege Politica (P. González de Salcedo), 343
De optima politia (A. Fernández de Madrigal), 235
De vita beata (J. de Lucena), 225, 234
Décadas (A. de Palencia), 226
Defensa de la Hispanidad (R. de Maeztu), 540
Defensorium unitates fidei christianae (A. de Cartagena), 223
Democracia Cristiana, 564
Derecha Liberal, 519n
Deza, Diego de, 236, 239-245, 253, 255, 259, 267, 277
Deza, Pedro de, 277
Díaz de Toledo, Fernando, 222

Díaz de Vivar, Rodrigo, 75-76, 81, 94, 133
Díaz Sánchez, 162
Dionisio I de Portugal, 120, 150
Diputación de Vizcaya, 428
Diputación General de Aragón, 281, 340
Diputación General de Cataluña, *véase* Generalitat de Cataluña
Doctrina del caudillaje (F. J. Conde), 539
Dollfuss, Engelbert, 531
Donoso Cortés, Juan, 452-457, 459-460, 480, 487, 493, 505
Dos de Mayo, 395
Dostoievski, Fiódor M., 453
Dotzè del Crestià (F. Eiximenis), 199
Dubet, Anne, 354

Éboli, princesa de, *véase* Mendoza de la Cerda, Ana de
Écija, arcediano de, *véase* Martínez, Ferrán
Eck, Johann, 260
Eco del Comercio, 432
Editorial Católica, 544
Eduardo I de Inglaterra, 120
Eduardo I de Portugal, 210
Eduardo de Woodstock, 186, 188
Égica, 31, 33-34
Egidio, doctor, *véase* Gil, Juan
Egmont, conde de, 273, 275-277
Eguía, Miguel de, 253
Eiximenis, Francesc, 199-200
El beneficio de Cristo, 271
El Centinela de Aragón, 448
El Chirivit, 448
El Debate, 530
El Espéculo (Alfonso X), 120
El Huracán, 446
El laberinto español (G. Brenan), 566
El pesimismo en su relación a la vida práctica (G. de Azcárate), 495
El principio monárquico (M. Herrero de Miñón), 570-572
El régimen parlamentario en la práctica (G. de Azcárate), 488
El Republicano, 446
El Socialista, 519, 580
El Tiempo, 473
El Tiro Nacional, 462
Elío, Francisco Javier de, 410
Elliott, John, 294, 316
Encyclopédie méthodique, 379
Enrique I de Castilla, 106
Enrique I de Inglaterra, 87
Enrique II de Castilla, 182-187, 194-195, 198
Enrique II de Inglaterra, 100
Enrique III de Castilla, 197, 200-202
Enrique IV de Castilla, 218-227, 230-231
Enrique IV de Francia, 281, 286
Enrique VIII de Inglaterra, 256
Enrique de Castilla, 155
Enrique de Trastámara, 203, 210, 213-215, 219
Enríquez, Fadrique, 219-220, 225-226, 244
Enríquez, Juana, 219
Enríquez de Quiñones, Enrique, 219
Ensayo de una biblioteca española de los mejores escritores del reinado de Carlos III (J. Sempere y Guarinos), 379
Ensayos sobre religión y política (J. Sánchez de Toca), 494
Ensenada, marqués de la, *véase* Somodevilla y Bengoechea, Zenón de
Episodios Nacionales (B. Pérez Galdós), 423, 494
Erasmo de Rotterdam, 252-253, 255, 263
Eraso, Francisco de, 259
ERC, *véase* Esquerra Republicana de Catalunya
Ermesinda, 40
Ervigio, 31-33
Escobedo, Juan de, 280
Escolano, Gaspar, 292
España, 496
España, Carlos de, 427
España antes y después de 1833 (M. Pando Fernández del Pino), 428
España despierta (J. del Campillo), 362
España sagrada (E. Flórez de Setién), 362
España y su futuro (F. González), 599, 602
Espartero, Baldomero, 438-439, 442-443, 447, 452, 456
Espina, Alfonso de, 224-225
Espinosa Arévalo, Diego de, 274, 276-278
Esquerra Republicana de Catalunya, 519n, 590, 606
Esquilache, marqués de, *véase* Gregorio, Leopoldo de
Estat Català, 506
Estatuto de Autonomía de Cataluña, 507, 514, 516, 522, 525, 594
Estatuto de Autonomía del País Vasco, 595
Estatuto Real, 429-430, 434, 437, 449-450
Estoria de España, 118, 121, 124, 126-127, 158-159, 163-165
Estudios sobre el régimen parlamentario en España (A. González Posada), 488
ETA, *véase* Euskadi Ta Askatasuna
Eugenio III, 97
Eugenio IV, 217, 222

Eulogio de Córdoba, 48
Eurico, 29
Eurocomunismo y Estado (S. Carrillo), 564
Euskadi Ta Askatasuna, 560-562, 601
Euskadiko Ezkerra, 590
Excelencias de la Monarquía de España (G. López Madera), 315

Fadrique Alfonso de Castilla, 184
Fadrique de Aragón, 193, 194, 214
Fadrique de Castilla, 126
Falange, 545-549, 552, 554-555, 591
Farnese, Alejandro, *véase* Pablo III
Farnese, Pier Luigi, 258
Farnesio, Isabel de, 348-349, 362
Fávila, 40
Federación Nacional de Trabajadores de la Tierra, 525-526
Federación Republicana Gallega, 506
Federico I Hohenstaufen, 97
Federico II de Prusia, 378
Federico II Hohenstaufen, 103, 120, 122-123
Federico III de Sicilia, 175
Felipe I de Castilla, 19, 242, 244-245, 271, 300
Felipe II de España, 27, 236, 254, 262, 264-284, 286, 289, 300-301, 315, 317, 543
Felipe II de Francia, 103
Felipe III de España, 267, 283-284, 286-287, 294-295, 298, 300-301, 307
Felipe III de Francia, 145, 152
Felipe IV de España, 26-27, 296, 300-301, 310, 322
Felipe V de España, 19, 321, 324-328, 332-337, 340, 342, 348, 354, 360-362
Feliu de la Penya, Narcís, 322, 328
Fernán González, 61, 69
Fernández-Cuesta, Raimundo, 552
Fernández de Córdoba, Gonzalo, 242
Fernández de Córdoba, Luis, 373, 375
Fernández de Heredia, García, 191-192
Fernández de Madrigal, Alonso, 235
Fernández de Portocarrero, Luis, 326
Fernández-Miranda, Torcuato, 581
Fernández Pecha, Pedro, 199
Fernando I de Aragón, 196, 202-211, 213, 317
Fernando I de León, 72-76, 111
Fernando I del Sacro Imperio Romano Germánico, 244-247, 255, 257, 260, 262-263, 300
Fernando II de Aragón, 19, 210, 219, 228, 230-232, 236, 240-245, 249-250, 253, 274, 280, 300, 315, 325
Fernando II de Habsburgo, 311
Fernando II de León, 95, 97
Fernando III de Castilla, 100, 106-118, 134, 378
Fernando IV de Castilla, 155-158, 172, 174
Fernando VI de España, 358-363
Fernando VII de España, 389, 391-392, 394-395, 398-399, 402-403, 405-406, 415-418, 420, 423, 425-428, 432
Fernando de Aragón, 107
Fernando de Aragón y Castilla, 178, 181-186, 208
Fernando de Aragón y de Calabria, 250, 252
Fernando de Montearagón, 130
Ferrer, Bonifacio, 207
Ferrer, Vicente, 205-208, 211, 222
Ferrer Benimeli, José Antonio, 373
Figueras, Estanislao, 465
Figueroa y Torres, Álvaro de, 489, 496
Fitz-James, James, 326, 350
Florencia, padre, 289
Flórez de Setién, Enrique, 362
Floridablanca, conde de, *véase* Moñino y Redondo, José
FLP, véase Frente de Liberación Popular
FMI, *véase* Fondo Monetario Internacional
FNTT, *véase* Federación Nacional de Trabajadores de la Tierra
Folch de Cardona, Antonio, 338
Fondo Monetario Internacional, 552
Fonseca, Alonso de, 255, 266
Fontana, Josep, 417, 419
Força Socialista Federal, 561
Forner, Juan Pablo, 380, 381
Fortalitium Fidei (A. de Espina), 224
Forties, Joan, 272
Fortún Garcés, 56
Fox Morcillo, Sebastián, 270, 280
Fraga, Manuel, 598-600, 602, 605
Fragmentos de soberanía (G. Jellinek), 570
Francisco I de Francia, 248
Franco, Francisco, 25, 455, 539, 542-551, 553-555, 558, 560-563, 565-569, 571-572, 577-578, 580, 582-584, 586-587, 590-591, 597
Franqueza, Pedro, 286, 288-290
FRAP, *véase* Frente Revolucionario Antifascista y Patriota
Fray Luis de León, 273, 275
Frente de Liberación Popular, 560-561
Frente Popular, 541

Frente Revolucionario Antifascista y Patriota, 562
Fresneda, Bernardo de, 270
Freud, Sigmund, 275
Front Obrer de Catalunya, 561
Froulay de Tessé, René de, 326
Fruela, 40
Fuero de España, 179
Fuero de los Españoles, 25
Fuero Juzgo, 25, 68, 111
Fuero Real, 120
Fuero Viejo, 106, 112
Fundación Universitaria San Pablo CEU, 544
Furió i Ceriol, Frederic, 270, 273

Gálvez, Luis, 305
Gándara, Miguel Antonio de la, 364-366, 368-369, 374-375, 377
Ganivet, Ángel, 493
Garay, Martín de, 408, 418
García II de Galicia, 76
García Cárcel, Ricardo, 272
García de la Huerta, Vicente, 376
García de Mora, Marcos, 223
García de Santa María, Álvar, 202, 216-218, 230
García de Santa María, Gonzalo, 217
García de Santa María, Pablo (o Pablo de Burgos), *véase* Ha-Levy, Selemoh
García Ramírez de Pamplona, 89-90, 94
García Sánchez I de Pamplona, 60
García Sánchez III de Pamplona, 73
García Sánchez de Castilla, 71
Garrido, Fernando, 457, 462
Garrigues Walker, Antonio, 599-600
Gattinara, Mercurino de, 254-255, 259, 261-262
Gaulle, Charles de, 572
Gazeta Militar y Política del Principado de Cataluña, 397
Gelmírez, Diego, 82-86
Gener, Pompeu, 498-499
Generaciones y semblanzas (F. Pérez de Guzmán), 216, 218
Generalitat de Cataluña, 189, 210-212, 281, 321, 328, 331, 334, 352, 514-515, 594, 596
Germana de Foix, 243, 252
Germanías, 19, 199, 248, 251, 292, 335
Gil, Juan, 264, 271
Gil-Robles, José María, 528-535, 541, 605
Giménez Caballero, Ernesto, 534
Girón, Pedro, 219, 221, 224-225, 229
Girón de Velasco, José Antonio, 551
Giudice, Francesco del, 342-343, 346-350, 354
Gloriosa, la, 457, 461, 468
Godoy, Manuel, 383, 391, 397, 406
Goicoechea, Antonio, 496
Gómez de Silva, Ruy, 276, 280
Góngora, Luis de, 295, 297
González, Felipe, 565, 570, 591-592, 599, 602-605
González Bravo, Luis, 443, 459-460
González de Salcedo, Pedro, 343
González Posada, Adolfo, 488
Gramsci, Antonio, 562, 564
Gran Capitán, *véase* Fernández de Córdoba, Gonzalo
Gran Memorial (G. de Guzmán) 307-308, 314-317
Granada, Luis de, 273
Grandes anales de quince días (F. de Quevedo), 294
Gregorio, Leopoldo de, 367-372, 374-376
Gregorio I, 30
Gregorio VII, 78
Grimaldi, Jerónimo, 369, 373
Grimaldo, José de, 327, 339, 341, 346, 354
Gropper, Johann, 260
Guardia Civil, 443-444, 456
Guerra, Alfonso, 599, 601-602, 604-605
Guerra Civil española, 499, 535-536, 538, 545, 551, 555, 559-560, 585, 590
Guerra de Granada, 234, 278
Guerra de Holanda, 312
Guerra de la Independencia, 417, 420, 468
Guerra de las Comunidades de Castilla, 19, 279
Guerra de los Siete Años, 368
Guerra de Marruecos, 490, 501
Guerra de Sucesión, 19, 324, 325, 330, 332, 360
Guerras carlistas, 439, 464, 467, 432, 435-436, 438
Guillermo I de Inglaterra, 78
Guillermo de Croÿ (o Chièvres), 246
Guimerà, Àngel, 498
Gustavo, Carlos, 313
Gustavo Adolfo de Suecia, 311
Gutiérrez, Hermenegildo, 54
Guzmán, Domingo de, 239
Guzmán, Leonor de, 165, 177
Guzmán y Pimentel Ribera, Gaspar de, 294, 300-319, 322, 336-337, 356

Ha-Cohen, Mosé, 195
Ha-Levy, Selemoh, 201, 202, 216

Halperín Donghi, Tulio, 292
Herman el Dálmata, 87
Hermenegildo, 30
Hermida, Benito Ramón, 409
Herrera Oria, Ángel, 530, 551
Herrero, Javier, 379
Herrero de Miñón, Miguel, 570-572, 574-577, 579-580, 582-585, 599-600
Hesse-Darmstadt, Georg von, 327-328
Himno (Beato de Liébana), 49
Hisham, 40, 65
Historia de España (J. de Mariana), 26
Historia pontifical y católica (J. Baños de Velasco), 319
Hita, arcipreste de, véase Ruiz, Juan
Hitler, Adolf, 531
Hobbes, Thomas, 314
Holland, barón de, *véase* Vassal Fox, Henry Richard
Homenaje a Cataluña (G. Orwell), 566
Hondt, Victor d', 589, 598, 605
Hoyos, Alfonso de, 545
Hugo Capeto, 78
Hurtado de Mendoza, Diego, 257, 277-278
Husayn de Zaragoza, 45

Ibáñez de la Riva, Antonio, 336, 342
Ibáñez Martín, José, 545
Ibarrola y González, Miguel de, 425-426
Ibárruri, Dolores, 564
Ibn al-Qutiyya, 36
Ibn Idrisi, 123
Idiáquez, Alonso de, 259, 266, 283
Índice de libros prohibidos, 270
Inés de Aquitania, 78
Infantado, duque del, *véase* Alcántara Álvarez de Toledo, Pedro de
INI, *véase* Instituto Nacional de Industria
Inocencio III, 103, 107, 129
Inquisición (o Tribunal del Santo Oficio), 222, 225, 233-234, 236-237, 241-242, 247, 249, 253-254, 259, 264, 267, 269, 271-272, 274, 280-281, 283, 290-291, 335, 343-344, 347, 349, 363-364, 379, 382, 410, 412, 416, 426, 428, 433-434, 543
Internacional, la, 494, 561-562
Institución Libre de Enseñanza, 493
Instituciones imperiales (A. Pérez), 280
Instituto de Fuerza Armada de Infantería y de Caballería, *véase* Guardia Civil
Instituto de la Reforma Agraria, 528
Instituto Nacional de Industria, 550
Instrucción reservada a la Junta de Estado (Z. de Somodevilla y Bengoechea), 369
Interim de Augsburgo (J. von Pflug), 262
Isabel I de Castilla, 200, 227-228, 230-232, 236, 240-242
Isabel I de Inglaterra, 279
Isabel II de España, 432-433, 443, 451, 461, 464, 470, 475, 511
Isabel de Portugal, 223, 254-255, 257, 258
Isabel de Valois, 273, 275, 277
Isidoro de Sevilla, 26, 30-31, 35, 50, 111, 454, 544
Izquierda Republicana, 506

Jacobo I de Inglaterra, 310
Jaime I de Aragón, 106-107, 119-120, 122, 124-127, 129, 130-132, 134-142, 146, 148, 175, 178
Jaime I de Urgell, 180
Jaime II de Aragón, 155-157, 175-176
Jaime II de Urgell, 203-206, 208
Jaime III de Mallorca, 180
Jellinek, Georg, 570
Jeremías, 26
Jérica, Jaime de, 178
Jerónimo de Estridón, 50
Jiménez, Vela, 50, 53
Jiménez Cerdán, Juan, 191
Jiménez de Asúa, Luis, 519-520, 523
Jiménez de Cisneros, Francisco, 199, 243-245, 254, 416, 543
Jiménez de Rada, Rodrigo, 27, 35, 105, 108, 111, 133-134
José I de España, 389-390, 392, 394-396, 404
José I del Sacro Imperio Romano Germánico, 333
Jovellanos, Gaspar Melchor de, 365, 381-382, 384, 399-400, 405-406
Juan I de Aragón, 182, 187, 190-193
Juan I de Castilla, 187, 194, 196-198, 201-202
Juan I de Inglaterra, 101, 103
Juan I de León, 155
Juan II de Aragón, 210, 213-215, 218-219, 226-228, 236, 276
Juan II de Castilla, 202, 210, 213, 220, 223, 225, 286, 298
Juan IV de Portugal, 318
Juan Alfonso de Castilla, 185
Juan Carlos I de España, 571
Juan de Anjou, 228
Juan de Aragón, 239-240
Juan de Aragón y Castilla, 178, 183, 184-185
Juan de Austria, 280
Juan José de Austria, 323

Juan Manuel, don, 143, 158-159, 161-162, 172, 177-179, 184
Juana I de Castilla, 242-243, 245-246, 248
Juana II de Nápoles, 213
Juana de Arco, 187
Juana de Austria, 269
Juana de Navarra, 179
Juana la Beltraneja, 231
Juliá, Santos, 557
Julián, don, 34
Julián de Toledo, 32-33, 35
Julio César, 31
Junta Democrática, 564-566, 581
Junta Suprema Central, 398-409, 434, 442-443, 465
Justiniano, 29, 32
Juventudes Obreras Católicas, 556

Kafka, Franz, 285
Kamen, Henry, 336, 338
Kant, Immanuel, 16, 495

La Blusa, 462
La campana (A. Terrades / A. Clavé), 445
La coordinación de la política económica en España (M. de Torres), 551
La crisis del humanismo (R. de Maeztu), 495
La cultura española y la cultura establecida (J. M.ª López Aranguren), 568
La Democracia, 459
La Discusión, 459
La Fraternidad, 448
La Gaceta de Madrid, 471
La Igualdad, 462
La nación tardía (H. Plessner), 16
La Regenta (L. Alas), 494
La riqueza de las naciones (A. Smith), 370
La Sociedad, 439
La tradició catalana (J. Torras i Bages), 498
La Vanguardia Española, 555
La voluntad (A. Schopenhauer), 494
Laín Entralgo, Pedro, 563
Lamennais, Félicité Robert de, 448
Lampillas, abate, 280
Lanuza, Juan de, 282
Largo Caballero, Francisco, 527-529, 532-533, 535
Larra, Mariano José de, 435-436, 448, 493
Las Partidas (o *Las Siete Partidas*) (Alfonso X), 121, 166, 198, 378, 382, 399-400, 430
Latino, Brunetto, 123
Lazarillo de Tormes, 251
LCR, *véase* Liga Comunista Revolucionaria
Leandro de Sevilla, 30
Ledesma, Ramiro, 497
Lemos, conde de, *véase* Ruiz de Castro, Francisco
León XIII, 494
Leonor de Aragón, 104
Leonor de Aragón y Alburquerque, 210
Leonor de Aragón y de Sicilia, 194, 196, 200-201, 203
Leonor de Castilla, 178-179, 183, 185
Leonor de Castilla (Plantagenet), 136
Leonor de Sicilia, 182
Leovigildo, 30
Lerma, duque de, *véase* Sandoval y Rojas, Francisco de
Lerroux, Alejandro, 499, 502, 506, 519n, 521, 530-533
Lezra, Jacques, 28
Liber Iudiciorum, 71
Libro de buen amor (J. Ruiz), 179, 199
Libro de la consolación de España, 229
Libro de las Cruces (Alfonso X), 122
Libro de los castigos de Sancho IV, 150
Libro de los doce sabios, 117
Libro del caballero Zifar, 160
Libro del Tesoro, 123
Liga Comunista Revolucionaria, 562
Liga de Esmacalda, 257, 261-262
Linhares, conde de, *véase* Noronha, Miguel de
Lisón y Biedma, Mateo de, 305
Lista, Alberto, 381
Llauder, Manuel, 433
Llibre de la sabiessa, 138
Llibre de les dones (F. Eiximenis), 200
Llibre dels àngels (F. Eiximenis), 199
Llibre dels feyts (Jaime I), 138-139, 140-143
Lliga de Catalunya, 498
Lo catalanisme (V. Almirall), 498
Lo que hay de más y de menos en España, para que sea lo que debe ser y no lo que es (J. del Campillo), 362
Lo somni (B. Metge), 192
Loaysa, García de, 253-255, 259, 263, 267, 283
Logos, 544
Lope Díaz III de Haro, 150, 157
López, Joaquín María, 442-443
López Aranguren, José María, 568
López Dávalos, Ruy, 213
López de Ayala, Pedro, 186, 197-198, 201, 224
López de Mendoza, Íñigo, 216-217, 223, 225
López García, José Miguel, 368

López Madera, Gregorio, 315
López Rodó, Laureano, 552
Loyola, Ignacio de, 199
Lucena, Juan de, 230, 234
Luis IX de Francia, 117, 120, 137
Luis XIV de Francia, 325-326, 332-333, 336, 344-347
Luis de Francia, 120
Lukács, Georg, 571
Lulio, Raimundo, 175
Luna, Álvaro de, 213, 215, 217-226, 286, 297-298, 233
Luna, Antón de, 205
Luna, Juan de, 217, 221
Lutero, Martín, 249, 260-261

Macanaz, Felipe Melchor de, 336-350, 354, 365, 368, 372, 375
Macià, Francesc, 513-514
Macrobio, 123, 138
Machado, Antonio, 502
Madariaga, Salvador de, 566
Madoz, Pascual, 456, 460
Madrid, 555, 563-564
Maeztu, Ramiro de, 455, 495-496, 539-541, 543, 545, 547
Malea, Çag de la, 127
Malefakis, Edward, 547-549
Mancera, marqués de, *véase* Toledo y Salazar, Antonio de
Mandel, Ernst, 561
Manfredo de Sicilia, 122, 137, 145
Manifiesto de los españoles americanos, 408
Manifiesto de los Notables, 476, 478-479
Manifiesto de los Persas, 410, 428
Manifiesto de Sandhurst (Alfonso XII), 467, 471, 475
Manrique, Gómez, 186, 234
Manrique, Jorge, 198
Manrique, Pedro, 214, 218, 232
Manrique de Lara, Alfonso, 252-253, 259, 264, 269
Manuel de Castilla, 124, 127
Mañé i Flaquer, Joan, 498
Maquiavelo, Nicolás, 389
Marañón, Gregorio, 506
Maravall, José Antonio, 381
Marchena, José, 380
Margarita de Austria, 240
María I de Escocia, 275
María I de Inglaterra, 272
María Cristina de Borbón-Dos Sicilias, 427-428, 439, 442, 452, 458
María de Aragón, 210
María de Austria, 260
María de Castilla, 202-203, 210, 215, 219
María de Montpellier, 104, 106, 139
María de Navarra, 179
María de Portugal, 177, 183
Mariana, Juan de, 26
Mariana de Austria, 297
Mariana de Neoburgo, 348
Marías, Julián, 363
Martí, Ramon, 175
Martín I de Aragón, 138, 192-194, 199-200, 203, 210
Martín I de Sicilia, 193, 214, 240
Martín IV, 145, 152
Martín Gayte, Carmen, 348
Martínez, Ferrán, 200-201, 224
Martínez Campos, Arsenio, 470
Martínez de la Rosa, Francisco, 430-431
Martínez de Luna, Pedro, *véase* Benedicto XIII de Aviñón
Martínez de Osma, Pedro, 235-236, 242
Martínez Ruiz, José, 455, 494-495
Martínez Silíceo (o Guijarro), Juan, 27-28, 268-269
Martino, don, 151
Marx, Karl, 451
Masson de Morvilliers, Nicolas, 379
Materialismo salvaje (J. Lezra), 28
Maura, Antonio, 490, 501, 506, 509, 540
Maura, Miguel, 513, 521
Mayans, Gregorio, 377
Mazzini, Giuseppe, 423
MC, *véase* Movimiento Comunista
Melanchthon, Philipp, 260, 262-263
Meléndez Valdés, Juan, 378, 381
Memorial de Greuges de 1885 (V. Almirall), 498
Mena, Juan de, 225
Méndez Vigo, Pedro, 434
Mendoza, Íñigo de, 229
Mendoza de la Cerda, Ana de, 276, 279-280
Menéndez Pelayo, Marcelino, 35, 455, 493
Metge, Bernat, 192
Mexía, Pero, 264
MIL, *véase* Movimiento Ibérico de Liberación
Milans del Bosch, Jaime, 587
Mir, Francesch, 181
Miraflores, marqués de, *véase* Pando Fernández del Pino, Manuel
Molina, María de, 149, 151, 156-159, 174, 177
Monarquía hispánica (T. Campanella), 316
Mondragón, Hieronymo de, 264

Monfort, Simón de, 103, 107, 130
Montesquieu, *véase* Secondat, Charles Louis de
Monturiol, Narcís, 448
Moñino y Redondo, José, 370, 377, 380, 382, 399-400, 402-403, 427
Moro, Aldo, 564
Moro, Gaspar, 289
Morone, Giovanni, 262
Motín de Aranjuez, 391
Motín de Elche, 371
Motín de Esquilache, 359, 365, 367-368, 370, 377
Motín de la Granja, 436
Moviment Socialista de Catalunya, 560-561
Movimiento Comunista, 562, 565
Movimiento Ibérico de Liberación, 562
Munia, 40
Muntaner, Ramon, 126, 175
Muñoz Torrero, Diego, 414
Murat, Joachim, 389
Mūsa al-Rāzī, 34
Musa ibn Nusair, 36

Narváez, Ramón María, 447, 449-451, 456, 458-460
Naudé, Gabriel de, 273
Navarro Rubio, Mariano, 552
Nebrija, Antonio de, 235
Nin, Andreu, 562
Niño de Guevara, Fernando, 288-289
Noronha, Miguel de, 318
Novoa, Matías de, 294
Nueva Planta, 334, 337, 340, 350, 352, 355, 362, 373
Nueva Recopilación, 279, 430
Núñez, Álvar, 159
Núñez, Juan, 178

O'Donnell, Leopoldo, 456, 458, 460
Observaciones sobre la historia moderna del siglo XIX, 416, 421, 423-424
Octavio César Augusto, 39, 248
OECE, *véase* Organización Europea para la Cooperación Económica
OICE, *véase* Organización de Izquierda Comunista de España
Olavarría, Patricio, 446
Olavide, Pablo de, 380
Olivares, conde-duque de, *véase* Guzmán y Pimentel Ribera, Gaspar de
ONU, *véase* Organización de las Naciones Unidas
Oppas, don, 37, 38, 229
Opus Dei, 547, 552-553, 555, 563, 567
Oración apologética en defensa del estado floreciente de España, véase *Pan y toros*
Oración apologética por la España y su mérito literario (J. P. Forner), 380
Orange, Guillermo de, 273, 275
Orden de Alcántara, 100, 203
Orden de Calatrava, 112
Orden de la Banda, 160, 161, 198, 308
Orden de los Franciscanos, 200, 224, 225, 229, 235, 239, 289, 432
Orden de los Jerónimos, 199, 225
Orden de los Jesuitas, *véase* Compañía de Jesús
Orden de Predicadores, 211, 225, 235, 239, 252-255, 259, 274, 289, 308, 349, 372, 432
Orden de San Juan, 100
Orden de Santa María de España, 127, 160
Orden de Santiago, 112, 203, 210, 215, 221, 223, 308
Orden del Hospital, 110
Orden del Toisón de Oro, 228, 247, 256
Ordenamiento de Alcalá, 166, 167
Ordenamiento de Burgos, 162
Ordoño IV de León, 61-62
Orense, José María, 462
Organización de Izquierda Comunista de España, 562
Organización de las Naciones Unidas, 551
Organización del Tratado del Atlántico Norte, 592, 600-601
Organización Europea para la Cooperación Económica, 552
Organización Revolucionaria de Trabajadores, 561, 565
Oropesa, Alonso de, 225
Orosio, Paulo, 29
Orry, Jean, 325, 327, 336, 341, 343-350, 354, 358
ORT, *véase* Organización Revolucionaria de Trabajadores
Ortega y Gasset, Eduardo, 506
Ortega y Gasset, José, 495-496, 497, 501, 525, 551
Orwell, George, 566
Osorio de Moscoso y Álvarez de Toledo, Vicente Isabel, 405
Ossorio y Gallardo, Ángel, 501, 517-520, 524
Ossun, marqués de, *véase* Pual, Pierre

Osuna, duque de, *véase* Téllez-Girón y Velasco, Pedro
OTAN, *véase* Organización del Tratado del Atlántico Norte

Pablo III, 258, 261-263
Pablo IV, 258, 262-263, 268, 272
Pablo de Tarso, 271
Pacto de Ágreda, 98
Pacto de Familia, 354, 373
Pacto de Ostende, 461
Pacto de Sahagún, 98
Pacto de San Sebastián, 506, 509-510, 514, 519
Pacto de Torellas, 156
Pacto de Tortosa, 463
Pactos de la Moncloa, 592, 599
Pacheco, Juan, 219-221, 224-225, 227-228, 231, 286
Padilla, María de, 186
Palencia, Alonso de, 226-231, 274
Pan y toros (J. P. Forner), 380
Pando Fernández del Pino, Manuel, 427, 428
Pardo de Tavera, Juan, 253, 255, 259
Parker, Geoffrey, 278
Partido Alfonsino, 467, 471
Partido Aragonés Regionalista, 605
Partido Carlista, 565
Partido Comunista de España, 535, 559-566, 575, 581, 587, 590-593, 598, 601-603, 605
Partido Comunista Italiano, 564
Partido Comunista marxista-leninista, 561, 562
Partido Constitucionalista (o Constitucional), 472, 474
Partido de la Patria Vasca, 499
Partido del Trabajo de España, 564
Partido Demócrata, 434, 452, 456, 462
Partido Federal Español, 506
Partido Liberal-Conservador, 473, 481
Partido Moderado, 438, 449, 472
Partido Nacionalista Vasco, 520, 593, 595, 602-603
Partido Obrero de Unificación Marxista, 562
Partido Popular, 606
Partido Progresista, 442, 472
Partido Radical, 462, 519n, 525
Partido Republicano Federal, 462
Partido Republicano Federal de Cataluña, 463
Partido Republicano Radical, 502
Partido Republicano Radical Socialista, 506, 519n
Partido Socialista Obrero Español, 519, 521, 525-529, 532-533, 564-565, 581, 587, 589-594, 598-599, 601-606
Partit Republicà Català, 502
Partit Socialista Unificat de Catalunya, 560-561, 564, 593
Pasionaria, *véase* Ibárruri, Dolores
Pasqual, Pere, 320
Patiño, Baltasar, 341, 352
Patiño, José, 355-358
Pavía, Manuel, 467
Paz de Augsburgo, 263-264
Paz de Crépy, 262
Paz de los Pirineos, 321
Paz de Westfalia, 26, 321
PCE, *véase* Partido Comunista de España
PCI, *véase* Partido Comunista Italiano
PCml, *véase* Partido Comunista marxista-leninista
Peces-Barba, Gregorio, 597
Pedimento fiscal (F. M. de Macanaz), 346-347, 349
Pedro I de Castilla, 19, 167, 173-175, 177, 183-188, 194, 197, 199, 231, 251
Pedro II de Aragón, 103-107
Pedro III de Aragón, 122, 127, 136-137, 139, 141, 144-146, 148-149, 151-154
Pedro IV de Aragón, 19, 175-176, 178-187, 189-191, 194, 196, 203, 208, 241
Pedro Alfonso de Castilla, 185
Pedro de Aragón, 156
Pedro de Cantabria, 38, 40
Pedro de Trastámara, 215, 218
Pedro el Venerable, 87
Pedro Enríquez de Castilla, 198
Pelayo, don, 36-40
Pemán, José María, 496, 549
Peñafort, Ramon de, 175
Pepita Jiménez (J. Valera), 493
Peralta, Juan de, 296
Pérez, Antonio, 276, 279-282, 302
Pérez, Gonzalo, 266
Pérez de Castro, Evaristo, 394
Pérez de Guzmán, Fernán, 198, 216, 218, 230
Pérez Galdós, Benito, 423-494
Perrenot de Granvela, Nicolás, 261
Petronila de Aragón, 94, 96-97
Pi y Margall, Francisco, 459, 462-463, 465, 497
Pimentel, Domingo, 347
Pío V, 271

Pistorius, Johannes, 260
Pla, Josep, 525
Plataforma de Convergencia Democrática, 565-566, 581
Plataforma Moviment Febrer, 62, 561
Plessis, Armand Jean du, 307, 311, 314
Plessner, Helmuth, 16
PNV, *véase* Partido Nacionalista Vasco
Poema de Almería, 81, 91
Poema de Fernán González, 41, 69, 76, 80-81
Pole, Reginaldo, 258, 262
Político-Chistianus (C. Scribani), 317
Ponce de la Fuente, Constantino, 264, 269, 271, 273
Portocarrero, Pedro de, 283
POUM, *véase* Partido Obrero de Unificación Marxista
PP, *véase* Partido Popular
Pradera, Víctor, 496
Pragmática de 1557, 270
Pragmática de 1567, 277
Pragmática Sanción de 1830, 427
Prat de la Riba, Enric, 498, 499
Preston, Paul, 529, 531
Prieto, Indalecio, 506, 528, 532
Prim, Juan, 458, 460-461, 464
Primera Guerra Mundial, 490, 492, 501
Primera República española, 464, 467, 469, 485, 502
Primo de Rivera, Miguel, 487, 490, 492, 496, 499, 501-506, 525, 539-540, 544, 585
Privilegio de la Unión, 153
Privilegio general, 146, 153-154
Privilegium Magnum, 146
Proceso de Burgos, 561
PSOE, *véase* Partido Socialista Obrero Español
PSUC, véase Partit Socialista Unificat de Catalunya
PTE, *véase* Partido del Trabajo de España
Pual, Pierre, 372, 374
Pueblo, 555
Puig Antich, Salvador, 562
Pujol, Jordi, 595
Pulgar, Fernando del, 229-231, 234, 274

Quendulfo, 49
Quevedo, Francisco de, 294, 295, 297-299, 309
Quevedo y Quintano, Pedro de, 409
Quintana, Jerónimo, 276
Quintana, Manuel José, 403, 405, 408, 423

Rabassa, Ginés, 207
Raimundo VII de Tolosa, 104, 106
Raimundo de Borgoña, 78, 83, 85, 87
Ramiro I de Asturias, 51
Ramiro II de Aragón, 89-90, 94, 96-97
Ramon Berenguer I, 102
Ramon Berenguer III, 89, 94
Ramon Berenguer IV, 94, 96-98, 100
Ramon Borrell, 65, 68
Ranz Romanillos, Antonio, 406
Raquel (V. García de la Huerta), 376
Rávago, Francisco de, 362, 377
Real Biblioteca de Madrid, 340
Rebelión de Loja, 457
Recesvinto, 32
Recognoverunt Proceres, 146
Reconquista, 70, 118, 236, 315
Regiment de la cosa pública (F. Eiximenis), 199
Reglá, Juan, 248
Reina, Casiodoro de, 264
Relaciones de las cosas sucedidas en la corte de España desde 1599 hasta 1614 (L. Cabrera de Córdoba), 284
República catalana, 498, 513-515, 536
Respuesta y glosa a una representación, que el marqués de Manqera hizo al Duque de Anjou (A. de Toledo y Salazar), 345
Restauración borbónica, 25, 474, 476-479, 481, 487-498, 500-501, 503-504, 509, 511, 544, 589
Revolución de Asturias, 541
Revolución de los Claveles, 563
Revolución de Nápoles, 421, 424
Revolución de Octubre, 490
Revolución de París, 448, 451-452, 454
Revolución francesa, 379, 382-383, 387, 390, 501, 517
Revolución inglesa, 314
Rialp, 547
Ribalta, Aleix, 321
Ribera, Juan de, 273, 292
Ribera, Perafán de, 273
Ricardo de Cornualles, 122
Richelieu, cardenal, *véase* Plessis, Armand Jean du
Ridruejo, Dionisio, 542, 563
Riego, Rafael del, 419, 420-421, 460
Rieti, Pedro de, 126
Rimado de Palacio (P. López de Ayala), 186
Riquelme Cabrera, Rodrigo, 406
Rizo, Juan Pablo Mártir, 299
Roa, Fernando de, 235
Roberto de Cornualles, 125